KB083594

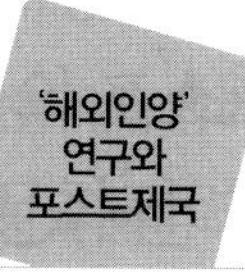

잊혀진 대일본제국의 역사와
만들어진 기억

지은이

가토 기요후미 加藤聖文

일본 국문학연구자료관 연구부 준교수, 총합연구대학원대학 문화과학연구과 준교수. 와세다대학 사회과학부 사회과학과와 와세대대학 문학연구과(일본사)를 전공하였다. 주요 저서로는 『「大日本帝国」崩壊－東アジアの1945年』(中公新書, 2009), 『満蒙開拓団－虚妄の「日満一体」』(岩波現代全書, 2017), 『国民国家と戦争－挫折の日本近代史』(角川選書, 2017), 『満鉄全史－「国策会社」の全貌』(講談社学術文庫, 2019)가 있다.

옮긴이

김경옥 金慶玉, Kim Kyung-ok

도쿄대학(東京大學) 학술박사. 지역문화연구 전공. 한림대학교 일본학연구소 HK연구교수

김남은 金男恩, Kim Nam-eun

고려대학교 문학박사. 일본지역학 전공. 한림대학교 일본학연구소 HK연구교수

김현아 金炫我, Kim Hyun-ah

쓰쿠바대학(筑波大学) 문학박사. 역사학 전공. 한림대학교 일본학연구소 HK연구교수

김혜숙 金惠淑, Kim Hye-suk

한양대학교 국제학박사. 일본학 전공. 한림대학교 일본학연구소 HK연구교수

박신영 朴信映, Park Shin-young

경희대학교 문학박사. 동양어문학과 전공. 한림대학교 일본학연구소 HK연구교수

서정완 徐禎完, Suh Johng-wan

도호쿠대학(東北大學) 문학박사. 일본근대사 전공. 한림대학교 일본학연구소 소장

송석원 宋錫源, Song Seok-won

교토대학(京都大學) 법학박사. 정치학 전공. 경희대학교 정치외교학과 교수

전성곤 全成坤, Jun Sung-kon

오사카대학(大阪大学) 문학박사. 일본학 전공. 한림대학교 일본학연구소 HK교수

'해외인양' 연구와 포스트제국 – 잊혀진 대일본제국의 역사와 만들어진 기억

초판인쇄 2022년 12월 20일 **초판발행** 2022년 12월 30일

지은이 가토 기요후미 **옮긴이** 김경옥 · 김남은 · 김현아 · 김혜숙 · 박신영 · 서정완 · 송석원 · 전성곤

기획 한림대학교 일본학연구소

펴낸이 박성모 **펴낸곳** 소명출판 **출판등록** 제1998-000017호

주소 서울시 서초구 사임당로 14길 15 서광빌딩 2층

전화 02-585-7840 **팩스** 02-585-7848

전자우편 somyungbooks@daum.net **홈페이지** www.somyong.co.kr

값 41,000원

ISBN 979-11-5905-749-6 93910

이 도서는 2017년도 정부(교육부)의 재원으로 한국연구재단의 지원을 받아 한림대학교 일본학연구소가 수행하는 인문한국플러스지원사업의 일환으로 이루어진 연구임 (2017S1A6A3A01079517)

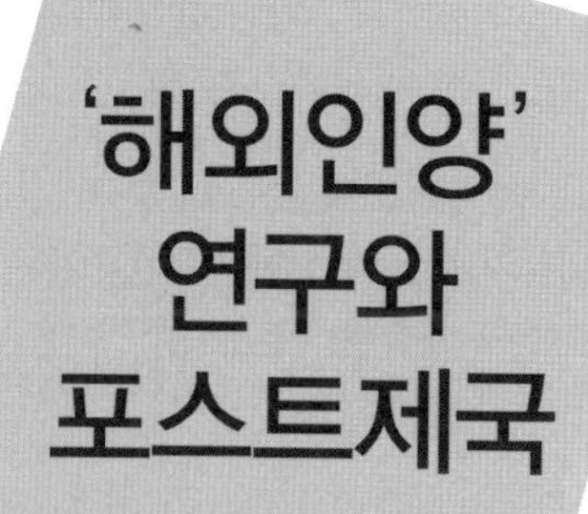

잊혀진 대일본제국의 역사와 만들어진 기억

A Study of the Japanese Repatriation from Oversea after World War II

The Forgotten Empire of Japan and Manipulated History and Memories

가토 기요후미(加藤聖文) 지음

김경옥 · 김남은 · 김현아 · 김혜숙 ·
박신영 · 서정완 · 송석원 · 전성곤 옮김

한림대학교 일본학연구소 기획

차례

서장 ——— '해외인양' 연구의 의의

제1장 ——— 대일본제국의 붕괴와 '해외인양문제'의 발생

第2장 — 만주국 붕괴와 재만일본인 인양문제 만주

第3장 — 인양 체험으로 본 탈식민지화의 특이성 대만 · 중국 본토

제6장 인양 체험의 기억화와 역사 인식 만주 인양자의 전후사

제7장 위령과 제국 표상된 인양 체험

종장 '대일본제국'의 청산과 동아시아의 탈식민지화

일러두기

1. 번역어 한글 표기법은 기본적으로 1986년 1월에 문교부에서 고시한 외래어표기법에 따랐다. 특히 일본어 'つ'는 '쓰'로 표기하여 한글 맞춤법에 따랐다.
2. 본문의 연도는 '2022년 8월 20일'로 표기하며, 원문의 '昭和五十年', '一九四〇年'의 숫자는 모두 아라비아 숫자로 변환해서 '쇼와 50년', '1940년' 등으로 표기했다. 다만, 각주에서는 원문 그대로 사용했다.
3. 기관명, 지명, 인명 등의 고유명사를 비롯해서 한자 병기가 가독성을 위해 필요하다고 판단되어 초출에 한해서 '한글[한자]'로 표기했다. 그리고 각 장마다 독자성을 유지하기 위해 각 장에 재표기하는 방식을 취했다.
   예) 東京大学 → 도쿄대학[東京大学]
4. 행정구역, 즉 도도부현 시정촌은 아래의 규정을 따른다.
   예) ①北海道 : 홋카이도(北海道), ②大阪府 : 오사카부(大阪府) ③長野県 : 나가노현(長野県), ④市川市 : 이치카와시(市川市), ⑤大橋町 : 오하시초(大橋町), ⑥2丁目 : 2초메(丁目)
5. 저서나 신문은 『 』로, 단독 논문은 「 」로 표기했다. 그리고 원문의 강조는 ' '로 표기했다.
6. 인명은 기본적으로 원음 발음을 한글로 표기하고 초출 및 필요한 경우에는 첨자로 한자나 영문을 표기했다.
   예) 汪兆銘 → 왕자오밍[汪兆銘], 高碕達之助 → 다카사키 다쓰노스케[高碕達之助], 조지 마셜[George C. Marshall]
7. 국가 이름이 나열되거나 관용적으로 사용되는 경우의 용어도 '가운뎃점'을 사용했다.
   예) 日中共同声明 → 중 · 일공동성명, 米ソ → 미 · 소, 旧植民地宗主国日本 → 구 · 식민지 종주국 일본
8. 연합국군최고사령부(GHQ / SCAP)는 초출에 한해서 전체명칭을 표기했으며, 이후에는 GHQ / SCAP를 그대로 사용했다.
9. 경성(京城)이나 지나(支那), 몽고자치방정부 등은 차별적 의미가 내포되어 있기는 하지만, 당시 조직이나 상황을 그대로 살려 전달하기 위해 원문을 그대로 사용했다.
   예) 경성제국대학, 지나 파견군, 몽고자치방정부
10. 본문에서는 일본어 표현을 한국어 표기로 수정하여 표현했다.
    예) 진공 → 침공, 진주 → 주둔, 철퇴 → 철수
11. 각주 번호는 마침표 뒤에 표기하는 것으로 통일했다.
    예) 충분하다[1]. → 충분하다.[1]
12. 북조선(北朝鮮)이나 남조선(南朝鮮)은 각각 북한과 남한 혹은 한국으로 표기했다. 엄밀히 말해서 조선민주주의인민공화국과 대한민국이 건국된 후의 인식에 의해 '남조선(北朝鮮)', '북조선(南朝鮮)'이 실재하게 되는데, 이를 각각 북한과 남한(한국)으로 표기했다.
13. 조선반도는 모두 '한반도'로 표기했다. 다만, '樺太'는 '사할린'으로 바꾸었다. 그럼에도 불구하고 당시 고유명사로 사용되던 법률용어 등에는 적용하지 않았다. 또한 '千島'는 지시마도 되지만, 치시마로 표기했다.
    예) 樺太 → 사할린, 南樺太 → 남사할린, 全國樺太連盟 → 전국가라후토연맹
14. 색인어작업은 따로 하지 않았지만, 원저서에 제시된 색인어 중에 중요한 용어를 선별하여 역자 주로 본문에 표기하는 형식으로 대체하였다.

서장

'해외인양' 연구의 의의

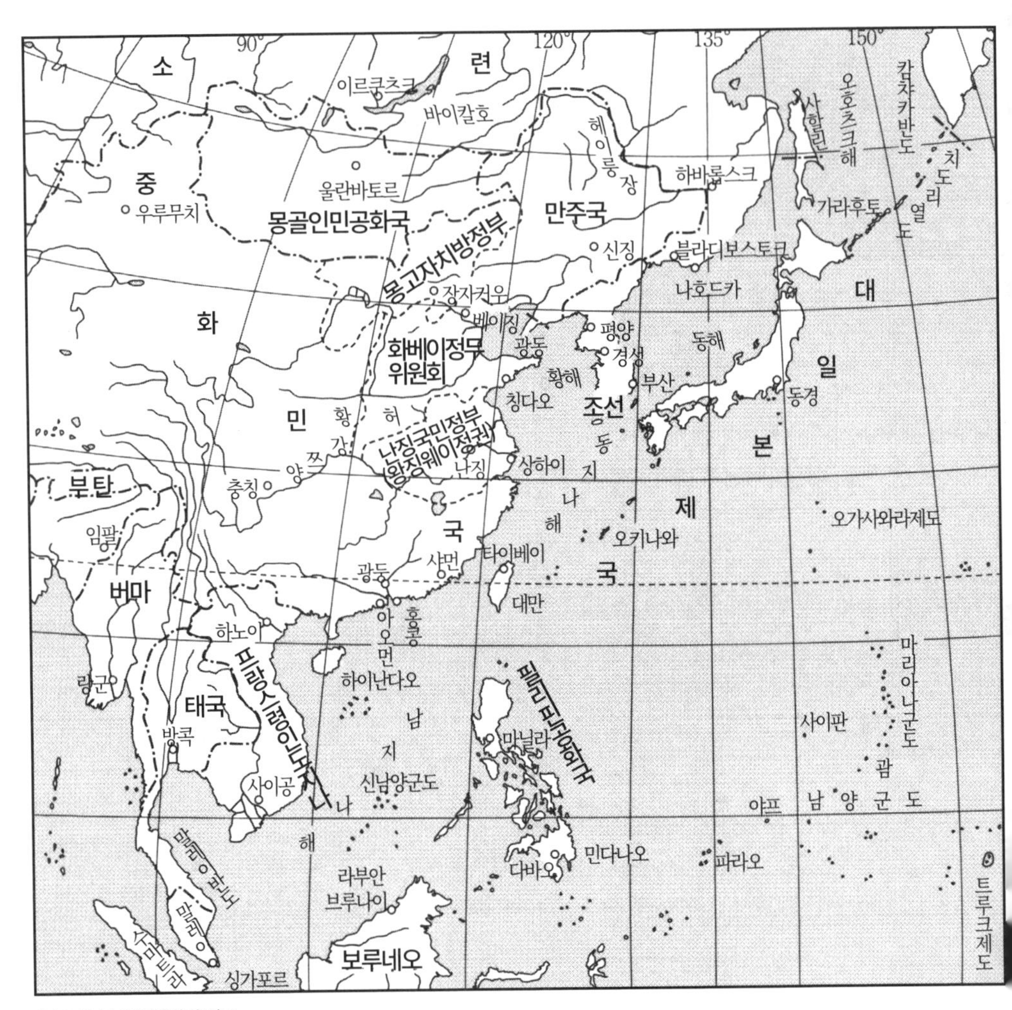

〈지도 1〉 본서와 관련된 지도

1. 문제의 소재

과제와 시점

패전으로 대일본제국은 메이지明治 이후 획득해 온 식민지, 그리고 중·일 개전 이후 동남아시아까지 확대한 점령지를 모두 상실했다. 광대한 제국을 구축하고 '1등 국민'을 자부하던 일본인은 하루아침에 겨우 4개의 섬으로 이루어진 '4등 국민'으로 전락했다.

전후 일본인에게 '8월 15일'이 가진 의미는 매우 컸다. 그것은 패전이라는 충격도 그렇지만 오히려 긴 고통의 전쟁 시대가 겨우 끝나고 새로운 시대가 시작되었다는 긍정적 의미가 강했다고 말할 수 있다. 이것은 당시 서민이나 위정자들의 일기를 보면 알 수 있으며 무엇보다도 '패전기념일'이 아니라 '종전기념일'이라고 전해지고 있는 것이 현실을 직시하지 않고 현재에 이른 일본인의 의식을 상징하고 있는 것은 아닐까.

그러나 8월 15일을 대일본제국의 역사와 단절하고, '링고노 우타リンゴの唄, 사과 노래'[1]가 유행하는 '전후'가 된 '4개의 섬나라' 일본인과는 별개로 식민지, 점령지의 일본인은 전혀 다른 8월 15일을 맞이했다. 그들에게는 신시대의 도래가 아니라 대일본제국의 '청산'이라는 형태로 구旧시대가 지속되고 있었다.

이것은 전후 일본인 사이에 전후의 출발 시점부터 넘기 어려운 깊고 어두운 틈새가 존재하고 있던 것을 말해준다. 패전 시에 식민지나 점령지에 있던 일본인에게는 국내 일본인과 다르게 그들이 인양될 때까지는 아시아와의 관계는 농밀한 것으로서 존재하고 있었다. 더 나아가 인양

과정 속에서 일찍이 국공내전이나 미·소 대립에 휘말려진 것으로 전후 국제정치의 가혹한 현실을 체험하게 되었다.

구체적으로는 이데올로기 대립인 미·소 냉전이 남북한이나 남사할린으로부터의 인양, 또는 동일한 이데올로기 내부에서의 대립인 중·소 대립이 전개되던 다렌으로부터 인양, 중국의 정통성을 둘러싼 국제정치의 복잡함이 만주나 중국 본토, 대만으로부터의 인양에 영향을 미치고 있었다. 그러나 일본 국내에서는 실질적으로는 미군의 독점 점령하에 놓여 있었기 때문에 국내의 일본인은 인양자와 달리 복잡한 전후 국제정치를 직접 체험할 기회가 없었고 결과적으로 인양자와의 의식 갭이 전후 인식에 커다란 그림자를 드리우게 했다.

그리고 이러한 일본인 사이의 의식 갭은 전후 부흥 속에 매몰되어 인양문제는 관련자의 체험담이라는 형태로만 전해지게 된다. 그렇지만 전후에 인양자문제가 일반 일본인의 마음 깊은 곳에 침전하고 사회에 매몰되어 간 것은 처음부터 왜 인양자가 발생했는가를 깊게 생각하는 기회를 박탈했고, 대부분의 일본인이 전전 일본은 식민지를 갖는 대일본제국이었다는 것을 망각하게 하는 결과를 가져왔다. 식민지체험의 기억을 상실에 의한 동아시아 국가들과의 역사 인식을 둘러싼 알력의 요인이 되었다. 그러나 현재의 일본과 동아시아의 관계는 전전과 전후를 단절한 형태로 취할 것이 아니며 식민지, 점령지라는 요소를 빼고는 성립하지 않는 것이다.

이러한 이유에서 해외인양은 일본인의 미·소 냉전 구조하의 동아시아관을 포함한 전후의식의 형성을 이해하는 데 중요한 의미를 갖는다.

더 나아가 세계사적으로 보면 제2차 세계대전 후의 영국이나 프랑스에서의 서구 식민지 종주국의 탈식민화와 비교하여 일본과 동아시아의 특이성을 밝혀내는 것이라고 말할 수 있다.

그러나 일본인의 대외관이나 역사관에 커다란 영향을 주어 특이한 탈식민지화를 가져온 해외인양을 대상으로 한 연구 현황은 2000년대 이후 겨우 시작하게 되었고 근래에 이르러 일정한 연구 축적이 나타나게 되었다.

전후 사회 속에서 인양자가 냉대를 받은 것과 마찬가지로 학문적으로도 1990년대까지는 해외인양 연구가 거의 이루어지지 않았다. 그 배경에는 전후 정치에 있어서 인양자 및 미귀환자 문제가 냉전 구조에 흡수되는 형태로 반공의 자료로서 정책의 도구화되고 인양자도 또한 자신 스스로의 요구를 호소하면서도 보수정당 지지로 경도되어 버린(또는 그렇게 하지 않을 수 없었다) 것이 커다란 영향을 주었다. 즉 해외인양은 역사가 아니라 현실의 정치문제였다.

더 나아가 1990년대까지 식민지를 대상으로 한 연구는 일본의 식민지지배를 둘러싼 가해성을 밝혀내는 것이 주류였다. 미해명 부분이 많은 식민지지배 실태를 밝혀내기 위해서는 필요한 시점이었지만, 그러한 상황하에서는 식민지에 거주하고 있던 일본인은 '가해자'로 자리매김되어지는 게 강했다. 인양자를 전쟁의 피해자로 자리매김하는 것은 식민지지배의 상대화에 연결되는 '가해성'을 애매하게 할 위험성이 높았다.

이러한 상황에서는 역사라는 학문의 분석대상에 객관적 평가를 부여하는 것은 곤란했다. 그러나 미·소 냉전이 종말을 고하고 25년이 지나며 그들은 고령화하여 관계자들은 급감하고 관계단체도 점차 해산해 가는 현재, 해외인양은 이미 정치문제가 아니게 되고 역사로서 객관적으로 검증해야 하는 단계에 들어서고 있다고 말할 수 있다.

단 과거의 식민지지배에 관해서는 지금도 현실 정치문제와 관련하여 역사 인식 문제로서 국제 간의 대립점이 되고 있다. 오히려 직접 체험자가 감소하고 역사화하는 것에 반비례하여 대립은 점점 더 첨예화하고 있다고 말할 수 있다. 이러한 현실을 앞에 두고 해외인양을 둘러싼 역사는 다시 정치적 도구로 사용될 위험성이 높다. 해외인양을 실증적으로 밝혀내는 것은 이러한 흐름을 방지하는 것과도 연결된다.

이러한 문제 관심에 기초하여 본서에서는 해외인양을 역사 연구의 대상으로서 실증적으로 해명하는 것을 시도해 본다. 단, 다음과 같은 세 개의 분석 시각을 기축으로 한다.

첫 번째는 국제적 시점이다. 전후는 전전戰前에 비해 국제문제와 국내문제 관련이 밀접한 것이었고 미·소 냉전 구조는 일반사회에도 많든 적든 영향을 주고 있었다. 즉 해외인양을 국내문제만으로 생각하고 있던 일국사관一国史観적 발상이 아니라 항상 국제문제를 시야에 넣고 생각할 필요가 있다.

두 번째는 사회적 시점이다. 해외인양이라는 대규모적인 인구이동은 사회적으로 커다란 영향을 주었다. 전후 일본 사회에 대량의 인양자가 흘러들어온 결과 그것을 받아들인 사회에 대해 어떻게 영향을 주고 어떠한 사회변용이 일어났는가를 밝혀낼 필요가 있다.

세 번째는 세계사적 시점이다. 전쟁에 동반된 민족이동이나 난민 문제, 그리고 앞에서 기술한 탈식민지화라는 현재로 연결되는 역사 인식을 둘러싼 문제 등 세계사 속에서 위치 짓는 것도 불가결하다. 해외인양 연구는 이상과 같은 세 가지 시점을 근저에 두고 다면적이고 중층적인 시점에서 검증해야 할 것이다. 그 속에서 단순한 비극의 검증에 그치지 않는 일본의 탈식민화의 모습이 분명해질 것이다.

'인양자'라는 대상에 대해

불충분한 연구 상황에 비해 전후에 공간公刊된 또는 사적으로 출판한 형태의 많은 숫자의 체험기가 인양자 자신들 스스로의 손에 의해 쓰여지고 남아있는 것을 어떻게 이해해야 할까. 그러한 인양자들의 체험기는 그들 자신이 그들의 강렬한 체험, 말하자면 생존의 증거를 후세에 전하고 싶은 마음과 보상받지 못하는 현상과 무관심적인 사회에 대한 고발 등 양면성을 갖고 있다.

피해자의식이 강조되고 있는데 패전까지는 일본인이라는 절대적 우위의 입장에서 현지인들에 대해 가해자의 입장이었던 것이 자각되지 않았다는 것에서 문장적으로 미숙하고 사실 인식에 부정확한 면이 많이 보인다. 또한 어떤 책도 내용적으로 패턴화되어 있는 것을 비판하는 것은 간단한데 이 정도로 많은 숫자가 범람하고 있는 사실과 그 배경에 대해 뭔가 학문적 의미를 발견하는 것은 필요한 일이 아닐까.

이러한 문제에 대해 나리타 류이치成田龍一, 2003가 후지와라 데이藤原てい의 『흐르는 별은 살아있다』와 아카오 쇼코赤尾彰子의 『돌 맞으면서 쫓겨나듯이』 등 여성 인양자가 집필한 수기를 소재로 인양자의 수기를 쓴 배경

이나 수기 속에서 '일본'과 '가족'이라는 것이 어떻게 받아들여져 왔는가를 분석하고 있다. 또한 인양자의 수기를 소재로 억류까지 다룬 것으로 나리타2006의 저서가 있다. 또한 인양에 대한 접근은 나리타2010의 저서에 잘 정리되어 있는데 인양자의 체험을 통해 전후 일본이 망각한 제국의 기억을 부각시키는 시도로서 매우 중요한 연구이다.

또한 체험자로부터의 인터뷰 조사를 중심으로 한 연구가 많고 그중에서도 증언에 대한 학문적 접근 시도는 해외인양 연구의 한 가지 새로운 방향성으로 매우 흥미로운 것이었다. 그러나 나리타가 논하는 '일본'이나 '제국', 그리고 '인양자'에 관해서는 그대로 긍정할 수 없는 부분도 있다. 예를 들면 인용된 후지와라 데이의 수기에 나타난 '일본'은 과연 나리타가 말하는 것의 인공적 국가로서의 '일본'인 것일까.

인양자 사이에서 일어난 '일본인'으로서의 공동성에 대한 불신이 인양 후에 의식적으로 수복되어 갔다고 하는데 이것은 전장의 병사 중에서도 일어나고 있다. '일본인'은 스스로가 인공적으로 창출된 사회집단이라고는 자각하지 못했다. 인양자 사이에서 일어난 상호불신은 일본인이라는 인공적 추상관념이 아니라 감각적인 집단의식에 의해 뭉쳐져 있는 일본인 내부에서 발생한 '아마에甘え'의 한 표현이었고 인양자 사이에서만 일어난 특징이 아닐 것이다.

또한 나리타2003에서 인양자 수기는 1950년 전후에는 인양 시에 성인이었던 여성을 중심으로 대부분 쓰여졌고, 1970년 전후부터는 인양 시에 어린이였던 세대를 적게 되어 그때까지와는 다른 인양상引揚像이 제시된 것 자체에 대해 분석했다. 여기서 대상이 된 수기는 만주 또는 조선북부지방 즉 소련군 침략 지역으로부터의 인양자였고, 타 지역으로부터의 인양자가 수기는 다루어지지 않고 있다. 그 때문에 이러한 결론이 도출되었다고 말할 수도 있다. 그러나 만주, 조선북부 지역 인양자에 대해서만 언급해도 1950년대는 여성의 수기가 주목을 끈 것은 사실이지만 남성 수기가 적었던 것은 아니다.

이것은 매우 신변적인 체험을 중심으로 그려낸 여성과 정치적인 움직임이나 집단 또는 거주 지역 이야기를 중심으로 그리는 남성과 그려내는 방식의 차이에 의해 주목되는 정도나 주목하는 층이 달랐던 것으로 피난민 중에 여성이 많았다는 이유뿐이 아니다. 오히려 개척단의 경우 남성 수기 쪽이 많다. 또한 1970년 전후에는 어린이였던 인양자도 수기를 쓰게 되는데 어른인 인양자도 대부분의 수기를 내놓게 되었다. 특히 만주 인양자의 경우는 1972년 중·일국교정상화가 커다란 계기가 되었다. 그리고 인양자의 체험이나 증언에 관해서는 인양을 어른이 된 이후에 체험한 것인지 어린이 때 체험한 것인지에 따라 그 인식이 크게 다르다. 즉 어린이일 때에 체험한 경우 대부분은 전후일본귀국 후 오랜 세월 속에서 전후 가치관 — 식민지지배에 대해 부정적 — 으로부터 무의식 중에 영향을 받은 경향이 있다. 이에 비해 성인이 된 사람들은 이미 일정한 가치관 — 식민지지배에 대해 긍정적 — 이 형성되어 있었기 때문에 그들 사이에도 인양 인식의 갭이 생기고 있었다고 생각된다.

더 나아가 이러한 세대 간의 인식 차이와 동시에 현지에서의 입장에 의해 인양 후의 대외관이 달라진다. 특히 만주, 중국 대륙에서 소련이나 중국공산당과 어떠한 형태로 관계했는가에 따라 전후 소련, 중국관이 상당히 달라진다. 구체적으로는 유용留用[2]을 통해 적극적으로 신중국 건설에 협력한 기술자들과는 대조적으로 강제적으로 현지에 머무르지 않으면 안 되는 사람들 등 소극적으로 협력한 비전문가들도 있다. 또한 마르크스주의의 영향을 받은 지식인도 있고 구제중학교旧制中学校 이상의 고등교육과는 거리가 먼 사람들도 있다. 당연히 그들 사이에는 대소련, 대중국관은 자연스럽게 차이를 보이며 이러한 인식의 상위가 전후 일본 사회에 적지 않은 영향을 준 것도 무시할 수 없다.

이처럼 인양자 자신이 남긴 기록을 보아도 인양자라는 것은 동일한 주형에 맞춰 끼워 넣을 수 있는 것이 아니라 실제로는 세대나 입장의 복잡한 차이들을 갖고 있던 사회집단이라고 말할 수 있다. 그렇지만 이러한 인양자에 대해 국내 일본인 사회는 전쟁 피해자 또는 침략의 가해자 중 어느 쪽인가의 측면에서만 다루고자 했다. 인양자의 체험기라는 것은 단지 읽으면 좋은 것이 아니라 이것을 쓴 개인이나 그것이 쓰여진 사회적 배경을 고찰하면서 다루는 것에 의해 비로소 연구 소재가 될 수 있다.

그 의미에서 나리타2003는 인양자의 체험을 단순화, 유형화한 것에 불과하다고 말할 수 있다. 또한 이러한 기록과는 별개로 논픽션이나 르포르타주reportage, 더 나아가 텔레비전 다큐멘터리로도 해외인양이 대상이 되기도 하고, 영상화되어 출판되기도 했다.

'전후사 연구'에서의 커다란 과제로서는 방대한 무명인들의 체험기나 체험담, 여러 종류의 사람들에 의한 구술 기록, 더 나아가 저널리즘또는 저널리스트에 의해 만들어가고 미디어에 의해 표현된 르포르타주나 다큐멘터리와 같은 작품을 어떻게 활용할까라는 것을 들 수 있다. 금후 전후사

연구에서는 아카데미즘과 저널리즘은 그 경계가 점점 더 불명확한 것이 되고 공문서나 사문서와 같은 종이 매체의 역사자료에 근거하여 이루어져 온 역사 연구의 근간을 흔들 것으로 예상된다. 이러한 '전후 역사학'의 과제에 대해서도 '해외인양 연구'를 단초로 새로운 방법론을 모색하는 것은 가능하다고 기대된다.[3]

2. '해외인양' 연구의 현재

'인양문제'에 관한 연구의 현재

'해외인양 연구'란 크게 나누어서 '해외인양' 그것 자체를 대상으로 하는 '인양문제 연구'와 그 당사자인 사람들 — 흔히 말하는 인양자를 대상으로 한 '인양자문제 연구'로 분류된다. 전자의 인양문제 연구란 왜 인양이 발생하고 그것이 어떤 과정을 거쳐 일어났는가. 또한 그 과정 속에서 어떻게 국가나 조직이 어떤 형태로 관여했는가를 밝혀내는 것을 목적으로 하고 있다. 한편, 후자의 인양자문제 연구란 인양자 자신이 어떤 체험을 하고 또한 인양 후에 어떤 생활을 보냈는가. 또한 국가나 조직이 어떤 원호활동이나 정착지원을 그들에게 실시했는가를 밝히는 것에 있다. 여기서는 이러한 분류를 통해 해외인양 연구의 현상現状을 정리해 두기로 하자.[4]

해외인양에 대한 선행연구로서는 와카쓰키 야스오若槻泰雄, 1995가 유일한 저작이다. 해외 각지로부터의 인양 개황概況, 정부의 대응, 인양 후의 재외재산보상문제, 타국의 인양문제와의 비교 등 간결하지만 요점을 잘 보여주고 있다. 다만, 참고하고 있는 자료는 공간公刊된 각 지역의 인양사 등의 문헌자료가 중심이 되어 있어 내용도 학술연구서라고 하기보다는 일반인을 위한 개설적인 것이다. 또한 다나카 히로가쓰田中宏巳, 2010도 개설적인 것인데 내용은 남방으로부터의 복원復員이 중심이고, 인양에 관한 분석은 거의 이루어지고 있지 않다.

이상의 두 저서는 일반인을 위한 것이라는 것에 비해 하루다 데쓰요시春田哲吉, 1999는 각 지역의 인양 개황과 전후 재외재산보상문제 경과를 실증적으로 다룬 학술서이다. 단, 기본적으로는 정부 측 대응이나 보상문제를 둘러싼 법적 변천을 중심으로 논하는 데 그치고 있다.

1990년대는 와카쓰키, 하루다와 같은 정치 중심의 개관적 연구가 대표적인 것이었는데, 2000년대가 되면서 전후 일본 사회에 미친 영향에 착목한 연구가 나타나고, 연구 대상도 확대되었다. 이러한 흐름 속에서는 전후 일본 사회의 해외인양문제가 내포하는 본질적인 문제를 날카롭게 지적한 것은 오하마 데쓰야大濱徹也, 2002이다. 실증적인 연구는 아니지만 '인양 체험에 담겨진 비참함, 원한의 기록은 일본 민족의 죄가 생생한 세계라고 자각했을 때 새로운 역사적 상상도 가능'하게 되고 전후 보상문제도 인양 체험을 어떻게 스스로의 과제로 받아들일 것인가에 의해 그 전망도 보이게 된다고 하는 오하마의 지적은 해외인양문제가 가진 중요성을 단적으로 보여준다. 말 그대로 단순하게 비극을 이야기하여 전하는 것이 아니라 현실을 직시하는 것으로부터 해외인양문제가 가진 역사적 의미가 밝혀지는 것으로 여기에 연구의 의의가 있다고 말할 수 있다.

오하마는 해외인양 연구의 중요성을 일찍부터 지적했는데, 그 이후는 나리타2003가 글을 발표했고, 아사노 도요미浅野豊美, 2004가 전쟁의 가해와 피해에 접근하기 위해 식민과 인양의 기억을 검증할 필요성을 지적했다. 전후 일본 사회 속에서 인양 체험이 어떻게 사회에 편입되어 갔는지를 고찰한 연구가 나타났다. 재외동포원호회의 평가에 대해서는 의문이 남기는 하지만, 전후 일본 사회가 인양자를 어떻게 다루었는가를 상세하게 분석했다는 점에서 귀중한 성과라고 말할 수 있다.

일본에서의 해외인양 연구가 나리타를 제외하면 정치사적 시점이 중심인 것에 비해 미국 연구인 와트Watt, 2009는 일본의 전후사에 있어서 인양자의 위치를 문화, 사상사 측면에서 시도했다. 일본의 해외인양에 관심을 갖는 해외연구자가 나타난 2000년대 이후의 특질이다. 그러나 전체적으로 해외인양에 대한 관심은 확산되기는 했지만, 개별연구가 증가하고 종합적으로 다루는 연구는 여전히 출현하지 않았다.[5] 최근의 성과로서 시오데 히로유키塩出浩之, 2015, 제8장는 인양에서부터 전후 개척, 전후 이민을 다루었다. 다만 저서 전체가 전전의 이민이 중심이기 때문에 인양에 관해서는 기존 연구를 기본으로 한 개관적概観的인 것에 그치고 있다.

그리고 근래에는 '사람의 이동'이라는 시점에서 해외인양을 다루는 경향이 강하다.[6] 그러나 남미이민 등 평상시의 인구이동은 경제적 요인이 강한 것에 비해 전시기의 강제적 이동은 정치적인 요인에 의한 것으로 근본적으로 그 성질이나 잉태된 역사적 배경을 달리한다. 이들의 근본적인 차이를 무기질적인 언어로 평준화해 버리는 '사람의 이동'이라는 개념으로는 해외인양문제가 내포하는 복잡성을 이해하는 것, 더 나아가 그 현대적 과제를 이해하는 것은 불가능하다고 생각된다. 종장에서 자세하게 논하겠지만 본서는 세계사를 의식하여 해외인양을 전쟁에 동반된 난민 문제, 그리고 식민지 제국의 탈식민지화라는 문제의식에서 접근을 시도하는 것으로 '사람의 이동'이라는 시점과는 일선을 긋는다.[7]

이들을 정리하자면 해외인양은 대상으로서 지역의 확대와 복잡한 국제관계 속에서 이루어진 인양 과정에 추가적으로 국내에서의 인양자원호시책이나 인양자 자신의 재외재산보상문제, 더 나아가서는 잔류일본인 등의 미귀환자 문제 등이 중층적이면서 동시에 복잡하게 얽혀있다. 또한 전후 일본 사회의 영향이나 탈식민지화 문제 등 사회, 사상사적 과제까지 종합적으로 커버하는 것은 어렵고 이것들을 모두 포괄한 연구성과는 내지 못하고 있는 것이 현재 상황이다.

이상과 같은 해외인양의 전체상을 다룬 연구의 현재 상황에 대해 그것 내부에서 개별 테마를 추출하여 다룬 연구는 몇 개가 보이기는 하는데 근래에는 그 경향이 보다 현저하다.

우선 인양문제에 대한 정부 내부의 움직임에 한정한 것으로서 세키구치 데쓰야關口哲矢, 2003가 있고, 외무성의 전후 아시아 구상 시점에서 인양문제를 위치 지은 것으로 사도 스스무佐藤晋, 1999를 들 수 있다. 이들은 전후 정치사 속에서 인양문제를 무시할 수 없는 과제로서 다루었다는 점에서는 평가할 수 있지만, 패전 후의 점령 하라는 정치적 한계성이 누락되어 정부나 외무성이 주체성을 갖고 인양문제를 대한 것처럼 해석되어 버릴 수 있는 여지를 갖고 있고 과제를 내포하고 있다.

다음으로 지역별로 다룬 연구에 대해서 말하자면, 후술하는 만주, 조선, 사할린로부터의 '인양사'에 의해 그 개요가 거의 밝혀져 있기 때문에 그 이상 더 들어간 실증적 연구는 축적이 충분하다고는 말할 수 없다. 그러한 상황에서 최대 잔류일본인을 끌어안고 가장 복잡한 국제환경에 놓인 만주, 중국 본토로부터의 인양에 관한 적은 숫자의 선구적인 연구로서는 가토 요코加藤陽子, 1995가 있다. 가토 요코는 만주를 제외하고 중국으로부터의 복원, 인양문제에 대한 일본 정부와 연합국군최고사령부GHQ / SCAP의 대응을 분석하여 패전부터 인양 실시에 이르는 과정의 기본적 틀을 밝혀내고 있다. 다만 일본군 병사의 복원 실시과정을 중심으로 한 것이기 때문에 민간인의 인양은 분석의 중심이 아니라 당시 자료적 제약도 있고 중국 국민정부 움직임에 관한 분석은 그다지 이루어지고 있지 않다. 또한 현지정착에서 조기 인양으로 전환한 것에 대해 9월 12일 트루먼 대통령 앞으로 국무차관 각서memorandum를 기점으로 한 견해에 대해서는 재검토 필요성이 있다.

2000년대 이후가 되면 대만에서 자료 공개가 진행되어 미·소·중의 국제적 움직임을 분석할 수 있는 환경이 정비되고, 곤란하다고 여기던 일본인 인양이 단기간에 실시된 요인을 탐색하는 것도 가능하게 되었다. 가토2012는 미·일·중의 1차 자료를 기본으로 미국 및 중국 국민정부의 움직임과 일본 정부 내부의 움직임을 연결시키면서 중국 본토, 대만, 그리고 만주로부터의 일본인 인양이 실시된 과정을 실증적으로 해명하고 국제관계 시점에서 인양문제를 다룬 대표적인 성과이다. 기타 사토 다다미佐藤畳, 2013는 일본인 송환이 의제가 된 미·중 간의 상하이上海회의를 중심으로 한 중국 측의 동향을 분석한 것이다. 또한 중화인민공화국 성립

이후의 후기 집단 인양에 관해서는 오사와大澤, 2003·2009a가 중국의 1차 자료를 활용한 선구적인 연구가 있다. 그 외에 와트Watt, 2017는 전쟁 기간 중부터 미국 국무성 내부에서 일본인 송환이 검토된 과정을 밝혀내고 있는데, 전후 종결 전의 국무성 내부에서의 검토와 전쟁 종결 후의 인양 실시 관련성에 대해서는 재검토의 여지가 남아있다.

인양의 과정에서 가장 큰 희생을 낳은 만주 인양에 대해서는 일본계 자산의 접수나 일본인 유용, 공식 인양 종료 후의 잔류일본인 문제 등에 많은 성과가 보이기는 하지만, 인양 그 자체를 다룬 연구는 적다. 선구적인 연구로서는 가토2006b를 들 수 있다. 한편 중국에서도 근래에 일본인의 인양이 주목을 끌게 되었다. 그 최신의 성과로서 장즈쿤張志坤·구안예신關業新, 2010을 들 수 있다. 만주로부터의 일본인 송환의 경과와 일본인이 놓인 상황을 정리한 이 연구는 만·몽동포원호회가 편집한 『만몽종전사滿蒙終戰史』 등 일본 측 자료에 의거하는 곳이 많은데 그럼에도 불구하고 외국인 접근이 어려운 랴오닝성遼寧省 당안관 소장의 국민정부 문서 등을 활용한 새로운 데이터에 근거하여 분석을 시도한 점은 주목할 만하다.

그 외에 야마모토 유조山本有造편2007도 만주 인양을 다루고 있는데 통계를 중심으로 한 개괄적 인 것에 그치고 있다. 동서에는 야마모토 논문 이외에도 개척단원이나 잔류일본인을 대상으로 한 논문이노마타, 「猪股」; 고도 「小都」; 우에다 다카코, 「上田貴子」; 미나미, 「南」이 포함되어 있는데 모두가 인터뷰 조사를 중심으로 한 것들이다. 그리고 이러한 원 개척단원의 이야기를 중심으로 한 연구성과는 근래 성행되어 나오고 있는데 조사보고서적인 성격이 강하고, 개별사례로부터 전체상을 조사照射하기까지는 이르지 못하고 있다. 3백만 명을 넘는 인양자에게는 각각 서로 다른 체험이 있는데 그것들은 어디까지나 개인의 역사이고 모든 것을 연결해도 인양 그것의 역사가 모두 밝혀지는 것은 아니다. 체험이 강렬하면 할수록 개개의 체험에 몰입되어 버리는데 오히려 전체상이 보이지 않게 될 위험성을 가진 것이 해외인양 연구의 난해성이다.

또한 만주국 붕괴 전후 관동군이나 소련군의 동향은 잔류일본인의 인양문제에 커다란 영향을 주었다. 단, 러시아 측의 자료적 제약도 있어 실태 해명은 거의 이루어지고 있지 않다. 유일하게 이나바 치하루稲葉千晴, 1996가 소련군에 의해 접수된 관동군 문서를 사용한 패전 직후 관동군의 움직임을 소개하고 있다. 그러나 분석 중심은 관동군의 동향이고 일반인의 인양문제까지 깊게 들어간 것은 아니다. 또한 소련군의 만주 침략은 시베리아 억류와도 연동되어 있고 그러한 시점에서 러시아 측으로부터의 연구가 몇 개 나왔다. 소련의 대일 참전과 만주, 사할린, 치시마 침략에 관한 정부 외교사적 접근은 슬라빈스키Boris Nikolaevich Slavinskii, 1999가 있고 카타소노와Katasonova, 2004와 카르포프Виктор Павлович Карпов, 2001가 소련 측 자료를 구사하여 소련 내부의 관리 시스템과 미·소 교섭에 의한 일본인 송환 과정을 밝혀내고 있다. 또한 일본 측에서도 요코데 신지横手慎二, 2009가 소련 측 자료를 사용하여 일본민간인 및 포로 송환에 관한 미·소 대립과 송환 결정까지의 움직임을 밝혀내고 있다. 그 외에도 일본인 송환을 둘러싼 미·소 교섭에 관해서는 오사와2009b의 저서가 있다. 이처럼 어느 정도의 연구 축적은 이루어졌지만, 러시아에 보관되어 있는 소련군의 만주점령기에 관한 문서 공개가 진전되고 있지 않기 때문에 재만일계

在滿日系 산업자산의 철수, 잔류일본인 관리문제 등 만주에서의 소련군정의 실태나 일본인 송환을 둘러싼 소련 정부 내부의 대응에 대해서는 미해명인 부분이 많다.

그리고 소련군 침략 지역으로부터 일본인 인양과 일본군 병사의 시베리아 억류는 밀접하게 연결되어 있는데 본서에는 두 개의 과제를 떼어내어 생각한다. 그 이유는 억류가 병사를 대상으로 한 것으로 민간인과 병사와는 그 성질과 놓인 환경도 다르기 때문이다. 억류자는 여성을 포함해 민간인이 섞여 있기도 하고 패전에 가까운 시기에는 전체 소집으로 인해 급거 병사가 된 개척단원이나 만주개척 청년의용대원도 다수 포함되어 있다. 그러나 인양과 억류의 경계를 애매하게 할 경우 인양문제의 본질이 보이지 않게 될 가능성이 높고 그렇기 때문에 시베리아 억류에 관한 고찰은 종장에서 인양자문제에서 억류자 문제로의 전환에 대해 언급하기는 하지만, 개별 검증은 실시하지 않기로 한다.

지역별 연구 속에서 어느 정도 축적이 되어 있기도 하지만 동시에 평가가 어려운 점을 내포하고 있는 것은 다렌 인양이다. 기무라 히데스케木村英亮, 1996는 소련군정하의 다렌에서의 일본인 노동조합 활동과 일본인 인양이 실시된 과정을 원 만철조사부원 이시도 기요토모石堂清倫의 개인자료를 기초로 다루고 있는데, 민간인 인양을 현지에서의 동향과 섞어서 논하고 있는 점에서는 매우 적은 숫자의 연구이다. 또한 야나기사와 아소부柳沢遊, 1999도 종장에서 다렌으로부터의 인양자단 사업자에 한정 재출발을 다루고 있고 전후까지 시야에 넣고 있다는 점에서 평가된다. 또한 야나기사와2016는 마찬가지의 시점 연장으로서 인양 후를 중심으로 다루고 있다. 이 이외에 가토2009c도 소련군정하에서 다롄 잔류일본인이 놓인 상황과 인양 실시 과정을 검증하고 있다.

기타 다롄 인양자 당사자인 도미나가 다카코富永孝子, 1988·1999는 면밀한 조사와 자료에 근거하여 패전 후의 다롄 일본인 사회의 일상이나 인양 과정을 다룬 논픽션도 있다. 이들 연구 이외에 이시도石堂, 1997가 다롄 인양을 아는 데 귀중한 자료가 되어 있는데 다롄 인양의 경우 이시도도 간부로서 관여하고 있던 일본인 노동조합을 어떻게 자리매김시킬까, 즉 혁명색을 전면에 내세워 계급대립을 선동했기 때문에 일부 일본인들로부터 반발을 산 점에 착목할까, 아니면 소련군과 중공군 사이에 서서 일본인 인양을 혼란 없이 실시한 점에 착목할 것인가라는 점에서 평가는 전혀 다른 것이 된다. 이데올로기로부터 거리를 두면서 어떤 절개점으로 분석하는가는 다롄 인양 연구의 어려움이 있다.

또한 일본인 인양에 깊게 관계한 다롄지구의 소련군정에 관해서는 중·러 양국에서 일차적 자료의 열람이 매우 곤란한 것도 연구의 진전을 저해하는 요인이 되고 있다.[8] 그중에서 정청鄭成, 2012과 같은 중국 측 자료를 구사하고 다롄지구에서 실시된 소련군정의 실증적인 해명에 착수한 연구도 나오고 있어 중국 측 연구를 받아들이는 것으로 일본인 내부의 대립에 주목할 수 있는 다롄 인양 연구도 두터워지게 해 줄 가능성이 있다.

인양 중에서도 가장 평온리에 이루어진 대만의 경우는 일본 측보다도 오히려 대만 측에서 여러 각도의 연구가 진행되고 있는 것이 커다란 특징이다. 단 대만 측 연구 관심은 대만인 의식의 고양에 영향을 받아 일본인 인양 그 자체보다도 일본인 인양의 최대 특징인 유용과 일본계 자산의 접수, 더 나아가서는 그러한 유산이 어떻게 전후 대만 사회에 영향을 주었는가에 있다.

한편 일본에서는 대만 인양 과정에 있어서 일본인의 동향과 대만 인양이 전후 일본인에게 준 영향을 다룬 가토2003가 유일하게 정리된 연구이다. 이에 대해 대만에서는 천요우구이陳幼鮭, 1999·2002가 일본인 인양과 병사의 복원과정을 대만 측 자료를 중심으로 개략적으로 밝혀낸 선구적인 연구가 있다. 또한 대만 인양 그 자체는 아니지만, 리우펑한劉鳳翰, 1997이 대만군의 항복에서 국민정부에 의한 송환까지의 과정을 다루고 잔류한 유용 일본인 사회에 관해서는 쉬위밍許育銘, 2005 등 개별적 성과도 있다.

이러한 상황 속에서 대만의 탈식민지화라는 문맥 속에서 재대在台일본인의 인양과 유용 및 오키나와현인, 조선인 송환을 다룬 양즈천楊子震, 2011은 대만사와 일본사를 관련지은 대표적 연구라고 말할 수 있다.

대만과 마찬가지로 커다란 혼란에 휩싸이지 않았던 중국 본토에 관해서는 연구도 많지는 않다. 그중에서도 야마무라2019가 상하이에 한정적이긴 하지만 중국 본토로부터 일본인 인양을 분석한 유일한 연구가 있다. 한편 천주언陳祖恩, 2006·2009은 상하이에서 일본인 인양의 실시과정을 중국 측 자료로부터 밝혀내고 있다. 또한 가오강高綱, 2009은 중·일 국교정상화를 계기로 하여 깊은 향수를 느끼는 상하이 인양자의 전후, 및 전후 상하이의 집중영集中営, 인양까지의 일시적 수용 시설에서 잔류일본인의 생활 실태를 분석하고 있다.

만주나 대만, 중국 본토와 마찬가지로 많은 민간인이 거주하고 전장이 된 조선반도로부터의 인양에 관한 연구는 진척되고 있다고 말할 수 없다.

그 요인으로서는 후술하는 모리다森田, 1964에 의한 조선 인양 연구가 통사로도 연구로서도 거의 다 망라하고 있는 것을 그 이유로 볼 수 있다. 또한 조선으로부터의 일본인 인양보다도 일본 국내를 포함한 구·대일본제국으로부터의 조선인 귀환에 대한 관심이 높은 것도 큰 특징이다.[9]

그러한 상황하에서 모리타의 연구를 답습하고 경성일본인세화회京城日本人世話会[10]를 중심으로 한 원호활동에 초점을 맞춘 나가지마 히로키永島広紀, 2012나 미국 측으로부터의 분석을 시도한 카프리오Mark E. Caprio, 2008는 아주 적은 숫자의 연구라고 할 수 있다. 또한 미군에 의한 초기 남한 군정에 관해서는 일본의 항복 직후 미군정청美軍政庁에 의한 조선인 구호정책을 다룬 하마다 하야오濱田隼雄, 2010에 의해 일제시대의 행정기구 계승과 일본인 관리의 일시적 활용 실태가 밝혀졌다. 한편 한국에서는 일본인 인양이나 기술이전 문제에 대한 관심이 낮고 대만에 비하면 연구는 거의 이루어지지 않고 있다. 그러나 근래에 들어 조선 인양자들이 논하는 고향으로서의 조선관에 대한 학술적 관심이 조금씩 높아지고 있다.[11] 선구적이면서 동시에 대표적인 것은 이연식李淵植, 2011·2013의 연구가 있으며, 이들의 집대성으로서 남·북한의 인양과 조선 인양자의 식민지의식을 밝혀낸 이연식2015의 저서가 있다. 또한 북한 인양에 관해서는 나이토内藤, 2017가 일본질소비료 기술자 잔류를 중심으로 다루고 있는데 자료적으로는 모리다의 연구 및 일본질소회사 사원의 회상을 기술하는 것에 그치고 있다. 러시아에 보관되어 있는 1차 자료특히 북한에 주둔한 제25군 대부분이 비공개이기 때문에 한·일 양국 모두 연구가 진척되지 않고 있고, 연구상의 과제는 만주 인양과 마찬가지이다.

만주나 북한과 마찬가지로 소련군의 침략에 휘말린 사할린으로부터의 인양에 대해서는 근래가 되어 많은 연구성과가 나오기 시작했다. 소련군 침략으로부터 인양 실시까지를 개관한 가토2009c, 인구 이동을 통계적으로 분석한 다케노 마나부竹野学, 2016, 인구이동의 시점에서 사할린 잔류일본인 사회의 수용을 개관한 나카야마 다이쇼中山大将, 2012, 사할린 인양자와 홋카이도北海道와의 관계에서 사할린 인양자의 아이덴티티를 고찰한 요나단 불Jonathan Edward Bull, 2019이 있다.

치시마千島열도[12]는 패전 전에는 홋카이도에 속해 사할린과 행정구역도 달랐지만, 동일한 소련군의 침략에 휩싸여서 잔류한 일본인은 사할린를 경유하여 인양했다. 그 점에서 사할린 인양에 포함되어 다루어지고 개별연구는 그다지 진행되지 않았다. 한편으로 사할린 인양의 특징은, 단순한 일본인의 인양뿐만이 아니라 후술하는 사할린 잔류일본인, 조선인 문제와 기타 사할린 소수민족의 인양문제라는 해외인양의 복잡함을 보여주고 있는 점에 있다.

대일본제국이 멸망하고 일본국이 되는 과정에서 거부되고, 그리고 망각되어 간 피식민 민족의 문제를 생각하는 데 있어 매우 무거운 과제를 내포하고 있다고 말할 수 있다. 여기서는 동시대적인 문제 관심에서 저널리즘에서 다루는 것이 많고 그중에서도 다나카 료田中了 · 겐다누Dāhinnieni Gendānu, 1978, 다나카 료田中了, 1993와 같은 윌타Uilta족 출신의 기타가와 겐타로北川源太郎, Dāhinnieni Gendānu가 일본에 인양한 배경과 전후의 보상요구운동을 정리한 기록 등이 발표되었다.

그러나 근래가 되어 이러한 과제가 역사로서 다시 다루어지게 되고 다무라 마사토田村将人, 2008·2013, 단기쿠 이쓰지丹菊逸治, 2011의 성과가 나오게 되었다. 그러나 스스로의 역사를 스스로의 말로 기록하는 것이 불가능한 그들 대부분이 사망한 지금 개인의 인터뷰 조사에만 의거해 온 연구로부터 어떻게 전환할 것인가가 과제로 떠오른다. 그 외에 소련에 의한 남사할린 민정에 관해서는 소련군 관계자들에 의한 회고록 등이 남아 있어 근래에 이르러 러시아 측 자료를 근거로 남사할린에서의 일본인 관리의 실태를 밝혀내는 에레나 사베리에비Савельева, Елена Ивановна, 2015의 저서가 번역되어 발간되었다. 이 책에 의해 소련에서 본 남사할린 점령과 일본인 관리의 실태가 어느 정도 밝혀짐으로써 금후의 러·일 양국의 시점에서 연구가 진전할 가능성이 높아졌다고 말할 수 있다.

남양군도에 관해서는 지방사연구와의 관련성이 강한 것이 특징이다. 구체적으로는 오키나와현인이 주요한 이주 장소였던 점에서 『오키나와현사』를 비롯해 현 내의 자치체사自治体史 편찬에서 다루고 있는 경우가 많다. 또한 사이판을 중심으로 한 남양군도 이민을 다룬 노무라 스스무野村進, 2005는 논픽션으로서 평가가 높은 것도 있다. 또한 다른 연구로서는 오키나와현인沖縄県人의 외지·내지로부터의 인양을 대상으로 한 아니냐 마사아키安仁屋政昭, 1996가 특히 오키나와현인이 많이 거주한 남양군도로부터 인양 과정을 개설적으로 다룬 선구적인 연구가 있고, 이마이즈미 유미코今泉裕美子, 2005는 인양에서부터 전후 인양자 단체의 활동까지 폭넓게 다룬 오키나와현인의 남양군도 인양에 관한 대표적 성과라고 말할 수 있다.

또한 최근의 성과로서 파라오를 대상으로 한 이마이즈미2016의 연구가 있다. 남양군도 인양에 관해서는 근래까지 착실하게 성과를 이루고 있으며 아사노2007 그리고 이 이외에도 가와하라 하야시河原林, 2007와 같은 오키나와현의 인양자 단체를 분석한 성과도 나오고 있다. 또한 오키나와현의 경우 본도는 남양군도와의 연결성이 강한 한편 야에시마제도八重島諸島의 경우는 대만과의 연결성이 강했다. 따라서 인양에 관해서도 지역에 의해 '남양군도 인양'과 '대만 인양'이라는 다른 역사 체험이 있고 그것들이 자치체사自治体史에도 반영되어 있다. 또한 노이리 나오미野入直美, 2013는 자치체사를 활용한 연구도 나오고 있다.

그 외에 동남아시아로부터의 인양을 다룬 연구에 관해서는 인양자들로부터 인터뷰를 하거나 개략사를 제외하면 시바타 요시마사柴田善雅, 2008a 외에 네덜란드인의 일본인을 다룬 구라사와 아이코倉沢愛子, 2017, 이지마 마리코飯島真里子, 2013가 있다. 그 이외는 그다지 성과가 나오지 않고 있다.

또한 남양군도나 동남아시아로부터의 인양에 관해서는 타 지역에 비하면 재주在住일본인의 숫자가 적었던 것 이상으로 패전 전부터 전쟁터가 된 특수사정을 가미하지 않으면 안 된다. 패전 전부터 시작된 본토에의 소개疎開나 전투에 휘말려 피난을 갔다가, 패전 전에 연합국 군에 보호되어 수용소 생활을 보내는 등 전쟁 피난민이라고 말할 수 있는 존재들도 있다.

또한 미군을 중심으로 한 연합군의 보호하에 놓인 전쟁 종결 직후부터 단계적으로 인양이 실시된 것도 특징으로 들 수 있다. 즉 미·소 냉전이나 국공 내전이라는 정치적 대립이 복잡하게 뒤얽히는 가운데 실시된 만주나 북한, 사할린 등 타 지역의 인양과는 역사적 배경도 크게 다르다.

이 책에서는 이와 같은 이유에서 동일한 대일본제국을 구성하고 있던 남양군도, 전쟁 중에 점령한 동남아시아 지역으로부터의 인양은 분석 대상으로 하지 않는다.

그 외에 본서에서는 일본인의 일본에의 인양 연구를 대상으로 하고 있는데 대일본제국 영역 내에서는 조선인이나 대만인, 더 나아가 한인이나 몽골인, 백인계 러시아인, 사할린 소수민족에 이르기까지 여러 민족의 변동이 일어나고 있었다. 그들에 관한 연구도 근래 한국을 비롯해 국제적으로 서서히 축적되고 있는데 그중에서도 대표적인 것은 종장에서 논하기로 한다.

인양자문제에 관한 연구의 현재

여기까지 해외인양 중에서도 '인양문제'에 관한 연구를 개관해 왔는데, 각 지역에서 인양해 온 사람들을 대상으로 하여 전후 국내에서 어떻게 원호정책이 실시되고 인양자 자신은 어떠한 전후 재출발을 꾀했는가, 또한 그들을 받아들인 일본 사회와의 관계를 어떠한 것이었는가라는 인양자문제에 대해 개관해 보기로 한다.

인양자문제에 관해서는 당초는 동시대적인 문제였던 것에서 역사학적 검증보다도 경제학적 실태분석의 대상이었다. 선구적인 것으로서 도쿄도東京都 미나토구港区 및 가나가와현神奈川県 니노미야초二宮町에 거주하는 인양자를 대상으로 한 앙케트 조사에 근거한 실태조사 보고인 미요시 아키라三吉明, 1995를 들 수 있다. 그 외에 인양자가 전후에 어떤 직업에 종사했는가를 수량적으로 분석한 오타카 간노스케尾高堪之助, 1996는 통계적 파악에 주안이 놓여 있기는 한데 내용적으로는 데이터의 상세함이 결여되어 있다.

또한 1990년대가 되어 인양자 중에서도 만주개척민의 전후를 대상으로 한 사회학적 접근도 시도되었다. 대표적인 것으로는 아라라기1994가 있다. 더 나아가 사회학 이외에도 민속학, 인류학적 접근이 이루어지고 인양자에 관한 전후 사회문화나 만주, 사할린, 파라오 인양자의 가족생활 등을 다룬 시마무라 다카노리島村恭則, 2013가 선구적인 성과로 볼 수 있다. 그러나 이들 연구는 인터뷰 조사와 현지 조사에 근거한 현상 분석에 그치던가 개인생활사라는 미크로레벨에 수렴될 수 있고, 왜 그들이 그러한 상황이 되었는가 또한 그들의 존재가 사회에 어떠한 영향을 주었는가 등 인양자를 둘러싼 역사적 배경의 해명에는 이르지 못하고 있다.

이러한 접근과는 별도로 역사학적 어프로치도 적기는 하지만 시도되고 있다. 선구적인 것으로서는 이나바 주로稲葉寿郎, 1999a · 1999b · 2013가 있다. 이것은 이바라기현茨城県 지방자치체의 대응 및 인양자의 생활형태에 대해 실시한 인터뷰 조사를 중심으로 정리한 것이다. 또한 기무라 겐조木村健二, 2005도 야마구치현山口県 센자키仙崎에서의 활동을 다룬 인양원호사업 실태를 다루었다. 또한 기무라 겐조2016도 지역사례를 다룬 연구가 있다. 이들은 모두가 지역사적 범위에 그치고 있고 전체상을 부감하는 연구는 아니지만, 지방에 밀착한 대응이 각 지방에서 진척된다면 지방사연구에 있어서 하나의 중요한 테마가 될 수 있음과 동시에 연구의 축적을 통해 인양자문제의 전체상이 밝혀지기를 기대해 본다.

전후 일본의 부흥은 식량과 연료의 확보가 급선무였고, 석탄과 농업에 정책의 중점이 놓였다. 그리고 이들 노동력의 일익을 담당한 것이 인양자들이었다. 그러나 이러한 사실에도 불구하고 본격적인 연구는 거의 이루어지지 않고 있는데, 현재로서는 논픽션 분야에서 우수한 성과이기도 하다. 그중에서도 노조에 겐지野添憲治, 1976는 인양자에 대한 원호의 일환으로서 정부가 대대적으로 진행한 미개간지, 개방지開放地에의 입식 정책이 갖는 허술함과 인양자의 제2의 비극을 분석한 귀중한 성과이다.[13]

전후 개척은 인양자문제가 전후도 장기간에 걸쳐 미해결인 채로 지속되고 있는 것을 보여주는 것이기도 하다. 전후 개척에 대해서는 1980년대 이후부터 각지의 사례연구가 성행하게 되었지만, 대부분은 농업경제 시점이었고, 대표적인 연구로는 이케다 지쓰오池田実男, 1982가 있지만 인양자와의 관련이 약간 언급되어 있는 정도이다. 또한 역사학에서는 전후 개척의 접근은 거의 이루어지지 않았다. 그러나 2000년대 이후 원元만주개척민의 재이식에 관심이 높아지고 연구 축적이 이루어지게 되었다. 선구적인 연구로서는 이다시飯田市역사 연구소 편저2009가 있다. 이 이외에도 원개척단이나 각 지역의 전후 개척지를 대상으로 한 사례연구가 나오게 되고 근래에는 야스오카 겐이치安岡健一, 2014가 인양자의 전후 개척을 다룬 대표적인 연구서가 있다. 또한 정부에 의한 전후 개척정책이 파탄해 가는 와중에 중남미에 농업이민이 계획되는데 이것이 다시 실정失政이 된다. 특히 도미니카 이민은 외무성의 허술한 조사를 기초로 계획된 결과 만주이민과 동일한 실수를 반복하게 되는데, 논픽션을 제외한 연구성과는 나오지 않았다.[14]

도미니카 이민문제와 마찬가지로 국가배상 소송이 된 것은 중국 잔류일본인 문제와 사할린 잔류일본인, 조선인 문제를 들고 있다. 중국 잔류일본인 문제에 대해서 우수한 르포르타주로서는 이데 마고로쿠井出孫六, 1986가 있는데, 연구로서는 선구적인 연구인 마시아오후아馬暁華, 1997 이후 중국 잔류일본인의 귀국 이후를 사회학적 시각에서 다룬 아라라기2000, 당사자로부터 인터뷰 조사를 근거로 그들의 아이덴티티를 분석한 우완훙吳万虹, 2004·2009이 있다. 그 외에도 정신의학 시각에서 그들의 적응과정을 다룬 에하타키江畑, 정웬싱曾文星, 미노구치箕口 편저1996가 있고, 동아시아 탈식민지화와 연결하여 분석한 아사노 신이치浅野慎一, 통안佟岩, 2016 등 역사학 이외의 분야에서의 연구도 풍부하다. 또한 사할린에 잔류한 일본인 여성의 인터뷰와 일시귀국문제에 관해서는 오가와 오바小川峡一, 2005, 잔류조선인 문제에 관해서는 오누마 야스아키大沼保昭, 1992, 쓰노다 후사코角田房子, 1994 등 많은 성과가 나왔는데 이는 현대적 문제 관심에 의한 것이었다.

그런 과정에서 나카야마 다이쇼中山大将, 2019가 잔류일본인 문제를 포괄적으로 다룬 최신의 연구성과로서 매우 중요하다. 해외인양을 생각할 경우 '인양이 불가능했다' 또는 '늦게 인양되었다'고 하는 사람들의 존재를 간과할 수 없다. 이들의 역사를 서로 연결하는 것으로 현재진행형 문제인 해외인양을 역사학으로서 어떻게 위치 지을 것인가도 커다란 과제가 되었다.

더 나아가 중국 잔류일본인 문제도 포함해서 인양자 중에서도 가장 약자인 여성과 어린이의 문제에 관해서도 역사학적 어프로치는 이루어지고 있지 않다. 우에쓰보 다카시上坪隆, 1993는 1978년 6월 28일에 PKB 마이니치每日방송의 다큐멘터리로 방영된 〈인양 항구 하카다항博多港〉을 골자로 엮어 출판된 것이었다. 이것은 인양자문제 중에서도 가장 다루기

곤란한 '불법 임신' 여성의 낙태를 정면에서 다룬 귀중한 성과이고, 다큐멘터리로서 논픽션으로서도 우수한 내용이다.[15]

근래에는 이러한 불법 임신 문제는 전장에서 성폭력 문제로서 연구 대상이 되어 왔다. 대표적인 성과로서는 야마모토 유메山本ゆめ, 2015b가 있다. 또한 야마모토 유메2015a, 2019의 연구는 젠더 시점에서 인양원호사업을 다룬 것이었다. 이 이외에 후쓰카이치二日市 보양소保養所를 중심으로 불법 임신 문제를 다룬 쓰보타坪田 = 나카니시 미키中西美貴, 2013가 있는데, 실증적인 면이 약하고 지금까지 밝혀진 사실들을 뛰어넘는 것은 아니다. 이에 대해 마쓰바라 요코松原洋子, 2019는 불법 임신에 대한 정부 대책의 흐름을 실증적으로 검증한 최신의 성과라고 말할 수 있다.

이처럼 역사학적 어프로치에서는 지방사적 시각에서 다루어지기 시작했는데 아직 시야가 확산하는 단계는 아니고, 보다 넓은 전후사 속에서 이를 다룬 연구에 이르러서는 현재 단계에서는 없다. 특히 간행된 문헌이나 선행연구에 의해 지역별 인양 개황概況이나 전후의 재외재산보상 문제의 개요는 밝혀지기는 했지만, 일본 정부 내부 및 GHQ/SCAP의 동향, 인양 시의 각 지역에 있어서 일본인회의 활동, 중국국민정부, 공산당 및 소련의 대응, 더 나아가서는 인양자의 내지 인양 후의 실태, 재외재산보상 요구운동, 중국 잔류일본인 문제, 사할린 잔류일본인·조선인 문제 등 해외인양문제를 보다 깊게 파고드는 연구나 현재에도 미해결 문제를 포함하는 것은 지금부터 앞으로 진행할 단계라고 말할 수 있다.

또한 인양자들의 식민지의식이나 피해자의식이라는 사상 면에 대한 분석은 앞서 언급한 나리타2003 이외에는 거의 이루어지고 있지 않다. 유일하게 가토2009b가 만주 인양자의 역사편찬을 통한 식민지의식의 변천을 다룬 것뿐이다. 또한 근래에는 역사 연구에서 전쟁희생자의 위령을 다루게 되었는데 인양자를 대상으로 한 연구는 적다. 원개척단원의 위령에 관해서는 모리 다케마로森武麿, 2009, 그리고 원개척단원 이외의 인양자 및 앞서 기술한 사할린 소수민족 및 인양 여성을 둘러싼 기억에 관해서는 가토2013b가 유일한 성과이다.

인양사편찬의 현재

해외인양에 관해서는 근년에 이르러 겨우 연구 대상의 확대와 축적이 이루어지고 있는데 이전에 전후의 역사학에서는 학문대상으로 삼지 않았었고, 또한 학계에서도 관심도는 낮았다. 한편 후생성厚生省이나 지방자치체에 의한 원호사援護史나 관계단체 또는 관계자들에 의한 각 지역의 '인양사'가 많이 편찬되는 것으로 그것이 해외인양에 관한 정사로 되어 인양의 개요를 알기 위한 기본문헌이 되었다. 해외인양에 대한 학술적 관심과 사회적 관심의 갭이 당초부터 현저했는데 학술적 성과가 없는 와중에 원호시책 중심의 정사만이 편찬되는 것은 해외인양의 학술적 검증을 정지시키고 역사적 평가가 정립되지 않는 요인이 되었다고 말할 수 있다.

패전 직후의 인양업무를 관할하고 있던 후생성은 각지의 상황이나 인양원호업무의 개요, 인양자의 통계 데이터를 정리한 (후생성)인양원호청장관관방총무과기록계 편찬1950, 후생성인양원호국총무과기록계편1995, 후생성원호국서무과기록계편1963을 간행했다.

그리고 인양원호업무가 거의 종료된 이후에 간행된 후생성원호국 편찬1978에 의해 후생성에 의한 인양원호업무 개요가 대체적으로 밝혀진 것이라고 말할 수 있다. 그 후 후생성사회원호국편1997을 간행했는데 내용적으로는 지금까지의 원호사를 정리한 것으로, 그 이후의 잔류일본인 원호시책 등이 추가된 것에 그치고 있다.

또한 그 사이에 인양 검역업무 분야에 특화한 것으로 『인양검역사』 전 3권1947~1952, 가토편2002이 간행되었다. 이러한 일련의 원호사가 인양자 숫자나 인양 개황, 원호업무 실제를 알 수 있는 유일한 정리서인데 여기에 인용되고 있는 자료의 기초가 된 데이터는 국내 각 지역에 설치된 지방인양원호국이 제공한 것이었다. 그러나 각 지역의 인양원호국이 작성한 기록류로는 단편적인 국보局報나 업무 개황 등 이외는 거의 남아 있지 않고 폐국 시에 작성된 『인양원호국사』가 유일하게 정리된 자료이다.[16]

또한 인양자에 대해 최종적으로 동시에 직접적으로 접한 각 지방자치체에서는 인양자뿐만 아니라 복원자, 패재자敗災者를 포함한 광범위한 원호사업을 전개하고 있으며 그러한 활동을 총괄한 원호사를 편찬하는 자치단체도 있다.[17]

그 외에 각종 인양자원호단체 등은 그 활동을 총괄한 '인양사'를 편찬하고 있다. 인양자원호를 전국적으로 전개한 최대의 단체로는 후생성계열의 동포원호회와 외무성계열의 재외동포원호회를 들 수 있는데 동포원호회에 대해서는 사구라이桜井 편1960에 의해 그 활동 개요를 알 수 있다. 또한 소련이나 중국 등의 공산권에서의 억류, 유용된 미귀환자의 조기 귀국을 위해 1947년 10월에 결성된 재외동포귀환촉진전국협의회전협에 대해서는 부재留守가족단체전국협의회편사간해위원외편1959이 편찬

된다. 더 나아가 각 현 아래의 인양자 단체에서도 활동사 및 체험자의 수기를 정리하고 있다.[18]

또한 인양촉진운동을 전개한 측면에서는 교토부京都府 부재가족동맹인양운동기록편집위원회편1962, 해외억류동포구출국민운동시즈오카靜岡현본부편1959, 지엔허텐鍵和田, 1996이 있다. 전국적으로 조직화된 학생 볼런티어volunteer로서 인양자원호에 관계한 재외부형在外父兄구출학생동맹에 관해서는 논픽션으로서 마이니치신문사편1968, 그 이외에 총사總史로서의 전국학생동맹사편찬위원회편1996, 지방판으로서 교토지구학생동맹기록편집위원회편1996이 있으며 관계자의 회상도 들어있다.

인양자에 의한 운동은 초기 생활기반 확보를 거쳐 마침내 '재외재산보상요구운동'으로 전환되어 가는데[19] 그 과정에서 지역별, 조직별 단체가 결성되어 간다. 그리고 운동이 종식되어 가면서 지역별 '인양사'가 편찬되어 가게 되고 이것이 현지의 상황을 정리한 유일한 것이 되었다.

지역별 인양자 단체로서는 만·몽동포원호회구·만주, 전국가라후토연맹구·남사할린, 중앙일·한협력조선반도, 대만협회대만, 남양군도협회구·남양군도라는 구·식민지역별 단체가 조직되었다. 또한 만철회구·남만주철도주식회사, 선교회鮮交会, 구·조선철도, 란성회蘭星会, 구·만주국군 등의 조직별, 다롄회, 펑톈회, 칭진회 등과 같은 도시별, 그 외에도 학교별 등등 각종 단체가 존재했다.[20]

이러한 단체가 편찬한 것으로는 만·몽동포원호회편1962, 가라후토종전사간행회편1973, 대만협회편1982이 있다. 만주와 사할린에 관해서는 인양에 관한 정리된 기록이 되어있는 것에 비해 대만에 관해서는 관계자의 체험기를 정리한 것에 그치고 있으며 지금 더욱 정사라는 것은 편찬되어 있지 않다. 단, 대만 인양에 관해서는 대장성관리국편2000이 대만 인양 전반기의 통사로 자리매김된다. 또한 대만재주 오키나와현 출신자에 한해서는 관계자의 회상도 포함한 대만인양기편집위원회편1986이 있다. 또한 남양군도에 대해서는 남양군도협회편1965·1966의 원남양군도 재주자의 회상을 정리한 것이 있는데 이것들은 인양 체험 이외의 것도 포함하고 있어 인양만을 대상으로 하는 것은 편찬되어 있지 않다. 그 외에 기업 등의 단체별로는 만철관계자의 수기를 모은 만철회편1996, 조선철도에 관한 선문회편1976, 조선식산은행에 관한 식은행우회殖銀行友会편1977 등 많다. 또한 조선에 관해서는 모리다1964, 모리다·나가다편1979~1980이 조선 인양에 관한 정리된 기록인 동시에 외무성 등의 인양 관계기관의 풍부한 자료를 수록하고 있으며 연구서로서도 충분하게 내용도 농밀한 것이라고 말할 수 있다.

또한 다롄 인양에 관해서는 전술한 이시도 기요토모石堂清倫, 1997가 1950년 집필이라고 하는 시대상황 영향을 받아 이시도 기요토모 자신이 관여한 일본인 노동조합 등에 대한 평가나 기술에 편향적인 면이 있기는 하지만, 다롄 인양문제에 대해서 정리한 기록으로서는 중요하다.

이상에서 거론한 것이 해외인양에 관해 편찬된 기록이다.[21] 그 외에도 국내외에는 관련된 자료집이나 각 기관이 소장하고 있는 1차 자료가 많이 남아있다.[22] 단 국내자료의 경우 개인정보 또는 프라이버시 보호라는 커다란 문제를 무시하고서는 이야기할 수 없으며 해외인양계 자료에 대해서는 이 문제가 항상 따라다니고 있다.

또한 국외자료에 관해서는 접근이 용이한 기관에서 불가능에 가까운 기관까지 여러 종류가 있다. 특히 해외인양 연구에 불가결한 1차 자료의 보고인 러시아와 중국에서는 접근 자체가 어렵다는 문제가 내재하고 있다.

3. 본서의 구성과 목표

지금까지 정리해 온 것처럼 잔류일본인의 유용, 송환이나 일계 자산의 접수, 중국 동북의 전후 처리를 둘러싼 미·중·소 관계 등 해외인양의 배경을 이해하기 위한 연구는 제2차 세계대전사 또는 냉전사의 틀 속에서 위치 짓는 것이고 해외를 포함하면 많은 연구업적이 있다. 그러나 이에 비해 일본인의 인양 그 자체를 대상으로 한 연구인양문제는 근래가 되어 개별적인 실증연구를 중심으로 진전을 보이고 있지만, 아직 충분하다고는 말할 수 없다. 또한 인양자를 대상으로 한 연구인양자문제도 마찬가지이다. 현재에서는 인양문제 및 인양자문제를 포괄적으로 다루고 전체상을 제시하여 해외인양 그 자체를 역사로서 위치 짓는 연구는 전혀 없는 실정이다.

이러한 현재 상황을 인지하면서 본서에서는 두 가지 과제를 설정했다. 우선 첫 번째 과제는 패전 후의 잔류일본인의 인양문제를 해명하는 것이다. 이 과제는 국내외의 1차 자료를 근거에 두고 인양 실시를 둘러싼 국내정치과정과 국제정치 요인의 과제는 인양자의 수기 또는 인터뷰 조사 등 여러 자료를 통해 전후 일본 사회와 인양자와의 관계, 인양을 둘러싼 역사 인식과 전쟁희생자관戰爭犧牲者觀에서 해명을 시도한다.

이상의 두 가지 과제에 대한 해명을 거쳐 최종적으로는 해외인양의 전용, 그리고 일본의 탈식민지화의 특질을 밝히고자 한다. 이러한 목적을 달성하기 위해서 본서에서는 이하의 장으로 구성했다.

제1장에서는 해외인양이 어떤 상황하에서 발생하고 어떻게 시행되었는가에 대해 국제관계 시점에서 밝혀낸다. 메이지 이후 대일본제국의 확대로 의해 아시아에는 많은 일본인이 거주하게 되었다. 이 숫자는 현재 아시아지역 재류在留일본인 숫자의 9배 이상인 350만 명 가까이에 달했다. 대일본제국의 붕괴로 이들 민간인이 잔류일본인이 되었는데, 일본 정부는 물리적, 사회적 한계를 이유로 조기 귀환은 불가능하다고 판단하고 현지정착에 의한 자활自活을 찾았다. 또한 연합국도 포츠담선언이 민간인의 보호, 송환에 대해 언급하지 않았던 것에서 밝혀지듯이 관심을 보이지 않았다. 더 나아가 최대의 잔류자 숫자를 가진 만주를 중심으로 한 소련군 침략 지역에서의 사태는 예상을 훨씬 넘어 악화 일변도를 걸었다. 패전국이 된 일본은 인양을 자력으로 실시하는 것이 불가능해졌다.

이러한 최악의 사태가 벌어졌음에도 불구하고 결과적으로 만주를 포함한 각 지역의 잔류일본인은 패전으로부터 1년여 사이에 대부분이 인양하게 되었다. 그 이유를 본 장에서는 미국의 대중국정책 전환이라는 국제적 요인에서 찾았다. 패전국이 된 일본은 주체적인 문제해결 능력을 잃고 당초는 미국 정부도 내전이 본격화했던 중국 문제 개입에 소극적이었다. 그러나 중국통일을 위해 만주 주둔를 서두른 국민정부와 중국안정화를 위해 적극 개입을 요구하는 중국 전역戰域 미군의 사혹思惑이 일치하여 미국은 잔류일본인의 조기 송환을 주축으로 하는 적극적 대중국정책으로 전환한다. 이 과정을 미·중·소 삼국의 국제관계 시점에서 실증적으로 검증하고 일본인 인양이 실시된 국제적 배경을 밝혀낸다.

제2장에서는 인양 중에서도 최대의 희생과 비극을 낳은 만주 인양을 다루고, 그 원인遠因과 잔류일본인이 놓인 사회실태를 밝혀낸다. 패전 후 만주에서 희생자의 많음과 인양 체험의 비극성에 의해 만주 인양에 대해 우리들이 갖고 있던 이미지는 하나의 틀에 박힌 것이 되었는데, 이것은 만주 인양의 실상을 단순화할 뿐만 아니라 현지에 남겨진 잔류일본인 체험의 복잡함을 못 보게 하는 것으로 연결되고 있다. 구·만주지역은 소련군에 의한 군정과 이것에 대체되는 국민정부국부의 지배, 더 나아가 중국공산당중공의 침투를 통해 대전 후에 동아시아에서 형성된 냉전의 기본적 요소가 일찍 그리고 더 선명하게 나타났던 지역이었다.

그리고 각 정치 주체의 복잡한 정치적 흥정 속에서 잔류일본인은 자활을 꾀하지 않으면 안 되었다. 이러한 시점에서 만주 인양을 재구성하고, 중공 내전하의 재만일본인이 어떠한 상황 아래에 놓여져 있었는가, 그리고 그들을 둘러싼 국제정치의 현실 속에서 만주 인양이 실시되고 일본 국내에서 어떠한 이미지가 형성되어 갔는가를 고찰한다.

제3장에서는 만주와는 전혀 정반대의 상황에 놓은 국민정부 지배하의 대만과 중국 본토로부터의 인양을 다루고, 중·일의 정치적 생각을 배경으로 하는 평온한 인양이 전후 일본에서 중국관, 대만관의 형성에 영향을 준 것과 함께 탈식민지화의 사상적 기반이 된 것을 밝혀낸다. 오키나와가 함락된 후 일본 본토와 단절되어 자급자족 체제로 이행한 대만에서는 패전 후에도 대만총독부와 제10 방면군의 조직이 상처 없이 온존되었다. 더 나아가 국부군의 주둔이 늦어졌기 때문에 패전 후 2개월에 걸

쳐 일본의 정치가 계속되었다. 그사이에 대만 사회는 치안이 안정되고 재대만일본인의 생활은 평온했다. 또한 중국 본토에서도 소련군이 침략한 구·만강滿疆정권 지배 지역을 제외하면 상황은 대체적으로 평온했다. 일본군에 의한 장기간의 점령에 의해 심대한 피해를 입은 중국에 있어서는 전후 부흥은 최우선과제가 되었다. 그러나 아무런 상처 없이 패전을 맞이한 100만을 넘는 지나 파견군[23]과 약 49만 명의 잔류일본인의 송환, 더 나아가 본격화된 공산당과의 내전이라는 난제가 산적해 있었다.

8월 15일 옥음방송과 동시에 이루어진 장제스에 의한 이덕보원以德報怨 연설을 일본인은 단순하게 호의적으로 받아들였는데, 그곳에는 혼란을 극력 방지하여 하루라도 빨리 부흥에 힘쓰고 싶다는 국민정부의 생각이 있었다. 국민정부는 지나 파견군에 대해 일관되게 유화적인 자세를 취했고 부흥지원을 위한 일본인 기술자의 유용을 요구함과 동시에 전쟁 책임 문제를 애매하게 했다. 그러한 상황 속에서 제1장에서 밝혀낸 미국의 대중방침 전환을 수용하여 대만, 중국 본토의 인양은 전 기간에 걸쳐 혼란 없이 완료되었다. 이러한 소련점령지역과는 너무도 대조적인 국민정부 지배 지역으로부터의 인양은 전후가 되어 일본인 사이에 굴절된 중국관, 대만관을 품게 된다.

이들 의식의 기원과 형성과정을 분석하는 것을 통해 전후 일본과 대만 국민당 정권과의 관계 일단을 밝혀내어 전후 일본에 있어서 탈식민지의식, 그리고 전후 책임 문제에 상징되는 탈식민지화의 특이성을 검증한다.

제4장에서는 만주와 마찬가지로 소련군이 침략한 다롄, 북한, 남사할린으로부터의 인양을 다루고, 소련군 침략에 의해 붕괴된 전선이 북동아

시아 지역 질서 속에서 잔류일본인이 놓여진 상황과 소련 중심의 북동아시아 신질서가 형성되는 과정을 밝혀낸다. 일본의 조차지였던 다롄뤼순·다롄지구는 소련이 얄타협정으로 관리권을 획득하고 있었다. 그 때문에 중국의 주권하에 있던 구·만주지역과는 달리 소련군이 주류하여 통치의 주체가 되었다. 또한 일본이 대전 말기에 내지에 편입한 남사할린은 전후 소련 영토로 편입되었다. 한편 북한은 독립된 주권국가가 존재하지 않았고 소련군의 점령하에 놓이긴 했지만, 정치책임의 주체가 애매한 지역이 되었다. 이처럼 소련군이 점령한 세 개 지역은 각각 정치 주체도, 군사점령의 배경도 달리하는 지역이었다. 그 때문에 잔류한 일본인 취급과 인양 과정도 달랐다.

즉 다롄에 관해서는 소련군은 통치 주체였지만 실질적인 행정권을 쥔 중국공산당의 잔류일본인에의 영향력은 무시할 수 없다. 또한 남사할린은 소련이 유일의 통치 주체였고 잔류일본인 문제는 미·소 관계에 규정되고 있었다. 한편 북한은 정치 주체가 애매했던 것과 소련 내부의 조직적 문제, 게다가 조선반도의 장래 구상을 둘러싼 미·소의 생각의 차이가 중첩되어 가는 가운데 잔류일본인이 난민화하고 만주 이상으로 비참한 상황을 낳게 된다. 북위 38도선의 강행 돌파로 인해 북한 인양이 실질적으로는 소련군의 묵인으로 이루어진 것은 이러한 배경에 의한 것이다.

소련군 점령지역에서 일본인 관리정책에 대해서는 러시아 측의 1차 자료가 공개되어 있지 않기 때문에 아직 불명확한 점이 많은데 단편적인 자료를 근거로 이들 지역의 상위점相違点을 밝혀내는 것으로 소련 측의 의도가 조금 보일 것이라고 생각된다. 이러한 문제의식하에서 그 실태 해명을 시도하고 그 연장선상으로서 소련군이 침략한 북동아시아 지역으로부터 일본인의 인양이 이루어진 과정에서 인적이동 공간이 축소하고 새로운 지역 질서가 형성되어 간 것을 고찰한다.

제5장에서는 북한으로부터의 인양을 다룬다. 패전 후 각지에서 결성된 일본인단체 중에서 특히 적극적인 활동을 실시한 경성일본인세화회를 중심으로 현지에서의 구제활동, 더 나아가서 국내에서의 인양자원호를 거쳐 재외재산보상요구를 내건 인양자 단체로 발전하는 과정을 밝혀낸다. 또한 패전 후에 일본 국내에서는 갖가지 인양자원호단체가 생겨나, 특징적인 활동을 실시했다. 이러한 단체 성격과 활동의 실태, 더 나아가서는 인양자 스스로가 결성한 단체의 성립 과정과 활동의 실태를 밝혀내고, 이들 인양에 관계한 갖가지 단체의 활동을 통해 일본의 전후사에 있어서 매몰되어 있던 전전으로부터의 전후로 연결되는 일본인과 식민지와의 관계를 고찰한다.

제6장에서는 인양자가 전후에 어떻게 자신의 체험을 총괄하고, 스스로의 역사 인식을 형성해 갔는가에 대해 인양자 중에서도 다수를 차지하고 강렬한 체험을 거쳐 온 만주 인양자를 통해 밝혀낸다. 해외인양은 외지에 있던 일본인이 내지로 인양되어 온 과정만을 검증해도 그 실태를 이해할 수 있는 것이 아니다. 오히려 인양 후의 인양자와 일본 사회와의 관계나 인양자 스스로가 스스로의 인양을 포함한 외지 체험을 어떻게 총괄해 갔는가를 시야에 넣지 않으면 안 된다. 본래 인양자로서 일괄된 사람들은 각각이 서로 다른 배경이나 환경 속에서 외지로 건너갔고 거기서 생활했다. 당연히 그들의 의식은 다양했으며 또한 체험이나 기억도 역사

인식도 달랐다. 그러나 전후 일본 사회 속에서 인양자의 외지 체험은 획일화된 기억이 되었다. 특히 만주 인양자는 일괄되어 개척단의 집단자결이나 잔류고아 등과 같은 비극성이 강조된 이미지로 받아들여졌다. 그러나 100만 명을 넘는 만주 인양자는 직업도 거주지도 달랐고 다양한 집단이었으며 만주와의 역사적 지리적 사회적인 관여방식도 여러 가지였다. 이러한 전제에 서서 해외인양 중에서 가장 많은 일본인이 관련된 만주 인양을 다루고 서로 다른 만주 체험을 해 온 그들이 전후에 어떠한 의식을 준거점으로 하면서 스스로의 역사를 총괄하려고 했는가는 그들이 편찬한 사서史書를 통해 고찰한다. 그 속에서 전후 일본에 있어서 인양 체험은 어떠한 역사화의 과정을 걸어와서 오늘날에 이르고 있는가, 일본의 탈식민지화의 실상을 사상 면에서 밝혀낸다.

제7장에서는 전국에서 건립된 인양에 관한 기념비에 착목하여, 제6장에서 다룬 역사편찬과는 다른 각도에서 전후 일본과 인양자의 관계를 밝혀낸다. 일본이 패전하고 나서 귀국하기 전까지 세상을 떠난 해외 잔류일본인은 전쟁희생자로서 다루어야 하는데 그들의 위령에 관해서는 전후 일본의 각지에 수없이 많이 건립된 병사를 중심으로 한 전몰자의 위령비와 달리 한정된 것에 그치고 있다. 전후 일본 사회가 공유하는 전쟁희생자는 히로시마나 오키나와 등에 한정되고 만주 등에서의 희생자의 존재를 거의 잊혀져가고 있다. 이러한 현상을 의식하면서 각 지역의 인양 항구에서의 기념비, 만주 인양에 관련한 기념비, 사할린 인양에 관련한 기념비를 구체적인 분석대상으로 다룬다. 그리고 해외인양에 관계하는 사람들과 지역 기억의 표상으로서 기념비를 통해 무엇이 결여되었는가, 또한 인양

자의 피해자로서의 의식이 어떻게 변천되었는가, 그리고 인양 체험을 일본 사회가 어떻게 받아들여가고 있었는가를 밝혀내는 것으로 전후 일본 사회에 있어서 해외인양의 의미를 표상론적으로 고찰한다.

종장에서는 미·소 냉전 구조 속에서 전쟁배상, 식민지 보상과 전쟁범죄가 애매해짐과 동시에 해외인양이 인양자원호로써 국내문제화된 결과, 대일본제국의 청산이 애매하게 되고 동아시아에서의 탈식민지화와 마주하는 기회를 잃은 것을 지적한다. 게다가 만주 인양을 제2차 세계대전에 의해 일어난 유라시아 대륙 규모에서의 민족적 강제이동의 일부로서 받아들임과 동시에 대전 후에 세계규모로 일어난 탈식민지화 속에서도 자리매김시키는 것으로 세계사적 시점에서 금후 연구의 가능성을 제기하여 본서를 정리한다.

이상의 제8장 중에 제1장은 국제관계 시점에서 해외인양의 전체상을 밝혀낸다. 그것을 받아서 제2장부터 제4장까지는 국제관계 시점에서 각 지역만주, 대만, 중국 본토, 다롄·북한·남사할린의 실태와 전후에의 영향을 밝혀낸다. 여기까지는 첫번째 과제였던 인양문제를 다루는 것이 된다. 제5장은 마찬가지로 현지조선에서의 상황을 고찰하는데 동시에 국내에서 시작된 인양자원호의 움직임도 밝혀낸다. 말하자면 제1의 과제인양문제에서 제2의 과제인양자문제로의 전환을 다루는 것이 된다. 그리고 제6장과 제7장은 전후 일본 사회에서의 인양 체험의 의미를 역사편찬과 위령의 시점에서 검증하고 두 번째 과제인 인양자문제에 접근을 시도한다. 이러한 검증을 통해 해외인양 연구의 하나의 도달점을 제시한다. 그리고 종장에서 제2차 세계대전 말기 유라시아대륙의 양단에서 발생한 대규모적인 민족 강제이동, 그리고 대전 후 세계규모에서의 탈식민지화, 더 나아가서는 동아시아에서의 국민국가 재편을 시야에 넣는 것으로 해외인양문제를 통해 세계사 속에서 일본제국주의 붕괴 역사를 자리매김하는 출발점으로 삼고 싶다.

해외인양 연구와 포스트제국

제1장

대일본제국의 붕괴와 '해외인양문제'의 발생

들어가며

대일본제국 붕괴 이전 점령지·식민지에 거주하고 있던 민간인은 350만 명이 넘었다. 그렇지만 연합국은 제국 붕괴에 의해 잔류일본인이 된 그들의 송환에 관해서는 크게 관심를 보이지 않았고, 일본 정부도 물리적·사회적 한계를 이유로 귀환이 아니라 현지정착을 요구했다. 게다가 최대의 잔류자 숫자인 만주에서의 사태는 예상을 초월하여 악화 일변도를 걷게 되고, 조기 인양이 요구된 이후에도 대상자를 한정한 인양밖에 계획되지 않았다. 그럼에도 불구하고 결과적으로 병사를 제외한 잔류일본인은 패전부터 1년여 기간 사이에 대부분이 인양되게 된다.

본 장에서는 왜 현지정착에서 인양 조기 실시로 방침이 전환하게 되었는가를 고찰한다. 구체적으로는 첫째, 패전에 의한 현지정착 방침 확정에서 한정적 인양 개시에 의한 인양원호사업의 맹아기까지의 일본 정부히가시쿠니노미야(東久邇宮) 내각기의 대응, 둘째, 1945년 말의 미국주도에 의한 인양 실시 결정을 거쳐 1946년 봄 연합국최고사령관총사령부General Headquarters, The Supreme Commander for the Allied Powers; SCAP에 의한 인양 원호체제 확립 시까지의 국제적 배경, 이상의 두 시점에서 입체적으로 실상 해명을 시도한다.

본 장에서 다루는 문제의 선행연구에 대해서는 결코 충분하다고는 말할 수 없으며 논점도 정리되어 있지 않다.[1] 인양실현에 관계된 논점은 ①일본 정부의 현지정착 방침은 언제 전환되었는가, ②조기 인양실현 요인은 무엇이었는가 이 두 가지이다.

본 장에서는 일본 정부가 당초 현지정착에서 조기 인양 실시로 중심이 이동했다고 보는 것이 아니라 마지막까지 현지정착이 첫 번째였고 인양은 한정적 실시에 그치고 있었다. 그리고 미군주도에 의한 인양 실시에 관해서는 육군참모총장 조지 마셜George C. Marshall[2]과 중국전역戰域 미군the united states forces in China; USFCT 총사령관 앨버트 웨더마이어Albert Coady Wedemeyer[3]의 역할에 주목한다.

그중에서도 패전 직전의 8월 12일부터 시작된 조지 마셜과 앨버트 웨더마이어와의 의견교환을 중국으로부터의 일본인 송환의 기점으로 잡고 USFCT에 의해 일본인 송환 계획이 구체화되고 만주로부터의 소련군 철수가 현실적 과제로 부상되는 와중에 12월 15일 트루먼 대통령에 의한 대중국정책 전환의 영향으로 만주를 포함한 대규모적인 송환 계획으로 발전하고, 최종적으로는 GHQ/SCAP하에서 일본인 인양이 실행에 옮겨졌다고 해석한다.

일반적으로 일본인 인양문제특히 소련군이 점령한 만주로부터의 인양는 당초부터 GHQ/SCAP가 주도적 역할을 했다고 여겨진다. 특히 일본인이 최고사령관 맥아더에 대해 조기 인양을 탄원한 결과 만주로부터 인양이 실시되었다는 '신화'까지 유포되었다.[4] 그러나 본 장에서 밝히듯이 당초 GHQ/SCAP는 만주로부터의 일본인 인양에는 소극적이었고 일본인 인양 실시 결정 이후 수용체제 구축에 주도적 역할을 하기는 했지만, 실시 결정까지 미국의 정책 결정에 주체적 역할을 담당한 것은 아니다.

이하에서는 잔류일본인을 둘러싸고 현지정착인가 조기 인양인가로 흔들리는 일본 정부의 대응을 히가시쿠니노미야 나루히코東久邇宮稔彦[5] 내각 내부에서의 알력을 함께 분석하고 국제관계 속에서 미국 주도의 인양이 실시되는 과정을 밝혀내고자 한다.

1. 포츠담선언 수락과 현지정착 방침

1945년 7월 17일부터 독일 베를린 교외에서 개최된 미·영·소 3국에 의한 포츠담회담은 유럽의 전후 처리가 중심 의제였는데, 동시에 독일항복 이후에도 여전히 계속되고 있던 대일전対日戦 종결도 현안으로 남아있었다. 특히 소련 측은 같은 해 2월에 열린 얄타회담Yalta Conference에서 미·영·소 3국에 의해 결정된 독일항복으로부터 2, 3개월 후 대일 참전을 결정한 밀약을 재확인했고, 대일작전 발동 후 구체적인 군사 행동에 대해 협의를 강하게 요구했다.[6]

소련의 대일 참전 움직임은 1943년 가을부터 분명해졌다. 1943년 10월 미·영·소 3국 외무부장관의 모스크바 3상회의에 출석한 코델 헐Cordell Hull 국무장관에 대해 이오시프 스탈린Иосиф В. Сталин, Iosif Vissarionovich Stalin 수상은 독일항복 이후 대일 참전을 명언하고, 11월 28일부터 개최된 테헤란회담에서 스탈린은 프랭클린 루스벨트Franklin Delano Roosevelt 대통령에게 대일 참전 의지를 전달했다. 그리고 1944년 11월 7일 혁명기념일 연설에서 일본을 공개적으로 비판했다. 더 나아가 노르만디 상륙작전으로 유럽 제2전선이 형성되고 미·영·소 군대에 의한 협공 태세가 정비되면서 독일의 패세敗勢는 결정적인 것이 되었다.

당시 루스벨트는 대일전쟁 종결을 위해서는 일본 본토 상륙작전이 필요하다고 인식하고 있었다. 그러나 그를 위해서는 만주를 포함한 중국 대륙에 거의 무상無傷으로 전개되고 있는 150만을 넘는 일본군을 대륙에서 못 움직이게 하고 본토 결전 전용轉用을 저지하지 않으면 안 되었는데 미군 단독으로는 어려운 상황이었고 또한 장제스의 국민정부군에 기대할 수 있는 것도 없는 이상 소련군의 참전이 강하게 기대되었다.

이러한 사정에서 소련 측의 대일 참전 신청은 미국에게는 좋은 상황이었고, 그것이 얄타협정에서 정식으로 미·영·소 3국의 합의 사항이 되었다. 그러나 독일항복 직전에 루스벨트가 병으로 사망하고 부대통령인 해리 트루먼Harry S. Truman이 대통령이 되자 상황은 급변했다. 그 배경에는 미국이 비밀리에 진행하고 있던 원폭개발이 성공함으로써 미군 단독으로 대일전쟁에 대한 종결 전망이 서게 되었고 소련의 대일 참전 중요성은 저하되는 사정이 있었다.

결국 포츠담회담에서 발표된 포츠담선언은 트루먼이 소련 측에 사전에 알리지도 않고 독단으로 발표했기 때문에 이 선언에 참가하는 것으로 알고 있었던 스탈린은 초조함을 느꼈고 소련의 대일 참전을 서두르게 하는 결과가 되었다.[7] 대일전쟁 종결을 둘러싼 미·소 간의 각축이 대일본제국 붕괴 최종단계에서 현재화하고 제국 내에 거주하는 민간인들의 보호, 더 나아가 인양문제에도 중대한 영향을 미치게 되었다.

일본 정부가 1945년 7월 26일 발표한 포츠담선언을 미국 서해안으로부터 단파방송을 통해 파악하고 있었던 것이 27일이었다. 당시 스즈키 간타로鈴木貫太郎[8] 내각에서 명확하게 종전을 의도하고 있었던 사람이 도고 시게노리東郷茂徳 외무부 장관대동아(大東亞) 장관을 겸임과 요나이 미쓰마사米内光政 해군대신海軍大臣이었고 스즈키 수상도 전쟁 종결을 내각의 사명으로 받아들이고 있었다. 그러나 종전의 계기가 된 포츠담선언에 대해 내각으로서 명확한 반응을 보이지 않았다. 결국 8월 6일 미군에 의한 히로시마 원폭투하가 이루어졌고 원폭투하에 충격을 받은 스탈린은 대일 참전을 앞당겨 9일에 소련군은 만주에 침략했다.[9]

소련군은 '8월의 폭풍'이라는 만주 침략작전의 일환으로서 관동군의 퇴로를 차단할 목적으로 조선북부지역 공격을 개시했다. 그리고 만주 침략작전에 동반하여 당초는 보조적 역할을 부여하고 있던 제2 극동방면군을 사할린작전에 전용하는 것에 의해 전선은 남사할린 및 치시마열도로 확대되었다.[10]

전쟁 말기에 활발한 움직임을 보이는 도고 시게노리東郷茂徳나 기도 고이치木戸幸一 평화파 대신들은 종전으로 나아갈 수 있도록 본토 결전을 주창하는 육군 주전파를 어떻게 제압할 수 있을까에 관심을 집중했기 때문에 전쟁 말기가 되어 일어난 국제정치상의 대격변까지 생각할 수 없었다. 미국과의 전쟁을 종결시키고 본토 결전을 피하고 황실을 유지하는 것만이 평화파가 생각하는 것이었다.

소련 참전으로 대일본제국 영토 내 모든 곳이 전쟁터가 되고 그 결과로서 발생할 수 있는 잔류일본인의 생명 재산을 어떻게 지킬까를 상정한 사람은 정부나 군부 내에서도 외부에서도 전무했다. 8월 9일의 소련참전부터 8월 15일 옥음玉音방송까지의 일주일은 어떠한 방식으로 포츠담선언을 수락할 것인가에만 정치의 관심이 향하고 있었다. 8월 14일 밤 두 번째 어전회의를 거쳐 성단聖斷에 의한 포츠담선언 수락이 연합국 측에 전해졌는데 그와 동시에 도고 시게노리 대동아大東亜 장관의 이름으로 만주국, 중국 및 동남아시아의 일본군 점령지에 놓여 있는 재외공관 앞으로 암호 전보가 발신되었다.[11] 전보는 재외공관에 있는 어진영御眞影 및 암호설비 조치를 첫 번째로 들었고, 이하의 사항을 잔류일본인에 대해 조치한다고 했다.

(2) 거류민에 대한 조치

1. 일반방침

① 제국이 금번 조치를 취하는 것은 어쩔 수 없게 된 사정에 대해 주도면밀하면서 정성을 다해 설명함과 동시에 어심御心에 따라 냉정하고 침착하게 황국皇国국민으로서 부끄러움이 없도록 적절하게 선처할 것을 지도할 것.

② 거류민은 가능한 한 정착 방침을 취할 것.

③ 거류민의 생명 재산의 보호에 대해 만전의 조치를 강구할 것.

이 전보가 잔류일본인의 현지정착 방침을 일본 정부가 공식으로 제기한 최초의 것인데, 구체적 조치로서는 벽지에 있는 거류민의 '적당한 지역에의 결집, 이익대표국일본의 경우 영·소련은 스웨덴, 미·중은 스위스 또는 적십자 국제위원회에 대한 재류일본인 보호 의뢰에 대한 연구와 중국 재류 민간 일본인이나 중국지방관헌 등으로부터의 협력을 성립시켜 현지와의 연락에 의한 거류민의 식량 확보나 빈곤자의 일본인단체에 의한 구제, 더 나아가서는 중국에서의 공공 기업, 시설 종사 일본인의 계속 고용, 거류민 잔류재산의 지방관헌에 의한 보호 의뢰'라는 것 등 현실에 대한 낙관적인 자세가 보이는 내용이 되었다.

그 때문에 구스모토 사네타카楠本実隆 공사로부터는 '상업에 종사하는 일본인은 자립을 얻을 수 없으므로, 중앙에서 될 수 있는 한 빨리 전반 계획을 결정하고 지시가 있을 것을 기대한다'며 실현성에 대한 의문이 일찍부터 제출되었다.[12] 더 나아가 22일에는 소련군이 침략한 장지아커우張家口의 일본군부대성도대, 成都隊로부터는 참모총장, 육군대신 앞으로 대동아성大東亜省[13]의 지지는 본직의 의도와 반하여 거류민의 인양을 지연시키는 것으로 소련군과 공산당군이 장지아커우를 접수할 경우 거류민의 생명 재산은 보호되지 못할 것이라는 전신이 보내어져 왔다. 나중에 밝혀지게 되지만 만주 사태와 마찬가지로 소련군 침략 지역은 당초 실시된 현지정착방침은 실정에서 괴리된 위험한 선택이었다.[14]

그러나 26일에 폐지된 대동아성 업무를 인수한 외무성에서는 현지정착을 더 일보 전진시켜 29일에 관리국이 책정한 '재지나在支那 거류민 이익보전 대책 건(안)'에서는 중국에 의한 대일배상청구 거래자료로서 재화在華일본계 자산의 보호와 양도 그리고 일본인의 노무 제공을 내세워 재지在支거류민은 될 수 있는 한 지나支那에 귀화시킬 요량으로 중국과 극비로 교섭을 실시할 것이 계획될 정도였다.[15]

대동아성 관할지역의 잔류일본인에 대해서는 14일 단계에서 현지정착 지시가 이루어지는 한편, 식민지였던 조선과 대만 및 대전 말기 1943년 4월 1일부터 내지에 편입된 사할린에 거주하는 일본인에 대해서는

24일이 되어 소관 관청인 내무성에서 '장래에 가능한 한 현지에서 공존친화의 결실을 이루도록 인고 노력하는 것을 통해 첫 번째 의의를 둔다'라고 현지정착을 기본방침으로 하는 것이 결정되었다.[16]

식민지에서도 원래 거류민보호라는 개념이 존재하지 않았고 내무성 소관 사항에도 포함되어 있지 않았다. 조선의 독립, 대만의 중화민국 복귀는 분명해졌다고는 하지만, 대일본제국으로부터의 이탈에 관한 구체적인 프로세스가 명확하지 않은 이상 내무성으로서는 현지정착에 의한 '상황 살피기' 자세가 강했던 것으로 생각된다.

그리하여 식민지를 포함한 국외의 잔류일본인의 현지정착이 기본방침으로서 현지에 전달되었고 최종적으로는 8월 31일 종전처리 회의에서 '전쟁 종결에 동반하여 재외일본인에 관한 선후善後조치에 관한 것'이 결정되고 '가능한 한 현지에서 공존친화가 결실을 맺도록 인고忍苦 노력할 것'이라는 것이 일본 정부 방침으로 확정되었다.[17]

이때 결정된 현지정착 방침이 이 이후 일본 정부의 대응을 규정하는 것이 된다. 다만 그 한편으로는 인양자가 발생하고 그들을 국내에 받아들이지 않으면 안 되는 사태가 발생하는 것은 상정되고 있었다. 현실에서 일어날 것이라는 인양자 대책은 21일 차관회의에서 결정되었다. 여기서는 인양 계획 입안을 종합계획국같은 날 폐지된 내각 조사국으로 인계과 내무성관리국이 담당하고 조선인의 징용해제, 육해군병원 군사보호원에 인계, 해항 검역 방책의 후생성 담당, 군용의약품의 후생성 인계 등이 결정되었다.[18]

더 나아가 24일 차관회의에서는 후생성 내에 '군인 군속, 외국 또는 외지에서 귀환하는 일본인' 등의 '취직 확보에 관해 필요한 사항을 조사심의'하기 위해 임시복원대책위원회위원장은 후생성 차관의 설치가 양해되었다.[19] 이처럼 인양 실시에 즈음하여 구체적인 수용체제가 일찍이 정비되기 시작했다.[20]

일본 정부는 현지정착을 기본방침으로 했지만 병이나 빈곤 또는 생명 재산이 위협을 받는 등 인도상의 이유에 의해 국내로의 인양을 희망하는 사람에 대해서는 적극적인 수용 보호를 꾀했다. 이러한 인양자에 대한 최초의 정부방침은 8월 30일의 차관회의 결정 '외지사할린 포함 및 외국 재류일본인의 인양자 응급원호 조치 요강'에 의해 제시되었다.[21]

요강에 제시된 방침은 상륙지에서의 원호 주체가 지방행정청으로 되어 있었다. 통화교환이 무제한으로 되어 있는 등 이후 전개되는 공식 인양에서 실시되는 인양자원호와는 다른 내용이었다. 인양증명서나 철도 무임승차권 발행, 관계 제단체와의 연계에 의한 생활지원 등 인양자원호의 원형이 되는 것도 엿보이기도 한다.

그러나 차관회의에서의 논의에 있어서 히라야마 다카시平山孝 운수運輸 차관이 '외지는 가능한 한 분발하게 하여 내용 발표는 생각해 볼 것'이라고 했고, 다다 다케오多田武雄 해군차관도 국가의 대방침이 정해지지 않은 이상 '이번 것은 임시대책이라고 이해'하고 싶다는 의견이 나오고, 오가타 다케토라緒方竹虎 내각 서기관장도 '원칙으로서 체재하게 하여 직업을 하게 할 방침'이라는 것이 확인된 결과 이 요강은 미발표되었듯이 어디까지나 인양은 대상자를 한정한 것이었다.[22]

이 차관회의 결정을 받아 앞에서 기술한 31일의 종전처리 회의에서 현지정착과 함께 인양자 수용체제 정비가 결정된다. 그리고 여기서는

'어쩔 수 없이 인양하는 자에 대해서는 편의를 꾀해 가능한 한 원만하게 인양하는 방도를 강구할 것'이라고 한정적인 인양에 그치고 있었다.[23]

포츠담선언에 있어서 연합국이 요구한 것은 일본군의 무조건항복에 의한 무장해제와 본국 귀환이었는데 연합국은 해외에 잔류하는 민간인에 대해서는 전혀 관심을 주지 않았다. 게다가 8월 26일 오후 6시를 기해 일본의 전 선박의 운항정지와 출항금지 명령이 연합국에 의해 내려졌기 때문에 사실상 일본 측이 자주적으로 인양선을 내는 것은 불가능하게 되었다.[24] 또한 가령 선박 운항이 허가되었다고 해도 복원을 요하는 선박은 당초 일본 정부가 잔존하는 몇 안 되는 선박으로 운용하지 않으면 안 되었고 일본의 항만 및 근해에 미군이 대령으로 투하했던 기뢰機雷 제거도 필요했다. 더 나아가 국내 운송능력의 저하와 농작물 불황이 더해져 곡물 공급원이었던 조선이나 대만 상실로 의해 국내 식량 사정은 극도로 악화되고 전쟁 재해에 의한 도시부 주택 부족도 심각해졌다.[25]

앞서 기술한 8월 30일 차관회의도 야카타館 연구관의 개인적 안으로서 배포된 '4개국 공동선언 수락 건에 동반된 인구 정책상의 제諸문제'(미완 원고)—특히 인구의 산업 배분 및 지역 배분의 변화에 관한 사항20.8.23에서는 외국재류일본인 약 200만 명의 60%인 120만 명, 외지재주 일본인 약 225만 명의 70%인 157만 5천 명이 인양되고, 400만 명의 군인이 복원할 경우 일본 인구는 7,400만 명에서 7,900만 명조선인 180만 명의 귀환을 뺀 숫자으로 증가하고 곡미 1,200만 석 생산부족과 비농업인구의 증가를 초래하여 '다수의 인구 증가를 급속하게 수용하는 것은 거의 불가능'하다고 결론을 내고, 군인들은 장기적이고 단계적으로 복원, 잔류일본인은 적극적으로 장래에 있어서 민족발전의 견지에서 그리고 다른 한편으로 적극적으로 급격한 대량의 내지 인구 유입을 완화하기 위해 극력 인양인구의 비율을 적게 하여 현재지 잔류 인구의 비율을 높이는 것이 제안되었다.[26]

이처럼 일본의 총인구의 1할 가까이에 이르는 군민을 합해 약 680만 명이 해외에서 인양되어 오는 것에 의해 일본 사회가 입는 영향은 헤아릴 수 없을 것으로 예상되었다.

이처럼 이 시기의 일본 정부는 현지정착방침을 원칙으로 하여 어쩔 수 없는 경우에 한해 받아들인다는 한정적 동시에 선택적 인양방침을 취했다. 즉 패전 직후의 일본 정부는 현지정착과 한정적 인양이라는 두 개의 축을 기본으로 하면서도 '항구적 방침은 미결'이라는 상태에 있었다.[27] 그리고 이 배경에는 앞서 기술한 선박 숫자의 부족이나 식량부족이라는 물리적인 제약과 그 외에도 해외구·식민지를 포함의 일본인을 둘러싼 환경이 급속하게 악화하는 것을 예상하지 못했던 것을 들 수 있다.

9월이 되자 4일에는 금지되고 있었던 일본선박 운항 해금 정보가 들어왔고 선박운영회운수성 관할에서 배선配船계획 입안이 개시된다.[28] 이러한 와중에 9월 5일에는 '외정부대 및 거류민 귀환 수송에 관한 건'이 각의 결정된다.[29]

이 각의 결정은 ①잔존 선박 대부분을 귀환 수송에 배분하여 만주, 조선, 중국 본토로부터의 수송을 우선할 것, ②잔존 선박만으로는 한계가 있기 때문에 연합국으로부터 선박 대여를 요구할 것, ③가능한 한 일찍 정부 내에 선박 수송의 일원적 관리기관을 설치할 것 등 이상의 세 항목을 주축으로 하는 것이었는데 이들을 구체화한 것으로 '해외정벌군 및

거류민 귀환 수송 처리 요강(안)'이 책정된다.[30]

처리요령으로는 귀환 수송의 중점을 중국 본토와 만주에 두고, 그 이외 지역은 중병인 수송을 위한 최저한의 선박을 분배하고 또한 왕로往路는 보급물자를 적재하는 것으로 현지에서의 자활을 돕도록 했다. 또한 일본 측 선박만으로 수송을 실행할 경우 1947년 중기까지 대체적으로 2년여가 걸릴 것으로 예상하고 있었다. 그리고 이러한 방침 아래 구체적인 선복船腹 수와 귀환 수송 순서가 정해졌다.[31]

이 시기 일본 정부의 인식을 엿볼 수 있는 점으로 이 각의 결정은 중요하다. 일본 정부는 9월에 들어선 단계에서 복원과 인양에 관해 구체적인 방침을 정하고 10월부터 실시할 계획을 세웠다. 게다가 치안 상황의 악화가 전해지기 시작하던 만주조선북부지방을 포함해로부터의 인양과 100만 명을 넘는 병력이 대부분 무상으로 남아있던 중국 본토로부터의 복원을 첫 번째로 하고, 다음해 봄부터 여름까지 완료시켜 그 후에 남방으로부터의 복원 및 대만, 남한, 사할린, 치시마로부터의 인양에 옮기는 것을 계획하고 있었다.

실시계획의 첫 번째로 만주 방면이 된 최대의 요인은 치안 악화였다. 만주 방면으로부터는 8월 30일에 야마다 오토조山田乙三[32] 주만주국대사관동군 사령관이 겸임가 육군성 경유로 시게미쓰 마모루重光葵 외무부장관에 대해 만주 내의 피난민이 약 50만 명에 달하고 재만일본인 전체의 곤궁이 예상되기 때문에 부녀자, 병자 등 약 80만 명을 조속하게 인양할 것을 요청했는데, 연이어 조선군 관할구제17 방면군로부터도 육군에 대해 9월 4일부로 조선 잔류일본인 85만 명은 조선 내에 정착할 수 있도록 노력한다고 했고, 약 50만 명은 인양이 필요한 한편 관동군 80만 명 인양 요청에 대해서는 조선반도 내의 육상 수송이 곤란하기 때문에 다롄, 나진 등의 항구에서의 인양 계획을 입안하도록 요청해 왔다.[33]

이러한 상황 악화 정보가 들어오는 상황에서 각의에서는 처음으로 '재외일본인의 생명 재산은 위험에 처해 있다'는 인식이 표명되고 특히 '대륙에서의 사태는 즉시 급하게 개선할 것을 바라지 않을 수 없다고 각오'하지 않으면 안 된다는 상황이라고 언급되었다. 그리고 연합군으로부터 선박 차용은 '부탁이 통하지 않을 공산이 큰' 이상 일본 정부가 주체가 되어 당분간 국내의 핍박을 견뎌 단호하고 적절한 조치를 취해 외지군, 재외일본인을 못 본 체하는 일이 없도록 최선을 다해 외지 군민을 구출할 것이 요청되었다. 이날은 지금까지의 현지정착 방침을 전환할 듯이 긴박한 각의가 되었다.[34]

그러나 일본 정부에 의한 계획은 당초부터 연합국 및 GHQ/SCAP의 물적 지원을 기대할 수 없는 상황에서 책정되었고 게다가 육·해군 사이에서는 선박사용 목적이 다르다는 등 실현성에 문제가 생겼다.[35] 더 나아가 만주 방면 치안 악화 최대 요인인 소련과의 교섭수단은 안전이 단절되었고 당초부터 현지에서 일어나고 있는 실제 상황이나 국제정세에 대한 대응을 결여한 탁상공론이었다. 사실 이 결정은 그 어떤 실행을 동반하지 않는 채 일찍이 암초에 부딪히게 된다.

그 이후 9월 20일 차관회의에서는 내지에 인양을 위한 자 및 내지에서 조선 또는 대만에 인양을 하는 자에 대한 응급보호 실시에 임하기 위해서 모지, 시모노세키 기타 필요한 지역에 인양민사무소를 설치하는 것이 결정된다.[36] 이 인양민사무소는 이후 지방 인양원호국으로 연결되는 조직인데, 이 결정에 의해 현지정착방침이 전환된 것은 아니다.

이어지는 24일 차관회의에서 해외부대 및 거류민 귀환에 관한 건이 결정되었지만, 내용은 해외부대 및 해외 잔류민에 관해서는 극력 해외에 잔류하도록 하는 것이 여전히 대전제로서 되어 있었고 잔류자의 생명재산의 보호와 생활의 안정 및 인양자의 귀환 조치와 귀환 후의 취업 알선 등을 실시하기 위해 관계 각 기관의 연락조정을 목적으로 하는 해외부대 및 거류민 귀환 대책위원회를 내각조사국에 설치하도록 하는 것이었다.[37]

결국 9월 9일 각의에서 만주 방면으로부터의 신속한 인양 실시가 절실하게 요구되었음에도 불구하고 상황을 호전시킬 방책을 갖지 못한 일본 정부는 현지정착에서 조기 귀환으로 전환하는 최종 대방침을 확정하지 못했다. 그리고 10월에 들어서자 GHQ/SCAP 주도하에서 남한이나 태평양지역으로부터의 인양이 본격적으로 실시되게 되고 국내의 인양 수용체제가 급속하게 정비되게 된다. 그러나 그곳에는 일본 정부가 주체적으로 관계할 여지는 없었고 GHQ/SCAP에 의한 정책 실시기구로서의 역할밖에 부여받지 못하게 된다.

2. 히가시쿠니노미야東久邇宮 내각과 잔류일본인 인양문제의 혼미

일본 정부가 현지정착인가 조기 인양인가의 판단을 명확하게 하지 못했던 것에는 패전에 동반된 외적 요인의 영향이 컸는데 당시 히가시쿠니노미야東久邇宮 내각의 취약성도 내적 요인으로서 검토할 필요가 있을 것이다. 특히 패전국의 외교를 둘러싼 혼란은 무시할 수 없는 것이었다.

8월 15일 정오에는 옥음방송이 흘러나간 후 스즈키 간타로 내각은 총사퇴했다. 내각 총사퇴를 통해 쇼와昭和천황은 기도 고이치木戸幸一 내무대신에 대해서 후계수반선정을 하명하고 기도는 히라누마 기이치로平沼騏一郎 추밀의장과 협의한 후 히가시쿠니노미야를 추천하고 천황의 이해를 얻어냈다.[38] 종래의 후계수반 선정은 중신을 포함하여 시행했는데 이번에는 기도와 히라누마 두 사람만으로 이루어진 이례적인 선정이었다.

기도 고이치는 패전이라는 미증유의 사태에 직면하고 황족 내각에 의해 혼란을 최소화하고자 했다. 그리고 히가시쿠니노미야가 후계수반 후보로 부상된 것은, 이전부터 폭넓은 정치적 인맥을 갖고 제3차 고노에 후미마로近衛文麿 내각 총사퇴 이후에 수반 후보가 되었었던 것, 그리고 반反도조 히데키東條英機 계열이었다는 것 등이 요인으로 작용했다고 생각된다.

다음날 16일에 히가시쿠니노미야에 대명大命을 하달하고 기도와 이시와타 소타로石渡荘太郎 궁내대신宮内大臣[39]의 의견을 참고하면서 내각서기관장에 내정된 오가타 다케토라와 고노에게 상의한 후 각료가 결정되었다. 점령군과의 사이에서 중요한 역할을 담당하는 외무부장관에 당초 아리다 하치로有田八郎를 예정하고 있었는데 아리다는 시게미쓰를 추천하고 고노에도 시게미쓰를 지지했기 때문에 시게미쓰로 결정되었다. 또한 자살한 아나미 고레치카阿南惟幾 후임 육군대신은 육군 3장관이 도이하라 겐지土肥原賢二를 추천했는데 히가시쿠니노미야가 거절했기 때문에 시모무라 사다무下村定에 의뢰하여 해군장관은 요나이 미쓰마사米内光政가 유

임되었다.[40]

또한 17일 조각組閣과 함께 아사카노미야 야스히코朝香宮鳩彦王를 지나 파견군, 다케다노미야 쓰네요시竹田宮恒徳王를 관동군과 조선군제17 방면군, 간인노미야 하루히토閑院宮春仁王를 남방군에 파견하여 각 군사령관에 천황의 성단을 전달하는 것을 결정하고 각 황족은 22일 각각 근무지로 향하고 맡은 임무를 철저하게 수행했다.

히가시쿠니노미야 내각이 발족한 것은 다음날인 17일이었다. 내각 당면 과제는 국내질서를 유지하면서 연합국군의 주둔을 평온리에 진행하는 것이었다. 군 내부의 폭발을 억제하면서 무장해제를 지체 없이 완료할 필요가 있었고, 육해군으로부터 오바다 도시로小畑敏四郎를 국무상으로 하고, 다카기 소키치高木惣吉 부서기장관을 기용했다.

또한 실현되지는 않았지만 이시하라 간지石原莞爾를 내각 고문으로 한 것도 종합해서 생각해 보면 오바다 도시로나 다카기 소키치 등 반反도조 히데키 계열의 군인을 등용하여 연합국에 의한 전쟁책임 추급을 도조 등에게 떠넘기려고 한 것이라고 생각된다. 단, 히가시쿠니노미야는 황도파皇道派 전성기에서 고바다와 잘 맞지 않았고 고노에, 오가타의 추천에 의해 어쩔 수 없이 승낙한 경위가 있었다.[41] 더 나아가 고노에는 앞서 기술한 것처럼 고바다 이외에도 시게미쓰를 추천했는데 이 시게미쓰의 기용이 히가시쿠니노미야 내각의 불안정 요인이 되었다.

헌정사상 최초가 되는 황족 내각에 기대된 것은 연합국의 관리하에서 종전처리를 원활하게 수행하려는 것이었다. 그를 위해서는 연합국과의 교섭체제를 정비할 필요가 있었고, 8월 22일에는 종전에 관한 중요

사항을 심의하기 위한 종전처리회의히가시쿠니노미야 수상, 시게미쓰 외무부장관, 시모무라(下村) 육군대신, 고메우치(米内)해군대신, 고노에 국무장관, 우메즈 요시지로(梅津美治郎) 참모총장, 도요다 소에무(豊田副武)군사령부 총장, 간사로서는 오가다 내각 서기장관으로 구성와 정전협정 사항 실시를 위한 대본영 및 일본 정부 종전終戦사무연락위원회위원장으로 외무부장관, 위원은 관계 각 성의 국장가 설치된다.[42]

26일에는 관계 각 성省 간의 연락을 긴밀화하고 연합국과의 교섭기관의 역할을 맡는 종전연락중앙사무국종련(終連) 및 지방사무국이 외무성의 외국外局으로 설치된다.[43] 해외 잔류일본인의 인양에 관해서는 종전연락중앙사무국에서 관계 각 성의 정보교환이 이루어지고 나중에 GHQ/SCAP와의 사이에 인양 계획이 실시되는 바탕이 만들어져 갔다.

그러나 일본의 독립주권은 가령 제한되어 있기는 하지만 어디까지나 이것을 유지하고 있다는 외관적 형식을 취하고 싶었다는 시게미쓰는 연합국과의 교섭창구는 외무성이 하나로 처리해야 할 것이라는 생각을 갖고 있었기 때문에 종전연락중앙사무국을 외부성이 컨트롤하고 각 성省을 조정하는 주도권을 쥐려고 했다.[44]

이것에 대해 종전연락중앙사무국의 역할은 단순한 외교가 아니라 국체 문제에 관한 이해를 함께 해야 하는 것에서 전후 산업부흥에 관한 예비적 교섭에 이르기까지 말하자면 정부와 동일한 사이즈의 기관이지 않으면 안 된다고 생각하고 있었던 오가다 종전연락중앙사무국장은 어디까지나 총리가 겸임해야 한다는 지론을 갖고 있었다.[45]

결국 연합국에 의한 일본점령정책이 궤도에 오르기 이전에는 일본 정부 내부에서는 어느 정도까지 주권이 제한되는가를 측정할 수 없었다.

따라서 시게미쓰가 생각한 것처럼 외무성이 연합국과 일본 정부 사이의 교섭창구가 될 수 있는 가능성을 부정할 수 없었다. 시게미쓰는 해외 잔류일본인에 관해서도 현지정착방침이 결정된 이상, 대사관은 물론이고 영사관 등은 일본 정부의 첨병기관으로서 존속할 가능성이 있다고 생각하고 있었다.[46]

시게미쓰에 의하면 연합국과의 관계는 모두 외교전권外交専権 사항으로 해외 잔류일본인 문제에 대해서는 일본 정부가 주체적으로 처리할 수 있는 것으로 받아들이고 있었다. 그러나 오가다는 연합국과의 관계가 외교전권 사항이라는 해석은 패전과 동반하여 시작된 점령이라는 현실을 무시한 것이었고 외무성이 교섭창구가 되는 것은 허구에 지나지 않는다고 보고 있었다. 그 때문에 연합국과의 교섭은 일본 정부의 창구인 종전연락중앙사무국을 통해야 한다고 시게미쓰와 대립했다.

오가다의 의견에 가까운 시게미쓰에게는 비판적이었던 히가시쿠니노미야는 시게미쓰의 주장을 받아들여 외무성 중심으로 종전연락중앙사무국을 조직했는데 일하는 모습이 너무나도 관료적이고 사무가 진행되지 않고 뒷전으로 밀리면서 각 성 및 민간으로부터도 그 무능함에 대한 불만의 목소리가 높아져, 내각 직속으로 이관하여 민간인을 등용한다는 개혁안을 시게미쓰에게 제시하게 된다. 그러나 강한 반대에 부딪혀 9월 17일에 경질된다.[47]

이리하여 9월에 들어서서 잔류일본인을 둘러싼 현지 정세가 악화하고 있는 정보가 계속해서 들어오게 되자 현지정착방침이 일찌부터 한계를 보이던 시기에 정부 내부에서는 시게미쓰와 오가다 사이에서 대연합국방침을 둘러싸고 격렬한 노선 대립이 일어나고 시게미쓰의 실질적인 파면으로까지 발전해 버렸다.

일본 정부의 내분에 아랑곳하지 않고 9월 2일 항복문서 조인 이후 연합국은 GHQ/SCAP에 의한 일본 점령정책을 본격적으로 개시했다. GHQ/SCAP는 당초 잔류일본인 인양에 대해 선박을 제공하지 않고 일본 측 잔존 선박만을 사용할 방침이었다. 이것은 제2차 세계대전에 의해 세계 각지에 전개되고 있던 미군 병사들의 본국 조기 송환을 요구하는 여론의 압력을 받은 미국 정부가 선박을 병사 귀환에 우선적으로 배분했기 때문에 미군으로서도 일본 측에 선박을 제공할 여유가 없었다.[48]

그 때문에 일본 정부에 의한 인양 송환은 주로 항로가 짧은 조선반도와의 왕복에 한정되게 되었다. 그러나 조선반도는 미·소 양군에 의한 북위 38도선을 경계로 남북이 분단되었기 때문에 만주 방면으로부터의 피난민이 조선반도를 남하하는 루트는 차단되어 있었고 조선반도와 일본과의 연락은 비교적 혼란이 적은 38도선 이남의 일본인 인양과 일본내지로부터의 조선인 귀환 루트로서 기능할 뿐이었다.

패전 당시 갖가지 일본 국내 사정이 일본 정부에 의한 현지정착을 기본방침으로 정하는 무리적 요인이 되었다. 그러나 포츠담선언을 수락하면 전쟁이 종결되고 이후는 연합국과의 사이에서 패전 처리가 진행될 것이라는 가벼운 관측이 정부 내부에 있었다는 심리적 요인도 놓칠 수 없는 것이다.

국제정세에 대한 무감각과 수동적 태도는 일본 정부의 정책입지를 좁게 하고 최종적으로는 미국주도로 인양체제가 구축되어 일본 정부는 수동적인 입장에서밖에 관여할 수밖에 없게 되는 결과에 빠져간다.

패전 시에 식민지를 포함한 해외에 잔류하고 있던 민간인 중에 미군 관리하에 있던 것은 북위 38도 이남의 남한과 남양군도 및 필리핀에 있던 일본인뿐이었다. 게다가 미군점령하에 있었던 남양군도와 필리핀의 민간인 대부분은 수용소에 있었다. 또한 중국군국민정부군 관리하가 된 만주를 제외하고 중국 본토에는 50만 명 이상의 민간인이 잔류하고 있었는데 실질적으로는 현지 일본군의 보호하에 있었다.

분명히 미·중 양군의 관리지역의 민간인 보호에 관해서는 큰 지장은 없을 것이라고 예측했는데, 200만 명에 이르는 민간인이 잔류하는 만주와 북한 및 남사할린, 치시마열도는 소련군의 관리하에 있었던 것이 사태를 복잡하게 했다.

미·영·중 3국의 동의를 얻지 못하고 포츠담선언에 참가한 소련은 8월 14일 일본 정부의 선언 수락 발표 이후에도 만주, 북한, 남사할린, 치시마열도의 완전한 군사점령을 목표로 연합국에서 유일하게 전투를 계속하고 있었다. 실질적으로는 9월 2일 항복문서 조인식 전후까지 지속된 소련군의 침략은 일본 정부는 전혀 예측하지 못한 사태였다. 전쟁 말기의 소련에 대한 화평和平 공작 실패에 이어 일본 정부는 소련의 움직임을 완전히 잘못 읽었던 것이고 이것이 해외인양 과정에서 만주를 중심으로 한 소련군 침략 지역에 많은 희생자를 낳는 요인이 되었다.

소련군 침략 지역의 거류민이 일본 정부의 예상을 훨씬 뛰어넘는 비참한 상황에 있었던 것이 밝혀진 것은 9월에 들어서부터이다. 관동군도 당초는 현상을 비교적 낙관하고 있었는데 앞 절에서 언급한 것처럼 8월

30일에는 피난민들의 조기 인양을 요청하게 된다. 상황이 점점 악화되는 와중에 9월 5일이 되어 관동군에 출장했던 아사에다 시게하루朝枝繁春 대본영 참모로부터 육군차관 앞으로 재만일본인의 궁상窮狀이 심각하고 대부분이 아사, 동사에 이르고 있다고 예상되는 이상 원활한 인양시책을 요구하는 전보를 보내왔다.[49]

그러나 같은 날 소련군에 의한 관동군 총사령부가 해체되었기 때문에 거류민 보호를 담당하는 일본 측 대표기관이 소멸하고 만주 방면으로부터의 정보가 단절되게 된다. 만주국의 실질적인 지배권을 쥐고 있던 관동군은 관동군 총사령관이 주만住滿대사를 겸임하고 거류민 보호도 권한을 가졌지만, 대사를 겸임한 야마다 오토조山田乙三 총사령관이 소련군에 구인拘引됨에 따라 거류민 보호 사령탑이 부재하는 상황이 되어 버렸다.

사태가 긴박하게 전개되는 와중에 9월 1일 단계에서 외무성은 이익대표단인[50] 스웨덴을 경유로 소련에 대해 점령지역 내 잔류일본인의 생명 재산의 보호와 경찰관을 포함한 관공리官公吏의 억류 해제, 북한 내의 공장 및 발전소 종업원의 계속 고용, 만주로부터 북한에 유입된 피난민 보호 등을 요청하고 있었다.[51] 그러나 소련은 12일이 되어 일본의 항복으로 외교 관계는 상실되고 스웨덴의 이익대표단으로서의 역할도 끝났다고 주소駐ソ대사에 회답했고 일본 측의 요청을 받아들이지 않았다.[52]

일본은 스웨덴 이외에도 국제적십자위원회나 GHQ/SCAP를 통해 잔류일본인 보호를 요청했다. GHQ/SCAP에 대해서는 9일에 만주지역의 잔류일본인의 보호를 소련 측에 전달하도록 요청했는데 소련의 대응은 스웨덴과 마찬가지였다. 더군다나 재소일본인의 지위는 소련에 의해

'일방적으로 처리한다'는 통고를 받았다.[53]

소련은 대일 참전에 즈음하여 미·영·중 3국의 이해를 얻지 않은 채 포츠담선언에 참가했는데 동시에 일본점령에 관해서도 미·소 공동 통치를 요구하고 있었다. 소련의 요구는 미국이 거부하게 되었고 점령정책은 최고책임자인 연합국 최고사령관에 의해 실시되었는데, 소련은 그때 소련군 총사령부는 연합국군최고사령관의 지휘하에 놓여있지 않다고 일방적으로 선언했다. 그 때문에 GHQ/SCAP는 소련에 대해 영향력을 행사할 수 없게 되고 결과적으로 소련군 점령지역의 일본인 관리에 관여할 수 없게 된다. 일본이 외교 루트에 의해 사태의 타개를 꾀할 방법은 9월 상순에는 이미 상실하고 있었다고 말할 수 있다.

히가시쿠니노미야 내각에서는 시게미쓰 외무부장관을 경질한 후 10월 1일에 종전연락중앙사무국 관제를 개정하여 GHQ/SCAP와의 교섭은 내각 주도에서 이루어지게 되었는데 직후 4일에 GHQ/SCAP가 야마자키 이와오山崎巖 내무부장관 등 내무성 간부 및 도부현道府県 경찰부장, 특고特高 관계자들의 파직 및 모든 정치범, 사상범 석방을 지령하는 것에서 히가시쿠니노미야는 다음 날 5일에 내각 총사직을 결행한다. 후계 내각은 외무부장관이었던 시데하라 기주로幣原喜重郎[54]가 수반이 되었는데 25일에는 GHQ/SCAP는 일본의 외교권 전면 정지를 지령했기 때문에 종전연락중앙사무국은 교섭기관에서 연락기관으로 성격이 바뀌었고 여기에 일본 정부가 외교 루트를 통해 주체적으로 인양문제에 관계하는 것은 불가능하게 되었다. 인양문제는 10월에 들어서자 미군점령하의 태평양제도로부터의 복원이 본격적으로 개시되는 것을 계기로 받아들이

는 측의 체제 정비가 급속하게 진행되기 시작한다.[55]

GHQ/SCAP 관할지역인 남한에서는 조선부산과 일본하카다 사이의 선박 수송이 8월 28일부터 실시되었다.[56] 남한으로부터의 일본인 인양은 일본으로부터의 조선인 귀환과 쌍이 되었는데 정식적인 기관 수송 이외에도 밀항선 등에 의한 무질서 인양도 이루어졌다. 그러나 10월 3일 재한미군정청의 아놀드 군정장관이 일본인의 조기 인양시책을 발표하고[57] 23일에 경성京城(북한으로부터의 피난자 중심)과 인천 재주在住 일본인을 시작으로 남한으로부터 계획적 인양이 개시되었다.[58] 또한 군인 복원도 9월 하순부터 시작되었는데 10월에 들어서 군인들과 민간인의 인양 수송이 본격화되고 다음해 1946년 4월까지 북한으로부터의 피난민을 제외하면 대부분의 일본인이 남한에서 인양되었다. 태평양지역과 남한으로부터의 인양 실시에 맞추어 GHQ/SCAP는 10월 16일에 일본 정부에 대해 인양에 관한 중앙 책임관청 결정을 지령하고 18일에 후생성 책임관청이라고 정했다. 지금까지 군인의 복원은 육해군, 민간인의 인양은 내부성이 관할하고 있었지만, 이후 후생성이 일원적으로 관할하게 된다. 이로써 후생성에서는 11월 22일에 사회국 내에 인양원호과를 설치하였고 11월 22일에는 지방인양원호국관제를 공포하며 GHQ/SCAP에 의해 지령된 인양 항구에서 일본인의 수용과 조선인, 대만인 등의 송출을 시행하는 태세를 정비했다. 또한 같은 달 30일에는 육·해군성이 폐지되고 각각 제1 복원성, 제2 복원성이 되었다.[59]

또한 10월 10일에는 GHQ/SCAP의 한 기관으로서 미태평양함대하의 일본상선관리국Shipping Control Authority for the Japanese Merchant Marine, SCAJAP

이 설치되고 100톤 이상의 강선鋼船 모두를 관할하에 두었다. 그리고 11월 23일에는 선박운영회를 재편한 상선관리위원회Civilian Merchant Marine Committee, CMMC가 일본상선관리국의 하부기관으로 설치되어 일본선박을 인양자 수송에 전면적으로 사용하는 것이 허가된다.[60]

그리하여 GHQ/SCAP 지도하에서 국내 인양체제가 11월 중순에는 완성되고 GHQ/SCAP하에서 인양 수송이 능률적으로 움직이기 시작했다. 그러나 이 시점에서의 수송은 잔존한 불과 몇 안 되는 일본선박만으로 충당하고 있어서 군인들을 포함한 해외 잔류일본인의 완전한 인양까지는 4년이 걸릴 것이라고 예상했다.[61] 게다가 소련군이 점령하고 최대의 잔류자를 세는 만주로부터의 인양은 전혀 앞을 내다보지 못했다.

3. 미국의 대중국정책 전환과 잔류일본인 인양의 실현

잔류일본인을 둘러싼 환경은 특히 만주에서 악화 일변도를 걸었는데 인양이 실시될 전망이 서 있지 않았다. 그러나 잔류일본인의 구제와는 전혀 별개의 필요성에서 일본인의 인양이 미국 내부의 정책 과제로 부상했다. 일본에서 첫 번째 어전회의가 개최되어 포츠담선언 수락 의사가 미국에 전해진 8월 10일 이후 각지에 전개된 일본군의 무장해제와 송환이 현실과제가 되었다.

이 문제에 일찍부터 관심을 갖고 있던 미육군참모총장 마셜은 참모본부 시대의 복심으로 현재는 USFCT 총사령관 웨더마이어와의 사이에서 미군의 본국 송환과 동시에 일본군의 대우에 대해 의견교환을 진행하고 있었다. 그리고 12일 웨더마이어 앞으로 보낸 전보에서는 일찍부터 중국에 전개하는 일본군과 민간인 송환에 관해 중국 각지의 항구에서 일본 측 선박을 사용한 송환 계획 구상을 전하고 있었다.[62]

이것에 대해 마셜과 마찬가지로 일찍부터 일본항복 후의 국민정부에 의한 중국 안정화와 일본군의 무장해제 및 송환에 강한 관심을 갖고 있던 웨더마이어는 14일부의 반신 전보에서 마셜 계획에 찬동하면서 일본군 점령지역에의 국민정부군국부군의 주둔 능력부족과 공산당군중공군의 저항 가능성이 걱정되어 국부군주둔에 맞추어 일본군을 단계적으로 무장해제해 갈 방법을 장제스에게 제안하는 의견을 논했다.[63]

그리고 웨더마이어는 장제스에 대해 일본군 부대의 항복 수령, 무장해제와 복원, 지방정부의 재건, 전쟁 범죄인의 조사, 체포를 주축으로 한 중국 피점령지역 회복에 관한 일본군 항복이라는 명명한 계획을 보여주고 일본인 송환에 대한 미·중의 기본합의를 꾀했다.[64]

또한 동시에 8월 21일에 육군성으로부터 회답을 얻은 USFCT는 일본인을 중국으로부터 송환하는 계획 입안에 착수했다.[65] USFCT 방침은 일본군의 무장해제에 의한 피점령지의 회복을 국부군이 주체적으로 실행하고 그것을 지원하는 것을 기본으로 하고 있었다. 그리고 9월 12일에 충칭重慶에서 일본인 송환에 관한 미·중공동위원회 최초의 회합이 열렸다.[66]

그러나 합의된 당초 계획은 일본군 및 민간인의 현황이나 중국 내의 교통 사정, 더 나아가 선박 이용 등에 관한 정보가 부족했기 때문에 불확실한 것이었다. 더 나아가 공동위원회에서 여러 가지 검토가 이루어진 결과 일본인을 받아들이는 입장에 있던 GHQ/SCAP와 협의할 필요성이 부상했기 때문에 웨더마이어 자신이 직접 맥아더에게 계획을 설명하기 위해 동경으로 날아왔다. 이리하여 USFCT의 계획은 GHQ/SCAP가 관여하는 것처럼 된 것은 중국전선 내에 한정되어 있던 계획이 이미 태평양지역에서 전개되고 있던 일본인 송환과 링크되어 아시아, 태평양 전 지역을 통합한 계획으로 발전하는 것을 의미했다.[67]

USFCT는 당초 군민을 따로따로 다루고 장병 송환을 우선하는 것을 상정하고 있었다. 그러나 8월 말 계획에 근거하여 USFCT 지원하에서 국부군의 이동이 시작되었는데, 그 과정에서 일본 민간인과 그들의 자산을 어떻게 할 것인가가 문제가 되고 일본군의 무장해제와 민간인의 보호는 떼어내어 처리할 수 없는 것이 분명해졌다.[68] 그 때문에 미·중 공동위원회 때가 되면 군민을 합해서 송환하는 것이 현실적인 것이 되어 갔다.

9월 9일에 지나 파견군은 국민정부에 항복하고 월내에는 화난華南, 화중華中에 국부군이 주둔하게 되는데 장제스는 화베이 일본군의 무장해제에 관해서는 국부군 주둔 이전에 미군이 시행하도록 요청했기 때문에 미 제3수륙양용군단이 이것을 담당했다. 그리고 미군이 화베이에서의 활동과 국부군의 수송에 관여하는 가운데 미제7함대도 일본인 송환에 중요한 역할을 담당하게 된다.[69]

이리하여 일본군의 무장해제와 국부군의 주둔이 진행되는 과정에서 미군의 관여도 확대되었기 때문에 10월 25일부터 27일에 걸쳐서 상하이에서 미군 측GHQ / SCAP, USFCT, 미제3수륙양용군단, 미군제7함대, 주화미군연락단과 중국 측국민정부군사위원회, 육군총사령부과의 사이에서 일본인 송환에 관한 합동회의

가 열리고 일본인 송환 기본계획이 결정된다.[70]

이 계획은 우선 국부군의 책임하에서 일본인군인과 민간인을 송출항구텐진, 창두, 상하이, 광동 등로 이송하고 미제7함대와 SCAJAP의 책임하에 중국 본토-대만-일본 간의 항로 수송을 시행한다는 2단계 계획으로 진행하고자 했었다.[71] 그리고 이 계획에 근거하여 중국지구대만 및 홍콩에 맞춘 북위 16도 이상의 프랑스령 인도지나를 포함로부터의 일본인 송환이 실행에 옮겨지는데, 이 단계에서는 만주로부터의 송환은 미·중 관계자 사이에는 계획되어 있지 않았고, GHQ/SCAP도 이 지역의 일본인 송환은 소련군의 책임하에서 시행되게 되었다.[72]

그러나 당초는 만주를 따로 떼어내고 있던 일본인 송환 계획이었는데 소련군 철수기일이 다가옴과 동시에 국공대립이 격화하는 과정에서 급한 전개를 보이게 된다. 이미 일본항복 직후부터 공산당이 화베이로부터 만주에 걸쳐 영향력을 침투시키고 국부군의 북상을 저지하고 있었기 때문에 앞에서 기술한 장제스의 요청에 의해 미군이 천진에 주둔하게 되었다. 그러나 공산당은 미군의 화베이華北전개를 경계하고 있었고 국공대립에 휘말리는 것을 싫어하던 미군은 공산당지배 지역에의 전개를 회피했다.

한편 만주를 포함해 중국 전국 통일과 지배 확립을 목표로 하던 장제스는 일본항복 6개월 전부터 만주접수 계획에 착수하여 9월 중에는 조직과 사람들을 갖추었다. 그리고 10월 12일에 동북 행영行營이 창춘에 개설되고 숑스후이熊武輝, 정치담당, 장자아오張嘉璈, 경제담당, 중창철로이사장 겸임, 장징궈蔣経国, 해외담당가 부임하여 소련군과 회견한 후 17일에 소련군자바이칼 방면 군사령관 말리노브스키(Родион Я. Малиновский)과의 정식 회담이 시작된다.[73]

더 나아가 소련군이 철수하지 않고 만주에 자리를 잡는 것을 경계하고 있던 장제스는 9월부터 트루먼에 대해 2만부터 3만의 국부군부대를 상하이에서 다롄에 수송을 위한 지원으로 요청했다.[74] 소련군의 철수를 둘러싼 중·소 교섭이 시작되어도 중국에 국부군을 만주까지 주둔시키는 물리적 능력은 없었기 때문에 동북행영 활동은 한정적이어서 미군의 지원에 의한 국부군의 북상이 절대로 필요했기 때문이었다.[75]

중소 양국은 8월 14일에 중소우호 동맹조약을 체결할 즈음 일본의 항복 이후 3개월 이내에 소련군은 철수하는 것이 이해된 상황으로 확인되고 있다. 소련이 당초 중국에 전한 철수기일은 12월 3일이었기 때문에 중국은 10월 하순부터 국부군을 다롄, 안둥安東, 잉커우営口, 후루다오葫蘆島에 상륙시켜 소련군의 완전 철수와 동시에 만주접수를 완료시킬 계획이었다.[76]

그러나 중국이 소련 철수 후 치안유지를 위해 국부군의 동북 전 지역에 즉시 주둔을 요구한 것에 대해 소련은 다롄, 잉커우, 후루다오에의 상륙을 거부하고 더 나아가서는 국부군의 전개에 협력하지 않는다는 것과 소련 주둔지역 내에서 국민정부계의 보안조직결성을 인정하지 않았기 때문에 교섭은 암초에 부딪혔다.[77] 이것에 대해 장제스는 대여받은 미국함대와 미군의 정찰지원하에 잉커우, 후루다오에 상륙하는 것을 결정했다.[78] 그러나 후루다오에 접근한 미국함대가 중공군의 발포에 의한 내전에 깊숙이 관여하는 것을 피하기 위해 상륙을 단념한다는 보고를 받고 만주에의 순조로운 주둔을 단념하지 않을 수 없었다.[79]

더 나아가 이 시기 일본인 기술자의 유용을 둘러싸고 미·중 간에 마찰이 일었다.[80] 중국에서 산업부흥을 위해 일본계 자산의 접수뿐만 아니라 기술자 유용 또한 불가결한 것이었다. 그러나 이 유용은 기술자뿐만 아니라 군인까지 포함하게 되고 일본의 영향력을 배제하고 싶은 미국에게는 바람직하지 않은 일이었다.[81]

장제스는 전후 부흥을 위한 금융, 경제, 군사 등에서 미국으로부터 지원의 확대를 필요로 했다. 게다가 국내통일을 위해서는 공산당의 근거지가 되어 있는 화베이와 만주에 국부군을 주둔시키고 공산당의 영향력을 배제하지 않으면 안 되었다. 이를 위해서는 미군의 지원이 절대적으로 필요했다. 그러나 대전 말기부터 장제스와의 관계가 악화되고 있던 미국정부는 적극지원파였던 웨더마이어와는 달리 중국 문제에 깊게 관여하는 것을 회피하고 있었다.[82]

이러한 과정에서 11월에 들어서면 상황은 크게 바뀐다. 그 요인은 소련군의 철수가 현실적인 과제가 된 것이다. 중국은 조기에 만주 주둔를 단념했는데 게다가 만주에서 중공군의 활동이 활발하고, 소련군과의 교섭도 정체하고 있었기 때문에 11월 12일 웅무휘는 중경으로 향하여 동북행영의 관내 철수를 협의하고[83] 15일에 창춘의 동북행영을 산해관으로 철수시키는 것을 결정했다.[84] 그러나 동북행영 철수 통지를 받고 나서 소련은 갑자기 교섭에 적극적으로 나서며 17일에는 중국의 동북접수에 협력할 자세를 보였다.[85] 그리고 19일에 중국 외교부로부터 페트로브Аполлон А. Петров 주화駐華대사에 대해 국부군의 만주접수에 협력한다면 철수기한을 1월 3일까지 1개월 연기하는 것에 동의한다고 제안한 결과 30일에는 소련의 제안에 동의하는 것의 회답이 이루어졌다.[86]

또한 이 사이 26일에는 국부군이 진저우錦州에 주둔하고 후루다오도 점령한 것으로 만주 중심부에 군을 보내는 태세가 정비되었다.[87] 이리하여 11월 하순 이후 소련군의 철수를 향한 국부군의 만주 주둔이 현실미를 띠게 되었다.

소련이 중·소 교섭에 긍정적이게 된 이유는 일본계 산업자산의 철수 목표가 가능하다고 보게 된 점에 있다고 추측된다. 소련은 8월 30일에 대전 중의 최고 의사결정기관인 국가방위위원회에서 일본계 산업자산을 전리품으로 11월까지 소련으로 반출하는 것을 결정했다.[88] 이 결정에 근거하여 소련군은 9월 3일에 하얼빈-만저우리滿洲里 간의 철도 노선을 표준 궤에서 소련 영내와 동일한 광궤広軌로 개축하는 것을 개시하고, 19월 9일에 공사가 완료하여 다음 날부터 모스크바 직통열차 운행이 시작되고 만주에서 시베리아의 수송능력은 비약적으로 향상했다. 이러한 움직임과 병행하여 9월 22일에 카르긴И. В. Каргин이 중국-창춘철로중창(中長)철로 부이사장으로 부임한다. 이사장은 중국인이었는데 실질적인 권한은 부이사장이 쥐고 있었고 27일에 카르긴은 야마자키 원元만철총재에 대해 22일부로 만철은 소멸했다고 선언하고 종업원은 계속해서 현장에 머물며 업무 인수인계를 할 것을 지시했다.[89]

그리고 동북행영과 소련군과의 교섭이 시작된 10월이 되면 17일 회담에서 소련군은 일만합변日満合弁을 제외하고 일본 자본 공장은 전리품이라는 인식을 보여주게 된다.[90] 실은 전술한 국가방위위원회에서의 결정 이전 중·소우호동맹조약 교섭 때에 쑹즈원宋子文이 스탈린에 대해 만주국 기업자산은 중국에 귀속한다고 주장했는데 스탈린은 특수회사를 포함해서 만주의 각 기업자산은 소련의 전리품이라고 간주하고 일본인의 사기업은 중국의 것이라고 인정한다고 발언하고 있었다. 소련은 일·소전쟁 직후부터 일본계 자산은 전리품이라고 보는 견해를 바꾸려고 하지 않았다.[91]

이러한 상황에서 소련군은 20일에 다카사키 다쓰노스케高碕達之助 만주 중공업개발만업(滿業) 총재에 대해 사무소·주택 등 건조물을 포함하는 만업 전 재산을 소련에 인도하라고 요구하였고 29일에 양자 사이에 합의문서가 교환되며 만업 전체 자회사도 11월 9일부로 소련에 인도되었다.[92] 또한 카르긴은 11월 6일에 장자아오張嘉璈에 대해 9일에 중창철로가 정식 발족하는 것을 전달하고[93] 9일에는 야마자키에 대해 다롄, 펑톈奉天, 하얼빈 세 곳 철도 공장 및 화학공장 인도를 요구,[94] 19일에 야마자키는 카르긴의 요구를 받아들였다.[95]

만주국의 중화학공업시설 대부분은 만업 혹은 만철 계열이었다. 소련은 중국의 선수를 치고 만업 및 만철 시설 접수를 완료함으로써 시설해체 및 공업부품 등의 소련 영내에의 반출이 정당화되었다. 이처럼 일본계 자산접수의 명목이 서고 계획대로 시설의 해체와 반출이 진행되는 것으로 철수가 가능하게 되었다.[96]

한편 중·소 간에 커다란 움직임이 있었던 동시기에 미국 정부 내부에서도 변화가 일어나고 있었다. 11월 20일에 웨더마이어가 육군성 앞으로 보고서를 제출(그 외에 맥아더 연합국군 최고사령관, 미태평양 방면 군 사령장관, 미제9함대 사령장관, 미제3수륙양용군단사령관, 주화미군연락단장에 복사본을 송부), 만주를 포함한 중국 정세의 불투명함과 국민정부의 취약성을 분석한 다음 미군은 중국으로부터 철수할까 혹은 계속 주둔해서 국민정부를 지원하여 일본인의 송환을 완료할까 등 구체적인 정책을 분명하게 하면서 USFCT의 권한의 재고를 요구하고 있었다.[97]

이를 받아들이면서 같은 날, 국무한즈, James F. Byrnes, 육군파터슨, Robert P. Patterson, 해군퍼레스탈, James V. Forrestal 세 장관에 의한 국무·육군·해군 3성 조정위원회the State-War-Nevy Coordinating Committee : SWNCC가 열리고, 웨더마이어의 보고를 기초로 소련의 중국에서의 영향력을 배제하기 위해 미군 지원 아래 국부군을 만주에 이송하고 그와 함께 재만일본인을 송환할 필요성이 이야기되었다.[98] 당초는 만주에 대해 깊이 관여하지 않으려고 했던 미국이었지만, 소련군 철수가 현실적 과제가 되면서 만주에 깊게 관여하기 시작했다.

더 나아가 21일이 되자 장제스는 트루먼 앞으로 소련은 중·소 우호동맹조약 정신에 위배되고 국부군의 만주 주둔을 저해하는 공산당의 세력 확장에 손을 빌려주고 있다고 호소하면서 사태의 악화를 막기 위해 미국의 협력을 강하게 요청하였다. 장제스는 다음 날에도 트루먼 앞으로 서간을 보내어, 미군의 물적 지원에 의한 화베이에 국부군 주둔을 웨더마이어와 협의한 것을 전달했다.[99]

그리고 소련의 지원을 받은 중공군을 배제하고 화베이와 만주에 국부군을 주둔시킴으로서 중국의 안정을 실현하면서 동시에 일본군의 무장 해제와 일본인 송환을 위한 미국의 협력을 재차 강하게 요구했다.[100]

이에 대해 트루먼은 27일 웨이다오밍魏道明 주미대사와 회견하고 미·중 협력체제의 긴밀화를 약속했다. 이날 웨더마이어와 마찬가지로 반공산당의 입장에 있었던 패트릭 할리Patrick Jay Hurley 주화駐華대사가 국무성 내에 많은 중국공산당 지지파와의 알력을 이유로 사의를 표명하고 마셜이 특파대사로서 국공国共 조정에 나설 것을 결정했다. 웨이다오밍은 패트릭 할리Patrick Jay Hurley의 사임에 의해 드러나게 된 국무성 내의 공산당 지지파는 하원에서 문제시되었고 더 나아가 마셜과 같은 거물의 파견은 미국이 중국을 중시하는 것을 보여준 일이라고 본국에 전하고, 이후 미국의 대중국정책 전환에 기대를 품었다.[101] 실제 트루먼은 할리 사임 이후부터 중국에 잔류하고 있던 일본군 문제의 해결을 대일전의 총결산이라고 자리매김하고 국민정부에의 지원을 주축으로 하는 중국정책의 전환을 고려하게 되었다.[102]

12월 3일에 웨더마이어는 마셜로부터 미국의 새로운 대중국정책이 결정되고 지금까지 일본인 송환 계획도 크게 바뀐다는 것을 전달받았다. 계획의 중요한 변곡점은 지금까지 제외되었던 만주의 일본인 송환이 포함되는 것이었다.[103] 특파대사로서 중국으로 가게 된 마셜에게 최대의 걱정은 중국에 일본군과 민간인이 잔류하는 것으로 일본의 영향력이 유지되고 불안정한 중국 정세 속에서 캐스팅 보트casting vote를 쥐는 것이었다. 그것을 저지하기 위해서는 일본인의 송환을 빨리 진행하지 않으면 안 된다고 생각했다.[104]

이후 14일이 되어 웨더마이어와 USFCT에 통합참모본부로부터 중요한 결정이 전해진다. 통합참모본부는 웨더마이어의 권한 범위를 조정하고 지금까지 애매했던 중국 전역戰域을 만주, 대만, 하이난 섬海南島, 더 나아가 북부 프랑스령의 인도 지나를 포함하는 것을 명확하게 했다. 이로 인해 USFCT는 권한이 강화된 중국 전역 미군총사령관The commanding general U.S force china theater; COMGENCHINA 지휘하에서 만주를 포함한 모든 중국에서 만주에의 국부군 이송을 지원하는 것도 명확해졌다.

이 지령은 이전 달 20일에 제출된 웨더마이어의 보고서가 기초가 되었고 말 그대로 이 시기부터 USFCT는 정치적 역할을 적극적으로 떠맡게 된 것이다.[105] 마셜로부터 전달받은 대일정책은 12월 15일에 트루먼 대통령에 의해 정식으로 발표된다. 트루먼은 지금까지 애매한 대중국정책을 전환하여 중국문제에 대해 적극적으로 관여할 것을 표명하고 중국 안정화를 위해 마셜을 특사로 파견하고 국민정부와 공산당과의 조정에 나설 것을 분명하게 했다. 그리고 그 문맥 속에서 중국 사회의 불안정한 요인이 될 수 있는 군민 전체 200만 명을 넘는 잔류일본인의 발 빠른 송환을 결의하게 된다.[106]

또한 10월부터 미군 지원을 받아 만주를 제외한 중국 본토의 일본군과 민간인의 송환이 시작되는데 한정된 선박 숫자로는 단기간에 완료하지 못했다. 국민정부가 부담하고 있던 일본군이나 민간인에 제공하는 식량은 3개월분밖에 없고 보급을 생각하면 100억 위안元의 경비가 필요하다는 전망이 나왔다.[107] 국민정부에게 송환 지연은 재정부담의 증가로 연결되어 있었고 그 점에서도 이 이상의 대규모적인 송환 계획이 필요하게 되었다.

트루먼의 대중국정책 발표 이후 미국의 대응은 발 빨랐다. 일본 국내에서는 일찍이 12월 27일에 GHQ/SCAP로부터 상선관리위원회에 대해 미국 배 215척리버티형 전시표준선, LST가 중심을 대여할 테니 1개월 안에 개수와 선원, 연료, 식량을 확보하여 출항시킬 것이라는 명령이 내려왔다.[108]

또한 10월 25일에 국민정부에 접수된 대만에서는 12월 18일에 미·중 측으로부터 현지 일본군에 대해 복원 실시가 알려지고, 25일에는 복원 제1선이 지롱基隆을 출항했다. 더 나아가 31일에는 대만성 행정장관 공서가 재대在台일본인의 본국 송환을 발표하고 3월부터 인양이 개시된다.[109]

그리하여 미국의 대중국정책의 전환으로 일본인 송환 계획의 재정비가 이루어지게 되었는데 이 이후 GHQ / SCAP가 커다란 역할을 담당하게 된다. 일본인 송환에 관한 GHQ / SCAP의 관여는 지금까지 남한 등에 한정되어 있었는데 USFCT에 의한 일본인 송환 계획에 관여하는 가운데 동아시아 전 지역의 송환 계획의 중심적 역할을 담당하게 된다. 그것이 제도적으로 확정되는 것은 1946년 1월부터 일본인 인양에 관한 회담에서였다.

1946년 1월 15일부터 17일에 걸쳐 동경에서 '인양에 관한 회의'가 개최되었다. GHQ / SCAP, 미태평양함대, COMGENCHINA, 서태평양미육군, 미제5함대, 미제8군, 미제24군단, SCAJAP 등 9개 조직의 대표자가 참가하여 개최한 회의에서는 전 지역 잔류일본인의 본국 송환이 기본방침으로 확정된다. 계획대상의 중심이 되는 중국에서는 제7함대와 재중미군이 사용하는 배를 사용하여 국부군의 군사이동에 충당하고 동시에 일본인 송환도 실행하는 것으로 했는데 중국 이외의 남한, 필리핀. 태평양지역, 오키나와로부터의 일본인 송환, 일본으로부터의 조선인 송환, 남한으로부터의 중국인 송환 등에 대해서도 일괄된 함의含意가 이루어지고, 모든 아시아 태평양지역으로부터 일본인을 송환하기 위한 종합적 수송체계가 구축되었다.[110]

이 회의 이후 일본에 대여한 약 200척도 미군 선박을 중심으로 한 귀환 수송이 실행에 옮겨지고 몇 안 되는 일본선박에 의해 작은 규모로 시행되고 있던 일본인 인양은 획기적인 비약을 이루게 된다.[111]

한편 만주로부터의 소련군 철수는 연장된 기일인 1월 3일이 되어도 실현되지 않았다.[112] 그러나 10일에 마셜 조정하에서 국공 양군의 정전 합의가 이루어지자 국부군의 주둔은 서서히 진척되고 3월 1일에 소련군은 마침내 선양(瀋陽, 구·펑톈(奉天))으로부터 철수하고 심양을 동북행정의 중심으로 한 국민정부에 의해 전만주지역 잔류일본인의 송환체제가 구축되고 5월부터 미군 대여 선박을 중심으로 한 송환이 본격적으로 실행되게 된다.[113] 그리고 만주로부터의 일본인 인양이 현실적인 것이 되면서 GHQ/SCAP는 3월 16일에 일본 정부에 대해 '인양에 관한 기본지령'을 내고 해외 잔류일본인의 송환과 조선인, 대만인, 중국인, 오키나와현민의 귀환을 위한 수송 및 일본 국내의 수용, 송출 및 인양자에 대한 대우에 관한 구체적 업무를 명확하게 했다.[114]

이리하여 해외와 일본을 연결한 잔류일본인 인양이 제도적이고 조직적으로 구축되고, 소련군 점령하에 있던 다롄, 북한, 남사할린를 제외한 모든 지역으로부터의 일본인 인양이 실시된 것이다.

나가며

대일본제국의 확장은 '거류민 보호'를 명목으로 한 군사 행동으로 시행되었는데 그 종말로서 현실에 '거류민 보호'가 고려되지 않았다. 패전

후 일본은 여러 가지 요인에 의해 잔류일본인의 현지정착을 방침으로 정하지 않을 수 없었는데, 일본 정부 내부에서 '거류민 보호'라는 이념이 근본적으로 결여되었던 것이 최대 요인이었고, 실제로는 되는대로 맡겨버린 기민棄民이었다고 비판해도 어쩔 수 없는 측면이 있었다.

그러나 현실에는 패전으로부터 1년이 안 되는 사이에 군인도 민간인도 대부분이 인양되었다. 당초는 짧아도 3년은 걸릴 것이라고 예상했던 인양이 예상외의 빠르기로 진행된 것은 미군의 힘에 의한 것이 크다. 그러나 결과로서 인양 계획이 성공하는 것이 초기 일본 정부가 정착과 인양 사이에서 흔들리고 있었던 것, 패전국이라는 현실을 직시하지 못하고 상대국의 호의를 과도하게 기대했던 것, 미국은 인도적 이유보다도 국제정치상의 관점에서 일본인의 인양에 관여한 것 등 검증하지 않으면 안 되는 많은 문제점을 은폐해 버렸다고 말할 수 있다.

해외 잔류일본인의 인양은 여러 가지 국제관계가 뒤얽힌 문제였고 결코 일본 국내만의 문제도 미·일 양국만의 문제도 아니었다. 또한 제2차 세계대전 종결부터 냉전 발발까지의 미·소 공존과 대립이 병립하는 과도기에 일어난 문제였으며, 미국의 소련이나 중국공산당에 대한 대응은 냉전기 대립 시점만으로 해독되는 것이 아니었다.

본 장에서는 1945년 8월의 패전부터 연말의 인양 계획 실시까지를 중심으로 미국의 대중국정책을 축으로 일본인의 인양문제를 논했다. 그 속에서 미국이 소련이나 중국공산당에 대해 당초부터 대결 자세를 선명하게 취하고 있었던 것이 아니라 오히려 공존에 주력하고 있던 것이 일본인 인양문제에도 큰 영향을 미치고 있었다. 이러한 미국의 자세는 1946

년에 들어서도 큰 변화는 없었다. 그러나 5월 이후 만주로부터의 일본인 인양이 본격화되고 다른 한편으로 소련군 점령하의 다롄, 북한, 남사할린에 잔류하고 있던 일본인과 시베리아에 억류하고 있던 일본군의 인양문제가 부상하기 시작하자 미·소 간의 냉전 조짐이 나타나기 시작했다.

제4장에서 검증하듯이 이들 지역으로부터의 일본인 인양은 중국의 문제이기도 했던 만주와는 다르고 미·소의 직접 교섭으로밖에는 해결되지 않는 문제로 봄부터 시작해 미·소 간의 외교교섭이 장기화함에 따라 대립점이 현재화되어가고 있었다. 이 문제는 1946년 12월 19일에 체결된 '재소일본인 포로 인양에 관한 미·소 협정'에 의해 소련군 점령지역으로부터의 일본인과 시베리아 억류 군인의 인양이 실시되는 것으로 종결되지만, 오히려 이 이후의 미·소 관계는 유럽의 전후 처리를 둘러싸고 대립이 깊어졌고 1947년 3월에는 트루먼 독트린이 발표되었으며 미·소 냉전이 구조화되었다.

그리고 미·소 냉전이 본격화되자 일본인 인양문제 특히 시베리아 억류 문제는 반공, 반소의 선전재료가 되어 갔다. 또한 과거로 거슬러 올라가 만주 인양에 대해서도 비인도적인 소련과 인도적인 미국이라는 기억의 재구성이 진행되고 이것이 현재까지 하나의 틀로서 이야기되게 되었다.

제2장

만주국 붕괴와 재만일본인 인양문제

만주

들어가며

일본이 패전할 당시 만주지역만주 및 관동주[1]에 주재하고 있던 일본인은 약 155만 명에 이른다. 만주지역은 패전 직전 소련의 대일對日 참전으로 인해 전쟁터로 변했고, 전투와 피난·인양이 동시에 진행되어 대혼란을 초래했다. 그 결과 약 24만 5천 명이 가운데 일·소 전쟁에서는 약 6만 명의 희생자를 냈다.[2] 특히, 소련과 만주 국경 가까이 주재하고 있던 개척단원들의용대·보국농장을 포함해 약 27만 명, 이 가운데 특히 장년 남자 약 4만 7,000명이 일·소 개전 시에 소집됨에게 피해가 집중되었고 전투에 휘말려 난민화되면서 약 7만 2,000명이 사망하고, 약 1만 1,000명이 귀국하지 못하는이 가운데 사망 추정자는 6,500명 비극을 맞이했다.[3]

이러한 많은 희생자와 인양 체험의 비극성으로 인해 만주 인양에 대해 우리들이 갖는 이미지는 어떤 일정한 '틀'로 고착화될 수 있다. 이는 만주 인양의 실상을 단순화할 뿐만 아니라 현지에 남겨진 일본인 체험의 복잡성을 간과할 수 있다. 예를 들면, 실제 전쟁에 휘말린 개척단원과 도시주민의 체험은 전혀 다르고, 도시주민 가운데서도 기술자 같은 전문성을 갖고 있던 사람과 그렇지 않은 사람은 유용留用 체험의 유무를 달리한다. 게다가 중국공산당군의 지배를 받았는지의 여부에 따라 공산주의 체험이라는 면에서 결정적으로 달랐다. 원래 만주로 건너간 동기와 만주 재류 기간도 달라서 만주에 대한 인식도 제각각 달리하고 있었다.

이러한 개개인의 체험과는 별도로, 만주 인양은 단순히 일본인만을 대

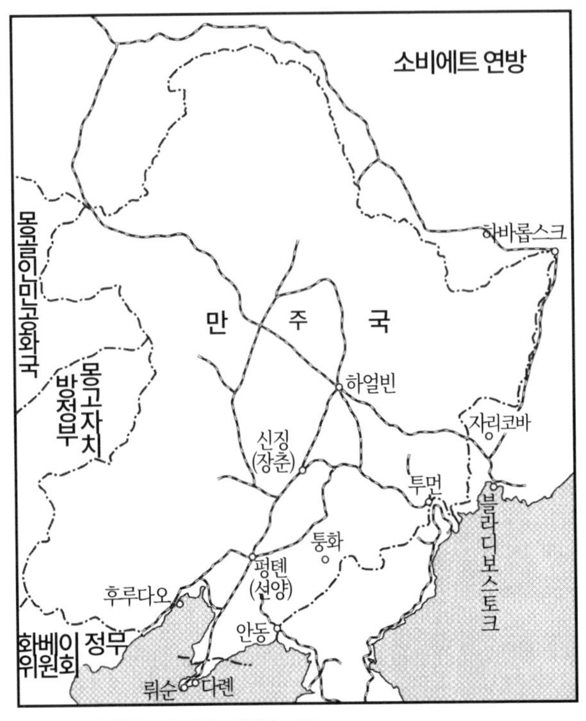

〈지도 2〉 만주국(1945년경). 원저서 p.54

상으로 한 문제가 아니라 오히려 미국·소련·국민정부·중국공산당 각각이 노리는 국제정치상의 막중한 교섭이며 일본인 인양은 그 가운데 한 가지 정치적 도구로 사용되었다고 볼 수 있다.

구·만주지역은 소련군에 의한 군정과 이를 대신한 국민정부의 지배, 게다가 중국공산당의 침투라는 전후 동아시아 냉전 구조의 중요한 요소가 일찍이 선명하게 드러난 지역이다. 이러한 국제관계의 격동기에 재만일본인이 다양한 형태로 실제 관계되었고, 그들의 눈을 통해 동아시아의 냉전구조가 형성되어 가는 시기 인식의 제상諸相이 나타나게 되었다.

본 장에서는 이러한 시점에서 우선 만주 인양을 재구성하고 국공내전国共内戦하의 재만일본인이 어떠한 상황에 처해있었던가를 검증한다. 나아가 제1장에서 밝힌 국제정치적 요인에 의해 일본인 인양이 결정됐다는 것을 전제로 해 구체적으로 만주 인양이 어떻게 실행되었는가를 명확하게 밝힌다.[4]

1. 소련 참전을 둘러싼 관동군·일본 정부의 혼돈

만주 인양의 특징은 희생자가 많다는 점과 항간에 널리 전해지고 있는 인양 체험의 비참함에 있다. 그 요인은 패전 직전 관동군이 남성을 대상으로 방위소집을 해 일가의 중심인 남성과 가족이 뿔뿔이 흩어지게 된 점이다. 또한 대전 말기에 일·소 개전을 상정한 관동군이 렌징선連京線, 다롄(大連)-신징(新京)·징투선京図線, 신징-투먼(図們)을 방위선으로 정해서 조선과의 국경을 따라 만주 동남부의 산악지대에서 장기지구전으로 끌고 갈 계획을 세웠다. 이로 인해 방위선의 외측, 특히 소련·만주 국경 주변에 주재하는 개척단의 피난 유도를 게을리한 점, 이 두 가지의 요인을 지적할 수 있다. 1944년 9월 18일, 대본영大本営은 관동군에게 장기지구전으로 전환할 것을 요구해(대륙명 제1130호), 관동군은 다음해 1월 17일까지 만주 동남부와 조선북부를 확보하기 위한 지구전 계획을 책정했다.[5] 즉 패전 반세기 전에는 대소련전에 대비해 개척단이 여기저기 흩어져 주재하고 있던 만주국 국경지역에서의 전투를 방기하고 있었다.

한편, 소련은 1943년 11~12월에 열린 테헤란회담에서 미·영 양국에게 대일 참전을 약속하고 1944년 11월 혁명기념일에 스탈린은 적대관계가 없었던 일본을 침략국으로 처음 지명해 비난했다. 이어 1945년 2월에는 얄타회담에서 독일이 항복한 지 2, 3개월 후에 대일 참전을 확정하고 4월에는 일·소중립조약의 연장불허를 통지해 대일 참전 태세를 갖추고 있었다.

관동군도 5월 7일 독일의 항복 전후부터 극동 소련군이 증강되고 있었던 사실을 파악하고 있었지만, 문제는 사실상 개전 시기의 판단이었다. 군사 작전상 겨울에 만주에서의 전투는 피하고 여름에 공격을 시작해 겨울 전에 작전을 완료하는 것은 상식이었다. 그래서 7월이나 8월에 전쟁이 시작될 것은 충분히 예상할 수 있음에도 관동군 수뇌부는 희망적 관측에 사로잡혀 개전 시기를 잘못 판단하고 있었다.[6]

이러한 가운데 독일이 항복한 후인 5월 30일 대본영은 관동군에게 대소련작전 준비 명령을 내렸다(대륙명 제1339호). 이것에 의해 관동군은 당초 계획에 기초해 만주 전체의 4분의 3을 포기하고 동남부 산악지대와 조선북부에서의 대소련지구전 준비를 시작하게 된다.[7] 게다가 병력 부족을 보충하기 위해 재만在満일본인 가운데 청장년 남성을 대상으로 한 방위 소집을 시작했다. 이것이 재만일본인 비극의 하나의 원인이 된다.[8]

8월 이후 일·소 개전 가능성이 높아진다고 판단함에 따라 관동군에서도 6월부터 7월에 걸쳐 재만일본인 대책을 세워야 할 시기임에도, 어떤 대책도 세우지 않았다. 실제 관동군은 지구전으로 전환할 새도 없이 1945년 2월 24일에 '관동군재만거류민처리계획関東軍在満居留民処理計画'을 책정해 변경구역의 노인, 어린이, 부녀자의 피난과 청장년 남자의 소집을 계획하고 있었다. 이 계획의 실시가 5월 이후 군내부에서 협의되었지만, 대본영에서는 소련 참전의 가능성은 전무한 것으로 여겨, 당장 계획을 실시하면 현지민이 동요하고 소련군의 진입을 유발한다는 이유로 동의를 얻을 수 없어 계획은 실현되지 않은 채 소련참전을 맞이하게 되었다.[9]

또한 소련이 대일 참전한 경우, 거류민의 피해는 전혀 예측 불가능한 것이 아니었다. 베를린이 함락될 당시 소련군 병사의 군기문란에 관해서 지금까지 지적되어 왔다.[10] 베를린 일본대사관에 잔류해 수도함락을 목격한 가와하라 순이치로河原畯一郎 참사관은 "소련병사들은 당기관 정부관청 개개의 당원 가옥을 비롯해 시민주택까지 무자비하게 약탈했으며, 부녀자들에게는 거의 가책 없이 능욕을 저질렀다"[11]고 귀국 후에 제출한 보고서에 기록했다. 이처럼 일본 정부, 적어도 외무성은 전쟁터가 되었을 경우 민간인의 피해 정도가 어느 정도일지 예상할 수 있었다. 그러나 베를린에서 시베리아를 경유해 만주국에 도착한 국민이 만주국에 들어오면, 바로 함구령이 내려져 베를린에서 일어났던 일이 일절 외부로 유출되는 것을 금지시켰다.[12]

제1장에서 상술했듯이, 이러한 현실을 직시하지 못한 일본 정부는 포츠담선언을 수락하기로 결정한 8월 14일에 도고 시게노리東郷茂徳 대동아상외무장관 겸임을 통해 만주국·중국·동남아시아 각지의 재외공관에 내린 훈령訓令에서 거류민의 현지정착을 지시했다.

게다가 8월 30일에 내무성 관리국은 "서둘러 조급하고 무질서하게 인양을 결정짓지 말고 당분간 냉정한 태도를 갖도록 철저히 지도"할 것, 또한 평화산업 종사자에게는 "끝까지 그곳에 머무르도록 지도할 것"이라고 정했다. 또한 "각 지역에서 내지인일본인으로 하여금 자치자위 조직을 결성시켜 상호부조 원칙 아래 자존자위를 강구함과 더불어 점령군과의 교섭에도 임하도록 지도할 것", 부녀자 등 부득이 인양시킨 사람에 대해서는 "내지처럼 현지에 보호실시 단체를 설립할 것" 등의 방침을 결정했다.[13] 이미 남사할린南樺太과 한반도 북부에는 소련군이 침공하고 있음에도 식민지를 관할하는 내무성도 또한 마찬가지로 현지정착을 기본으로 했다.

이러한 정부의 방침은 완전히 안이한 관측에 근거해 전망한 것인데, 갑자기 이 방침을 내세우게 된다. 만주 재류일본인의 피해상황에 관해서는 현지에 파견된 정부기관과 관동군에서도 처음에는 전투중이어서 완전히 파악할 수 없었다. 또한 8월 중에 시작된 일·소전은 8월 19일에 싱카이후興凱湖 호수 남동에 위치한 연해주沿海州의 자리코바Жариково에서 관동군 총참모장 하타 히코사부로秦彦三郎와 극동소련군 총사령관 바실레브스키Александр М. Василевский가 정전停戦에 합의함으로써 종결되었다.[14] 그러나 자리코바에서의 회담은 관동군과 소련군 간에 정전 내용에 대한 협의 없이, 관동군 각 부대의 즉시 정전과 지정된 지역으로의 이동에 관한 소련군으로부터의 일방적인 지시전달이었다.

회견 후 바실레브스키가 스탈린에게 보낸 관동군 측의 발언에 관한 보고에 의하면, 하타秦는 ①일본인과 현지민과의 긴장상태가 한계에 이르렀다고 인식하고 있으며, ②일본군·일본인을 조속히 장악하기 위해 만주 전역에 점령을 서두르도록 의뢰했고, ③멀리 떨어진 곳의 치안유지와 기업의 재산을 보전하기 위해 소련군이 도달할 때까지 무장해제 연기를 요청했다. 게다가 ④일본군 장병에 대한 적절한 대응 및 식량·의료 보장도 의뢰하고, ⑤소련 측의 요구를 조속히 확실하게 실행할 것을 약속하고 이 회견이 일본과 소련과의 강고한 우정의 초석이 되길 희망하고 있다는 것이다. ⑥그 외 치시마열도千島列島에 있는 일본군에게 소련군과의 전투는 무익하다는 것을 통고하라는 지시에 대해서도 하타는 대본영에 이 내용을 보고할 것을 약속했다는 것이다. 그러나 거류민 보호에 관해서는 명확하게 기재되어 있지 않았다.[15]

실제, 정전 합의 직후 관동군은 각 부대에 정전을 명령했는데 그 개요는 다음과 같다. ①20일 오전 11시까지 모든 전투행위를 정지할 것, ②소련군은 일본군의 명예를 존중하고, 장교가 칼을 차는 것을 허용하며, 무장해제 후에도 정중하게 대우해 장교의 생활은 지금까지처럼 그대로 유지된다, ③중요한 지역에서의 경비는 소련군이 주둔할 때까지 일본군이 담당하고, ④관동군 총사령부의 무장해제는 모든 부대가 무장해제를 완료한 뒤에 하고, 그때까지 통신연락용 비행기·자동차 사용이 허가된다, ⑤무장해제 후 일본군의 급식은 자급하고 창고의 곡물사용·운반은 기존에 했던 대로 한다, ⑥철도는 조속히 소련군의 관리로 옮기지만, 식량수송이 필요할 때는 일본군이 사용을 요구할 수 있다, ⑦거소련군은 거류민 보호에 '충분히 유의'하고 있다.[16]

소련군의 기록은 스탈린에게 보고된 것만이고, 구체적인 합의내용이 기록된 문서가 존재하지 않는다. 또한 회견 전부터 정전 내용은 바실레브스키가 스탈린에게 지시를 받고 있어 자신의 재량으로 관동군의 요청을 받아들일 여지는 한정적이었다.[17] 이러한 상황에서도 적어도 관동군은 자리코바에서의 요청을 소련군 측이 받아들이고, 무장해제 후도 소련군이 호의적으로 대응할 것이라고 낙관하고 있었다.[18]

그 예로, 하타는 신징에 돌아온 다음 날 남만주철도총재 야마자키 모토키山崎元幹·부총재 히라시마 도시오平島敏夫의 방문을 받았다. 그 자리에서 하타는 '매우 건강하고, 명랑'하게 소련군은 관용적이고 일반민에게는 위해를 가하지 않고 치안도 확보되어 있다며 '소련군을 환영'하듯이 말했다. 이에, 소련군이 독일 동부를 침공할 당시의 상황을 듣고 있었던 히라시마도 '엄청난 위기와 의혹'을 품고 있었지만, 소련 공격으로 보복당한 독일과는 달리 일본의 경우는 저항도 약하고 소련 측의 손해도 적어 소련군이 '관대한 태도를 취하는 것은 당연'하다고 여기게 되었다.[19]

정전합의 이후 관동군 부대의 무장해제는 호두요새虎頭要塞 등 주변 격전지구 일부를 제외하고 혼란 없이 추진되었는데, 새롭게 잔류일본인과 관련된 문제가 부상하고 있었다. 만주 재류일본인의 피해상황에 관해서는 현지 파견 정부기관과 관동군도 처음에는 전쟁 중이어서 완전히 파악할 수 없었다. 그럼에도 관동군의 인식은 일부에서 치안악화를 볼 수 있지만 "전반적으로 평온해서 철도, 교통, 통신, 공업시설기지, 기타 여러 문화시설은 대부분 파괴되지 않고 제대로 기능하고 있다"며 낙관하고 있었다. 재만일본인관동군은 135만 명으로 추정에 대해서는 "만주국에서 일본인이 주축이 되어 문화사업 활동을 하는데, 소개疎開하거나 동요시키게 되면 만주 전역의 활동기능을 정지시키게 되므로, 재류국민들은 되도록 개전 전 태세로 복귀해 '소련' 측 명령 아래 활동을 재개할 수 있게 '소련' 측과 교섭하여 노력중이다"라며 생활재건이 순조롭게 될 것으로 여겼다. 또한 피난민에 대해서도 "치안이 회복되고 경제가 안정됨에 따라 점차 양호한 상태로 되돌아갈 것으로 여겨진다"라며 상황을 매우 현실과 동떨어지게 인식했다. 이러한 인식과 일본 국내의 혼란한 상황을 볼 때 "기존 방침대로 대륙에 있는 재류국민과 무장해제 후의 군인을 소련의 비호 아래 만선滿鮮에 정착시켜 생활할 수 있도록 소련 측에 의뢰할 수 있다"라고 결론지은 것은 필연이었다.[20]

이후, 제1장에서 접했듯이 8월 30일에 실시한 부녀자·환자 등 약 80

만 명의 인양 요청은 수송방법을 둘러싸고 좌절되었다. 결국, 9월에 들어서도 모든 거류민의 조기인양은 불가능하다고 판단해 현지정착 방침을 유지하고, 이를 위한 자금을 소련으로부터 차입할 것을 정부에게 요청할 정도였다.[21] 그러나 소련이 대일 종결을 선언한 3일 이후 상황은 일변한다. 5일이 되어 대본영에서 파견된 아사에다 시게하루朝枝繁春 참모가 육군차관에게 보낸 전보에서는 "재류 국민의 피해의 심각함은 말로 다 표현할 수 없을 정도"의 상황에 처해있고, "반드시 동포의 대부분은 머지않아 아사나 동사에 처할 것"이다. 그러므로 "내지에서 조속히 수용"해야만 한다는 의견이 담겨 있었다. 또한 "소련 측 수뇌의 의도는 적확하고 신속하지도 세밀하지도 철저하지도 않다"라며 소련군 대응의 미비함을 지적하고 있다.[22]

역시 이 시기가 되자, 만주 상황이 정부의 예상을 훨씬 뛰어넘어 악화되고 있음이 자명해지고 있었다. 정부는 당초 상황악화가 일찍이 전해지고 있던 북한의 재류일본인 보호를 위한 개선책을 GHQ/SCAP에게 요청하고 있었다. 그러나 만주 지역의 일본인 보호에 관한 요청은 비로소 9월 9일에야 보냈다.[23] 그러나 GHQ/SCAP도 소련정부에게는 일본 측의 요청을 전달하는 것에만 그치고 그 이상의 강제력을 갖지는 않았다. 게다가 소련정부는 일본 정부에게 일본항복에 의해 "일본에서 소연방의 이익에 관한 모든 문제는 재일 GHQ/SCAP에 의해 처리해야만 하고 상기한 이유로 소련에서 일본의 이익확보에 관한 문제는 근거를 잃었다는 방침을 세웠다. 그러므로 소련에 주재하는 일본인의 지위는 일방적으로 처리할 수 있다"고 통보했다.[24]

즉 소련 점령하의 일본인 보호 또는 인양에 관해서 일본 정부가 구출할 자격은 없다는 것이다. 현재 상황이 예상 이상으로 심각하다는 것이 자명해진 시기에 이미 정부에 의한 재만일본인 보호를 위한 방도는 완전히 없어졌다. 이러한 국제정세 가운데 재만일본인은 자력으로 힘든 상황을 극복해야만 했다.

2. 소련군 점령하의 재만일본인 사회의 혼란

일본 정부가 혼돈에 빠지고 소련 참전 이후 전쟁터가 되고 있었던 만주에서는 8월 18일에 만주국 정부의 통치기구가 소멸되고 9월 5일에는 만주국을 실질적으로 움직이고 있었던 관동군 군조직도 해체되어 재만일본인을 보호해야 할 후원기관은 없어졌다. 남겨진 재만일본인은 자기방위를 위해 각지에서 일본인회거류민회·거류민단 등이라고 호칭를 자발적으로 결성하고 있었다각지 일본인회의 결성 시기는 <표1>과 같음.

이러한 일본인회의 당초 대표자와 간부는 성차장省次長·현장県長·가장街長 등 구·만주국 행정기관의 관계자가 대부분이었는데, 그들은 얼마 안 있어 소련군에게 체포되고 시베리아로 송치되어 민간인 주체의 구성으로 바뀌고 있었다. 다만, 만주에서는 소련군·중국공산당군[25]·국민정부군에 의해 지배기관이 수시로 교체되었다. 그 영향을 받아 일본인회는 간부경질·조직재편을 수시로 반복했다.[26]

이러한 이유로 각지에서 일본인회가 탄생하고 있었지만 각각이 독자적으로 결성되어 횡적 연계가 결여되었다. 이러한 각지의 일본인회를 연결 짓고 재만일본인의 구제사업을 원활하게 할 것을 목적으로 한 조직의 필요성이 요구되어 창춘長春에 동북지방연락일본인구제총회東北地方連絡日本人救済総会가 결성되었다. 이 구제총회가 국민정부군 주둔 후, 선양瀋陽에 설치되었던 동북일교선후연락총처東北日僑善後連絡総処로 발전해 일본인 인양의 대표기관이 된다.

창춘[27]에서는 이미 소련군의 침공이 시작되고 있던 8월 13일에 산업간담회이전부터 군관민의 수뇌들에 의해 주 1회 개최되고 있었다가 만주중국공산당업개발총재 다카사키 다쓰노스케高碕達之助 자택에서 열려 민간단체 치안유지회 결성과 창춘의 비무장지대화, 재일 일본인의 소개疎開 중지가 결의되었다. 이 결의는 즉시 치안유지회장으로 추대된 만주전기전화 총재 요시다 신吉田悳을 통해 관동군에게 전달되었다. 그러나 창춘의 방위사령관 이시다 쇼지로飯田祥二郎 장군은 이 결의를 받아들이지 않아 치안유지회는 결성되지 않은 채 패전을 맞이했다.[28] 이후 소련군의 창춘 입성 하루 전인 19일에 창춘일본인회가 결성되어 신징특별시립병원장이었던 오노데라 나오스케小野寺直助가 회장에 취임했다.[29]

이러한 움직임과 동시에 8월 28일에 다케베 로쿠조武部六蔵, 만주국국무원 총무장관 · 우에무라 신이치上村伸一, 주만공사 · 미야케 미쓰하루三宅光治, 만주국협화회 중앙본부장 · 야마자키 모토키山崎元幹, 만철총재 · 사이토 야베이타斎藤弥平太, 만주척식공사총재 · 오카다 신岡田信, 만주흥업은행총재 · 다카사키 다쓰노스케高碕達之助, 만업총재 등 구·만주국정부·주만駐満 일본대사관·특수회사 등의 수뇌들이 모여, 각지 일본인회의 지도 및 통제기관을 목적으로 한 동북지방 일본인

〈표 1〉 만주에서의 주요 일본인회 결성시기

설치일	지역	비고
1945년 8월 15일	치치하얼(斉々哈爾)·린장지에(臨江街)·쥬앙허(荘河)	치치하얼은 일본인 거류민회결성준비회로서 결성되지만 22일에는 소련군에 의해 결성이 금지됨. 9월 15일에 일본인 소비조합으로 허가. 쥬앙허에서는 인양위원회를 결성해 8월 18일에 피난 개시를 결정, 9월 상순 중국공산당군 주둔 시에는 이미 피난 완료
17일	안둥(安東)·번시후·다스차오(大石橋)	안둥은 패전 직후에 설치된 소개(疎開) 본부를 흡수. 번시후 단체는 1주일 사이에 해체되고 25일에 재결성
18일	가이핑(蓋平)	
19일	톄링(鉄嶺)·진저우(錦州)·싱청(興城)·궁주링(公主嶺)·지린(吉林, 롱탕(龍潭)지구 이외)	
20일	창춘·연길(延吉)·푸숭(撫松)·지린(吉林, 롱탕지구 이외)	
22일	자무쓰(佳木斯)	소련 참전에 의해 10월부터 인양이 시작되고, 그 사이에 거류민단 결성. 쑤이화(綏化) 도착 후 22일에 싼장성(三江省) 구호본부를 민단이라고 개칭해 개편
23일	랴오양(遼陽)·쓰핑(四平)·안산(鞍山)	쓰핑의 단체는 2번의 해산명령을 받고, 9월 29일에 정식으로 승인
25일	숑웨이청(熊岳城)·투먼지에(図們街)	
26일	선양(瀋陽)	23일에 설립이 구체화되고 26일에 소련군 당국에 의해 승인. 정식 승인은 10월 하순
28일	카이위안(開原)	
8월(일 불명)	동페이현(通北県)	8월 하순에 결성
9월 13일	푸순(撫順)	패전 직후에 설치된 일본인 거류민회 설립준비위원회가 전신
9월 18일	하이청(海城)	패전 직후에 현지 중국인과 합동으로 치안유지회 결성. 9월 말에 중국공산당군 주둔에 의해 해체
9월(일 불명)	하얼빈(哈爾濱)·와팡뎬(瓦房店)·통화(通化)·풍성지에(鳳城街)·지권산지에(鶏冠山街)	하얼빈은 9월 초순에 결성. 통화는 중국공산당군 주둔 후에 일본인 해방연맹 결성. 12월 중순에 해산된 이후 1월 중순에 일본인 민주연맹결성
10월 1일	훈춘(琿春)	교민관리위원회 결성
10월(일 불명)	무단장(牡丹江)	다른 지구(地区)에서 피난민 중심의 무단장일본인피난민위원회 결성
12월(일 불명)	허룽지에(和竜街)	12월 초순에 결성되어 다음해 2월에 허룽현(和竜県) 내의 일본인을 대상으로 한 허룽현일본인민생회(和竜県日本人民生会)로 발전
1946년 1월 20일	다롄(大連)	일본인 노동조합으로 결성. 이 조합 이전에는 다롄시회의원을 중심으로 거류민단으로 발전을 기획한 일본인상조회(전신은 시국대책위원회, 1945년 10월 중순 해산)와 다롄총일본인조직으로서 일본인봉사단)이 10월 말 결성되었고, 일본인노동조합으로 합쳐짐. 또한 관동주(関東州) 내의 일본인은 패전 후 다롄으로 집결
월·일 불명	징시(錦西)	8월 20일 소련군 주둔에서 11월 20일 철수까지 기간에 결성
미결성	베이안지에(北安街)·넌장(嫩江)	베이안지에에는 현(県) 내 개척단 유입. 넌장에서는 기쿠치(菊地) 부현장이 거류민회 제안을 거절해, 일·만 합작 치안유지회 결성 기획도 실현되지 않음

満蒙同胞援護会編[1962] 등을 기초로 작성.

구제총회 결성 논의가 이루어져 다카사키가 회장으로 추대되었다.[30]

회장이 된 다카사키는 조속히 소련군 측에게 구제총회 결성 허가를 요구했지만, 각지의 일본인회 결성은 인정했지만 만주 전역을 통제하는 기관의 설치는 허가하지 않았다. 한편, 구제총회는 해산명령을 받지 않아 비공인 단체로서 활동을 시작하게 되었다.[31]

구제총회에서는 최초 과제로 "일본 내지의 식량 사정을 감안하고 더불어 현재의 열차, 선박 수송력을 판단할 때, 조급하게 내지로의 귀환은 어렵다"는 인식하에 "각자 현지에 정주하고 동포끼리 상부상조해 좀 더 결사적으로 겨울을 날 필요가 있다는 것을 깊이 자각"하면서 월동에 대비해 직업보도職業補導 대책을 중심으로 한 지도방침을 결정했다.[32]

구체적으로 재만일본인은 관동주를 포함해 약 160만 명이다. 그 내역은 피난민 87만 명이 가운데 가족 46만 명 · 관리출신 또는 회사원이었던 실직자 30만 명이 가운데 가족 20만 명 · 현지 제대병을 포함한 그 외 43만 명이라고 추정하고 다음처럼 세 가지로 분류했다. ① 일할 수 있는 자는 자활의 길을 강구한다, ② 일할 방도가 없는 자 및 능력이 없는 자는 귀국시킨다, ③ 일하지도 귀국할 수도 없는 자 및 개인 능력으로는 아무것도 할 수 없는 자에 대해서는 구제조치를 취한다. 이 가운데 취업 능력자는 70만 명으로 취업처는 탄광 20만 명 · 삼림벌채 5만 명, 그 외 20만 명, 방임자활자放任自活者 5만 명 모두 50만 명가족을 포함하면 95만 명이라고 추정하고 남은 사람은 조속히 귀국시킨다는 방침을 세웠다.[33]

이처럼 구제총회도 처음에는 재류민의 현지정착을 기본방침으로 하고 있었다. 그러나 만주 각지에 주둔했던 소련군에 의한 폭행과 약탈은 진정되지 않아 치안은 극도로 악화되었다. 게다가 북만주 지역에서 개척단원이었던 피난민이 각 도시로 유입된 결과, 식량부족과 위생환경이 급격히 악화되어 구제총회의 당초 구상을 재검토해야만 했다. 거기에 더해 소련군은 구제총회에 의한 생활빈곤자의 조기 귀국 요청에 귀를 기울이지 않고 취업도 특수기술자 이외는 대부분 고용하지 않아서 구제총회가 세웠던 계획은 실현될 전망이 전혀 보이지 않게 되었다.[34]

이러한 가운데 구제대상이 된 일본인 피난민은 급증해만 가고 구제총회와 각지 일본인회는 구제자금도 없고 연락체제도 불충분했다.

이러한 사태를 실감해 구제총회는 우선 난민구제를 주목적으로 회장·만주척식공사총재·총무장관 연명으로 일본인 현금 소유자에게서 현금을 차용해, 후일 국내에서 일본 정부 원조로 지불하는 것으로 해 피난민 1인당 500엔을 목표로 자금모집을 시작했다.[35] 동시에 본국정부와의 연락을 확보하고 재만일본인의 참상과 인양 실시를 포함한 원조를 요청하기 위해 9월 22일에 내지의 요시다 시게루吉田茂 외상과 만주중국공산당업개발(주) 상담역에 보내는 서간을 밀사 두 사람으로 나누어 파견했다.[36]

밀사가 간직한 서간에서는 "반드시 모두 20억 엔인당 1,000엔의 구제금을 지불해 준다는 연합국 측의 승인을 얻을 것, 단 한꺼번에 4억 엔이나 5억 엔 정도 5개월간 매월 지출할 액수"와 "노인·어린이·부녀자 약 50만 명을 연내에 인양시키는데 필요한 선박을 우선적으로 다롄에 나누어 배치하도록 연합국 측의 승낙을 얻을 것"을 요구했다.[37]

그러나 전술했듯이 일본 정부는 아무런 대책도 세우지 않았다. 결국, 구제총회와 각지의 일본인회는 당초 재만일본인의 자치기관으로 결성되었지만, 정세가 악화하면서 도시 주변 또는 오지에서 유입된 피난민을 위한 구제기관이 될 수밖에 없었다.[38]

예를 들면, 창춘일·소 개전 당시의 일본인 인구는 16만 1,712명에서는 8월 : 3만 명 / 9월 : 6만 6,400명 / 10월 : 2만 명 / 11월 : 5,000명 / 12월 : 4,000명 / 1946년 1월 : 2,000명 / 2월 : 1,000명 / 3~6월 : 3,100명의 유입 난민인원은 추계치이 있다. 1945년에만 11만 명 이상의 피난민이 유입되고 있었다(이 가운데 12월 말까지 약 1만 3,400명의 사망자가 나왔다).[39]

이러한 피난민은 거의 옷을 갈아입지 못한 상태여서, 우선 약탈로 공실이 된 학교 등 공공건물이나 사원·창고 등을 수용소로 확보해 식량·연료·침구·옷감 등의 지급이 필요했다. 게다가 각지의 수용소에서는 전염병이 맹위를 떨쳐 다수의 사망자가 속출하고, 나환자의 치료나 예방의료도 필요했다. 각지의 일본인회는 이러한 수용소 확보, 필수품 지급, 더 나아가 의료행위의 실시와 이를 위한 자금모집에 업무의 대부분을 할애해야만 하는 상황에 직면했다.[40]

소련군은 이러한 상황에 대해 거의 아무런 조치도 취하지 않았지만, 중국 측에서는 협력한 사실도 있었다. 창춘에서는 12월에 취임한 국민정부계의 자오쥔마이趙君邁 시장 등은 일본인회가 주도한 월동대책을 주요 목적으로 삼아 구제자금모집을 적극적으로 지원했다.[41] 또한 된장·간장 등 조미료의 제조, 제과, 제유 등 공장을 복원시킴으로써 재만일본인의 취업문제가 완화되어, 일본인회의 부담이 크게 경감된 일도 있었다.[42] 그리고 중국공산당군도 난민구제에 관해서는 이해심을 보이고 난민수용소 알선이나 구제물자 방출 등의 편의를 도모한 예도 있었다.[43] 그러나 인양의 목표가 서지 않는 현실에서는 언제까지나 구제에 의존할 수 없어 생활의 자립화를 추진하지 않으면 일본인 전체가 공멸하게 될 위험성이 높아지고 있었다.

3. 정착과 인양 사이

일본인회가 조기 인양의 필요성을 통감하면서도 현실은 그렇게 흘러가지 않았다. 절대적인 영향력을 가진 소련은 변함없이 일본인의 인양에 관해 무관심하고, 국제적으로 인정받지 못하는 중국공산당은 일본인 송환送還이라는 외교문제에 관여할 수 없었고 동북東北에서의 지배기반이 위약한 국민정부는 어떠한 구체적인 행동도 취하지 않았다. 이른바 이 시기 구·만주국 내에서는 재만일본인의 인양을 책임지고 관리할 정치권이 존재하지 않았다.

이러한 상황하에서, 패전 직후의 혼란이 진정될 기미가 보이기 시작한 것은 연말에 이르러서이다. 재만일본인 사이에서 "거주권과 영업권이 인정된다면 다시 희망을 갖겠다는 사람이 대부분"이어서 이러한 분위기가 되는 것은 자연스러운 흐름이었다.[44] 그리고 각지의 일본인회 활동도 난민구제에서 생활자립지원으로 전환해 가는 사례를 볼 수 있게 되었다. 예를 들면, 선양에서는 1월 18일에 피난민이 된 개척단원에게 농업단체를 조직하게 해 자금을 융자함으로써 자활 방법을 강구하고, 다음해 3월 1일 이후는 의료·식량의 무상배급을 원칙적으로 폐지하고 피난민의 자립자

활화를 위한 구제적극화 방침을 실시했다.[45] 또한 학교 교육도 다시 재개하고 행선지가 불분명한 상황에서는 우선 인양 실시까지 구제활동만 하는 것이 아니라, 오히려 정착을 염두에 둔 생활자립화를 중시하게 되었다.

구제총회에서도 12월 1일부의 '구제사업지침'에서 본국으로의 인양은 "앞으로 용이하지 않을 뿐만 아니라 바랄 수도 없는 것"이어서 "전원을 동북성에 정착시킬 것"을 전제로 하면서 지금까지의 피난민 구제라는 수동적인 활동에서 각자의 자립적인 생계의 확립지원이라는 적극적 활동방침의 전환을 제시하게 되었다. 또한 "전원 정착을 위해 조직력에 기대하는 바가 크다"고 하며 "각계각층을 망라한 조직"으로서 구체총회의 강화를 도모했다. 그리고 조직력 강화의 전제로서 "일본 거류민의 참상증가의 근원"은 "패전한 국민의 무기력에 빠진 도의의 퇴퇴"에 있고 "진보적 민주주의 사상에 투철해야만 할 것"을 주창했다. 다만, 구체적인 사상기반을 어디에 두고 있는지를 살펴보면, "메이지 천황의 5개 조 서문을 돌이켜 생각하며 자신을 반성할 것"이라는 내용이 요람에 나온다. 이는 전후 일본인의 민주주의 사상의 수용과정을 이해하는 데 흥미 깊은 사례라고 할 수 있다.[46]

또한 구제총회는 "민회民会는 한 마디로 진보적 민주주의에 진력하면 과거 제국주의에 놀아난 일본인 민중의 무반성의 속죄탑"이 될 수 있고, "난민구제는 동포애의 발로인 동시에 속죄의 고난이므로 해야만 한다"라는 인식이 근저에 있었다.[47] 이것이 활동을 지지하는 정신적 지주가 되고 있었다. 식민지지배에 대한 속죄의식은 국내의 일본인보다도 일찍이 재만일본인 안에서 생기기 시작했다. 다만, 소련·국민정부·중국공산당이 뒤섞여 가혹한 현실 앞에 재만일본인이 정신적 무방비 상태에 놓여, 현실 정치에 농락당할 위험성을 내포하고 있었다.

선양에서는 10월 4일에 소련군 사령부가 시정부 경찰국을 통해 일본인의 학교 교육 재개를 명령했다. 이를 수용해 5일에는 선양시 거류민회 내에 학교연락소를 설치해 거류민회 사무소에서 긴급히 교장회의를 개최해, 시내의 학교 교육 재개의 길을 열었다.[48] 이후 8일에는 학교 교육을 재개해 10월 하순에는 일부를 제외하고 선양시 내의 초등학교 초등과 및 중등학교 전학년 수업이 재개되었다. 그리고 11월 1일에는 학교연락소를 없애고 거류민회 내에 교육과를 설치해 거류민회가 본격적으로 학교 교육을 담당하는 체제가 확립되었다.[49]

이러한 학교 교육은 만주 전역으로까지는 재개되지 못했지만, 선양 이외에도 창춘·치치하얼·하얼빈 등 대도시에서도 볼 수 있고, 인양 시작 후에 남은 유용자의 자녀에 대한 교육도 지속되었다. 예를 들면 푸순에서는 1946년 3월 국민정부군 주둔 후에 초등학교 개설 허가를 받아 학교 교육이 재개되었다. 당시의 교과는 산수·중문·예능·체조 4과목이었는데, 나중에 산수 ·국어·중문·요리·음악·그림·공작·체조 8과목으로 증가했다. 또한 10월 5일에는 유용자의 자녀를 대상으로 한 중학교가 개교되어 수학·중국어·영어·국어·한문·요리·체조 7과목이 개설되었다. 11월 11일에는 여자를 대상으로 한 여학교도 개교되어 국어·중국어·영어·수학·요리·가사·음악·재봉·체조 9과목이 개설되었다.[50] 이러한 과목의 특징은 역사가 없어진 대신 중국어가 개설되어 있는 점이다. 이는 5족협화五族協和[51]를 슬로건으로 내세우면서도 현지어 교육을 중시하지 않았던 만주국 시대로부터 일변해 만주국이 소멸되면서 현지어 교육이 시작된 것으로 예상치 못한 결과이기도 했다.

또한 소련군은 일본인의 구제나 인양에 관심을 보이지 않았지만 중국공산당군이 실시한 사상교육이나 인민재판 같은 것은 일절 하지 않았다. 전술했듯이 학교 교육 재개는 인정하면서도 학교내용에는 개입하지 않았다. 게다가 종교에 대해서도 관용적이었다. 푸순에서는 호텐진자奉天神社 신사의 재건과 일본인의 참배와 제례를 종용할 정도였고,[52] 마찬가지로 봉천에서 있었던 충령탑忠霊塔에 대해서도 보호책을 강구했다.[53] 이처럼 소련군은 약탈과 폭행을 예외로 한다면 일본인의 사상이라는 내면까지 개입하지는 않았다.

정착을 위한 목표가 추진되면서 한편으로, 인양을 희망하는 사람도 잠재적으로 많았다. 재만일본인은 정착과 인양 사이에서 늘 갈등하고 있었다. 그리고 1946년 봄 무렵부터 일본인이 인양을 시작한다는 소문이 확산되기 시작해, 정확한 정보를 요구하게 되었다. 주요 도시에서는 일본어 신문이 발행되고 신문을 통해 국내 정세와 인양 실시에 관한 정보가 전달되었다. 그러나 이 신문은 일본인회가 주로 통신연락용으로 발행하던 등사판쇄ガリ版刷 일본인신문과는 달리 국민정부·중국공산당에 의해 본격적으로 발행된 것도 있었다. 따라서 이러한 신문에는 통치하는 측의 일본인에 대한 요구와 의도가 반영되었다.

국공 양군의 경계에 위치해 누차 쟁탈전이 전개된 창춘을 예로 들면, 패전 해인 11월 중순부터 소련군이 철수를 시작함과 동시에 중국공산당군이 1주일 정도 창춘에 모습을 보인 일도 있었는데, 바로 국민정부군에게 추방되고 그 후에 국민정부에 의한 통치가 이루어졌다. 그러나 다음 해 2월에 소련군이 완전히 철수하자 정세가 일변하기 시작해, 4월 18일에는 중국공산당군이 창춘을 점령하기에 이르렀다. 창춘은 5월 23일에 국민정부군에게 탈환되어 중국공산당군의 점령은 1개월 정도밖에 걸리지 않았지만, 그 사이에 일본인을 대상으로 한 『민주일본民主日本』을 발행했다.[54] 이 신문은 옌안延安에서 사상교육을 받고 중국공산당군에 참가하고 있었던 일본인 정치공작원 나카코지 시즈오仲小路静男 등이 창춘에 체류하고 있었던 젊은 지식인층에게 권유해 발간되었다.[55] 『민주일본』에서는 중국공산당군이 해방시켰다는 지역에 대한 소개나 '신민주주의' 선언, 일본 국내 뉴스주로 혁신정당과 노동조합에 관한 것 등이 기사가 되었지만 중국공산당이 특히 중시한 것은 일본인이 '노동과 건설사업'에 참가하는 것이었다.[56] 이러한 목표를 위해 지면 광고를 통해 나카코지 등이 주도하는 일본민주연맹에 의해 서도가나 음악가 모집까지 했다.[57]

5월 23일에 창춘을 탈환한 국민정부도 중국공산당처럼 일본인용 신문을 6월부터 발행하기 시작했다. 이 시기 창춘에서 발행되고 있었던 국민정부계의 대표적인 중국어 신문은 『지엔진바오前进报』였는데, 중국어판과는 별도로 일본어판이 6월 3일부터 발행되었다. 또한 『지엔진바오』보다 조금 늦은 6월 23일부터 일교부관리처日僑俘管理処에 의한 『동페이다오바오东北导报』 창춘판도 발행되었다.[58]

양 신문은 『민주일본』과 달리 지면이 다채로웠다. 물론 삼민주의三民主義 등 정치선언도 있지만, 일본 국내의 정세에 대해 이들 신문만큼 집중된 정보는 없었다. 특히 특징적인 것은 이미 시작된 인양에 관한 뉴스가 매우 자세하게 수차 게재되고 있었던 점이다. 게다가 흥미 깊은 것은 양 신문에 게재되고 있는 다종다양한 광고이다. 예를 들면, 보리·소바집의 개업광고『지엔진바오』, 6.22, 맛집 광고『동페이다오바오』, 7.23, 고급찻집 개업광고『동페이다오바오』, 7.28 등이다. 이러한 광고를 통해 의외로 식량 사정이 좋았다는 것을 알 수 있다. 또한 미국의 국제영화 뉴스나 일본영화<무호노마쓰(無法松)의 일생>의 상영『지엔진바오』, 7.4 등 오락, 일본·만주국의 우표매입『지엔진바오』, 6.29, 화장장 선전『지엔진바오』, 7.4, 유골반환 마감 날짜『동페이다오바오』, 7.23, 귀환용 배낭 제조『동페이다오바오』, 7.23 등의 광고가 나왔다. 이를 통해 인양자용 광고를 비롯해 인양이 본격화된 시기의 활발한 경제활동을 짐작할 수 있다.[59]

4. 국민정부군의 주둔과 재만일본인 송환 개시

재만일본인은 얼마 남지 않은 소지품을 판매하기 시작했고 처음에는 팥죽가게, 오하기야 떡집, 포장마차 등을 해 생계를 이었다. 이후 두부집, 곡물상, 잡화상 등 본격적인 상업활동이 증가해 약품·쌀·사탕·귀금속 브로커도 횡행하게 되었다. 그러나 이러한 갑작스러운 상업활동은 현지민을 상대로 한 것이 아니라 같은 일본인 상대여서, 결과적으로 일본인 사이에서 구매력을 저하시키게 되었다.[60] 선양을 예로 들면, 정착하기 위해 필요한 노동시장도 산업복구의 목표가 전혀 서지 않아 한계상황에 이르렀다. 게다가 소련군이 부분 철수를 시작해, 국민정부가 행정권을 접수12.27한 이후 물가가 급등하기 시작해 일본인의 생활이 직격탄을 맞았다〈표 2〉.[61]

〈표 2〉 선양시 소매물가 가격

(단위 : 엔)

				1945년		1946년				
				11월	12월	1월	2월	3월	4월	5월
주식품	쌀	1급	1근(斤)	5.60	6.01	11.38	11.76	16.08	23.21	46.21
		2급		4.53	4.97	8.46	9.74	13.33	20.90	40.43
	찹쌀	1급		9.18	8.76	12.75	14.00	17.83	24.61	48.82
		2급		7.00	7.40	9.03	11.88	15.64	20.96	43.56
	수수	1급		2.60	2.90	4.45	4.84	6.31	9.38	15.56
		2급		1.93	2.00	2.92	3.11	4.34	6.09	10.95
	밤	1급		3.11	2.50	3.00	4.47	5.58	8.46	14.73
		2급		2.60	2.00	2.50	2.90	3.66	6.05	11.73
	콩	1급		2.30	2.50	3.50	4.00	4.50	6.23	8.13
		2급		1.96	2.00	2.50	2.50	2.89	4.13	6.10
	밀가루	1급		12.44	14.00	18.00	20.00	27.12	34.76	46.21
		2급		9.24	10.00	14.00	12.00	15.65	18.30	30.00
부식물	소고기		1근(斤)	25.00	25.00	41.00	38.00	45.00	45.00	60.00
	돼지고기			25.00	25.00	39.00	45.00	55.00	55.00	65.00
	배추			1.50	2.00	4.00	6.00	8.00	8.50	7.50
	홍당무			1.00	1.50	2.50	2.50	3.00	3.20	2.50
	감자			2.50	3.00	5.00	5.00	6.00	8.00	7.50
	파			1.50	1.80	3.00	3.00	4.50	7.50	2.00
	인삼			2.00	3.00	4.30	4.20	5.50	8.00	7.50
	콩나물			1.50	1.50	4.50	3.80	5.00	6.20	6.00
	달걀		1개	5.00	5.00	8.00	8.50	8.50	7.50	6.70
조미료 · 기타	정제소금		1근(斤)	4.50	4.50	5.00	6.00	8.00	12.00	13.00
	된장			4.00	4.00	5.00	5.50	9.00	15.00	15.00
	백설탕			77.00	90.00	140.00	140.00	190.00	210.00	210.00
	흑설탕			—	—	80.00	85.00	90.00	130.00	130.00
	콩기름		1되	43.00	45.00	55.00	80.00	90.00	150.00	170.00
	참기름			70.00	75.00	85.00	110.00	130.00	200.00	220.00
	조미료		25g	30.00	48.00	80.00	90.00	100.00	150.00	200.00
	간장		1되	17.00	22.00	22.00	28.00	33.00	40.00	50.00
	일본술(千福)			35.00	40.00	45.00	60.00	65.00	100.00	125.00
	맥주		1병	20.00	20.00	35.00	35.00	45.00	70.00	85.00
	담배		10개피	5.00	10.00	10.00	12.00	18.00	30.00	40.00
	목탄		1근(斤)	3.50	5.00	5.50	6.50	8.00	17.00	17.50
	화장비누		1개	4.00	4.50	14.00	17.00	25.00	25.00	40.00
	세탁비누		용(用)	4.50	15.00	17.00	17.00	20.00	30.00	30.00
	성냥(소자)			3.00	3.00	7.00	6.00	18.00	17.00	13.50
	성냥(덕용)			45.00	45.00	130.00	130.00	250.00	300.00	270.00
	양초		6개	20.00	20.00	40.00	40.00	60.00	120.00	150.00

자료 : 「波多江興資料」(福岡市総合図書館所蔵「博多港引揚関係資料」)

이러한 상황에서 인양 희망자가 증가하는 것은 자연스런 흐름이었다. 1946년 12월이 되자 선양에서는 인양 희망자가 전체의 76%까지 올랐다〈표 3〉.[62] 한편, 일본인의 인양을 두고 국제정세도 동시에 움직이고 있었다. 우선, 제1장에서 상술했듯이 1945년 12월 15일에 트루먼Harry S. Truman 대통령은 국민정부에게 적극적 지원, 국공양군의 조정, 잔류일본인의 조기 귀환 등 대중국정책을 발표했다. 이것에 맞춰 이전부터 일본인 송환을 주장하고 있었던 조지 마셜George C. Marshall 원수를 특사로 파견하고 특사 중개하에 장췬張群, 국민정부 대표 · 저우언라이周恩來 '3인 소그룹'이 협의해 다음해 1월 10일에는 군사행동 정지와 교통交通의 정상화에 관한 성명이 나오고 휴전과 국민정부군의 동북주둔이 구체화되었다.[63]

〈표 3〉 선양 교민 출신 부현府県 및 귀환 희망 부현별 인구조사(국민정부 35 1946년 2월 1일)

부현별(府県別)	출신 부현 7,426				귀환 희망 부현			
	가구수	남	여209	계	가구수	남	여	계
아오모리(青森)	1,157	1,330	1,200	2.530	895	1,075	945	2,020
이와테(岩手)	1,091	1,286	1,144	2,430	878	1,015	886	1,905
미야기(宮城)	2,423	2,864	2,802	5,666	1,913	2,232	2,294	4,526
아키타(秋田)	1,751	2,040	2,524	3,564	1,365	1,476	1,178	2,654
야마가타(山形)	2,104	2,374	2,143	4,517	1,649	1,926	1,739	3,665
도쿠시마(徳島)	2,039	2,570	2,431	5,001	1,579	1,948	1,993	3,941
합계	10,565	12,464	11,244	23,708	8,279	9,676	9,035	18,711
이바라키(茨城)	1,244	1,657	1,647	3,304	1,083	1,370	1,321	2,691
군마(群馬)	1,029	1,362	1,262	2,624	854	1,088	997	2,085
도치기(栃木)	1,254	1,491	1,414	2,905	964	1,214	1,190	2,404
사이타마(埼玉)	1,401	1,467	1,371	2,838	1,168	1,226	1,151	2,377
지바(千葉)	1,242	1,490	1,274	2,764	871	1,115	1,017	2,132
도쿄(東京)	4,266	5,489	5,635	11,124	2,464	2,932	2,877	5,809
가나가와(神奈川)	1.176	1,402	1,449	2,851	871	984	1,029	2,013
합계	11,729	14,358	14,052	28,410	8,221	9,929	9,582	19,511
니가타(新潟)	2,330	1,766	2,728	5,494	1,614	1,944	2,057	4,001
도야마(富山)	1,088	1,238	1,299	2,537	814	915	968	1,883
이시카와(石川)	1,282	1,469	1,452	2,921	1,023	1,097	1,044	2,141
후쿠이(福井)	991	1,126	998	2,124	674	817	762	1,579

나가노(長野)	3,193	3,724	3,423	7,147	2,562	2,964	2,606	5,570
야마나시(山梨)	925	1,116	1,083	2,199	665	814	857	1,671
시즈오카(静岡)	1,972	2,591	2,570	5,161	1,603	2,025	1,960	3,985
아이치(愛知)	2,035	2,428	2,384	4,812	1,439	1,714	1,637	3,351
기후(岐阜)	1,947	2,039	1,888	3,927	1,458	1,561	1,503	3,064
합계	15,763	18,497	17,825	36,322	11,852	13,851	13,394	27,245
시가(滋賀)	1,076	1,289	1,189	2,478	733	860	785	1,645
미에(三重)	1,268	1,363	1,303	2,666	818	954	951	1,905
나라(奈良)	702	802	659	1,461	574	603	518	1,121
교토(京都)	1,616	2,075	1,977	4,052	1,116	1,402	1,355	2,757
오사카(大阪)	2,978	3,631	3,715	7,346	1,918	2,260	2,285	4,545
와카야마(和歌山)	1,225	1,342	1,181	2,523	1,020	1,007	907	1,914
효고(兵庫)	2,426	2,869	3,044	5,913	1,862	2,184	2,339	4,523
합계	11,291	13,371	13,068	26,439	8,041	9,270	9.140	18,410
오카야마(岡山)	2,197	2,726	2,734	5,460	1,714	2,128	2,150	4,278
히로시마(広島)	3,298	4,209	4,351	8,560	2,284	2,796	2,930	5,726
돗토리(鳥取)	1,082	1,300	1,260	2,560	887	1,031	1,071	2,102
시마네(島根)	1,406	1,634	1,709	3,343	1,136	1,280	1,390	2,670
야마구치(山口)	2,324	2,847	3,131	5,978	1,788	2,193	2,592	4,785
합계	10,307	12,716	13,185	25,901	7,809	9,428	10,133	19,561
가가와(香川)	1,506	1,708	1,607	3,315	1,104	1,282	1,256	2,538
도쿠시마(徳島)	1,136	1,310	1,075	2,385	800	964	820	1,784
고치(高知)	1,209	1,430	1,483	2,913	931	1,125	1,192	2,317
아이치(愛知)	2,297	2,639	2,609	5,248	1,796	2,014	2,012	4,026
합계	6,148	7,087	6,774	13,861	4,631	5,385	5,280	10,665
후쿠오카(福岡)	5,319	6,617	7,339	13,956	4,581	6,024	6,429	12,453
시가(佐賀)	2,328	3,026	3,349	6,375	1,801	2,301	2,685	4,986
나가사키(長崎)	3,018	3,654	4,425	8,079	2,231	2,646	3,256	5,902
구마모토(熊本)	3,717	4,363	5,061	9,424	3,093	3,667	4,350	8,017
오이타(大分)	2,769	3,285	3,384	6,669	2,230	2,705	2,959	5,664
미야자키(宮崎)	1,604	1,838	1,697	3,535	1,273	1,493	1,464	2,957
가고시마(鹿児島)	5,201	6,644	6,707	13,351	4,068	5,191	5,396	10,587
오키나와(沖縄)	245	291	252	543	19	14	16	30
합계	24,201	29,719	32,214	61,932	19,296	24,041	26,555	50,596
홋카이도(北海道)	2,751	3,606	3,820	7,426	1,982	2,456	2,636	5,092
사할린(樺太)	83	94	115	209	6	8	9	17
대만(大湾)	11	10	1	11	1	0	1	1
총 합계	92,849	111,922	112,297	224,219	70,118 76%	84,044 75%	85,765 76%	169,809 76%

주 : 총 합계에서 %는 재류일본인(선양)의 귀환 희망비율을 제시한 것이다. 본 표에는 육군병원 및 자료 미제출(센베이瀋北, 쑤자툰蘇家屯 지부는 포함하지 않았다).

자료:「波多江輿資料」

만주에 주둔하고 있었던 소련군 철수는 1945년 12월 상순에 이루어질 예정이었다. 그러나 선양에서는 주력부대가 철수했지만 창춘에서는 철수하지 않고 국민정부와의 교섭도 좀처럼 진척이 없었다. 국민정부는 소련이 경제권익 보호와 국방상의 이유로 중국공산당을 원조하고 있다는 의혹을 갖고 있었다.[64] 재만일본인 사이에서도 소련군의 전면적인 철수는 일본계 자산의 반출과 중국공산당군의 춘계春季 공세를 도모하기 위한 전략적 전개라는 견해도 있었다.[65]

소련군의 전면적인 철수는 일본인의 인양에도 적지 않은 영향을 주었는데, 한편으론 제1장에서 밝혔듯이 미국 주도의 일본인 인양이 급속히 진전되고 있었다. 일본 국내에서는 GHQ/SCAP 지도하에 후생성厚生省이 주관해 인양 원호체제를 구축하고 남한한국으로부터 인양자를 받아들이기 시작했다. 또한 국민정부 지배지역인 중국 본토에서는 미군이 선박을 제공해 인양이 시작되었고 대만에서의 인양도 1월부터 시작되었다.[66] 그러나 미국은 인도적인 관점에서 일본인 인양을 서두른 것이 아니라, 국민정부를 적극적으로 지원함으로써 중국 전후 부흥의 길을 여는 것이 최대 목적이었다. 이를 위해서는 중국사회의 불안정한 요소가 될지 모르는 만주와 중국 본토·대만을 합하면 300만 명이 가운데 병사는 약 100만 명이 넘는 일본인을 조기에 인양시킬 필요가 있었다.[67]

결국 소련은 봄이 되어 철수를 시작하고 선양의 소련군은 3월 11일부터 14일에 걸쳐 완전히 철수하고 국민정부군 정규부대가 입성했다.[68] 국민정부군이 입성한 후 국민정부 측은 선양을 동북지방에서 행정의 중핵적 존재로 삼아 재만일본인 관리기관의 설립과 관리방식의 정비 시작,

일본인거류민회 변경과 일교선후연락처로 명칭통일, 일교선후연락처에 대한 지도감독계통의 확립 등을 정한 '각시현일교선후연락처조직요강各市県日橋善後連絡処組織要綱'을 작성해 3월 말에는 선양시일본인거류민회를 선양시일교선후연락총처瀋陽市日僑善後連絡総処로 변경했다. 게다가 선양시일교선후연락총처는 4월 15일에는 재만일본인 관리의 지휘감독 기관인 동북보안사령장관부일교부관리처東北保安司令長官部日橋俘管理所하에 놓여졌다. 각 시현市県에서 일교부관리처의 지휘 아래 일교선후연락처가 설치(원래 있었던 일본인회를 변경)됨으로써 재만일본인 관리계통이 확립되었다.[69]

이러한 체제정비 이후 미군 주도에 의해 일본인 인양이 실시되고 있었다. 4월 23일에는 일찍이 징시錦四 · 후루다오葫蘆島 지구의 일본인 2,400여 명이 인양 첫 번째 배에 승선하고 9일에는 제1차 진저우錦州 교민 견송遣送대대가 출발했다.[70] 그리고 같은 날 선양시 주변을 중심으로 한 동북 전역의 재만일본인 인양을 13일부터 개시한다는 소식이 전해져 선양시일교선후연락총처에서는 사전에 입안했던 총무 · 편성 · 위생 · 시설 · 수송 5개반으로 이루어진 견송사무실의 직제인사를 결정해 견송 순위제1차는 군인과 그 가족 및 난민, 제2차는 징집 유가족과 피납치자 가족 및 20%의 청장년의 확정 · 견송부대의 편성 · 열차수송 계획 · 임시 수용소 설치 등 준비에 나섰다.[71]

5월 15일 선양에서 후루다오를 향해 제1차 견송열차가 출발했다. 이후 일본인 인양이 본격화되고 7월 1일에는 동북 전역의 일본인 인양업무 수행의 명령지휘 계통을 확립하기 위해, 선양에 동북일교선후연락총처를 신설해, 선양시일교선후연락총처 및 창춘의 구제총회를 흡수했다. 이로써 동북 전역의 일본교민대표처리기관이 설립된 것이다(주임은 구제총회 회장이었던 다카가키 다쓰노스케가 취임).[72] 동북일교선후연락총처는 인양 업무가 주임무이고 견송계획의 실시와 후루다오와의 연락확보, 임시 수용소 안의 피난민·곤궁자·중국공산당지구 탈출자 등에게 식량을 무상으로 제공했다.

급속히 추진한 일본인 인양은 10월 24일 선양에서 최종부대가 출발한 제1기 견송 종료까지 101만 220명국민정부군 지배 지역에서 77만 3,263명, 중국공산당군 지배 지역에서 23만 6,759명에 이른다.[73] 그리고 제1기 견송 종료 이후 안둥 방면에서 견송이 누락되었다고 판명된 사람과 선양·창춘의 유용 해제자를 포함한 4,371명이 11월 9일부터 12월 24일 사이에 인양을 완료했다.[74] 또한 견송이 완료된 직후부터 통화通化, 안둥 방면 등 각지에서 피난민이 선양에 유입되어 예상 이상의 피난민이 잔류하고 있는 것이 밝혀졌다. 결국, 창춘지구의 유용 해제자 약 6,500명 등도 포함해 1947년에는 2만 9,188명, 1948년에는 유용자와 그 가족을 중심으로 3,372명이 인양해 국민정부 관리하에서 일본인 인양은 합계 104만 6,953명에 이른다.[75]

제1기 견송 종료에 의해 연락처 직원도 대부분 인양하고 일반인 잔류자도 유용되고 있는 기술자가 대부분이어서 자연적으로 업무도 감소해 1947년 3월에는 조직을 개정(주임은 히라시마 도시오)하고 일교부관리처도 12월 견송 완료와 더불어 다시 원래 목적으로 돌아갔다. 이후 8월에는 유용 해제자 인양도 최종단계가 되어 다카사키 전주임과 히라시마 주임도 인양하고 총연락처는 폐쇄되었다. 또한 잔무처리를 위해 잔류자가 개설한 동북일교선후연락처는 이후 1948년 가을에 동북지방이 완전히 중국공산당군 지배 아래 들어가면서 중국공산당군에게 유용되었던 직원과의 상호 연락기관으로서 동북유용일교연락회로 변경되었다. 이것이 구·만주국에서의 마지막 일본인 조직이 되었다.[76]

재만일본인 인양이 추진되는 한편, 지배 지역의 부흥과 체제 강화를 위해 일본인 인적자원이 필요했던 국민정부는 조직적으로 유용을 시작했다.

이미 중국 본토에서 일본인 유용을 하고 있었던 국민정부는 만주에서도 본격적으로 주둔하기 전부터 기능조사를 하면서 준비하기 시작했다.〈표 4〉

본격적인 주둔 후 1946년 4월 22일부터 '일적기술원공징용실시변법日籍技術員工徵用実施弁法'에 의하면 유용은 지원제를 기본으로 하고 있었다. 또한 '기술원공技術員工'이란 순수한 기술자만이 아니라 경영사무·학술문화 등도 포함한 유능자의 의미를 가지고 있었다. 정식으로 유용은 7월 1일부터 동북행랑유용일적기술원공관리처東北行轅留用日籍技術員工管理処인 기술관 관리하에서 시작되어 일교선후연락총처가 유용자의 알선 등 실제 업무를 하게 되었다. 기술관에 등록되었던 유용자는 7월 말 1만 1,092명, 9월 말에는 1만 1,383명에 이르렀지만, 다음해 1947년 이후는 중국공산당군의 공세 앞에 국민정부군 지배 지역은 축소되어 가고 1947년 말 시점에서는 1,361명가족을 포함해 4,092명까지 격감해 결국 국민정부에 의한 유용은 그다지 성과를 내지 못하고 끝났다.[77]

중국공산당 지배 지역에서의 인양은 7월 말에 미군 측 조정에 의해 국공 간에 일본인 인양 실시에 관한 협정이 성립되어 8월 20일부터 실시되고, 10월에는 정식으로 집단 인양이 종료되었다(중국공산당군 지배 지역에서 정식 인양 최초로 마지막. 그 이후는 1953년 봄부터 중국 홍십자회紅十字会가 재개).[78] 동 지역의 잔류일본인은 일교부관리처가 8월에 조사한 시점에서는 31

〈표 4〉 기능자 조사표(국민정부 35 1946년 2월 1일)

종류	기능자			가족을 포함한 합계
	남	여	계	
일반기초적인 것	**1,659**	**3**	**1,662**	**3,653**
채굴	25		25	76
금속 정제·가공	121		121	376
대장공	188		188	521
주조	267		267	555
용접	141		141	337
선반	593	3	596	1,114
보르반(boor盤)	17		17	46
프레이즈반	67		67	102
프레스	47		47	122
터릿(turret)선반	20		20	32
기관(汽罐)	90		90	285
연마(伸線)	23		23	76
기기운전	60		60	11
기계	**1,825**		**1,825**	**4,886**
설계	220		220	630
제도(製図)	25		25	64
제조	146		146	452
수리	148		148	1,469
마무리(仕上)	593		593	1,326
조립	191		191	546
검사	163		163	460
기타	339		339	939
전기	**912**		**912**	**2,610**
설계	154		154	530
발전	28		28	96
수리	343		343	844
화학	44		44	106
기타	343		343	1,034
건축	**719**	**1**	**720**	**2,115**
제도	78	1	79	145
목수	249		249	710
미장	31		31	88
난방	74		74	225
기타	287		287	947
토목	**433**		**433**	**1,435**
측량	46		46	126
설계	12		12	34
상하수도	142		142	494
기타	233		233	781

종류	기능자			가족을 포함한 합계
	남	여	계	
철도	**1,505**	**3**	**1,508**	**4,605**
기관수 및 조수	480		480	1,232
선로보수	198		198	710
건축설계	137		137	448
기타	690	3	693	2,215
자동차	**613**	**9**	**622**	**1,543**
운전수	354	1	355	993
제조조립	39		39	43
수리	155	8	163	351
기타	65		65	156
항공	**410**		**410**	**809**
조종사	10		10	23
기관사	28		23	57
정비사	131		131	254
제조조립	162		162	314
기타	79		79	161
계량기	**56**	**3**	**59**	**157**
저울제조·수리	9		9	16
계량기 수리	6		6	25
시계수리	23		23	69
기타	18	3	21	47
통신	**1,050**	**133**	**1,183**	**2,890**
설계제조	108		108	296
수리	171		171	380
유선전신·통신	405	9	414	1,059
무선전신	118		118	249
전화교환수	9	107	116	132
기타	239	17	256	774
의료	**775**	**553**	**1,328**	**2,909**
내과의사	162	9	171	572
외과의사	76		76	198
산부인과 의사	19		19	63
이비인후과	17	2	19	52
피부과	19		19	53
치과	65	7	72	225
약사	139	6	145	438
엑스레이 기사	20		20	47
간호사·조산원		499	499	650
침과 뜸, 안마	40	6	46	121
기타	218	24	242	490

종류	기능자			가족을 포함한 합계
	남	여	합계	
기타 일반공업	**2,689**	**242**	**2,931**	**7,617**
가스	16		16	66
염색	24		24	83
고무	61		61	204
섬유	98	1	99	328
피혁	23		23	73
목제가공(製材)	9		9	39
목공	237		237	804
유지(油脂)	36		36	114
전구	5		5	21
유리	24		24	52
공업약품	85	2	87	145
의료약품	76	33	109	192
식품	101	1	102	310
양조	23		23	61
성냥	5		5	14
화약	38	1	39	73
제지	20		20	57
제빙	12	9	21	35
사진	66		66	177
인쇄	230	1	231	424
재단	66	29	95	201
타자	23	69	92	149
조리	89	4	93	190
기타	1,322	92	1,414	3,805
합계	12,646	947	13,593	35,229

자료:「波多江輿資料」

만 7,582명이고 연내에 인양한 일본인은 23만 6,759명, 나머지 8만 823명이 유용 등에 의한 잔류자로 추정되고 있다.[79]

국민정부처럼 중국공산당도 일본인 유용을 대대적으로 실시했지만, 중국공산당 쪽은 같은 유용이더라도 상당히 달라 '징용'에 버금가는 것이었다. 유용의 대명사이기도 한 접수기업接収企業에서 지도 역할을 한 만철직원이었던 기술자만이 아니라 사기업에 고용되었던 사람, 공장 등의 일용직 노동자, 중국공산당 간부인 잡역부 등 잡다하고 정식 유용이 아닌 사람도 많이 포함되어 있었다. 이러한 가운데 중국공산당군의 전투를 지원하기 위해 의사·약사·간호사로 고용된 사람이 많았다. 그들은 중국공산당군과 행동을 함께하면서 각지를 전전했다. 이는 인양이 늦어진 원인이기도 했다. 유용자 우대는 나쁘지 않았지만 대부분 사상교육과 인민재판에 회부되었고 한국전쟁이 발발하자 정치적인 통제가 심해지기 시작했다.[80]

나가며

재만일본인은 인양까지 소련·국민정부·중국공산당 세 가지 지배권력에 많든 적든 접하고 국내에 있는 일본인이 경험할 수 없는 국제정치의 현실에 직면했다.

소련군 군기의 문란함은 잘 알려져 있는 바이지만, 오히려 지휘계통이 종적분할로 이루어져 횡으로의 연계가 거의 없는 소련군 내부의 구조적 문제가 보다 심각했다. 또한 국민정부는 부패가 심하고 대부분 남방출신자여서 현지민과의 의사소통이 원활하지 않아 현지민의 지지를 받을 수 없는 사태에 이르렀다. 한편 중국공산당은 엄정한 군기가 있는 반면에 밀고가 횡행했다. 이후 문화대혁명의 원형이 된 삼반운동三反運動, 관료주의·오직·낭비규탄과 한국전쟁에 의한 정치적 긴장이 많은 체험자에게서 전해지고 있다. 이와 같이 다른 외국인이 볼 수 없는 다양한 측면을 재만일본인은 보고 들었다.[81]

이러한 많은 체험은 전후 일본의 동아시아 정책에서 중요한 정보자원이 될 수 있었다. 그러나 전후 일본 정부는 이러한 인양자가 가져온 정보를 피해정보의 수집이나 신원불명자 확인 등 후생성의 인양 원호 행정의 일환으로만 사용했다. 오히려 이러한 인양자가 가져온 정보에 눈을 돌린 것은 미국이었다. 미국은 소련·중국공산당 지역에서 인양자가 가져온 정보에 주목해 사세보佐世保·하타博多·마이즈루舞鶴 등 인양항에서 GHQ/SCAP 참모 제2부G II에 소속되어 있던 대적첩보부대對敵諜報部隊, Counter Intelligence Corps : CIC가 서류를 압수했다. 또한 관계자로부터 현지 상

황에 대해 청취조사를 해 소련이나 중화인민공화국에 관한 방대한 정보를 입수하고 있었다.[82]

미국은 만주 인양을 전후 아시아 정책의 일환으로 규정짓고 있었지만, 일본은 주체성을 유지하기 위한 필요한 정보를 거의 활용하지 않고 만주 인양을 국내문제의 연장선상으로만 보았다. 그러나 정부의 무대책과는 별도로 전후 일본인의 의식구조에 냉전구조는 막대한 영향을 주면서 만주 인양이 전해질 당시 거세게 휘몰아쳤다.

만주 인양은 다른 지역에 비해 인양자 수도 많고 비극성도 강렬했다. 재만일본인의 인양 체험은 개척단의 말로와 잔류고아로 상징되는 비극성으로 강조되어 왔지만, 그들의 체험은 각각의 입장과 지역에 따라 큰 차이가 있고 결코 획일화된 '비극'은 아니었다.

그러나 전후 일본 사회는 스테레오타입Stereotype으로만 인양자를 인식했다. 이러한 이유는 식민지지배의 본질조차도 간과해 버리는 결과를 초래했다. 그리고 이렇게 형성된 비극의 이야기가 회자됨으로써 가장 큰 타격을 받은 것은 소련이고 공산주의였다.

동아시아에 냉전이 시작되는 가운데 특히 중요한 것은 일본인이 공산주의 국가인 소련과 직접 접촉해 원초적으로 소련을 겪었다는 점이다. 게다가 소련에 의한 만주에서 폭행과 약탈, 시베리아 억류가 뒤엉켜 결정적인 부負의 이미지가 만들어졌다. 이렇게 형성된 부의 이미지가 인양자를 통해 일본 국내로 전파되고 확산된 결과, 전후 일본인의 의식 가운데 저류를 형성하게 된다. 한편, 만주 인양이 급속하게 실행된 배경에 미국의 존재가 컸던 것은 사실이다. 다만, 개개인의 선의는 어찌 됐든 미국은 대중국정책을 중심으로 전후 아시아 정책 가운데 일본인 인양을 다다루었다. 그러나 "미군 당국의 열의와 압력이 없었다면 만주 인양은 전혀 실현될 수 없었다"[83]라는 즉자적인 평판은 대부분의 인양자에게 공통적이어서 모든 면에서 미국에 압도당하는 국내의 일본인도 이에 동조하고 있었다.

전후 일본정치에서 혁신세력이 일정 범위 이상으로 신장할 수 없었던 것은 이러한 인양자에게 거세게 다가온 '이야기物語'도 큰 영향을 미쳤다. 만주인양은 전후사를 인식하는 데 중요한 과제를 던져주고 있다.

제3장

인양 체험으로 본 탈식민지화의 특이성

대만 · 중국 본토

들어가며

일본은 패전으로 식민지를 모두 잃고 일본과 동아시아의 정치적·경제적·문화적 관계는 단절됐다. 그러나 패전 당시 식민지에 있던 일본인은 일본 국내로 인양할 때까지 동아시아 사회 안에서 살고 있었기 때문에 국내 일본인보다 빠르게 국공내전이나 미소 대립과 같은 국제정치 현실에 농락당해갔다. 따라서 해외인양은 일본인의 전후 동아시아관 형성을 아는 데 중요한 과제를 던져준다. 그러나 해외인양이 어떻게 일본인의 대동아시아관이나 역사관에 영향을 미쳤는가에 대해서는 결코 충분한 해명이 이루어졌다고는 할 수 없다.

제2장에서는 대일본제국 붕괴 후에 제국 청산을 담당한 재만在滿 일본인의 인양문제를 국제관계사의 시점에서 검증했다. 본 장에서는 만주 인양과는 정반대 정황이었던 국민정부 지배하의 대만 및 중국 본토로부터의 일본인 인양을 다룸으로써 제국 붕괴에 의한 탈식민지화의 특이성을 고찰한다.

일본군이 장기간에 걸쳐 점령하고 막대한 피해를 받은 중국은 일본이 패전한 후에도 100만이 넘는 일본군지나파견군[1]을 어떻게 원활하게 귀환시킬 것인지를 부심腐心하지 않을 수 없었다. 국민정부 지도자 장제스將介石에게 피해를 거의 받지 않은 지나 파견군을 자극하지 않고, 공산당과의 내전이 본격화하기 시작한 가운데 어떻게 용병화를 방지하며, 일본인과 그 자산을 중국의 전후 부흥을 위해 어떻게 이용해야 할지 등 난문은 산적해 있었다.

〈지도 3〉 중화민국 · 대만(1945년경) : 80쪽

8월 15일의 옥음玉音방송과 동시에 이루어진 장제스의 '이덕보원以德報怨' 연설에는 이러한 배경이 있었다. 패전 후 기묘하다고도 할 수 있는 중·일 제휴가 진행되고 전쟁책임도 식민지지배도 애매해지는 가운데 대만과 중국 본토로부터의 일본인 인양은 예상 이상의 평온함 속에 단기간에 완료된다.

소련 점령지역과는 너무도 좋은 대조가 되는 이러한 인양은 전후 일본인 사이에 굴절된 중국관대만관을 내포시키게 된다. 본 장에서는 이들 의식의 기원과 형성과정을 분석함으로써 전후 일본과 대만및 국민당 정권 관계의 일단을 밝히고, 전전부터 전후로 이어지는 일본인과 식민지의 끊기 어려운 관계를 검증한다.

1. 평온한 '패전'하의 대만

대만 인양[2]은 다른 지역에 비해 가장 평온한 가운데 이루어졌다. 이 일은 대만 인양의 최대 특징이라고 할 수 있는데, 그 이유로는 대만이 직접 전장戰場이 아니었기 때문에 대만총독부의 행정 기능이 파괴되지 않고 유지되어 접수 후에도 큰 혼란이 없었던 점, 제10 방면군[3]이 피해를 거의 받지 않은 채 존재했다는 점을 들 수 있다. 이러한 전제조건이 정비되어 있었기 때문에 재대在台 일본인 사회는 패전 후에도 비교적 안정되어 있었다. 또한, 생활 상황이 심각해지기 전에 인양이 개시됨으로써 만주와 달리 패전부터 인양까지의 사이에 다수의 희생자를 내지 않고 마쳤다. 그렇다면 구체적으로 대만의 일본인은 패전부터 인양까지의 사이에 어떠한 생활을 보내고, 어떠한 형태로 인양되었던 것일까.

대만의 일본인은 8월 15일 12시 00분, 대만 전도에 옥음방송이 알려지자 일본의 패전과 자신이 이국인異國人이 되었음을 알았다.[4] 대만은 오키나와 함락으로 본토와의 연락 루트가 끊겨 자급자족 체제로 이행하는 한편, 대만총독부는 일찍부터 일본 정부의 포츠담선언 수락 움직임을 파악하고 있었다.[5] 17일에 부·국장 회의를 개최하여 국민정부군 주둔에 대한 대응과 일본 정부와의 연락확보, 인양 준비 등을 협의하여 일찍부터 패전처리 태도를 정비해갔다.[6]

9월 2일 항복문서 조인 이후, 대만은 중국 본토와 같이 중국전구中国戦区로 취급되어, 지나 파견군 총사령관이 군사·행정 양면의 일본 측 대표로 국민정부와의 교섭에 임하게 되었다.[7] 9일에 난징南京에서 중국전구 수항

受降식이 거행되어 마침내 국민정부에 의한 대만 접수가 시작되게 되었다.

한편, 군 관계에서는 9월 1일 오전 10시에 해군이 어진영御眞影과 칙유勅諭 봉소奉燒를 거행했다.[8] 그 한편으로 5일에는 타이베이臺北시 육·해군 전몰자 장의葬儀가 타이베이시에 의해 집행되었으며,[9] 패전을 경계로 환경이 격변한 것이 아니라 여전히 패전 전과 비슷한 정황도 계속되고 있었다.

또한, 대만 섬 안은 패전 후에도 큰 혼란이 없었기 때문에 '일반적으로 안이安易한 느낌이 넘치고' 있고, 대만총독부 내에도 '이전처럼 패전, 무조건항복의 모습이 전혀 없음. 다음에 찾아올 태풍에 이런 상황으로 과연 감당할 수 있을지 어떨지'라고 패전 후에 내지에서 돌아온 시오미 슌지塩見俊二 재무국 주계主計과장이 우려할 정도로 긴장감과는 먼 분위기였다.[10]

이러한 가운데 14일에 장옌다張延達·장바이張柏 등 항공조사반이 타이베이에 도착해(18일까지 체재),[11] 10월 5일이 되어 거징한葛敬恩 대만성 행정장관공서 비서장이 대만을 방문해 타이베이에 대만성 행정장관공서·경비총사령부 전진지휘소주임 거징한가 설치되었다. 전진지휘소는 같은 날 중에 비망록을 수교手交하고 전진지휘소 통고 제1호를 발포했다. 정식 접수까지 대만총독부에 의한 행정, 사법 사무의 계속 유지, 대만은행권 유통, 교육·산업·교통·통신·공공사업의 현상 유지, 일본인 공·사유재산의 이동·전매·처분 금지 등을 결정하고, 대만총독부의 행정사법 기능을 활용한 국민정부에 의한 간접통치가 시작되었다.[12]

이와 같은 통치하는 측의 움직임과는 별도로 대만인 사회에서는 9월이 되자 행상인이 가게를 차리고 식료도 풍부하게 팔려(단, 물가는 높다),

폭격으로 소실되었던 타이베이의 룽산시龍山寺 재건도 시작되어 '역내 내지인 거리에 비해서 본도인本島人은 생활력 왕성함'이라고 감탄할 정도로 활기를 되찾았다.[13] 한편으로 재대일본인은 대규모 폭행·약탈과 같은 사태는 겪지 않았지만, 불안정한 환경이 된 것은 확실했다.

대만에서는 패전 직후, 타이베이시의 민간 유력자에 의해 재대일본인의 생명, 재산 보호 및 생활 안정을 목적으로 타이베이상공경제회가 조직되었으나, 총독부가 상공경제회 명칭에 이의를 제기한 결과 전『대만일일신보』사장 가와무라 도루河村徹 등이 중심이 되어 봉래蓬萊 구락부가 결성되었다. 봉래 구락부는 상공경제회를 모태로 하고 있고 장래 일본인회가 될 것을 목표하고 있었지만, 행정장관공서로부터 합법적 조직으로서의 허가는 받지 못했다.[14] 또한 이것과는 별개로 봉래 구락부에 비판적인 일본인 사이에서는 협화회協和会 호조사互助社, 신일본인회新日本人会, 민주주의동맹民主主義同盟 등이 난립해 있어서 일본인 내부에서 대립과 혼란이 나타나고 있었다.[15]

이러한 일본인 단체를 둘러싼 혼란은 재류일본인의 조직화가 단기간에 진행된 만주나 조선과는 달리 재대일본인이 절박한 상황에 놓이지 않았다는 점의 반증이기도 했다. 만주나 조선에서도 당초 보였던 바와 같이, 거류민화됨으로써 그대로 현지에 머물고자 하는 일본인은 대만에서도 많아 재대일본인 사이에서는 대만에 머물 것인지, 일본으로 강제 귀국을 당할 것인지로 억측이 난무했다.[16]

이러한 가운데 10월 17일에 국부군이 지룽基隆에 입항하여 국부군 주둔이 시작되었다. 당시 국부군의 차림새는 일본인에게 국한하지 않고 대만인에게도 강렬한 인상을 준 점은 유명한 사실이다. 전시 중에 『민속 대만民俗台湾』 편집자였던 이케다 도시오池田敏雄는 '4열 횡대, 멜대에 작은 상자를 매달고 그것을 메고 있다. 마시麻絲를 굵게 꼬아 만든 신발짚신을 고친 것과 같은 모습. 우산을 등에 매달았다. 씩씩한 느낌도 없다. 배낭背囊 같은 것을 등에 짊어진 병사. (…중략…) 쓸쓸하다. 당당한 행진을 기대했으나 실망했다'고 일기에 썼으며,[17] 주둔군에 시각적으로도 물량적으로도 압도되어 패전을 여하튼 실감한 국내 일본인과는 달리 패전 국민이 되기는 했으나 실감이 나지 않는 재대일본인의 복잡한 심경을 전하고 있다.

그러나 국민정부의 대만 접수는 점차 본격화되어 천이陳儀 대만성 행정장관 겸 대만성 경비총사령관이 24일 대만에 들어와 25일에 타이베이시 공회당에서 수항受降식이 거행되었다.

수항식 후, 행정장관공서 및 경비총사령부 명령 제1호가 곧바로 수교되어 제10 방면군의 무조건항복과 대만총독부의 기능 정지가 결정되고, 이로써 대만은 중국의 판도로 귀속되고 국민정부의 직접 통치가 시작되었다. 동시에 대만총독부 및 제10 방면군은 대만지구 일본 관병官兵 선후善後 연락부[18]로 개조되어 국민정부 측의 명령 전달기관이 되었다.[19]

2. 대만 사회의 혼란과 인양 개시

수항식 날 대만 최대 일간지였던 『대만신보台湾新報』는 접수되어 대만성 행정 기관지 『대만신생보台湾新生報』가 되어 1면은 광고, 2·3면은 한문란漢文欄, 4면은 일문란日文欄이 되었다. 이케다 도시오가 '신문을 보고 있는 가운데 점차 외국에 있는 것과 같은 기분이 든다'고 기록한 것처럼,[20] 재대일본인을 둘러싼 환경은 점차 변해갔다.

패전부터 11월까지는 일본으로의 인양 희망은 극소수로 대부분은 대만 잔류 희망이었다. 이유로는 ① 일본 영유 시대의 타성惰性으로 장래의 생활 예상을 쉽게 생각한 점, ② '중국 정부의 원한으로 원한을 갚지 않는 태도'로 천이 장관 부임 후에도 일본인에 대한 태도가 예상외로 호의적이었다는 점, ③ 통제 해제 등으로 일상생활은 전쟁 전보다 풍족해졌다는 점, ④ 대만인의 동향이 지극히 평온했다는 점, ⑤ 일본 국내 정황 악화가 추측된 점, ⑥ 일본인 송환은 1949년 이후가 될 것이라는 정보가 확산된 점, ⑦ 치안이 대략 평온했다는 점 등을 들 수 있다.[21]

한편, 11월 1일부터 국민정부에 의한 행정·사법·군사 각 방면의 접수가 시작되어 같은 달 중에 대부분 완료했다. 또한, 제10 방면군에서는 패전 직후에 복원은 1949년 여름경이라고 판단하고 현지에서의 자활 방침을 세우고 있었지만,[22] 사태는 예상 이상으로 진행되었기 때문에 11월 8일에 내지 귀환 수송 협의가 이루어지고, 복원 준비가 시작되게 되었다.[23]

더욱이 옛 총독부에서도 11월 12일에 수뇌회담이 열려 일본인 인양이 빨라져 1946년 1월부터 군인의 복원에 이어 일반인도 3월까지 인양을 완료한다는 전망이 보고되었다.[24] 이처럼 선후 연락부에서는 인양 준비가 진행되고 있었다.

이러한 가운데 재대일본인을 둘러싼 환경은 12월을 경계로 일변한다. 12월이 되어 『대만신생보』가 귀환한 재일·재필리핀 대만인에 의한 전시 중의 일본군 잔학행위가 전해진 이후 반일 기사에 의한 선동이 시작됨으로써 대만인에 의한 구타 사건이 발생하는 등 일본인에게 공격이 강화되어 갔다.[25] 더욱이 일본인 실업자 증대, 일본인 전체의 빈곤화, 물가 폭등으로 인한 생활고가 서서히 현저해져 일본으로의 인양을 희망하는 자가 점차 증가하기에 이르렀다.[26]

군에서는 12월에 들어서부터 복원 수송계획을 점차 구체화하고 있었지만, 선복船腹 등의 관계로 구체적 일정은 정하지 못했다. 그러나 제1장에서 상술한 바와 같이, 미국의 대중 정책 전환과 일본인 송환이 결정되자, 대만에서도 18일이 되어 미중 측에서 '폭탄적 신청'이 이루어져 복원이 급거 이루어지게 되었다.[27] 23일에는 수송선이 기룽에 도착해 25일에 복원 제1진이 출항했다.[28]

군의 복원이 개시됨으로써 점점 민간인 인양도 현실이 되었다. 12월 20일에는 미중연합회의가 개최되었다. 이 회의는 그 후 일본인 송환의 기본방침을 확인한 것인데, 일본계 산업자산 접수를 서두름과 동시에 대만의 사회경제가 일본인의 전문 능력을 불가결하게 하는 현상에서 유용留用의 범위를 확대하고자 하는 중국 측의 의도가 명료하게 드러났다.[29]

그 후, 대만성 행정장관공서는 12월 31일에 일본계 기업 접수와 일본인의 본국 송환을 돌연 발표하고, 이어서 일본인 인양의 중앙 관할기관으로 일교日僑관리위원회를 설치하고, 1946년 3월 하순부터 일본인 인양을 개시할 것이 결정되었다.[30]

재대일본인 사이에서는 인양이 정해지자 귀국 희망자가 격증해갔다. 그 이유는 행정·경제의 정체와 대만인의 정부에 대한 불만 증대로 대만

사회 전체가 더욱더 혼미해지고, 특히 식량부족·물가등귀와 그에 따른 치안 악화 속에 재대일본인은 '향후 2, 3개월 지나지 않아 비참함은 마침내 섬뜩慄然해질 것'이라고 깊이 우려되는 상황까지 돼 있었기 때문이다.[31] 이렇게 해서 귀국 희망자는 '요원燎原의 불길처럼' 증가해 2월경에는 '대만 재류일본인은 거의 귀국을 희망하기에 이르러',[32] '수많은 일본인이 도처到處의 길거리에 가재를 늘어놓고 파는' 광경이 눈에 띄게 되었다.[33]

2월이 되어 재대일본인 인양 일정이 점차 구체화하여, 2월 말에는 인양 업무 필요성에서 각 일본인 단체가 통합되어 '일교호조회日僑互助会'가 탄생하고, 협화회와 호조회는 해소, 신일본인회와 민주주의동맹은 국민정부로부터 해산을 명 받았다.[34]

또한, 대만에서는 패전 전부터 군인 군속 유가족 및 전재戰災자에 대한 원호 사업이 이루어져, 패전 후 이들 사업을 통합한 대만원호회台湾援護会가 결성되어 주마다 지부를 두고 있었다. 원호회는 군인과 군속의 유가족·오키나와현 소개자疏開者·일반 전재자·빈곤자들에 대한 구호 활동을 목적으로 행상·길쌈手紡공업·간이음식점 개설·농경 등에 의한 생활기반 확립을 위해 지도, 장려를 해왔으나, 원호회 자금이 국민정부에 접수됨으로써 활동은 정체되고, 2월의 인양 업무 개시로 원호회도 폐지되었다.[35]

한편, 인양 업무 개시로 일본인 단체 등의 결사는 금지되었으나 타이난臺南시처럼 시장 지원 아래 타이난 일포복무사臺南日胞服務社라는 재대일본인 간의 연락 및 구제를 목적으로 한 기관이 설립되어 재대일본인의 인양 업무·잔류자 자제 교육·빈곤자 인양비 부조·무료 진료소 개설·유골 처리 등이 이루어진 사례도 있었다.[36]

이러한 재대일본인의 인양을 위한 움직임과도 별도로, 일교관리위원회는 인양 실시의 전제로 1월 4일부터 2월 23일 사이에 일본인 호구조사를 했다.[37] 이것은 만주에서 했던 것과 같이 유용자 선별을 목적으로 한 것으로, 자발적으로 유용을 희망한 자와 인양을 희망하면서도 남겨진 자 합해서 약 2만 8천 명가족을 포함이 유용되어 유용자 이외의 일본인은 인양되었다.[38]

일본인 인양은 크게 3기로 나누어 이루어졌다. 제1기는 1946년 3월 1일부터 4월 말까지로 군인과 유가족 6만 9,246명, 일반인 22만 1,913명의 합계 29만 1,159명이 인양되고, 군인의 복원은 제1기로 완료한다. 제2기는 10월 19일부터 12월 28일까지로 2만 8,521명, 제3기는 1947년 4월 초순부터 5월 3일까지로 3,566명오키나와현인 포함, 제3기까지로 일본인 대부분이 인양했다.[39]

또한, 이 사이의 1946년 4월 12일에 선후 연락부장 안도 리키치 이하 옛 제10 방면군 막료는 중국에 구속되어 상하이上海로 이송되었다. 그들의 구속 용의는 전시 중의 미군 포로 학대로 미군에 의한 전범 지명을 받은 것이었다. 결국, 안도는 4월 19일에 이송지인 상하이 감옥에서 음독자살하고, 제10 방면군 참모장 이사야마 하루키諫山春樹는 스가모巣鴨 감옥에 수감收監되었다.[40]

이처럼 제1차 송환 완료의 전망이 서자 안도 등은 구속되고 일본 측의 중심 조직은 해체되었다. 구속 직후의 4월 13일에 일교관리위원회에 유용된 전 총독부 관리 하야미즈 구니히코速水国彦 외 10명이 유대일교지원인留臺日僑世話役으로 일교호조회를 통해 유용자들과의 연락 등에 임하게 되었다.[41] 그러나 제1차 송환 후, 국민정부는 일본인의 집회 등에 대해 엄중한 단속을 하고, 일본인 단체의 존속을 인정하지 않아 일교호조회는 7월에 폐지되고, 이후에는 지원인 중심의 총지원인 체제로 일본인 사이의 연락이 도모되게 되었다.[42]

또한, 대만에는 전쟁 중에 오키나와현에서 대량의 민간인이 소개疎開해 있었으나, 전후가 되어도 어민 등의 왕래가 계속되고 있었다. 대만 재주의 오키나와현인약 1만 명은 전후 '류교琉僑'로 불리며 이들의 귀환도 마찬가지로 현안이 되었으나,[43] 인양에 관해서는 일본인과는 별도로 취급된(군인도 마찬가지) 것도 대만 인양의 큰 특징이었다.[44]

만주국에서는 소련군 진공으로 행정 기능은 완전히 마비되고, 조선의 경우에는 조선총독부가 패전 초기에 재조在朝 일본인의 보호 대책을 포기하고 있었다.[45] 이러한 상황 속에 재류일본인 스스로가 주체가 되어 살아남는 길을 모색할 수밖에 없어 일본인 단체가 조직화되었다. 일본인 단체가 인양에 큰 역할을 한 이유도 여기에 있다.

그러나 재대일본인 간에는 중심이 되는 하나로 합쳐진 조직이 존재했던 것도 아니고, 각 일본인 단체가 연계하는 것과 같은 체제가 정비된 것도 아니었다. 그럼에도 불구하고, 대만 각지에서 혼란이 일어나지 않은 것은 패전으로 위신이 실추해 있었기는 하지만 대만총독부의 행정 기능이 유지되고 있었던 점, 인양 단계가 되어 제10 방면군이 총독부의 기능 상실을 보완하는 형태로 국민정부와의 절충과 재대일본인 간의 연락, 귀환 수송 실시에 중심적인 역할을 한 점이 큰 요인이었다.[46] 더욱이, 대만 사회가 심각한 상황에 빠지기 직전에 재대일본인을 인양할 수 있었다는 점도 무시할 수 없다. 이러한 '행운'에 의해 재대일본인은 스스로가 주체가 되어 살아남는 길을 모색할 필요성에 최후까지 쫓기지 않고 인양할 수 있었다.

3. 지나 파견군 항복과 전쟁책임

대만 인양에 대해서는 중국 본토로부터의 일본인 인양과 함께 검증할 필요가 있다. 중국 본토 인양과 대만 인양은 함께 국민정부 주도로 대혼란에 빠지는 일이 없이 단기간에 완료되고, 더욱이 기술자 유용과 전범 문제에서 중·일 간의 협력관계가 구축돼 결과적으로 국공내전 종결 후의 일본과 대만 관계에 큰 영향을 미쳤기 때문이다.

대만과 마찬가지로 국민정부 지배 지역이 된 중국 본토로부터의 인양약 49만 명 역시 비교적 순조롭게 이루어졌다. 그 이유로는 대만에서의 제10 방면군·대만총독부와 마찬가지로 지나 파견군약 105만 명의 조직 기능이 거의 피해를 받지 않았으며無傷, 국민정부도 복원·인양이 원활하도록 지나 파견군의 기능을 해체하지 않고 활용할 방침을 채택한 점이 최대 요인이었다.[47]

일본이 포츠담선언 수락을 최종적으로 결정한 8월 14일 시점에 해외에 전개한 일본군은 350만 명이었다. 본토를 제외한 일본군의 작전 지역은 셋으로 나뉘어 각각 총군지나 파견군·관동군·남방군이 최고사령부로 존재하고 있었다. 그러나 남방군은 버마 방면 전선이 붕괴하고 필리핀과 보르네오에 연합군이 상륙함으로써 실질적으로 본토와 교통로가 차단되어 전력은 현저히 저하해 있었다. 또한, 관동군은 남방 등에의 병력 차출로 전력이 대폭 저하해 있었던 데 더해 패전 직전의 소련군 진공으로 파괴적인 타격을 입었다. 이러한 상황 속에 유일하게 지나 파견군만이 일정한 전력과 군조직을 계속해서 유지하고 있었다.

1945년 8월 9일에 소련군의 만주 진공이 개시되자 지나 파견군 총사령부는 대본영과의 연락을 긴밀히 하기 위해 11일에는 참모부 제1과장 니시우라 스스무西浦進 대령과 병참 참모 노지리 도쿠오野尻徳雄 중령을 파견했다.[48] 한편, 대본영은 9일 대륙명大陸命[49] 제1374호를 발령해 지나 파견군 일부 병력의 남만주로의 전용 준비를 명하고, 관동군과 지나 파견군의 대소련 작전 경계地境는 산하이관山海關－다청쯔大城子－다리호达里湖 동단東端－유크질 묘ユクジル廟, 熱河省 남부가 되었다. 이를 받아 지나 파견군 총사령관 오카무라 야스지岡村寧次는 북지나 방면군에 대해 소련군이 공격해온 경우의 적극적 응전을 명했다.[50]

그러나 10일 이후 해외방송 수신傍受 및 대본영에 파견된 니시우라 등의 정보로 일본 정부의 포츠담선언 수락 움직임이 분명해졌다. 사태의 급변에 대해 오카무라는 12일과 14일의 두 차례에 걸쳐 대본영에 대해 강경 의견을 전달하고, 더욱이 14일 오후 6시경에는 참모총장을 통해 철저 항전을 촉구하는 상주上奏 전보를 냈다.[51]

다만, 이 상주 전보의 6시간 전에 어전회의에서 쇼와昭和천황의 최후의 '성단聖斷'이 내려졌다. 남방군이나 관동군과는 달리 군사적인 패배를 경험하지 않은 지나 파견군에게 포츠담선언 수락은 받아들일 수 없는 일로 대본영에 대해 철저 항전을 촉구한 것은 당연하다고도 할 수 있다.[52]

그러나 패배하지 않았다는 점은 군조직 및 명령계통이 유지되고 있음을 의미하고, 총사령관의 명령에 따라 철저 항전과 항복의 어느 쪽도 총사령부에서 전선부대에 이르기까지 혼란 없이 행동할 수 있다는 것을 의미했다. 사실, 포츠담선언 수락이 결정되어 15일 정오에 옥음방송이 전해지자 오카무라는 '승조필근承詔必謹'[53]을 전 장병에 대해 훈시하고 항복을 수용할 준비에 들어갔다.[54]

다른 한편으로, 오카무라는 우메즈 요시지로梅津実治郎 참모총장에게 '파견군은 100만 대군을 보유하며 더욱이 연전연승, 전쟁에 패했다고는 하지만 작전에서는 압도적인 승리를 거두었다. 이러한 우세한 군대가 약체인 충칭重慶군에게 무장해제되는 일은 있을 수 없는 일이며, 더욱이 중국의 치안 상황에서는 무장해제 후 생명 보전을 기하기 어렵고, 포츠담선언의 일본군 무장해제에는 장소와 시기를 기술하지 않았다고 생각할 수 있다는 점에서 실시하는 장소는 내지 귀환 후 또는 승선지乗船地로 하도록 중앙부에서 절충해 주기 바람'이라고 요청했다.[55]

이 전청電請은 오카무라 이하 지나 파견군 장병이 패전을 어떻게 받아들이고 있는지를 단적으로 보여준다. 즉, 심리적으로는 약체인 충칭군국민정부군에게 항복한다는 현실을 받아들이는 일의 어려움과 현실적으로는 국민정부의 낮은 치안유지 능력 아래서의 무장해제의 어려움 등 두 가지를 극복하지 않으면 지나 파견군의 항복은 쉽지 않았다.

더욱이 일본은 15일에 항복한 시점에서 전투를 종식한다고 생각하고 있었지만, 만주에서는 소련군의 공격이 끝나지 않았고, 장자커우張家口 방면에서 화베이華北로도 진공할 태세를 보이고 있었다. 지나 파견군을 둘러싸고는 패전 전보다도 패전 후가 곤란한 상황이 되고 있었다. 사실, 15일 이후 총사령부에서는 항복을 수용해 갔지만, 무장해제를 둘러싼 혼란은 오히려 확대되어 갔다. 먼저, 주로 화베이 지역에서는 공산당계의 신사군新四軍 등으로부터 일본군 부대에 대한 무기 인도 요구가 이루어져, 이를 거부하는 부대와의 교전이 발생하고 있었다. 그리고 소련군은 19일에 장자커우로의 진공을 개시해 23일에는 장성長城의 구베이커우古北口시가에 진입했다. 이 사이 21일에는 북지나 방면군으로부터는 소련군이 징진京津 지구에 진입할 때의 무력 행사를 용인하도록 의견 구신具申이 있었고, 총사령부도 이를 허가하는 사태가 되었다.[56]

한편, 대본영은 15일 대륙명 제1381호에서 '적극적 진공 작전' 중시를 명했다. 이로써 지금까지의 공격형 전투 태세에서 방어형으로 전환하게 되고, 지나 파견군도 전군에 이를 철저히 시켰다. 16일이 되자, 대본영은 대륙명 제1282호로 전투 행동의 즉시 정지를 명했다. 단, 이 단계에서는 정전 합의까지 공격받을 경우의 자위 행동은 인정하고 있었다. 더욱이 대본영은 17일에 세 총군總軍에 승조필근을 철저히 시키기 위해 천황의 대리인으로 황족을 파견差遣했는데, 지나 파견군에는 아사카노미야 야스히코朝香宮鳩彦 왕이 '성단'을 전달했다.

아사카노미야의 전달에 즈음해서 오카무라는 군의 복종軍伏 보고를 18일에 제출했는데, 이 가운데 일본군의 무장해제를 둘러싸고 충칭국부과 옌안延安, 중공 대립의 영향을 이미 받기 시작한 실정을 말하며 자위 전력 유지保持 필요성을 강력히 호소했다. 그러나 그와 동시에 '화평 직후의 대지對支 시책은 실로 국가 백년대계'이므로 '중국의 번영에 협력하는 대승적 태도로 중국에 대한 도의를 실천해 야마토大和 민족의 진가를 발휘하고 이로써 일지日支 융합, 동아 부흥을 위한 공고鞏固한 기초공사가 되게 하는 일은 파견군의 황국에 대한 중요 임무'라며 항복의 새로운 의의 부여를 하고 있었다.[57]

'일지 융합', '동아 부흥'을 위한다는 의의 부여는 이후의 지나 파견군의 행동에 중요한 정신적 지주가 되었다. 즉, 지나 파견군은 18일 단계에서 군사적인 항복은 단순한 항복이 아니라 국민정부에 협력해 전후의 중·일 제휴를 도모한다는 정치적 목적 달성을 위해 필요한 수단이라는 새로운 항복 논리를 내세우게 되었다.

실제, 16일에 총참모부장 이마이 다케오今井武夫와 상하이 육군부장 가와모토 요시타로川本芳太郎가 오카무라에게 중·일 제휴론을 구신했다. 이미 오카무라는 16일경부터 전후의 중·일 제휴 구상을 생각하기 시작했는데, 이마이 등의 의견 구신을 받은 후, 난징南京국민정부 전국경제위원회 최고고문 오쿠라 마사쓰네大倉正恒와 의견 교환하는 가운데 자신의 구상을 정리해 18일에 '화평 직후의 대지對支 처리 요강要綱'을 기초했다.[58]

'대지 처리 요강'은 아사카노미야에게 제출한 군의 복종 보고와 기본은 같지만, 국민정부에 대한 협력 자세를 더욱더 선명히 한 것이었다. 요강에서는 전후 중국은 '열강의 압박 아래 지극히 곤란한 흥국의 대업을 진행할 수밖에 없는 정세'에 있으므로 일본은 지금까지의 '내친걸음을 일소하고 적극적으로 지나를 지원 강화'해 '장래 제국의 비약과 동아의 부흥에 이바지할' 것을 근본 방침으로 하여 11항목의 요령을 열거했다. 그 가운데서도 '충칭 중앙정권의 통일을 용이容易하게 해 중국의 부흥 건설에 협력할' 것을 제1로 하는 한편, 공산당에 대해서는 '일본에 저항抗日하거나 일본을 얕보는侮日 태도를 취하면, 단호히 이를 응징'한다고 이미 무장해제를 둘러싸고 문제가 다발하고 있던 공산당에 대한 강경 자세를 선명히 한 점이 특징이라고 할 수 있다. 더욱이, 구체적인 대중 협력으로 대중 배상의 일부로 충당하기 위해 일본 산업시설의 중국 측에의 양도와 민간인은 '가능한 한 지나 대륙에서 활동하는 것을 원칙으로 해', 기술협력으로 '지나 경제에 공헌할' 것을 열기하고 있는데, 이것이 후의 일본인 유용으로 이어지게 된다.[59]

지나 파견군은 105만 명의 병력으로 민간인도 중국 본토만주 제외에 약 49만 명에 이르렀다. 패전 후 중국에서 그들의 보호와 본국 송환을 실질적으로 담당할 조직은 지나 파견군밖에 없고, 이미 장병뿐만 아니라 민간인 취급에 대해서도 책임을 지지 않으면 안 되게 되었다.

실은 지나 파견군은 전시 중부터 화평공작을 진행하기 위해 국민정부와의 접촉을 도모하고 있었다. 그 가운데서도 총참모부장 이마이 다케오는 제10 전구 부사령장관 허주궈何柱國와의 사이에 직접 의견교환을 하는 한편, 제3 전구 사령장관 구주통顧祝同과의 사이에 연락망을 구축하고 있었다.[60] 이러한 비공식 루트를 기초로 패전 직후의 17일부터 국민정부와 지나 파견군의 접촉이 시작되어 21일에 이마이는 즈장芷江에서 국민정부와의 회담에 임했다.

이날 회담은 16시부터 17시까지 개최되어 국민정부 측이 육군 총사령부 참모장 샤오이쓰蕭毅肅와 부참모장 링신冷欣, 지나 파견군 측이 이마이와 참모 하시지마 요시오橋島芳雄·마에가와 구니오前川国雄, 미군 측으로 중국 전역 미군 작전사령부 참모장 보트너Haydon L. Boatner가 열석列席했다. 회담 내용은 기본적인 확인 위에 오카무라 총사령관 앞으로의 중국전구 중국육군총사령부비망록중자中國戰區中國陸軍總司令部備忘錄中字 제1호가 수교되었다. 그 후, 20시 30분부터 23시 30분까지 부참모장 차이원즈蔡文治 등과의 사이에 세부 협의가 진행됐다. 이마이가 무장해제를 둘러싸고 각지에서 트러블이 발생하고 있는 사실과 관련한 국민정부의 입장을 추궁하자, 차이는 허잉친何應欽 총사령의 명령을 받은 것 이외에는 무장해제 요구에 응할 필요는 없고 자위 행동도 상관없다고 회답했다. 이 협의로 문제가 된 것은 비망록에 항복 범위가 중국랴오닝(遼寧)·지린(吉林)·헤이룽장(黑龍江)성 제외·대만·북위 16도 이북의 프랑스령 인도차이나仏印 및 전 해군으로 되어있다는 점이었다. 이마이는 러허성熱河省, 관동군·대만제10 방면군·프랑스령 인도차이나남방군 및 해군은 지나 파견군 관할管轄이 아니라고 주장했으나, 결국 이들 지역도 지나 파견군이 무장해제 책임을 지게 되었다.[61]

즈장회담은 전체적으로 전승국인 국민정부가 패전국인 지나 파견군을 정중하게 대접하고, 공식회담 및 비공식 협의에서도 시종일관 고압적인 태도를 보이지 않았다. 또한, 회담 기간 중, 국부군에 있는 일본 육군사관학교 유학 경험자들이 이마이와 접촉해 수면하에서 중·일의 인적 관계가 구축되고 있었다.[62]

즈장회담에서 국민정부 측에 많은 일본 유학 경험자가 포함돼 있었던 것은 같은 일본 유학 경험자(규슈제국대학九州帝国大学)였던 군사위원회 위원장 시종실 비서 사오위린邵毓麟이 허잉친에게 제안했기 때문이었다. 사오위린은 거의 피해를 받지 않은 지나 파견군이 항복을 인정하지 않고 무장해제에 응하지 않거나 공산당이 무기 접수를 통해 군사력을 증강하는 것과 같은 사태가 발생해 중국 사회가 대혼란에 빠지는 것을 두려워하고 있었다. 그러한 사태를 막기 위해 오카무라와 조속히 접촉을 도모해 지나 파견군 항복과 무장해제를 원활하고 신속하게 할 필요가 있다고 생각해 먼저 즈장에서 일본 측과의 원만한 관계 구축을 도모하려고 했다.[63]

즈장회담은 국민정부 측의 의도대로 끝나 27일에 링신이 막료들 100여 명을 이끌고 난징에 도착해 전진지도부를 개설, 28일에는 오카무라와의 회담이 열리고, 이후 정식 항복을 향한 준비가 진행돼갔다. 9월 8일에 허잉친이 난징에 입성해 9일 오전 9시에 항복문서 조인식이 거행되고, 조인 종료 후 10일부로 지나 파견군 총사령부는 중국전구일본관병선후총연락부中國戰區日本官兵善後總連絡部로 개칭되었다.

이 항복문서 조인식 전후, 지나 파견군과 국민정부는 빈번하게 접촉했다. 사오위린은 8월 31일과 9월 8일에 오카무라와 회견하고, 천궁보陳公博의 한간漢奸 재판·일본인 기술자 유용 문제·일본인 거류민 취급부터 향후의 일화日華관계에 이르기까지 깊은 대화를 했다.[64] 또한, 8일에는 허잉친과 오카무라의 비공식회견이 이루어지고, 항복문서 조인 다음 날인 10일에는 허잉친으로부터 오카무라에 대해 항복 후의 구체적인 결정으로 무장해제의 수순手順과 지휘명령계통 외에 일본 장병에 대한 식량 공급 및 군민의 귀환 수송을 중국 측 책임으로 행할 것, 중국 재건을 위해 기술자를 유용할 것 등이 전달되었다.[65]

국민정부의 최초 과제는 지나 파견군 항복과 무장해제였으나, 9월 9일의 항복문서 조인으로 일단 전망이 섰다고 할 수 있다.

국민정부가 지나 파견군에 대해 이상하리만치 신경을 쓴 것은 전승국이 된 국민정부와 항복하는 지나 파견군의 군사 균형이 극단적으로 뒤틀려 있었던 점이 요인이었다. 따라서 지나 파견군을 자극해 무장해제가 늦어지는 것은 그만큼 중국을 혼란케 해 전후 부흥을 늦추는 일로 이어졌다. 더욱이, 이 일은 국민정부의 실정이 되는 한편 공산당의 세력 확대로 직결했다.

장제스는 이러한 사태를 피하기 위해서도 지나 파견군과의 관계를 양호하게 해 협력을 확보하는 것이 무엇보다 필요했고, 이러한 문맥 속에 8월 15일에 유명한 '이덕보원' 연설을 했다고 할 수 있다.

더욱이 즈장회담에서 시작된 지나 파견군의 항복 과정은 공산당과의 교섭과 동시 진행으로 이루어졌다는 점은 간과할 수 없는 사실이다. 장제스에게 이 시기 공산당과의 관계를 재구축할 수 있을지는 전후 부흥을 궤도에 올리기 위한 중대한 과제였다. 그리고 장제스의 거듭된 요청에 응한 마오쩌둥毛澤東이 8월 28일 충칭을 방문해 국공 조정을 향한 대화가 시작되었다. 외교부장 왕스제王世杰는 즈장회담으로 지나 파견군의 항복 과정이 시작된 점이 무기 접수를 꾀하는 공산당에게 불리하고, 더욱이 중소우호동맹조약 체결로 공산당은 점점 고립돼, 이것이 마오쩌둥의 방문으로 이어졌다고 보았다.[66]

실제, 공산당의 실력을 평가하지 않았던 소련은 일본항복 직후인 8월 19일에 마오쩌둥에 대해 항일전쟁 중의 '장제스 정부에 관한 당 방침을 근본적으로 재고'하여 내전에 의한 공산당 붕괴를 회피하기 위해 장제스와의 회담에 응해 국민정부에 협력할 것을 요구하고 있었다.[67]

국민정부에게 지나 파견군 항복은 공산당과의 관계 재구축과 밀접히 결합되어 어느 단계까지는 국민정부의 의도대로 진행돼 지나 파견군 항복으로부터 1개월 후인 10월 10일에 국공의 합작 사항으로 '쌍십협정双十協定'이 발표되었다. 실질적으로는 이 협정은 발표 직후부터 공문화空文化하지만, 그래도 지나 파견군 항복에 이어 공산당과의 관계 구축을 일단 실현함으로써 일본의 패전 직후부터 현재화하고 있던 현안은 해결되었다고 할 수 있다. 국민정부의 다음 과제는 구체적인 전후 부흥을 도모하기 위해 일본인 기술자를 유용하는 것이었다.

오카무라가 패전 직후에 기초한 '대지 처리 요강'에서 일찍이 일본인의 적극적인 대중 협력을 내세우고 있었으나, 총사령부에서는 무장해제에 더해 100만 명이 넘는 장병과 50만 명의 민간인[68]을 어떻게 일본으로 귀환시킬 것인가가 큰 과제였다. 실제, 일본의 잔존 선박 수와 해외에 잔류하는 일본군 장병·민간인의 수약 700만 명으로 추정를 생각하면 단기간에 일본 정부가 자력으로 귀환사업을 완료시키는 것은 불가능하고 지나 파견군에서는 2, 3년은 잔류하지 않으면 안 된다고 계산하고 있었다.[69] 장기 잔류가 예측되는 가운데 장병과 민간인이 어떻게 자활해갈 것인가가 과제가 되어 노동력과 기술력을 갖고 중국 측에 협력해 그 대가로 식량을 공급받을 필요가 있었다.

한편, 장제스도 중국 부흥에 빼놓을 수 없는 일본계 자산접수와 기술자 유용을 중시하고 있었다.[70] 전시 중에 일본이 건설한 산업시설이나 교통망은 일본인에 의해 운용되고 있었기 때문에 그들의 기술을 받아들일 필요가 있었다.

그리하여 양자의 의도가 일치하는 가운데 일본인의 유용이 시작되었다. 한편, 항복했다고는 해도 지나 파견군의 대군이 언제까지나 중국에 잔류하고 있음을 미군은 문제시하고 있었다. 제1장에서 상술한 바와 같이, 미군의 위기감을 배경으로 중국 본토로부터의 일본인 송환이 급속히 진전했다. 그러나 일본인 송환을 둘러싼 미중 간의 움직임을 오카무라 등 옛 총사령부가 알 수는 없었다.

1945년 12월 15일 트루먼 대통령의 대중 정책 발표로 중국 잔류일본인의 송환이 미군 주도로 구체화하는데, 국민정부 측에서도 일본군의 장기 잔류는 점차 부담스러웠다. 항복 후인 9월 10일에 오카무라와 회견한 허잉친은 일본군 장병에 대한 식량 공여를 보증했으나, 실제로 일본 장병과 민간인에 공여할 수 있는 식량은 3개월분밖에 없고, 보급을 생각하면 100억 원의 경비가 들 전망이었다.[71] 송환 지연은 국민정부의 재정 부담 증가로 이어졌다.

이처럼 미국의 대중 정책과 국민정부의 내부 사정으로 지나 파견군의 조기 송환이 이루어졌다. 그러나 국민정부에는 전후 부흥에 불가결한 기술자 유용도 필요했기 때문에 유용은 계속되었지만, 이러한 일부 일본인의 잔류는 일본인의 영향력을 중국에서 완전히 제거하고자 하는 미국에 바람직한 일은 아니었다. 결국, 미국의 압력으로 1946년 1월 20일에 국민정부는 잔류희망 기술자를 제외한 전 장병·전 거류민을 일본에 귀국시킨다는 훈령을 냈다. 그러나 이후도 유용에 관한 국민정부의 태도는 몇 차례 번복돼 일본인 유용은 실태로서는 계속되게 되었다.[72]

오카무라 등 옛 총사령부도 1945년 11월 7일에 복원본부 업무를 개시해 17일에는 탕구塘沽에서 복원 제1선이 출항하고, 1946년 7월 25일에 옛 총사령부, 8월 21일에 북지나 방면군사령부가 복원을 완료했다.[73] 산시山西성의 옌시산閻錫山에 협력한 일본군 부대를 제외하면, 당초 예상했던 것보다 아주 빨라 패전으로부터 1년 만에 지나 파견군은 중국에서 모습을 감추게 된다.

또한, 일본군 복원이 진행되는 가운데 전범 문제가 부상했으나, 국민정부는 이 문제를 최소한도로 할 의향으로 1946년 7월 1일 시점에서 미결 구류자를 포함해 2,143명[74]에 그쳤다.[75] 또한, 제2절에서 지적한 대만의 안도 리키치 등 제10 방면군 관계자의 구속은 미군의 전범 지명에 의한 것으로 국민정부는 주체적으로 재판할 의사는 없었다.

더욱이, 국민정부는 미결 구류자를 1946년 말까지 석방할 것과 전범은 일본에 송환해 스가모 감옥에서 복역시킬 방침을 취했다. 전범의 일본 송환은 GHQ/SCAP과의 합의가 이루어지지 않고 정체했으나, 국공내전으로 국민정부가 쫓기던 1949년 1월 말에 전원이 일본으로 송환되었다. 그 후, 1952년 8월 5일에 일화평화조약日華平和條約이 발효함과 동시에 스가모에 수감되었던 전범 88명 전원은 석방되었다.[76]

오카무라에 관해서는 공산당이 일찍부터 전범 소추를 요구하고 있었으나, 국민정부 내부에서는 그 처우에 대해 논의가 정리되지 않았다. 국민정부 내부에서도 행정원·사법부는 유죄, 국방부는 무죄를 주장해 논의가 갈렸으나 국방부의 탕언보湯恩伯, 일본 육군사관학교 유학 경험자 등은 '반공의 관점에서' 무죄를 요구했다.[77] 결국, 옛 총사령부원이 귀환하는 가운데 홀로 남겨져 1948년 7월부터 전범 용의자로서의 심리가 시작되었으나,

1949년 1월 26일에 국방부 군사법정은 무죄 판결을 내렸다.

전범 문제에서 알 수 있는 바는 국공내전으로 열세에 쫓기고 있던 국민정부에게 중·일 제휴는 더욱더 중요성을 띠고 있었다는 점이다. 오카무라의 무죄 판결은 정치적으로 중요한 의미가 있다고 할 수 있다.

이처럼 지나 파견군을 둘러싸고는 대전 종결 직후는 전후 부흥을 위해, 마지막으로는 공산당 공세에 대처하기 위해 제휴가 도모되었다. 그리고 그 과정에서 전쟁범죄나 전쟁배상을 둘러싼 문제는 정치적으로 애매해져 갔다.

한편, 민간인에 관해서는 패전 직후부터 중국 각지에서 자치조직이 결성돼있었다. 예컨대, 톈진天津에서는 일본인 거류민 사이에서 일본 측 군관에 의존하지 않는 자치기관으로 '톈진일교귀국준비회天津日僑歸國準備会'를 결성(1945년 11월 15일에 톈진시 정부로부터 설립 인가), 거류민의 인양 사무 일체를 도맡았다. 또한, 이 준비회는 그 후, '허베이 핑진구 유용일적기술인원자치회河北平津區留用日籍技術人員自治会'가 되어 유용자를 위한 자치조직으로 활동했다.[78]

국부군이 주둔해 피점령지 해방이 진행됨과 동시에 각지의 일본인은 각 대도시의 집중영集中營[79]에 집합되었다. 그리고 미군의 선박 등으로 칭다오靑島·톈진·탕구·상하이·광둥廣東 등의 항구에서 차례로 인양돼 11월부터 다음해 말까지 약 49만 명이 큰 혼란 없이 인양했다.[80]

집중영에서의 생활은 난징을 예로 들면 기본적으로 물품류특히 고가인 것는 몰수되고 영외와의 자유로운 출입은 금지됐다. 식량은 이전부터 영내에 있었던 것이나 개인이 휴대하고 있던 것으로 조달했으나, 그것이 부족해지자 국부군이 지급했다. 또한, 영내에서는 자치조직이 만들어져 국민정부와 교섭했다. 한편, 국민정부는 영내 일본인에 대해 민주교육을 위한 각종 출판물을 배포하고, 더욱이 대만과 마찬가지로 호구조사를 함과 동시에 각인의 전문 기능을 조사했으나, 이것은 전문가를 유용하기 위한 것이었다.[81] 또한, 상하이에서는 1945년 9월 24일에 일본인 관리조직 준비가 시작돼 10월 1일에 집중영이 정식 발족했다. 일본인[82]에 대한 관리 방침은 기본적으로는 난징과 같이 다수의 일본인을 효율적으로 관리할 방침으로 자치조직이 만들어졌다. 구체적으로는 10-16호戶를 갑甲, 10-16갑을 보保, 각 보는 제1부터 제4까지 네 개의 구區[83]에 소속해 각 구를 일교자치회가 통괄統括하는 체제가 되었다. 국민정부는 이 조직을 활용해 재산조사나 기술원 등록, 나아가 전범 수색을 했다. 또한, 학교 교육과 사회교육도 중시되어 반월판 『도보 일문판導報 日文版』과 잡지 『신생 소년新生少年』을 발행해 삼민주의三民主義와 반군국주의의 선전공작을 도모했다. 집중영에서의 일본인은 빠르면 12월 4일부터 인양이 시작된 곳도 있고, 비교적 순하게 따라從順 큰 문제도 일어나지 않았다.[84]

이처럼 중국 각지에 집합된 일본인은 식량도 지급되고 인양 실시도 빨랐기 때문에 큰 혼란에 빠지는 일도 없었으나, 한편으로 기술자의 유용이 적극적으로 이루어진 것이 특징이었다. 1946년 6월 24일 시점에서의 국민정부에 의한 유용자 수는 군 관계자가 829명 · 가족을 포함한 민간인이 3만 6,521명[85]에 달했다.[86]

이들 유용자는 국공내전이 격화하는 가운데 차례로 유용이 해제되어 일본으로 인양됐으나, 유용은 공산당도 하고 있었다. 공산당 측에 유용

됐던 일본인은 1953년 3월 5일에 일본적십자사 등과 중국홍십자회中國紅十字會 사이에 조인된 '일본인 거류민 귀국 문제에 관한 공동성명日本人居留民歸國問題に関する共同コミュニケ'에 기초해 1953년 3월부터 1958년 7월까지의 21차에 걸친 인양으로 3만 2,506명[87]이 귀국하게 되었다.[88]

4. 대만 인양자 단체 결성과 전후 일대日臺관계

인양자는 국내로 돌아왔다고 해서 문제가 해결된 것은 아니었다. 전쟁으로 황폐한 국내에서 살아갈 방법을 찾는 일은 쉽지 않았고, 오히려 인양 후가 훨씬 심각한 문제였다.

거의 무일푼으로 귀국한 인양자는 먼저 취직자리를 탐색해 정주할 장소를 확보해야 했다. 국내에서는 패전 후부터 동포원호회同胞援護会 등의 관민 단체들이 인양자에 대한 원호활동을 전개했으나, 인양자 자신도 1946년 이후 지역·회사별로 인양자 단체를 결성해갔다.

대만 인양자도 도쿄 출장 중에 패전이 되어 대만으로 돌아가지 못하고 머물고 있던 나리타 이치로成田一郎 대만총독부 총무장관을 중심으로 1946년 3월의 인양 개시 이후 대만 인양자원호 대책을 협의했다. 인양해온 대만총독부 각 국장과 협의를 거듭해 9월에는 대만 관계 대기업 수뇌에 대해 원호 대책에의 협력을 요구하고, 대만 인양자의 전국적 연락과 후생 원호를 목적으로 한 '전국대만인양민회全國台湾引揚民会' 결성과 활동 자금 거출 할당[89]이 결정됐다. 이에 따라 11월 5일에 '전국대만인양민회' 결성 대회가 열려 회장에 봉래 구락부 중심 멤버였던 가와무라 도루가 선임됐다(고문은 나리타 이치로·마쓰모토 아키요시松本晄吉 긴카이우선近海郵船 사장·고쓰카 야스가즈小塚泰一 메이지明治 제당 사장).[90]

대만인양민회는 설립 직후부터 대만 인양자의 주택 대책으로 인양료引揚寮를 도내에 세 동棟을 건설하고, 취직 알선 대책으로 해산 건어물의 전국적인 등짐背負장사를 전개했다. 등짐장사는 나리타의 진력으로 정부로부터 해산 건어물 특별 할당 허가를 받아 전전 대만 수산계에서 활약했던 마에네 토시가즈前根壽一 일본수산 부사장의 원조 협력 아래 진행된 것이었다.[91]

대만인양민회는 이 밖에도 패전 전 대만으로 운송될 예정이던 섬유纖維 제품을 정부로부터 무상으로 공여받아 이것을 인양자에게 무상 배포하는 등의 활동을 했으나,[92] 이러한 다양한 활동을 뒷받침한 요인은 풍부한 사업 자금과 나리타 등 옛 총독부 관료의 정부에 대한 영향력의 크기에 있었던 것으로, 다른 인양자 단체와는 크게 다른 특징이기도 했다.

그 후, 패전의 혼란에서 회복해 국내 사회가 안정을 되찾자 인양자를 둘러싼 생활 환경도 서서히 안정돼갔다. 이러한 가운데 대만인양민회도 초기에 내건 원호 사업의 목적과 사명은 달성되었다고 해서 1949년 6월 26일에 해산을 결정했다. 다음해 3월 30일에 대만 관계자의 친목 단체로 재단법인대만협회가 결성돼(같은 해 9월 27일 외무장관·후생장관 인가), 대만인양민회의 청산 잔금 145만 엔이 대만협회로 계승됐다.[93]

그 후, 일화평화조약 체결로 대만협회 내부에서 일화日華 관계의 중요과제에 관해 정부에의 헌책 필요성이 논의돼 1952년 8월에 초대 주화駐

華대사로 타이베이에 부임하는 요시자와 겐키치芳澤謙吉에 대해 회합을 신청해 모리타 슌스케森田俊介,[94] 마쓰모토 아키요시,[95] 고쓰카 야스가즈,[96] 미즈카미 다쓰조水上達三,[97] 아사오 신스케浅尾新甫,[98] 마에네 토시가즈[99]가 각각 의견을 전했다.[100]

더욱이, 1953년 6월에 회장으로 선임된 후지야마 아이이치로藤山愛一郎가 '일대日臺 관계에 관한 일본 정부에의 헌책'의 조기 입안을 추진해, 문화정보교류 부회,[101] 설탕 부회,[102] 무역통상 부회,[103] 선박운항 부회,[104] 어장조정 부회일본수산 위원에서 각각 성안成案해서 이사회에서 승인을 얻은 후, 내각, 외무·통산·운수·농림·후생 각 성에 제출했다. 더욱이, 부회마다 대표자를 대만에 파견해 중화민국 측에 공작할 것이 결정돼 시라토리,[105] 후지야마 회장 및 대만제당·메이지제당의 중역,[106] 미쓰이물산 전무와 미쓰비시상사 전무,[107] 마쓰모토 필두이사와 오사카상선 전무,[108] 마에네 이사[109]가 대만을 방문했다. 대만 방문 후에 일본과 대만 양국 정부 사이에 문화교류와 무역통상에 관해 협의가 이루어져, 문화교류를 제외한 대부분이 대만협회의 제안에 따른 내용으로 정해졌다.[110]

대만협회 활동으로서의 전성기는 일화평화조약 체결 전후였다. 그 후의 대만협회는 1966년에 발생한 조직 내 인사분규로 경제계 대표이사가 일제히 물러나고 옛 총독부 관료도 한 시기 배제됨으로써 활동은 단숨에 정체하고, 이후 일본과 대만 관계의 영향력을 상실해갔다.

대만협회의 특징은 옛 조선총독부 관계자의 친목 단체로서의 성격이 강했던 중앙일한협회中央日韓協会와 비교해 관민을 불문하고 대만 인양자를 광범위하게 받아들이면서 옛 대만총독부 관료와 옛 대만 경제계 관계자가 운영의 주체가 되어 정·관·재계와의 강한 연결과 풍부한 자금력을 확보해 정·관·재계에 일정한 영향력을 유지保持했었다는 데 있었다. 특히, 총독부는 인양 개시 직후부터 행정관·판관判官·교관·경찰관·기관技官 등 총독부 관리의 내지 전출에 열성적인 활동을 해 인양 제1기 완료 전후1946.5~6에는 유자격 행정관 대부분을 중앙관청 및 도도부현청의 부·과장급으로 채용케 하는 데 성공했다.[111]

또한, 경제계와의 결속도 강했다. 대만에 있었던 일본 기업의 다수는 패전으로 해산하거나 폐쇄기관으로 지정되었기 때문에, 그 연계만으로는 전후 일본 경제계와의 연결도 약해져 있었을 것이다. 그러나 대만에 관계하고 있던 국내 기업까지도 협회 내에 받아들였기 때문에, 전후의 일본과 대만 경제교류에 큰 영향력을 가질 수 있었다.

이처럼 패전부터 단기간에 옛 총독부 관리가 대량으로 국내 관리가 돼 있었고, 경제계와의 강한 결속이 대만 인양자의 활동에 다양한 은혜를 가져오게 됐다. 더욱이, 마찬가지로 광범위한 인양자를 안고 있던 전국사할린연맹全國樺太連盟 등과 달리, 협회가 관계하는 지역이 대만이라는 실질적으로는 하나의 나라였다는 점도 큰 특징이었다. 이점은 협회 사업이 민간의 지역 간 교류에 머물지 않고, 민간외교라는 형태이면서도 국가와 국가의 외교관계에 깊이 관여하는 배경이기도 했다. 그러한 의미에서 대만 인양자와 그 단체의 전후는 다른 지역의 인양자·단체와 비교해 정치적인 측면을 강하게 띠었다.

나가며

대만 인양이 비교적 평온하게 이루어진 점은 다른 지역의 인양자보다 일찍부터 대만 시대를 미화하고 망향의 생각을 한층 심화하는 결과를 가져왔다.[112]

대만은 미군에 제해권과 제공권을 장악당한 1944년 말 이래 내지에서 고립화돼 식량이나 물자 부족이 심각했으나, 그래도 내지보다는 좋았다. 또한, 다른 지역에서의 인양자의 비참함을 목격해 자신의 전시 중의 체험과 인양이 얼마나 혜택받았는지를 실감하게 됐다.[113] 대만 인양자의 회상 가운데는 만주 인양자와 달리 비참함이나 비극성을 거의 찾아볼 수 없다. 또한, 전후 생활과의 격차도 있어서 평온한 인양과 대만 시대의 좋았던 점, 대만(인)에 대한 친근감을 강조하게 됐다. 예컨대, 타이쭝주台中州 펑위안豐原에서의 인양자는 다음과 같이 회상하고 있다.

> [종전 다음 날] 아마도 본도인은 누구 한 사람 찾아오는 사람이 없을 것으로 생각하고 있었다. 그러나 내 예상은 틀려 아침 일찍 한 노인이 방문해왔다. (…중략…) 노인은 언제나처럼 아주 조금이기는 하지만 자기 집 채소밭菜園에 자란 자랑거리인 채소를 가지고 왔다. 그리고 종전에 대해서는 한마디도 하지 않고, 나의 상심에 대한 언급을 피하는 것 같았다. 나는 도민의 일부이지만, 이와 같은 진정眞情이 있음을 알고 사무치는 기쁨을 느꼈다.[114]

여기에 드러난 대만인과의 개인적인 연계는 재대일본인 다수에게 보이는 일로, 더욱이 이러한 대만인과의 연계는 전후가 되어도 끊이지 않고 유지되는 사례는 실로 많았다.[115] 즉, 대만 인양자에게 대만은 패전을 경계로 꺼림칙한 곳이 된 것이 아니라 이곳에서 떨어져도 의식 속에서는 '아름다운 섬'으로 전후에 이르러도 연속됐다.

또한, 전후의 일본과 대만 관계에서 잊어서는 안 되는 중요한 일은 국민정부에 의한 대만·중국 본토로부터의 일본인 송환이 순조롭게 이루어진 것이 일본인의 대국민정부관·대대만관에 큰 영향을 미쳤다는 점이다. 특히 그것은 장제스라는 개인을 상징화하는 형태로 비대해져 '이덕보원'으로 상징되는 일종의 장제스 신화가 창조됨으로써 전후 일본에서의 친대만파의 사상적 중축이 됐다. 친대만파는 대만 인양자부터 옛 군관계자, 전후가 되어 일본과 대만 관계와 관련한 보수 정치인에 이르기까지 잡다한 그룹으로 이루어져 꼭 사상적·정치적으로 공유성·일체성이 있지는 않았으나, 전체적으로 전후의 일본과 대만 관계에서 큰 영향을 미쳐왔다.

일본인의 장제스에 대한 평가만큼 전후에 극적으로 변화한 것은 없다. 친대만파 다수는 패전 당시의 장제스와 국민당이 일본에 대해 보여준 태도에 대한 평가와 은의恩義, 은혜와 의리가 사상적 기반이 되어있었다.

오카무라 야스지는 패전 전후의 소련군 진공과 공산당군에 의한 무장 접수를 통해 당초부터 반공 자세를 명확히 해 국민정부에 적극적으로 협력할 것을 결의하고 있었다. 그리고 항복 후에는 국민정부의 후우厚遇를 '은혜와 의리'로 받아들여 귀국 후에도 대만으로 피난한 국민당을 계속해서 지원하고, 마침내 일본인 군사고문단인 바이퇀白團 결성에 진력하게 된다. 또한, 전후 자민당 가운데서도 반공주의자로 친대만파 중진이었던 가야 오키노리賀屋興宣는 다음과 같이 기술하고 있다.

일본은 대만에 중대한 은의恩義를 입었다. (…중략…) 종전 때, 오랜 침략으로 일본에 대한 적시적 관념과 오랜 전쟁으로 인한 중화민국 자체의 국내적인 교통交通, 기타의 혼란에 의한 비상한 장해에도 불구하고 당시 중국 대륙에 있었던 2백 수십만의 일본 군인과 재류 국민이 전원 신속하게 귀환할 수 있었던 것은 보통 경우라면 도저히 생각할 수 없고, 거기에 수많은 비극이 있는 것이 오히려 부득이한 실제 상태라고 생각할 수밖에 없지만, 장제스 총통의 유명한 '폭압에의 보복을 덕으로 한다'는 바를 철저히 해 비상한 고심, 노력으로 재류 국민, 군대를 신속하고 안전하게 일본으로 송환했다는 일대 은의가 있다.[116]

이와 같은 장제스에 대한 평가와 그에 기초한 일본과 대만 관계 중시 자세는 가야뿐 아니라 자민당 내에 뿌리 깊게 남아있었다. 실제, 1972년에 다나카 가쿠에이田中角栄 내각이 발족해 중·일국교정상화를 향한 움직임이 본격화하는 가운데 자민당 내에서는 친대만파와 친중파의 격론이 벌어지는데, 당시의 모습을 아리마 모토하루有馬元治는 다음과 같이 기록하고 있다.

다나카 수상이 중·일교섭 진행에서 가장 부심한 것은 당내 의견조정이었다. 이를 위해 당 집행부는 지금까지의 중국문제조사회를 총재 직속 기관으로 해 중·일국교정상화협의회로 치환해, 회장에 고사카 젠타로小坂善太郎 전 외상을 기용했다. 협의회에서 논의의 초점이 된 것은 물론 "대만 문제"였다. 중화민국과의 관계를 중시하는 "친대만파"에도 기시 노부스케岸信介·가야 오키노리·이시이 미쓰지로石井光次郎·나다오 히로키치灘尾弘吉 등 전전파 장로 그룹과 나카가와 이치로中川一郎·와타나베 미치오渡辺美智雄·후지오 마사유키藤尾正行·나카오 에이이치中尾栄一·하마다 고이치浜田幸一 등 전후파 그룹이 있어 각각 뉘앙스를 달리하고 있었으나, 중화민국과 일본의 관계 단절이 미·일 안보에 영향을 미치며, 종전 직후에 일본에 보여준 장제스 총통의 은의를 잊어서는 안 된다는 등으로 중·일관계의 조급한 정상화에 소극적인 점에서는 일치했다. 따라서 협의회에서는 "친중국파"와의 사이에 때로는 꽤 격론이 벌어지기도 했다.[117]

자민당 내 친대만파도 '장로 그룹'[118]과 '전후파 그룹'[119] 사이에 생각의 차이는 있었으나, 미·일 안보에 대한 영향 우려[120]와 장제스에 대한 은의에 관해서는 공통하는 바가 있어, 여기에 반공 진영으로서의 대만의 중요성과 장제스에의 은의가 친대만파 논리 속에서는 결속의 하나의 사상적 중추가 되고 있었음을 알 수 있을 것이다.

이처럼 친대만파가 반공을 기축으로 하고 있었던 바가 전후 국내정치에서의 보혁대립과 쉽게 연동한 점도 전후 일본인의 대만관을 굴절시킨 것이었다. 즉, 대만=장제스=반공으로, 그야말로 중국대륙=마오쩌둥=공산주의와 대치하는 존재로 인식됨으로써 대만에 대한 평가는 그대로 반공·반중·반동으로 간주했다.

그리하여 원래 아무 연계도 없었던 장제스와 대만이 패전을 계기로 전후 일본인의 의식 속에 결합해 하나의 대만관이 형성됐다.[121] 여기에는 일본인 대부분이 인양된 후인 1947년에 일어난 2·28사건을 전기로 현재화하는 대만 내에서의 본성인本省人과 외성인外省人 대립을 축으로 한 대만 내부에서의 아이덴티티를 둘러싼 갈등이라는 현실은 간과돼갔다.

한편, 국민정부는 승전국이면서 정치적 의도에서 지나 파견군과의 협력관계를 구축하지 않을 수 없었다. 그리고 그 과정에서 전쟁책임 문제는 애매하게 하지 않을 수 없었다. 더욱이, 전쟁 피해에 관한 배상 문제에 대해서도 중간 배상을 제외하고 최종적으로 일화평화조약에 의해 중화민국이 포기한 일도 국공내전에 패해 대만으로 쫓겨온逼塞 현상에서는 미국의 의향에 따르지 않을 수 없었기 때문이다.

그러나 일본은 그러한 중국이 안고 있는 문제를 깊이 이해하려 하지 않았다. 오히려 중국 측의 대일 자세를 정치적 현실주의로 해석하는 것이 아니라 '온정溫情'이라고 감정적으로 받아들였으나, 그러한 굴절된 중국관·대만관은 지금도 일본인 속에 뿌리 깊게 남아있다. 대일본제국 붕괴 직후부터 재구축된 중·일관계는 이처럼 특이한 탈식민지화 위에 구축되었다.

제4장

소련의 동북아시아 정책과 일본인 인양문제

다렌 · 북한 · 남사할린

들어가며

해외인양 중 소련군이 침공한 만주에서 최대의 희생자를 냈지만, 인양제1차 집단 인양이 가장 늦어진 것은 동일하게 소련군이 침공한 다렌大連·북한[1]·남사할린이었다.

본 장에서는 중·소우호동맹조약1945.8.14 조인에 의해 소련이 주둔권을 획득한 다렌, 미·소 간의 결정에 근거해 주권국가가 존재하지 않는 가운데 군사점령이 이루어진 북한, 그리고 소련령으로 편입된 남사할린을 대상으로 한다. 이들 세 지역은 중화민국의 주권하에서 일시적으로 군사점령당한 만주와는 사정이 크게 다르다. 더욱이 세 지역은 정치적 입장이 각각 달랐으며, 현지인까지 뒤섞여 통치구조도 복잡하게 얽혀있었다.

다렌에서는 소련군이 간접적으로 일본인을 관리하고 있었다. 즉, 국민당을 배제한 중국공산당이 실무적인 행정을 장악함으로써 일본인노동조합을 통한 일본인 관리체제가 이른 단계에 구축되었다. 하지만, 국공내전에 큰 영향을 받아 일본인을 엄격히 통제했고, 노동조합과 잔류일본인 사이에 반목이 생겨났다.

한편, 북한에서는 조선인에 의한 정치권력이 형성과정에 있었기 때문에 조선인 조직의 관여는 한정적이었으며, 실질적으로는 소련군이 직접 일본인을 관리했다. 하지만, 애당초 군사작전만을 목적으로 북한을 점령한 소련군이 북한을 어떻게 통치할 것인지는 백지상태였다. 더욱이 일본인이 난민 상태에 빠져 기아와 전염병으로 인한 희생자가 속출한 것은 예상 밖이었다. 게다가 한반도의 장래 구상을 둘러싸고 미·소 간의 생

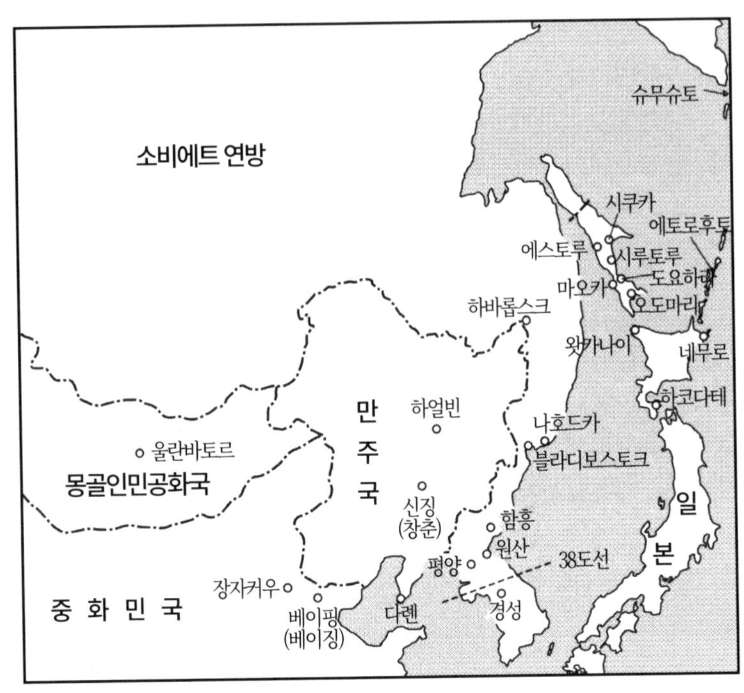

〈지도 4〉 동북아시아(1945년경)

각 차이가 혼재하여 해결책이 보이지 않는 상태였다.

북한과 같이 지상전이 전개된 남사할린은 소련령으로 편입됨으로써 잔류일본인의 위치는 다롄이나 북한과는 크게 달랐다. 소련은 일본인을 강제적으로 추방하지 않고 잔류시켰는데, 다롄처럼 엄격한 관리를 하지도 않고, 또 북한처럼 난민 상태에 빠지지도 않았다. 오히려 일본인은 소련인과 같은 사회생활을 영위하는 가운데 공산주의 체제의 현실을 엿보게 된다.

이처럼 세 지역의 잔류일본인은 전혀 다른 환경에 놓였는데, 이러한 환경을 만들어 낸 소련의 의도는 무엇이었을까. 또 그러한 환경을 만들어 낸 요인을 어디서 찾을 수 있을까.

본 장에서는 이러한 문제의식을 바탕으로 국제환경의 시점을 통해 그 실태를 해명하고자 한다. 그 과정 중 소련의 의도를 찾는 것과 동시에 구조적 문제에 대한 접근을 시도한다. 또한 세 지역에서의 일본인 인양을 통해 소련이 동북아시아[2]에 군사력으로 침투시킨 영향력이 반세기에 걸쳐 대일본제국이 만든 지역 질서를 붕괴시키고, 나아가 19세기부터 활발하게 이어진 동북아시아의 민족이동 공간을 수축시킨 역사적 의미를 검증한다.

1. 소련군정하의 일본인노동조합과 다롄 인양

포츠머스강화조약에 의해 1905년 일본이 제정 러시아로부터 조차권을 양도받은 랴오둥遼東반도 돌출부는 관동주關東州라 불렸다. 관동주는 무역항 다롄과 군사항 뤼순旅順과 같은 두 개의 주요 항만도시를 포함하고, 많은 일본인이 이 두 도시에 거주하고 있었다. 이른바 관동주의 일본인은 농업인이나 노동자가 아닌 상공업자나 회사원·관공리가 중심이며, 특히 만주 철도와의 관련성이 강하고, 농업인이나 노동자는 중국인주로 산둥(山東)계이 주체가 되었다.[3]

일본 패전 직전인 1945년 6월 말 시점의 관동주에는 일본인 22만 8,910명이 거주하고 있었는데,[4] 소련군이 주둔한 후, 10월에는 뤼순 시내의 일본인이 다롄으로 강제 이동되었고, 그 외 관동주 내 각 지역진저우(金州)·푸란뎬(普蘭店)·피쯔워(貔子窩)의 일본인도 함께 다롄으로 유입되었다. 또,

관동주 밖에서도 개척단 등의 피난민이 유입되어 이듬해 1946년 5월 시점에서는 약 27만 명으로 증가했다중국인은 약 57만 명.[5]

일·소 개전 직후인 8월 10일 관동주에서는 관동주 의용봉공대義勇奉公隊가 결집하여, 관동주 전역에 계엄령을 공포했다. 또, 관동군이 만주국 쓰카通化로 이전함에 따라 이마요시 도시오今吉敏雄 관동주청 장관에게 만주 내의 모든 권한이 이양되었고, 관동주청 기구의 전면적인 개조가 이루어졌다. 또, 노인과 어린이, 부녀자를 만주 밖으로 모두 내보내는 방안을 검토했으나 실현되지 못한 채 15일을 맞이했다. 이후에는 전쟁 태세 해제 및 식량·금융 대책, 그리고 군 보유물자 방출을 도모했으나 그 어느 것도 제대로 이루지 못하고 22일 소련군 주둔을 맞이했다.[6]

만주국에서 발생한 움직임과 마찬가지로 관동주 내에서도 소련군 주둔 이전에 현지 중국인이 조직한 치안유지군이 연이어 만들어졌다. 하지만 다렌에서는 중국인 유력자로 이루어진 다렌지방자위위원회大連地方自衛委員会, 18일 결성, 23일에 다렌중국인회(大連中国人会), 9월 12일에 다렌지방치안유지위원회(大連地方治安維持委員会)로 개칭에 대해 일본 측 행정기관이 행정권을 이양하는 등의 적극적인 태도를 보이지 않았기에 양측의 의사소통은 완전히 단절된 상태였다.[7]

다렌에 주둔한 소련군자바이칼 방면군 휘하의 제39군이 처음에는 관동주청 및 다렌시청과 같은 일본 측 행정기구를 활용하여 군정을 공포하고자 했다. 하지만, 제39군 부사령관 코즐로프Георгий К. Козлов, 9월 10일 취임의 영향으로, 10월 27일에 지방치안유지위원회·직공총회職工総会, 구·다렌시총공회(大連市総工会)·의사공회医師公会·불교회·상회·산둥동향회山東同郷会 등의 대표자들이 다롄시 정부 성립을 결정한 후, 11월 8일에 시 정부가 정식 발족했다. 이에 따라 다롄지방치안유지위원회는 해산되고, 일본 측 행정기관은 중국 측 행정기관에 전면적으로 흡수되었다. 발족 당시의 시 정부는 지역 출신과 옌안계延安系, 중국공산당가 뒤섞인 집단으로, 시장에는 지역 출신유방(油坊) 경영자의 다롄지방치안유지위원회 부회장인 지쯔샹遲子祥, 부시장에는 직공총회 대표이자 공산당원인 진쉐따오陳雪濤, 실질적인 권한을 가진 비서장에는 모스크바 유학 경험이 있는 주슈춘朱秀春이 취임했다. 그리고, 다롄시장 벳쿠 히데오別官秀夫와 부시장 이노우에 리키치井上理吉를 고문으로 삼은 것을 시작으로 일본인 직원 다수를 시 정부 직원으로 채용했다.[8]

이처럼 당시 소련군정 치하에서 다롄 지역 출신의 중국인 유력자층국민당계과 지역 출신 노동운동가, 옌안에서 온 중국공산당원 연합체에 의해 실질적인 행정이 이루어지고, 실제 업무는 일본인이 맡는 구조였다.

소련은 중·소우호동맹조약의 부속 협정을 통해 다롄항의 우선적 사용권과 뤼순항에 대한 중·소 공동 이용권을 획득했다. 그리고 뤼다지구旅大地区, 구·관동주 중, 다롄지구의 군정 책임자는 코즐로프였다. 또, 다롄시 정부가 발족할 당시 적극적인 지도력을 보인 것으로도 알 수 있듯이 구체적인 군정 방침에는 코즐로프의 영향이 강했음을 찾아볼 수 있다.[9] 구·일본인 지도층을 포함한 일본인을 배제하지 않고, 오히려 그들을 적극적으로 끌어들임으로써 사회질서 안정을 도모한 것, 또 중국 측에서는 중공계와 국부계国府系와 사이에서 균형을 잡은 것이 그 특징이다.[10]

소련군은 관동주 이외의 구·만주국 지역에서도 구·지도층 연행을 제외하면 일본인 사회 내부(특히 사상면)에 대해 과도하게 개입하지 않고,

오히려 보호하는 자세를 보였는데,[11] 다롄이나 후술할 남사할린에서도 마찬가지로 일본인의 일상생활 습관이 크게 변화하지는 않았다. 예를 들면, 코즐로프는 다롄신사를 그대로 유지하여, 패전 다음해 설날에도 일본인이 참배하고, 일본인 인양 시에는 신체神体를 가지고 돌아갈 수 있도록 허가한 것 등을 들 수 있다.[12]

한편, 중공은 처음부터 다롄시정의 주도권 획득을 명확한 정치 목적으로 삼고 있다. 국민정부보다 앞선 9월 20일에 8로군 115사단 정치부 주임 겸 산둥군구 정치부 주임인 샤오후이蕭華가 이끄는 부대가 다롄에 상륙하고, 나아가 10월 중순에는 중공중앙위원회 동북국이 한광韓光을 다롄에 파견하여 다롄시위원회 조직화를 도모하는 등 활발한 움직임을 보였다.[13] 그리고, 시 정부의 지쯔샹 시장은 중국인 노동조합인 다롄시총공회大連市総工会, 9월 2일 결성, 후의 다롄직공회(大連職工会)와 중장철로직공총회(中長鉄路職工総会)로 발전의 지원을 받아 임명되었으며, 진쉬에따오 부시장 역시 총공회 출신이었던 것을 봐도 알 수 있듯이 처음부터 시 정부는 총공회의 강한 영향력 아래에 있었다. 다만, 이러한 중공 내부에서도 크게 나누면 산둥계·상하이계·다롄계로 파벌이 나뉘며, 오히려 처음에는 만주사변 이전부터 노동운동과 연관된 지역 출신 다롄계의 힘이 우세했다.[14]

또한, 지역 경제계의 대표가 중심이자 국부계였던 치안유지위원회가 시 정부 발족과 함께 해산되는 한편, 직공총회는 중·소상공업자를 민주상공회民主商工会로, 지식층을 중·소우호협회中ソ友好協会로 규합해 조직을 강화하고, 국부계 영향력 저하를 도모한 결과, 이듬해인 1948년 1월에 각계 대표로 구성된 다롄임시참의회大連臨時参議会의 신임을 얻어 다롄시 정

부 권한을 확대하고, 다롄시의 시정을 완전히 컨트롤할 수 있게 되었다.[15]

또, 제39군사령부하에서 시 정부는 행정을 담당했는데, 치안 담당소련군 담당을 제외으로 공안총국(그 아래에 보안대)이 조직되어 이 역시 중공의 영향력 아래에 있었다.[16]

제39군 사령부는 이러한 중공계 권력 파악을 인정하고 있었는데, 처음부터 적극적으로 밀어붙였는지는 명확하지 않다. 오히려 중공에 과도하게 조력하지는 않았던 것으로 보인다. 이는 다롄·뤼순을 무시할 수는 없는 국제 관계상의 배려가 작동했기 때문이다.[17]

패전 전후로 다롄 재류일본인 사이에서는 청년층을 중심으로 일본인청년봉사단日本人青年奉仕団이나 시의회의원 등을 중심으로 한 시국대책위원회時局対策委員会, 후에 일본인호조회(日本人互助会)로 개칭와 같이 난민 구제를 목적으로 한 일본인봉사단日本人奉仕団 등을 결성하는 움직임이 있었다. 하지만, 이러한 일본 측의 자발적인 움직임은 단기간에 종식되고, 다롄시 정부가 발족한 11월에 다롄일본인민주주의연맹大連日本人民主主義連盟이 결성되어, 이듬해 1946년 1월 20일 소련군의 지도를 받아 일본인노동조합日本人労働組合[18]으로 발전하였으며, 소련군과의 절충을 담당함과 동시에 재주 일본인에 대한 구제 활동에 나섰다.[19]

패전부터 인양까지의 다롄 일본인 사회를 생각할 때, 유일한 공식 단체로서 일본인의 생활이나 인양 업무 및 잔류희망자 설득 등을 전체적으로 담당하여, 다롄 인양을 비교적 순조롭게 진행한 일본인노동조합의 존재를 빼놓고는 설명할 수 없다. 하지만, 다른 만주 지역에 있었던 일본인회日本人会, 구제총회(救済総会) 등와 비교하면 그 평가가 극단적으로 나뉜다는 점에서 특이한 존재이며, 또한 그 때문에 다롄 인양에 대한 평가가 어려운 것이기도 하다.

구·좌익계 지식인을 중심으로 구성된 노동조합이 결성된 직후에 이루어진 긴급 식량 획득을 위한 자금 운동은 노동조합에 대한 평가가 나뉘는 상징적인 사건이다. 이는 다롄에 유입된 피난민 구제를 목적으로 1,500만 엔8만 명이 3개월 동안 필요한 식량 모금을 목표로 한 운동이었다. 원래 그 배경에는 소련군이 일본인 자산가에게 자발적인 자금제공을 요청했으나 거의 모금되지 않았던 일이 있는데, 이번에는 강제적인 할당으로 자금을 회수했기 때문에(결과적으로 1천만 엔 모금) 많은 상공업자로부터 반발을 초래했다.[20]

하지만 이 운동의 결과, 노동조합원은 처음의 3,168명에서 2만 1,900명으로 급증하고, 지부도 6지부에서 35지부까지 증가하여 노동조합의 기반 강화로 이어졌다.[21] 노동조합은 이러한 피난민이나 생활곤궁자 구제 외에도 일본인을 위한 학교 교육이나 노동자소비조합1946년 4월 1일에 노동조합 생활개선부를 발전시킨 것의 생활물자 배급, 잔류자 모집, 출판이나 연극 등 문화 오락에 이르기까지 폭넓게 활동하여 실질적으로 일본인을 결속시키는 조직이 되었다.[22]

다롄 인양은 1946년 10월 23일에 제39군 사령부가 도키土岐 위원장에게 인양 결정을 통보한 때부터 시작된다. 통보받은 후, 11월 22일에는 일본인노동조합을 중심으로 인양 실시기관인 '다롄일본인인양단체협의회大連日本人引揚団体協議会'가 결성되고, 하부조직으로서 각 지구에 지구협의회가 설치되어 인양이 구체적으로 실시되기 시작했다.[23]

인양에 관한 미·소잠정협정이 11월 27일에 성립된 후, 12월 3일에 제1차 인양이 이루어져8일에 제1선이 사세보(佐世保) 입항 1947년 3월 31일에 종료시까지 21만 8,179명그중 군인이 1만 463명을 인양했다. 제1차 인양 종료 후, 잔류한 이들은 주로 유용留用기술자였기 때문에 1947년 7월에는 일본인노동조합은 일교근로자조합日僑勤労者組合으로 개조되었다. 그 후, 1948년 7월의 제2차 인양에서 4,933명, 1949년 9월 23일·10월 3일에 마이즈루舞鶴에 입항한 제3차 인양자 2,681명을 끝으로 다롄에서의 공식 인양은 종료되었는데, 여전히 약 1,200명의 기술자와 그 가족이 잔류해 있었다.[24]

애초에 공장노동자숙련공을 제외도 농민도 없는 다롄의 일본인 사회에서는 '조합'을 지탱하는 인적 기반이 없음에도 불구하고, '조합' 활동을 해야 했던 것이 일본인노동조합이 가지고 있던 근본적인 모순이다. 또, 다른 만주 지역에서는 일본인 측이 자발적으로 자치조직을 만들어 구제 활동에서 인양에 이르기까지 일련의 의무를 수행했는데, 다롄에서는 위로부터의 지도에 의해 만들어졌기 때문에 처음부터 현장과의 감각적인 괴리를 품고 있었다. 거기에 중공과 소련군과의 사이에서 의지가 통일되지 못한 것이나, 옌안계 일본인의 유입에 따른 내부 확집 등이 얽혀 일본인노동조합도 완전하게 단결된 조직은 아니었다. 소련군은 다른 지역에서 일본인 측의 자발성을 존중했지만, 왜 다롄에서는 그렇게 하지 않았는가. 최대의 요인은 중공의 존재라고 여겨진다.[25]

제2장에서 다룬 것과 같이 안둥安東 등의 중공 지배 지역에서는 일본인 측의 자발적인 단체가 해산되고, 그 지역과 관계없는 일본인옌안에서 사상교육을 받은 전 일본 병사 등을 이주시켜, 위로부터 지도를 받아 일본인 단체를 결

성하는 것이 패턴화되었고, 소련군 지배 지역보다 가혹한 정치 상태에 놓여 있었다. 다롄에서도 소련군은 지배구조의 정점에 서 있었는데, 행정·치안의 실질적인 면은 중공이 틀어쥐고 있었기 때문에 일본인의 자발적인 조직을 인정하는 것은 있을 수 없는 일이었다.

일례로 노동조합 발족 직후의 모금 할당과 함께 비판의 대상이 된 주택조정운동일본인 주거를 중국인에게 양도하여 주택을 재배분이 있다. 이는 단순히 일본인 자산을 몰수하는 차원이 아니라, 국공내전이라는 정치적 영향에 따른 것이었다.

1946년 봄 소련군 철수를 시작으로 국부군이 동북 지방에 주둔함에 따라 중공의 영향 아래에 있었던 다롄은 동북 지방과 경제적으로 차단되었기 때문에 산둥·조선 방면과의 구상무역으로 다롄 시민 사회는 유지되었다. 이러한 가운데 국부해군이 다롄항을 봉쇄하자 시민의 생활에 동요가 확산했기에, 주택 사정 개선에 따른 사회불안을 근절하고 중공의 조직 강화를 목적으로 노동조합이 이용되었다는 것이 그 실정이었다.[26]

결국, 일본인노동조합은 국공내전 상황에서 중공의 정치 기반 강화, 나아가서는 유용에 의한 경제기반 강화에 필요한 기능이었다. 이러한 문맥을 통해 국공내전에 대한 명확한 자세를 취하지 않은 소련과 중공과의 미묘한 관계를 볼 수 있다.[27] 하지만, 일본인노동조합원을 포함한 현지 일본인은 이러한 정치적 배경을 거의 이해하지 못한 채, 공산주의를 받아들이면서 정치권력 측과의 관계를 강화하려고 하거나, 혹은 그에 반발하여 오히려 더 반공주의가 되는 등 내내 내분이 일어났다.

2. 한반도 분단과 북한 인양문제

1945년 8월 9일 대일 참전과 동시에 소련군은 조선 국경에서의 군사 행동을 개시했다. 북한에서의 작전은 사령관 치스탸코프Иван М. Чистяков가 이끄는 제25군제1극동방면군 지휘하이 담당했다. 한편, 이미 5월 30일부로 대륙명大陸命[28] 제1339호에 따라 한반도 북위 38도선 이북은 관동군 작전 구역이었으며, 함흥의 제34군관동군 지휘하이 전투에 임했다. 제25군의 침공은 8월 15일 이후에도 계속되었는데, 21일에 제34군과 정전 합의가 이루어짐에 따라 북한에서의 전투가 중지되었다. 이 시점에서 제25군은 청진清津 부근까지 진출했지만, 전투지역은 함경북도로 한정되어 있었다.

한편, 평양에 있었던 평안남도청의 후루카와 가네히데古川 兼秀 지사 등 간부들은 12일 밤에 단파방송으로 포츠담 선언 수락 움직임을 파악하고, 다음날 13일에는 크리스트교계 민족주의자 조만식에게 협력을 요청했다. 이를 들은 조만식은 15일에 평안남도치안유지위원회를 결성하고, 다음날 16일에 경성의 건국준비위원회에 호응하여 조선건국준비위원회 평안남도지부로 개칭했다.[29]

정전 합의 후, 제25군은 21일에 원산과 함흥에 주둔하고, 다음날 22일에는 제34군을 무장 해제시켰으며, 24일에 제25군 선견대가 평양에 도착, 26일에는 제25군 본진이 평양에 도착했다. 그리고, 다케시타 요시하루竹下義晴 평양사관구 사령관과 정전협정에 조인하고, 26일 오후 12시를 기해 일본군을 무장 해제시켰다. 다음날 27일에는 제25군의 본격적인 주둔이 이루어짐과 동시에 다케시타 사령관 등은 연행되어 소련으로 이송되었다. 또, 후루카와 등의 도청 간부는 제25군과의 첫 교섭에서 일본 측 행정기구 유지와 일·소 공동 치안유지에 대해 확답을 한 번 받기는 했으나, 26일 오후 8시를 기점으로 일본 측 행정기구는 소멸하여 평안남도 인민정치위원회위원장 : 조만식·부위원장 : 현상혁에 인계한다는 발표가 갑작스럽게 나오고, 다음날 27일에 평안남도청은 행정권을 인도했다. 이후, 9월 7일에 후루카와 지사 등의 도청 간부도 체포되어 연행되었다.[30]

남한에서는 미군이 조선총독부 간부를 일찍이 소탕했는데, 북한의 소련군도 퇴거와 연행의 차이는 있으나 본질은 같았다. 하지만, 직접 군정을 개시한 미군과 달리, 소련군은 표면적으로는 조선인 유력자를 활용한 간접 지배를 시행했다. 거기에 조선인 유력자 중 누구를 중심으로 내세울지는 명확하지 않았다.[31] 소련군의 북한 침공은 순전히 관동군의 퇴로를 차단하기 위한 군사적 목적으로 이루어진 것이며, 한반도의 공산화를 노린 것은 아니었다. 따라서 제25군은 북한의 군정을 위한 준비도 없었으며, 조선 관계를 전문으로 하는 담당자도 전혀 없었다.[32]

이처럼 북한에 대한 통치 방침도 주체도 애매해 잔류일본인의 환경은 점점 열악해졌고, 피해가 확대된 하나의 요인이 되었다. 하지만, 소련은 만주로부터의 피난민 유입으로 인해 북한 전역에서 나날이 악화하는 잔류일본인의 상황에 무관심하지는 않았다. 의외로 다렌이나 남사할린의 경우와 달리, 이른 단계부터 일본인 송환이 검토되고 있었다.

제1장에서 다룬 것처럼 일본 정부는 GHQ / SCAP에 대해 잔류일본인을 소련이 조기 인양하도록 요청하는 방법밖에 없었는데, 더글라스 맥아더Douglas MacArthur 역시 모스크바의 미군사사절단에 일본 정부의 요청을

전달했다. 이에 대해 소련은 처음에는 일본 정부 요청을 딱 잘라 거절했으나, 제25군이 만주로부터의 피난민 송환을 요구함에 따라 외무인민위원부에서는 1945년 10월 23일부로 미군에게 일본 측 선박 제공에 의한 원산과 진남포에서의 송환에 반대하지 않는다는 취지의 답변서를 작성했고, 11월 중에는 적군赤軍 참모본부와 국방인민위원부도 승인했다.[33]

소련군 역시 북한 잔류일본인을 둘러싼 환경 악화에 대한 위기감이 점점 확대되고 있었다. 이에 12월 24일부로 제1극동방면군 사령관 메레츠코프Кирилл А. Мерецков에 의한 지령 '북한의 일본인 물질생활조건 향상에 대하여北朝鮮における日本人の物質生活条件の向上について'가 발표되고, 이를 받아들여 이듬해 1946년 1월 15일에 제25군은 군사평의회 산하에 상설 '일본인피난민지원위원회日本人避難民支援委員会'위원장 : 제25군 부사령관 로마넨코와 각 지방7 지역에 소련군과 조선 측이 합동으로 지방일본인피난민지원위원회地方日本人避難民支援委員会를 설치하여 대책에 나섰다.[34]

또, 미·소 간에도 지원위원회 설립과 같은 시기에 북한으로부터의 일본인 송환에 대한 구체적인 검토도 시작되었다. 1945년 12월 16일부터 26일까지 미·영·소 3국 외무상 회의가 모스크바에서 개최되어, 27일에는 한반도에서의 단일국가수립이 합의 성명으로 발표되었다. 이를 받아들여 이듬해 1946년 1월 1일부터 2월 5일까지 서울에서 미군 대표 아놀드Arnold, A.V.와 소련군 대표 시티코프Терентий Ф. Штыков가 미·소공동위원회 예비회의를 개최했다.[35]

이 회의에서는 남북한의 전력·물자·교통 등의 조정이 논의되었는데, 북한 잔류일본인 송환 역시 과제로서 인식은 하고 있었다.[36] 그러나,

결과적으로는 의사진행이 되지 않은 채 그 과제는 나중으로 미루어졌다.[37] 미·소는 서로의 군정에 간섭할 의사가 없어, 한반도에서의 정치대립으로 이어질지도 모르는 문제에 끼어드는 것을 의도적으로 피하고 있었기에, 북한 잔류일본인 문제를 꺼내 드는 것은 정치적 리스크가 높다는 판단에 반은 보류해둔 상태였다.

모스크바 3국 외무상 회의에서는 한반도의 독립 국가 수립까지 최장 5년간 미·소·영·중에 의한 신탁통치도 합의되었지만, 이 신탁통치안 수락을 둘러싸고 1월 이후 조선인 정치 그룹이 분열되어 한반도의 정치 상황이 유동적으로 변했다. 이것이 결과적으로 미국과 소련이 생각하는 한반도 구상의 차이를 드러내 남북한 분단으로 이어졌다. 하지만, 이 시기는 대립의 싹이 보이기는 하지만 미·소 양자는 대립을 피하고 있었기에, 기본적으로 미군은 소련에 대해 북한 잔류일본인 송환을 적극적으로 요구하지 않고, 어디까지나 소련의 주체적 판단에 맡겨두었다.

이러한 상황에서 소련은 지원위원회를 통해 잔류일본인 관리체제를 구축하고, 북한에서의 송환을 독자적으로 검토하게 되었다. 현재 확인할 수 있는 소련 측 기록에 따르면, 2월 27일부로 몰로토프Вячеслав М. Молотов 외무인민위원의 지령에서는 병사를 제외한 일반인 송환을 인정하고 있다.[38] 이를 근거로 3월 8일에 외무인민위원부는 해군에 대해 함흥·원산·진남포 3개 항구에서의 송환 준비와 군함 이외의 선박 사용을 문의했다.[39] 전년도 10월 단계에서 소련은 일본 측(미군)의 인양선 제공을 조건으로 내세웠지만, 이즈음이 되자 소련 측 부담으로 송환을 검토하기 시작했다.

그 후, 해군에서는 선박 부족 및 성능 문제가 제기되었지만, 3월 29일에는 북한의 일본인 송환 계획이 승인되었다.[40] 그리고 4월이 되자 북한에 잔류한 23만 명의 일본인 송환에는 92만 톤짜리 선박한 달 동안 3회 왕복으로 완료하기 위해 6천 톤급 50척이 필요하다는 계산이 나왔고, 나아가 미군은 북한에 남은 일본 선박의 사용 허가도 내주었다.[41] 이처럼 송환 계획이 구체화 됨에도 불구하고 이 계획은 실현되지 못했다. 그 이유는 소련이 준비할 수 있는 것은 원산에서 2척, 함흥에서 3, 4척을 한 번에 내보내는 정도로, 50척이나 되는 운송 선박 수에는 미치지 못한데다[42] 소련이 북한에서 확보한 일본 선박의 관리권이 불명확함으로 인해 해군도 권한 밖이라며 적극적으로 움직이지 않는 등 소련 특유의 조직적 폐해가 발생했기 때문이다.[43]

만주에서는 일본계 산업자산이 소련 영내로 대규모 반출되었는데, 북한 역시 그랬다. 전후 부흥을 서두르는 소련은 국내에 부족했던 산업시설과 노동력으로서의 일본군 병사 이송을 최우선으로 하여, 현지 경제 부흥과 사회 안정화는 나중으로 미루었고, 선박을 포함한 운송 체제도 충분하지 못했다.

이러한 사정에 더해 소련의 구조적 문제를 들 수 있다. 스탈린 독재체제에서 각각의 조직은 모스크바(스탈린)에 직결되어 있었기 때문에, 모스크바의 지시는 각 조직에서 신속하고도 철저하게 이루어진다는 이점이 있었다. 하지만 그 반면, 각 조직의 자주적 결정권은 제한되고, 거기에다 조직 간의 연락·연계 체제가 구축되어 있지 않았기 때문에 각 조직 간의 조정에 시간이 걸려 전체적인 정책실시가 비효율적이었다.[44]

이처럼 외무성과 해군은 3월부터 일본인 송환에 대해 조정을 진행했지만, 딱히 조직적인 반대나 저항이 없음에도 불구하고 3개월이 지나도록 계획은 시행되지 못했다. 그리고 북한에서 군정을 공포한 제25군 역시 제1 극동방면군에 속하는 하나의 조직일 뿐, 자주적으로 판단할 수 있는 권한은 한계가 있었다. 북한 잔류일본인 문제는 소련 내부의 구조적 문제가 얽혀, 상황이 심각해져도 신속한 대응이 불가능한 딜레마에 빠진 것이다.

더욱이 모스크바 3국 외무상 회의에서는 한반도를 둘러싼 미·소 간의 생각 차이가 애매한 상태였으나, 소련 국내 조정에 시간이 걸리는 사이 3월 하순 이후가 되자, 회의의 합의사항을 구체적으로 협의하기 위한 장인 미·소공동위원회3.20 개최에서 양측의 생각 차이가 분명히 드러났다. 또, 북한에서도 신탁통치안 수용을 둘러싸고 신탁통치 반대를 주장한 조만식 등의 민족파가 배제되고, 소련군을 등에 업은 김일성이 조선인 그룹의 주도권을 쥐게 되었다.

5월이 되자 소련은 북한에서 모스크바 3국 외무상 회의에서 합의된 내용에 따라 장래에 남북한 통일 정권의 중핵을 담당할 정치권력 육성을 서두르고, 나아가 토지 개혁이나 산업국유화를 진행해 일제시대의 사회·경제 체제를 모두 제거하고자 했다. 그리고 남한에서 좌익세력을 탄압하고, 민족파를 사주해 모스크바 3국 외무상 회의 합의 반대 움직임을 부추기며, 미·소공동위원회에서도 소련의 제안을 거부하여 휴회상태에 이르게 했다며 미국에 대한 강한 불신감을 드러냈다.[45]

이처럼 조선의 신탁통치 문제를 계기로 미·소 대립이 드러난 결과, 한반도에서 미국과 소련이 직접 연계하여 일본인을 송환하는 것은 불가능한 일이 되었다.

미·소 대립이 분명히 드러남에 따라 송환이 돈좌되는 한편, 북한 잔류일본인의 생활 환경은 악화 일로를 걷는다. 후생성 추계에 따르면, 일본과 소련의 전투가 시작되기 전 북한지역에 재주한 일본인은 26만 3,627명이었다. 그중, 전장이 된 함경북도에는 7만 4,190명으로 북한에서 가장 많은 일본인이 거주했고, 함경남도의 6만 9,110명을 더하면 북한의 일본인 전체 인구 중 60% 가까이 차지하고 있었다. 그리고, 일본과 소련의 전투가 개시됨에 따라 함경북도에서 일본인 피난이 시작되는 한편, 만주로부터의 피난민 7만 1,158명이 유입되고, 그중 패전 후에 3만 2,653명이 만주로 다시 돌아갔다고 하더라도 30만 명 가까이가 잔류한 것으로 보인다.[46]

북한에서도 남한과 같이 각지에서 일본인세화회日本人世話会가 결성되었다. 하지만, 이들은 남한과는 달리 난민구호가 활동의 중심이었다는 점에서 만주의 일본인회와 유사점이 많았다. 단, 만주와 달리 소련군과 현지 조선인 정치조직의 강한 감독하에 놓여 주체적인 활동이 제한되었다는 점은 크게 달랐다. 게다가 북한은 현지 조선인의 정치권력이 통일되지 못한데다 약체라는 문제점을 떠안고 있었다. 조선인 사이에서는 일본항복 직후부터 각지에서 치안유지위원회나 건국준비위원회 등의 자주적인 행정 조직이 만들어졌는데, 10월 3일에 소련군 내부에서 조선의 사회·경제문제를 담당하는 민정국이 조직되자 그 지도하에 인민위원회로 통일되었다. 하지만, 인민위원회는 조만식을 중심으로 한 민족파와 서울에서 활동하던 박헌영이 지도하는 조선공산당계가 뒤섞인 집단이었으며, 심지어 소련은 코민테른계인 박헌영을 신뢰하지 않고, 파르티잔 활동을 한 김일성을 옹립하고자 했다. 결국, 소련은 10월 13일에 조선공산당 북부조선분국을 조직하고, 처음에는 서울의 조선공산당에 종속시키는 형태를 취했다. 또, 11월 3일에는 조만식도 민족우파정당인 조선민주당을 결성했다. 북한의 조선인사회에서는 일본통치 시절에 조직적 활동이 억압되었던 공산주의자 보다 민족주의자의 영향력이 컸지만, 1946년이 되자 신탁통치 문제를 둘러싸고 민족파와 소련군과의 대립이 드러나 조만식은 체포되고, 2월에는 북한 인민위원회 아래에서 정치권력의 통일이 꾀해졌다. 그리고, 조선공산당 북부조선분국은 김일성이 지도자로 대두하는 가운데 5월 이후 조선공산당에서 자립해 북한 공산당이 되었다.[47]

북한 잔류일본인을 둘러싼 문제는 미·소 교섭이 정체된 데 더해, 이러한 북한의 혼란스러운 정치권력의 영향을 무시할 수는 없다. 현지 일본인회가 교섭하는 것은 주둔 중인 소련군과 인민위원회나 보안서와 같은 현지행정기관인데, 북한의 정치권력 기반이 확립될 때까지는 북한 측의 대응도 명확하지는 않고, 오히려 조선인 조직의 정치적 대립이나 조선인 사회 불만의 배출구로서 일본인이 이용되어 세화회 간부를 연행하거나 기부금 강요, 피난민에 대한 시외 강제퇴거나 가옥 접수 등 잔류일본인 상황을 악화시키는 사건이 빈발했다.[48]

또, 북한 잔류일본인의 최대 특징은 소련군의 공격으로 생활 기반을 잃은 피난민이 대량으로 발생하고, 더욱이 38도선 봉쇄로 인해 북한이라는 좁은 영역 안에서 기아 상태에 빠졌다는 점이다.[49] 기존 거주자보다 최대 2, 3배의 피난민이 밀려든 함흥을 예로 들면, 1945년 8월 단계에서 3만 4,625명거주자 1만 1,876명·피난민 2만 2,749명이 다음 달에는 3만 9,131명으로 증가했다. 함흥은 사망률 21%5명 중 1명의 많은 사망자가 발생했는데, 그중에서도 10월부터 1946년 1월까지 매월 사망자가 1천 명 이상에 이를 정도였다(절정은 12월에 1,635명).[50]

피난민 사망자의 상당수는 아사 또는 발진티푸스 등의 전염병으로 의해 사망했는데, 난민 수용소에 만연한 전염병은 피난민뿐 아니라 현지 사회에도 영향을 미쳤기 때문에, 소련군으로서도 무언가 대책을 취해야만 했다. 피난민이 대량으로 유입되어 전염병에 의한 사망자가 급증한 함흥에서는 함경남도 지방 경비 사령관이었던 스쿠바 중령이 10월 이후 병원을 재개하거나 식량을 배급하고, 일본인세화회를 개조하여 소련군 및 조선공산당과의 관계를 명확히 한 일본인위원회日本人委員会와의 연계를 강화했다.[51]

함흥의 일본인세화회 개조에 영향을 받아 1946년 1월 1일에 흥남에서도 일본인세화회 개조가 이루어졌는데, 이 둘의 공통점은 좌익적 강령을 내세운 것으로 소련군과 조선 측 기관과의 관계가 양호해져 2월 1일부터 피난민에 대한 식량 배급 증액대인 600그램 / 소인 300그램이나 취업 알선 등 잔류일본인이 처한 환경이 그 이전에 비해 크게 개선되었다.[52]

함흥이나 흥남과 같이 처음에는 무관심했던 소련군이 위생·식량문제에 적극적으로 나서게 된 것은 스쿠바 경비사령관의 개인적인 배려뿐 아니라 앞에서 언급한 '일본인피난민지원위원회' 설치에서 볼 수 있듯이 제25군의 방침과도 연동된 것이었다.[53] 그러나, 미군과 달리 물자가 풍부하지 않은 소련군의 지원에는 한계가 있었다. 게다가 일본인 피난민에게 쌀을 우선적으로 배급하자, 3월에 실시된 토지 제도 개혁과도 얽혀 현지 조선인의 불만을 초래하는 결과를 낳았다.[54] 결국, 최저한도의 생활 환경밖에 보장하지 못하고, 전면적인 공식 인양도 예상할 수 없게 되는 가운데 잔류일본인이 자력으로 탈출하는 것이 유일한 선택지가 되었다.[55]

식량·주택 부족이 심각한 함흥에서는 2월 4일에 인양에 대한 소문이 퍼져 잔류일본인들이 동요하기 시작했다.[56] 평양에서도 역시 인양에 대한 소문이 퍼지기 시작했다.[57] 희한하게도 소련이 일본인 송환을 검토하기 시작했다는 시기와 겹치는데, 남한·중국 본토·대만에서의 인양 개시 정보가 북한 잔류일본인에게도 전달된 것과 관련이 있을 것으로 여겨진다.[58]

함흥일본인위원회咸興日本人委員会는 조선공산당 함경남도 당위원회로부터 비공식적인 언질을 받아 2월 5일부터 정식 인양이 예정되어 있다는 것을 알고 인양 준비에 나섰지만, 기일이 지나도 인양 시행 발표는 없었다. 결국, 일본인위원회는 소련군·조선 측 기관에 기대하지 않고, 독자적으로 인양 실행을 계획하여 조선 측의 용인하에 2월 19일 경성에서 비밀리에 일본인세화회 간부와 접촉하여 협의하였다. 그 결과 3월이 되자 탈출 계획이 구체화 되었다. 함흥일본인위원회의 탈출 계획은 소련군이 용인하지 않았기 때문에 극비리에 진행했으나, 반면 조선 측 기관과는 밀접한 연락을 취했다.[59]

북한에서 일본인 집단 남하에 앞장선 함흥에 대해서는 아시아태평양전쟁 이전에 일본질소日本窒素 함흥공장에서 지하활동을 하다 검거된 이소가야 스에지磯谷季次, 장진강제재소(長津江製材所) 근무와 마쓰무라 요시오松村義士男, 니시마쓰조(西松組) 근무가 조선공산당과의 인맥을 살려 조선공산당 함흥시 당위원회에 일본인부를 설치하고 함흥일본인위원회를 측면에서 지원하는 체제를 구축해 집단 탈출 실현에 크게 공헌했다. 좌익 활동가가 일본인 인양의 중심적인 역할을 한 것은 다롄의 일본인노동조합과 같은 구도였으나, 행정 조직의 말단으로서 인양에 대해 수동적으로 관여한 노동조합과는 달리 인양을 주체적으로 강행하여 실시한 것이 특징이었다.

하지만, 조선 측의 묵인이 있어도 소련군이 집단 남하를 금지하고, 조선 측 내부에서도 정쟁이 격화된 상황에서는 앞날이 불투명했기 때문에 3월 18일부터 시험적으로 결행 준비가 이루어졌다. 그러나 4월 20일 이후 조선 측이 소련군의 간섭 등을 이유로 동요했기에, 소련군의 집단이주 명령을 이용한 탈출을 꾀했고, 26일에 조선 측 주장에 따라 소련군은 함흥·흥남 재주 일본인의 집단이주를 명령했다. 이 집단이주는 피난민이 집중된 함흥의 일본인을 각지로 분산시킴으로서 식량·주택 사정을 완화 시키는 것이 목적으로, 어디까지나 북한 내의 지정된 지역으로 이동 허가를 한 것이지만, 일본인위원회는 처음부터 이를 이용해 남하를 꾀하고, 단숨에 38도선을 돌파할 계획이었다.[60]

그 결과, 함흥에서의 집단 남하는 5월 중에 본격화했다. 함흥의 일본인은 4월에는 1만 9,541명으로 2만 명 가까이 되었는데, 5월에는 2,062명으로 겨우 한 달 사이에 1만 7천 명 이상 급감했다.[61]

이 시기는 정확히 미·소공동위원회가 휴회상태인 시기와 겹치며, 소련군 관리 지역에서의 일본인 송환은 공식적으로는 결정되지 않았다. 또, 북한 내에서는 소련군의 허가 없이 도시 간의 자유로운 왕래가 불가능했다. 오히려 소련군은 3월 하순이 되자 함흥의 일본인에 대해 사할린 실제로는 캄차카의 어로 노동자4천~5천 명 모집을 시작했다.[62]

이러한 시기에 함흥에서 집단 탈출이 시작된 것이다. 조선 측은 일본인이 시외로 이주하는 것은 남하 탈출을 의미한다는 점을 인식하고 있었다. 제25군도 공식적으로는 일본인 탈출을 인정하지 않았지만, 공장 가동에 꼭 필요한 기술자를 제외하고는 자립할 기술도 없고 구호의 대상일 뿐인 일본인을 그 이상 떠안을 만한 이점은 아무것도 없었다. 결국, 함흥에 이어 5월에는 평양 등의 북한 각지에서 소련군의 이동 허가를 이용한 집단 탈출이 시작되었다. 북한 각지에서 일제히 나온 이동 허가는 자신의 관할지구 안에서의 책임회피 측면이 강하고, 제25군의 입장에서도 외교 루트로 해결될 기미가 보이지 않는 가운데, 일본인이 이동 허가를 위반하여 탈출했다는 형태 이외에는 해결책이 없었다. 이동 허가는 사실상 남하 탈출의 묵인을 의미했다.[63]

북한에서의 집단 탈출은 도중에 중단되기도 했지만, 10월까지 단속적으로 이루어졌다.[64] 최종적으로는 25만 9,383명이 38도선을 돌파해 탈출했고, 그 사이에 2만 5,345명이 현지에서 사망한 것으로 추계하고 있다.[65]

한편, 어떠한 구체적인 진전도 없이 휴회에 들어간 서울의 미·소공동위원회를 대신해, 북한 잔류일본인 인양을 둘러싼 미·소 간의 교섭은 5월이 되자 도쿄의 대일이사회에서 소련 대표 데레뱐코Кузьма Н. Деревянко와 연합국군 최고사령관 맥아더와의 사이에서 교섭이 진행되었다. 맥아더는 일본인 인양을 위한 선박 배치를 제안하고, 5월 16일에는 극동소련군 사령관 바실레브스키가 소련 외무성에 미국 측의 제안에 반대하지 않는다는 의사를 전달했다.[66] 대일이사회에서는 6월이 되자 시베리아 억류자를 포함한 일본인 인양을 둘러싼 미·소 간의 대립이 표면화되었지만,

외무성과 정보를 공유한 데레뱐코는 일본인 인양에 대해 긍정적으로 검토했다.[67]

그러나 이 시기에는 이미 북한에서의 집단 탈출은 절정을 넘겼고, 북한 잔류일본인 인양문제는 더 이상 단독 과제가 아니었다. 그 결과 미·소 교섭은 남사할린, 다렌지구의 잔류일본인, 나아가 시베리아에 억류된 병사를 포함한 소련지구에서의 인양문제라는 포괄적인 과제로 다루어지게 되었다. 9월에 들어서자 소련 외무성은 몰로토프의 지시에 근거해 일본인 송환 검토를 시작하고,[68] 10월 4일에 소련 각료회의는 일본 민간인과 억류자 송환을 결정하여[69] 관계 각 기관에서 송환을 위한 준비가 구체화되어 갔다.[70]

그 후, 11월 27일에 인양에 관한 미·소잠정협정이 성립되고, 이어 12월 19일에 '소비에트사회주의공화국연방 및 소련 지배하에 있는 영토의 일본인 포로 및 일반 일본인 인양, 그리고 북위 38도 이북의 재일 조선인의 인양에 관한 협정'재소련 일본인 포로 인양에 관한 미·소협정이 체결되었고, 남사할린·다렌과 함께 북한에서의 정식 인양이 시작되었다. 그리고, 잠정협정 성립 이후인 12월 18일부터 1948년 7월 6일까지 7,587명이 인양됨으로써 북한에서의 인양은 공식적으로 종료되었다. 하지만, 실제로는 여전히 남아 있는 일본인이 존재했기 때문에 1956년 2월 27일에 북한과 일본 사이에 평양협정이 조인되었고, 4월 22일에 36명이 귀국한 것으로 최종적인 인양이 종료되었다. 또, 조선인과 결혼한 여성이나 캄차카 어업노동자 등 고용된 이들, 수형자 등이 여전히 북한에 잔류해 있었다. 하지만, 북한과 일본 사이에 외교 관계가 수립되지 않았기 때문에 잔류일

본인의 귀국 문제는 최종적으로 결말이 나지 않은 채 지금에 이르렀다.[71]

3. 소련의 남사할린 영유와 사할린 인양

소련군은 만주에서의 공격 개시로부터 이틀 후인 1945년 8월 11일에 남사할린 침공을 개시했다.[72] 원래 주 작전 계획은 만주 방면이었으며, 사할린 작전은 자연히 뒤따르는 것이었기에 만주 작전의 진척 정도가 남사할린 공격 시기에 영향을 미쳤다. 9일 오전 0시 연해주 방면제1극동방면군에서 시작된 만주 침공은 동부 만주에서 격전이 벌어졌는데, 서부 만주를 침공한 자바이칼방면군의 군사작전이 예상을 뛰어넘는 성과를 올리자 만주 작전의 보조적 역할을 부여받은 제2극동방면군에게 남사할린 공격 명령이 내려졌다.

극동 소련군 총사령관 바실레브스키는 제2극동방면군 사령관 푸르카예프Максим А. Пуркаев에게 11일 태평양함대의 지원을 받아 침공을 개시하고, 22일까지 작전을 완료할 것을 명했는데, 실제로는 15일 옥음방송이 나간 시점에도 전투는 국경 근처 북부에 머물러 있었다. 덧붙이자면, 일본 본토에서는 조직은 되었으나 실제 전투행위에 참가하지 않은 채 끝난 국민의용대가 사할린에서는 군의 지휘 아래에 들어가 국민의용전투대国民義勇戦闘隊로 바뀌고, 일부는 실제 전투 임무에 종사했다는 것이 사할린전의 특징이다.[73]

소련군과의 전투는 15일 이후에도 이어져, 22일에 시루토루마치知取

町에서 제88사단과의 사이에서 정전협정이 성립되었다(전체 사할린 일본군의 무장해제는 28일에 완료). 하지만, 같은 날정전협정 조인 직후 도요하라豊原에 공중 폭격을 가해, 도요하라역에 유입된 피난민에게 피해가 집중된 사건이 일어났다. 정전 다음 날인 23일에는 소련군이 도요하라에 주둔하고, 27일에는 남사할린 경무사령부警務司令部가 가라후토청樺太庁을 지휘하에 두었다. 또, 지방에 지구경무사령부를 두고 군정을 개시하였으며, 일본인에 대한 직장 복귀 및 학교 재개 지령이 내려졌다. 그 후, 9월 17일에 푸르카예프가 도요하라에 도착하여 가라후토청 장관 관사를 접수하고 극동군관구사령부남사할린과 치시마를 통괄를 두었으며, 사할린 개발 본사로 남사할린 민정국, 지방기관으로서 민정서를 각지에 설치하여 본격적인 남사할린 통치가 개시되었다.[74]

민정국은 처음에는 구·가라후토청의 행정기구가라후토청-지청-시정촌를 그대로 활용하면서 군정을 수행하는 것을 방침으로, 먼저 생활물자 확보와 배급일제시대의 제도를 기본으로 소련의 독자적인 직역(職域) 배급을 더한 것 그리고 그 기준이 되는 인구조사 및 농작물 예상 수확 조사를 개시했다.[75] 또, 산업의 접수 및 재편도 급속도로 이루어져, 수산업·임업·석탄업에서는 구·일본기업을 기반으로 한 기업단체트러스트나 산업단지가 결성되었고, 기술자를 중심으로 한 기존 직원의 상당수가 그대로 직장에 머물렀다.[76]

소련의 남사할린 통치는 점차 궤도에 올라 12월 28일에 가라후토청을 접수하고, 오쓰 도시오大津敏男 가라후토청 장관을 시작으로 가라후토청 간부를 연행시베리아로 이송했다. 이듬해부터는 남사할린과 치시마를 하바롭스크주로 편입하여 각지의 지명 변경도요하라에서 유지노·사할린스크 등이 이루어졌다.[77] 가라후토청 이하 각 행정기관의 일본인 직원은 처음에는 그대로 재직하였으나, 2월 말에는 인원 정리가 시행되어 3분의 2가 실직했다.[78] 또, 3월 말을 기준으로 각 시정촌은 지구민정서로 재편되었고, 서장에 소련인이 취임하여 각 시정촌장은 부서장이 되거나 실직했다.[79]

사할린 재주 일본인의 상당수는 인양을 희망했지만, 현실적으로는 인양에 대한 전망은 알 수 없었고, 점차 소련 사회 구조에 편입되어 갔다. 그들은 일본으로부터의 정보를 갈망했지만, 도요하라에 주둔한 소련군은 도요하라방송국의 방송을 금지하고, 8월 25일 각 집마다 가지고 있는 라디오 수신기를 제출하도록 명령해, 라디오를 이용한 외부 정보 전파를 차단했다.[80] 또, 28일에 사할린신문사를 접수하여 『신생명新生命』이라는 일본인 대상 신문을 발행10월 15일 창간·주 3회·약 3만 부 발행·무료했는데, 이것이 유일한 정보원이었다.[81]

종장에서 서술하듯, 소련은 독일인의 강제 추방이나 크림·타타르인에게 자행했던 중앙아시아 강제 이주 등과 같은 정책은 취하지 않고, 남사할린에서는 일본인을 강제 추방하는 일도 없었다. 하지만, 그들을 본국으로 귀환시키는 것에도 관심을 두지 않고, 오히려 홋카이도北海道로의 밀항선 단속을 강화했다. 소련이 사할린의 정치 경제 체제를 정비하기 위해서는 일본인 기술자 등의 협력이 필요했다는 사정도 있지만, 비기술자 역시 귀환시키려고 하지 않았다. 일반 소련인 사이에서는 일본인은 그대로 남아 소련 국민이 될 것으로 여겨졌으며, 노동 조건이나 급여 등에 관해서도 소련인과 동등한 취급을 받았다.[82] 또, 소련은 일본인의 일반 생활 습관에 대해서는 관대해, 사상교육 등도 거의 이루어지지 않고 학

교 교육에서도 큰 제약은 없었다.[83]

이러한 환경에서 남사할린에서는 밀항선을 이용한 탈출이 잇따르고, 공식 인양이 개시되기까지 전체 도민의 4분의 1 가까이 탈출했다. 예를 들면, 루타카군留多加郡 노토로무라能登呂村의 경우, 1944년 말에는 2,326명이었지만, 패전 후에는 홋카이도와 가까운 관계로 배를 소유한 어민을 시작으로 그 외 사람들도 속속 밀항으로 탈출해, 잔존자는 휴전 전에 비해 약 3분의 1인 911명내역은 패전 전부터 거주자 623명·패전 후 왕래자 288명까지 급감했다. 더욱이 홋카이도 탈출의 발판이었기 때문에 당시 대기 중이었던 사람이 약 700명에 이르렀다.[84] 덧붙이자면, 일본 측 기록에는 소련 참전 이후인 13일부터 23일까지 이어진 긴급 탈출에서 약 9만 명이 홋카이도로 탈출하고, 그 후, 공식적인 인양 개시까지 약 2만 4천 명이 밀항선으로 탈출한 것으로 보인다.[85]

한 편, 사할린에 잔류한 일본인에게는 주식 확보가 큰 문제였다. 쌀을 생산할 수 없는 사할린은 패전 전부터 일본 본토로부터 가져오는 쌀에 의존해 왔다. 일본 본토로부터의 쌀 유입이 중단된 것은 큰 문제였다. 소련은 빵 등으로 주식 전환을 요구했으나, 결국에는 쌀을 배급할 수밖에 없었다. 하지만, 독소전으로 인해 곡창지대인 우크라이나 지방이 황폐해진 것은 소련 국내에 심각한 식량부족을 불러왔다. 이에 일본인 공급 식량이 된 것이 만주의 대두와 북한의 쌀이었다.[86] 또, 사할린의 식량 확보를 위해 수산업을 유지할 필요가 있어, 봄의 청어잡이에서 일본인에게 강제적으로 할당해 징용했는데,[87] 일본인 이외에도 북한에서 어업·임업·토목에 종사하는 근로자가 파견되었다.[88] 소련 점령지역인 북한과 사할린과의 인적·물적 연결고리가 형성되어 하나의 경제권이 만들어지고 있었다.

1946년 여름 이후, 소련 본토로부터 이민이 증가해 일본인 거주 지역에 정착했다. 그들의 차림새는 많은 일본인의 증언에도 나오는데, 전승국의 국민과는 거리가 멀었다.[89] 덧붙이자면, 소련 본토에서의 이민은 우크라이나 지방에서 오는 경우가 많았는데, 구·독일 점령지에서의 강제 이주민도 포함되었다.[90] 소련은 남사할린의 소련화를 완성하기 위해 소련형 사회·경제 시스템 도입과 더불어 소련인 이주를 진행했는데, 계획이 선행되는 경향이 있어 이주자를 위한 주거 건설이 계획을 따라잡지 못하고, 결과적으로는 일본인 주거를 양도하거나 소련인과 공동생활하는 사태가 벌어졌다. 그러나, 이러한 가운데 일본인은 소련인의 생활 습관이나 소련의 사회시스템을 이해하게 되었다.

해마다 남사할린으로 이주하는 소련인이 증가함에 따라 일본인의 주택 사정은 악화하고, 일본인의 홋카이도로의 탈출은 단속적으로 이어졌다. 그러한 가운데, 사할린을 관리하는 러시아=소비에트연방사회주의공화국러시아공화국 1946년 8월 29일 외무성에 보고한 바에 따르면, 1946년 2월 22일 시점에서 일본인은 31만 2,900명이었으나, 5개월 후인 8월 1일에는 25만 4천 명으로 감소조선인은 2만 4,590명했다. 일본에 가족을 남겨 둔 상당수의 일본인에게 1947년 1월 1일을 기한으로 귀한 계획을 구체화할 것을 제안했다.[91] 러시아공화국은 이 제안을 한 시점에 이미 일본인 송환 계획을 구체화했으며, 9월 14일에는 주 행정기관이 비용을 부담하는 것을 조건으로 러시아공화국 각료회의는 일본인 송환 결정에 찬성했다.[92]

앞 절에서 서술한 바와 같이, 이즈음이 되자 다렌이나 북한을 포함한 모든 소련 관할지역에 잔류한 일본인 인양이 미·소 간의 교섭 과제가 되어, 남사할린에서의 일본인 인양도 급속도로 진전을 보였다. 그리고, 다렌·북한과 같이 1946년 11월 27일에 인양에 관한 미·소잠정협정이 성립된 후, 공식 인양이 개시되어 12월 5일에 사할린에서의 제1진이 하코다테항函館港에 입항했다(이미 1945년 12월 14일을 기점으로 하코다테에 인양원호국引揚援護局이 설치되었으며, 하코다테가 사할린 인양자의 상륙지로 정해졌다). 그리고, 제5차 인양에서 1949년 7월 23일에 마지막 배가 입항한 것을 끝으로 사할린에서의 공식 인양은 종료되었다(제1차부터 제5차까지 민간인 27만 4,229명이 인양).[93] 하지만, 제7장에서 다룬 것과 같이 일본인 인양의 과정에서 사할린 소수민족도 일본으로 '인양'되는 한편, 조선인은 어쩔 수 없이 잔류하게 되었다.

남사할린의 조선인은 자신들의 귀환을 소련 측에 몇 번이나 요청했다. 소련 내부에서는 1947년 4월 23일부로 김젠엔이 스탈린에게 보낸 요청을 받고, 말리크Яков А. Малик 외무차관이 조선인 귀환 가능성에 대해 관계 각 기관에 조회했으나, 남사할린의 심각한 노동력 부족 때문에 1948년 가을까지는 불가능하다는 답변을 받았다. 이 때문에 말리크는 몰로토프 외무장관에게 1947년 중에는 귀환시키지 않도록 요구하였고, 몰로토프가 이를 허가함으로써 조선인 조기 귀환은 불가능해졌다.[94] 남사할린의 조선인은 남한 출신자가 많아 북위 38도선 이남으로의 귀환을 희망했으나, 일본인 인양으로 인한 노동력 부족을 메우기 위해 잔류시킬 수밖에 없었다고 할 수 있다. 더욱이 1948년이 되자 소련이 지원하는 조선민주주의인민공화국과 미국이 지원하는 대한민국으로 분단국가가 성립되어, 그들의 귀환은 정치적으로 불가능해졌다.

이처럼 사할린 인양은 일본인 이외의 민족에게도 큰 영향을 미쳤는데, 일본인 인양자 중에도 사할린 인양자는 다른 지역에서의 인양자와 다른 특이한 존재였다.

사할린 인양의 경우, 홋카이도와 관계가 깊은 것이 큰 특징이었다. 가라후토청은 1945년 6월에 제88사단과 도요하라 해군무관부와의 사이에서 미군 침공 시에 홋카이도로의 주민 긴급 탈출 계획을 입안하기 시작했는데, 이것이 소련 참전 후의 긴급 탈출로 이어졌다.[95] 이 계획에서 중요한 역할을 한 것이 홋카이도청이며, 가라후토청은 8월 9일에 홋카이도청 안에 가라후토청 홋카이도 사무소를 설치해 탈출자 원호 체제를 정비하였고, 탈출자는 주로 왓카나이稚內 관내에 정착했다.[96]

이러한 가라후토청의 원호 업무에 대응하여 홋카이도청도 전후 개척지 등에 인양자를 적극적으로 받아들이고, 결과적으로 사할린 인양자의 60% 가까이가 홋카이도에 정착했다.[97]

또한 사할린 인양자 중에는 '무연고자'가 많다는 것이 특필할 만한 점이다. 패전 전의 사할린은 일본인이 거주인구의 약 95%를 차지해, 다른 식민지와는 민족 구성이 크게 달랐다.[98] 그중, 농업 인구가 차지하는 비율은 12% 정도로,[99] 다른 식민지와 같이 회사원·관리·상공업자가 주체였는데, '무연고자'의 비율이 높다는 것이 그 특징이다. 무연고자란 사할린으로 건너간 시기가 빠르거나 그 외 어떠한 사정으로 본토 고향과의 연결고리가 끊어져, 인양 후의 정착지가 없는 사람들을 가리킨다. 사할린 인양자의 경우, 전체 35%에 해당하는 10만 9,674명이 무연고자이며, 그중 상당수가 홋카이도 및 도호쿠東北 6개 현에 정착했다.[100] 그중에서도 홋카이도청은 미·소협정에 의한 공식 인양 개시 직전에 '가라후토치시마인양자 홋카이도청수용요령樺太千島引揚者北海道庁受入要領'을 책정하고, 인양자는 매월 1만 명으로 1946년 3월까지 5만 명으로 예상했다. 그중에서 홋카이도에 80%가 정착하고, 무연고자는 그중 40%인 1만 6천 명이 될 것으로 예상하여, 무연고자용 인양자 주택 건설 등의 수용체제를 정비했다.[101] 이러한 홋카이도와의 강한 연결고리를 배경으로 제7장에서 서술할 사할린의 기억이 홋카이도 내에 강하게 새겨지게 되었다.[102]

나가며

소련군정하의 일본인 관리체제는 주권이 어디까지나 중국 측에 있었던 만주는 따로 두더라도, 각 점령지 공통의 체제 없이 다롄이나 북한, 사할린에서 현저하게 달랐다. 다롄의 경우에는 중공을 통한 간접 지배였지만, 북한과 남사할린의 경우 직접 지배였다. 단, 북한의 경우 영토화를 목적으로 하지 않고, 장래에는 독립국 수립을 도모했기에 조선인의 정치조직을 통치에 활용했다는 점에서 다롄과 비슷한 간접 지배형이라는 측면도 있었다.

다롄의 경우, 주권은 중국에 있는 이상 최종적인 일본인 처우는 중국정식으로 국민정부였지만, 실제로는 공산당에 위임했기에 소련이 적극적으로 주도권을 가지고 인양을 시행하려는 움직임은 보이지 않았다. 한편, 사할린은 소련 영토인 이상 일본인 처우는 소련이 주도적으로 결정할 문제였다. 그러나, 소련은 일본인을 인양시키는 것보다 잔류시키는 것에 관심이 있었기에, 사할린의 인양문제도 진전되지 않았다(후의 미·소협정에서도 '소련에서 일반 일본인을 인양하는 것은 개인의 희망에 따른다'라고 되어 있다).[103] 이러한 측면에서 보면 통치 주체가 명확하지 않았던 북한에 잔류한 일본인의 처우가 가장 큰 문제였으며, 그 때문에 묵인이라는 형태로 책임을 회피하면서 사실상의 일본인 인양이 이루어졌다고 여겨진다.

이처럼 전혀 다른 양상을 보이는 소련군 지배 지역에 장기적으로 잔류할 수밖에 없었던 일본인의 귀국 후 증언에서 공통되는 점은, 소련군의 나쁜 군기와 낮은 교육 능력이었다. 한편 그와는 정반대로 다롄에서는 중공군의 엄정한 군기를 전하는 이야기가 많다. 이는 만주 인양자와 동일한 것으로 많은 인양자는 그 위치에서 소련이나 중국에 대한 관점을 형성했다. 하지만, 병사 정도 위치의 소질은 그렇다 하더라도 현실의 정치 지배에서 소련군은 오히려 관대하고, 중공은 그 반대였다. 어떤 의미에서 중공은 교묘하다고도 할 수 있다. 그러나, 많은 인양자는 이러한 측면 보다도 직접 연관된 병사를 통한 첫인상을 강하게 기억하고 일본 국내에 전달했다. 또한, 북한의 조선인에 대해서는 함흥 등지에서는 인양에 협력한 점을 평가하는 한편, 일본인에 대한 가혹한 취급 등 소련군 이상으로 부정적으로 느끼는 경향도 강했다.[104]

이처럼, 일본인이 현지에서 우위를 차지한 입장이었던 다롄이나 북한에서의 인양자는 그 우위성을 파괴한 소련군이나 그에 편승한 것처럼 보이는 조선인에 대한 원한이 깊었다고 할 수 있다.

한편, 소련 점령지역 중에서 남사할린의 일본인만이 수년 동안 소련인과의 공동생활을 체험했다. 그 체험을 통해 소련이라는 국가를 엿볼 수 있었던 그들은 일찍이 공산주의에 의한 이상사회의 현실을 알아차렸지만, 반공·반소련 사상으로 굳어지지는 않았다.[105] 일·소전 직후의 혼란기에 있었던 폭행 횡포 행위를 제외하면 그들은 하나같이 개개인의 소련인에 대해 친근감을 가지고 있었으며, 오히려 생활인의 시선에서 같은 생활인으로서의 소련인을 보고, 소련이라는 사회를 실제로 체험했다.[106] 그러나, 이데올로기의 시점에서 공산주의가 눈부시게 각광받던 제2차 세계대전 이후의 일본에서 이러한 생활인으로서의 시선은 이해받지 못하고, 사할린 인양자는 일본 사회 안에서 고립되어 갔다.[107]

또, 다롄을 포함한 만주나 북한에서 패전 전의 일본인은 현지에서는 소수파였지만, 현지인에 대해 정치·경제·사회 모든 면에서 우위의 입장이었다. 따라서 그들의 생활 공간은 식민지의 풍요로움을 구체적으로 나타냈다. 특히 만주 도시부의 일본인 주택 등은 서구풍으로 상하수도나 가스, 전기도 정비되어 있으며, 국내 일본인의 생활 수준보다 훨씬 풍요로웠다. 하지만 남사할린은 식민지였지만 대부분이 일본인이었으며, 거기에 거주하는 일본인은 국내 일본인의 생활 수준과 동등하거나, 경우에 따라서는 떨어지는 측면도 있었다. 그 때문에 소련 당국도 사할린 경영에 일본의 우위성을 인정하지 않았다. 소련 측의 기억에 따르면 일본인의 농업경영이 소규모여서, 인력·축력에 의지해 기계화되지 못한 점이나 어업도 마찬가지로 동력선이 적다는 점을 지적하고 있다.[108] 또, 광공업에서도 공장 재개까지의 과도기를 빼고 보면, 만주나 북한과 같이 일본인 기술자를 중요하게 여겨서 유용하는 일도 없었다.[109] 게다가 이주해 온 소련인도 빈약한 일본인 거주 수준을 보고 놀라, 오히려 자신들의 우위성을 실감한 일도 있었다.

예를 들면, 남사할린에서 발행된 소련인을 위한 기관지 『크라스노예·즈나먀』1946.11.1에 게재된 이주자의 시에는 '합판으로 만든 일본인의 작은 집, 안쪽은 종이로 덕지덕지', '우리 동네에서는 찌르레기 둥지조차도 훨씬 튼튼해', '이런 집에서 사무라이들은 어떻게 산 것인가?'라며 빈약한 일본인 주택에 놀라면서, 이를 부수고 '소나무를 조각해 장식한 파사드', '포치가 있는 현관, 울타리로 둘러싼 러시아식 앞뜰', '밝고 반듯한 창문' 모양의 러시아식 가옥을 짓는다는 기쁨을 노래하고 있다.[110] 남사할린으로 온 소련인 이주자도 결코 풍요로운 사람들은 아니었지만, 그러한 그들의 눈에도 일본인의 생활은 동경과는 거리가 멀어 보인 것이다.

이처럼 일본인이 지배자의 위치에서 전락하여 현지인과의 입장이 역전된 다롄이나 북한과는 달리, 남사할린의 탈식민지화는 상당히 특이한 성질을 가졌다. 게다가 동유럽에서 일어난 독일인 추방이나 소련 영내의 민족 강제 이주처럼 강제력도 발동되지 않았고, 최종적으로는 일본인이 자발적으로 귀환하는 형태를 취했다는 점 역시 이질적이다.

또, 일본인 인양이 미·소 간의 외교교섭 대상이 되지 않았다면, 다롄·북한·남사할린으로부터의 인양은 실행되지 않았다. 이 점에서 같은 소련군 침공 지역인 만주국과는 인양 개시 요건이 크게 다르다. 더욱이 미·소 협정의 대상은 일본인과 일본 재주조선인북한계으로 한정되어, 한국계 사할린 잔류 조선인은 대상 밖이었다는 것은 주시해야 할 점이다.[111]

본 장에서 다룬 세 지역은 소련군이 지배했다는 점에서 공통점이 있지만, 세 지역 모두 잔류일본인에 대한 명확한 방침을 확인할 수는 없다. 가장 큰 이유는 이제까지 아시아의 전쟁 지역에 상관하지 않았던 소련이 제2차 세계대전 후의 동북아시아 구상은 물론 구체적인 점령정책도 세우지 않은 채 제2차 세계대전 말기에 대일전에 참전한 것을 들 수 있다. 그리고 전쟁으로 황폐해진 소련 국내의 부흥을 우선시할 수밖에 없는 사정이 있었다. 나아가 소련 특유의 경직된 명령계통도 얽혀 임시방편의 대응밖에 할 수 없었고, 인양 결정까지의 의사결정에 시간이 걸린 것은 미국이 신속한 의사결정으로 효율적인 인양을 진행한 것과 크게 대조되었다. 이 때문에 다롄이나 북한에서 일본인 좌익 운동가가 소련군이나 현지 정권과의 교섭을 담당하고, 인양까지 완수한 역할은 매우 컸음에도 불구하고, 결과적으로 소련에 대한 일본인의 부정적인 관점, 그리고 좌익 정당에 대한 의심 확대로 이어졌다고 할 수 있다.[112] 한편, 임시방편이라 하더라도 동북아시아에서 소련의 영향력은 증대했다. 이러한 모순이 가장 상징적으로 드러난 것이 북한이며, 그 때문에 가장 약한 입장이 된 잔류일본인의 상황이 비극적이었다고 할 수 있다.

소련 점령지역에서의 일본인 인양은 동북아시아에서 큰 의미가 있다. 구·대일본제국 영역에서의 일본인 인양은 19세기 말부터 팽창한 대일본제국을 중심으로 한 지역 질서가 사실상 소멸하고, 미·소 냉전 구조에서의 새로운 지역 질서가 형성된 상징적인 사건이며, 냉전 시대의 새로운 지역 질서 속에서 한반도의 북위 38도선과 소야해협宗谷海峡을 경계로 동북아시아의 민족이동 공간의 수축이 결정된 것이었다. 이러한 의미에서 구·일본제국이 지배한 식민지에서 일본인을 공식적으로 완전히 배제 시킨 '재소련 일본인 포로 인양에 관한 미·소협정'1946.12.19 체결은 동북아시아를 제2차 세계대전 전후로 나누는 분기점이 되었다고 할 수 있다.

제5장

구호에서 원호로

경성일본인세화회와 인양자 단체

들어가며

대일본제국의 붕괴로 정치권력의 뒷받침을 상실한 잔류일본인들은 스스로의 힘으로 살아남을 방법을 찾아야 했다. 제2장에서 다룬 만주에서는 일본인회가 구호활동의 주체였으나, 소련군의 진공을 피할 수 있었던 북위 38도선 남쪽의 한국에서는 경성일본인세화회가 중심이 되어 구호활동을 전개했다.

미군의 점령 아래에 놓인 남한은 치안이 비교적 안정되어 있었고 미군이 군정 초기부터 일본인을 송환한다는 방침을 정해 1946년 4월까지 대부분의 일본인을 송환했기 때문에, 만주나 북한 등 소련군 점령 지역과 비교하면 기아나 질병으로 인한 인적 피해가 거의 없었다. 이 점은 제3장에서 다루었던 타이완과 유사하다.

남한에서 이루어진 인양의 특징은 남한이 지리적으로 일본과 가까우며, 특히 일본과 같은 GHQ/SCAP 관할 지역이었으므로 기존에 확립되어 있었던 교통 루트를 통해 인적·물적 왕래가 비교적 용이했던 점을 들 수 있다. 또한 북위 38도선 이북의 북한으로부터 많은 피난민이 몰려들면서 결성된 남한의 일본인세화회는 처음부터 피난민을 대상으로 한 구호활동의 주체로 활동했으며, 이는 결과적으로 일본인세화회와 일본 국내에서 조직화된 인양원호단체와의 인적·조직적 연속성을 만들어냈다는 점이 이 지역 인양의 특징이다.

제5장에서는 한국 인양에서 중요한 역할을 담당했던 경성일본인세화회 활동을 통해 초기 민간단체를 중심으로 한 응급원호활동과 이 응급원

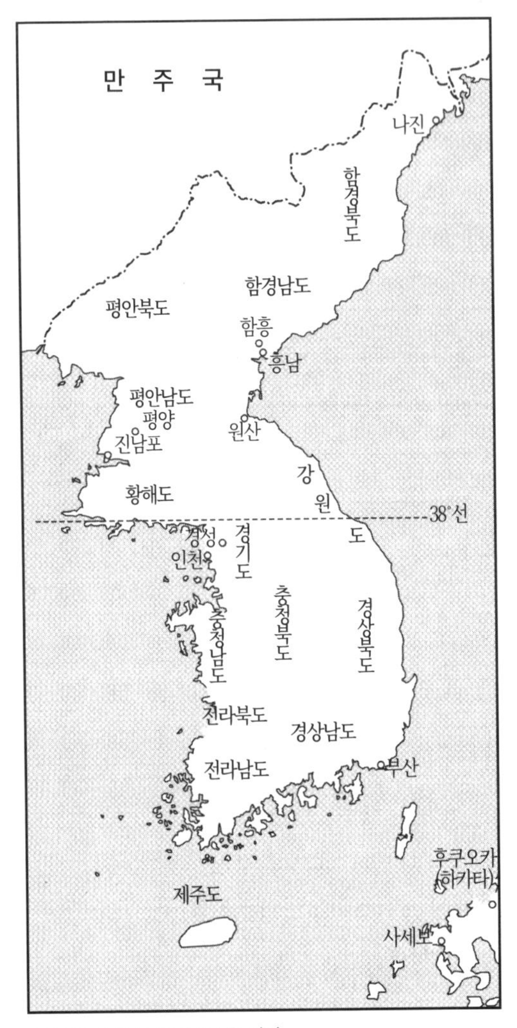

〈지도 5〉 조선반도(1945년경) 삽입

호활동이 후기의 행정주도에 의한 정착원호사업으로 전환하는 과정, 두 가지 측면을 다룰 것이다.

첫째, 패전 직후 남한에서 결성된 경성일본인세화회가 북한 피난민 구호 활동을 통해 일본 내 인양원호단체 및 후생성과 결합되어 한국, 만주, 일본을 연결한 민관협업 인양자 구호체제로 구축되어가는 과정을 밝힐 것이다.

둘째, 1946년 말 인양자 송환이 일단락되면서 초기 민관협업을 통한 구호활동이 인양자의 취업 및 주택 알선 등 생활지원을 중심으로 한 후생성 주도의 정착원호사업으로 전환되는 한편, 그러한 역할을 끝낸 세화회가 만주에서 결성된 일본인회 등과 마찬가지로 인양자 단체로 재편되어 재외사유재산 보상요구운동을 중심으로 한 정치 활동을 전개해 나가는 과정을 밝힐 것이다.

이러한 인양자 단체의 활동을 밝히는 것은 제3장 타이완, 제7장 사할린과 같이 식민지를 생활권으로 삼았던 일본인들의 식민지 의식을 파악할 수 있다는 점에서 중요하다. 이를 통해 일본 전후사에 숨겨져 있던 전쟁 이전부터 전후로 이어지는 일본인과 식민지의 의식적 연속성 검증이 가능할 것이다.[1]

1. 경성일본인세화회와 남한으로부터의 인양

한국에서의 인양남한 약 42만 명, 북한 약 30만 명은 미소 양국 분할 지배로 이루어졌으며 또한 만주로부터의 피난민 유입이 많았기 때문에 그 실상은 상당히 복잡하다. 미군 지배하에 놓인 북위 38도선 이남의 한국남한은 전쟁의 소용돌이에 휘말리지 않아 비교적 평온한 상태로 패전을 맞이했고 미군 주둔도 순조롭게 이루어졌다. 또한 일본열도와 마찬가지로 GHQ/SCAP 관할구역이 됨으로써 바다 건너 서일본과의 교통망이 유지되어 양쪽에서의 밀항을 통한 인적 물적 왕래도 성행하고 있었다.

이에 반해 제4장에서 언급한 북위 38도선 이북의 북한에서는 소련군의 진공으로 함경북도가 전쟁터가 된 가운데 일본인들의 남하가 시작되고 있었다. 게다가 만주 방면에서도 피난민이 유입되어 왔는데 소련군은 38도선 이남으로의 이동을 제한했기 때문에 북한 잔류일본인들의 대피 경로가 차단되었다.

제4장에서 언급한 것처럼 북한으로부터의 인양은 38도선 돌파를 강행하는 방법 이외에는 없었기 때문에 잔류일본인들은 지방 도시에 머물거나 평양에 집결하여 각지의 일본인회로부터의 귀국 정보를 기다릴 수

밖에 없는 상황이었다. 그러나 식량부족과 전염병의 만연으로 잔류일본인 가운데 사망자가 늘어나고 있었다.

한편 남한은 사회적 혼란이 적었기 때문에 일본인의 안전이 비교적 확보되어 있었다. 경성의 경우 8월 15일 직후 시위나 소규모의 약탈과 폭행이 발생했으나 단기간에 종식되었다. 이는 조선총독부가 기능을 유지하고 있었던 것과 제17 방면군조선군관구사령부이 피해 없이 존재했던 것이 큰 요인이었다.

또한 남한으로부터의 인양에서 중요한 사항은 경성일본인세화회와 같은 한국 각지에서 결성된 일본인세화회의 존재였다. 패전 직후인 8월 16일 조선총독부는 호즈미 신로쿠로穂積真六郎, 경성전기회사 사장·전 총독부 식산국장·유무라 다쓰지로湯村辰二郎, 조선섬유산업회사 사장·전총독부 농림국장, 히토미 지로人見次郎, 전 조선상공회의소 회장·전 총독부 철도국장·와타나베 시노부渡辺忍, 조선농지개발영단 이사장·전 총독부농림국장를 초청하여 아베 노부유키阿部信行 조선총독이 참석한 가운데 엔도 류사쿠遠藤柳作 정무총감이 상황을 설명했다. 그러나 적극적인 상황 수습 의지가 보이지 않던 총독부에 대해 호즈미를 비롯한 참석자들의 실망은 컸다.[2] 이런 가운데 『아사히신문』 경성지국장인 이주인 가네오伊集院兼雄가 민간 일본인 단체 결성에 나섰다. 이주인은 17일 아베 총독과 면담하여 일본 민간인 연락기관 설치를 설명하고 같은 날 호즈미·와타나베 시노부·구보타 유타카久保田豊, 조선전업 사장·와타나베 도요히코渡辺豊日子, 조선중요물자영단 이사장·전 총독부 학무국장·야스이 도시오安井俊雄, 『경성일보』 관리인·가네코 데이치金子定一, 대일본흥아회 대륙국장·중의원 의원 등과도 협의했다. 다음날인 18일에는 호즈미·이슈인·구보타·야스이·가네코·유무라·와타나베 시노부·와타나베 도요히코·스기야마 시게이치杉山茂一, 조선상공경제회 상무이사가 모여 일본인 단체 결성을 협의한 끝에 회장으로 호즈미, 부회장으로 구보타와 와타나베도요히코를 선출하여 명칭을 '경성일본인회'라 하여 총독부의 양해를 구하기에 이르렀다.[3]

이어 19일에는 호즈미와 와타나베, 가네코가 제17 방면군사령부 및 조선헌병대사령부를 방문하여 군의 양해를 구하였고, 군은 각 지역의 일본인 단체 조직화와 산하부대의 원호를 지시하여 단체결성을 뒷받침했다.[4] 그리고 다음 날인 20일에는 관계자 모임이 열렸으며 이때 일본인 단체가 정식으로 결성되었다. 당시 가네코는 명칭을 '일본인회'로 할 것을 주장하였는데, '그것은 대립적인 명칭이다'는 이유로 '내지인회'로 정하게 되었다.[5]

패전 직후 경성 시내의 일본인들 사이의 동요가 확산되기 시작했다. 이에 인양에 대비하여 18일에는 '가구 매물이 증대'했는데 20일이 지나면서 "한국인들이 비교적 온건한 모습을 보였기 때문에 안심이 되었고 원래의 생활을 유지할 수 있을 것 같다는 착각을 일으켜" 가구 매물도 줄어들었으며, 또한 인양열차 계획도 세우지 못했던 점 등이 오히려 차분한 분위기를 불러왔다.[6]

이처럼 패전 직후의 동요는 단기간에 진정되었고 일본인 대부분이 내지로의 인양이 아니라 한국 잔류로 생각이 기울어져 있었을 무렵에 세화회가 결성되었다. 결성 당시 이주인은 일본인 단체 방향에 대한 목표를 거류민단 결성으로 해야 한다고 주장했고, 호즈미 회장도 '장래 거류민단으로 발전할' 가능성이 있다고 말한 점으로 미루어 보아 내지인회는

향후 한국거류민단의 모체가 될 것이라는 기대를 분명히 하고 있었던 것으로 보인다.[7]

다음 날인 21일 총독부의 뜻에 따라 명칭은 '경성내지인세화회'로 결정되었고, 22일부터 23일에 걸친 임원 선출을 거쳐 회장에 호즈미 신로쿠로, 부회장에 구보타 유타카와 와타나베 도요히코, 사무국장에 가네코 데이치, 사무국 차장에 이토 노리쿠니국민총력조선연맹 총무부장, 총무부장에 쓰기야마 시게이치, 사업부장에 후루이치 스스무전 경성부윤, 조사부장에 스즈키 다케오경성제국대학 교수 등이 임원과 상임 위원처음에는 경성 거주 각계 원로로 70명의 인원이 거론되었지만 결국 7명으로 결론으로 정해졌으며 이렇게 세화회는 진용을 갖추게 되었다.

세화회의 운영 주체는 상임위원회위원장은 세화회 회장, 부위원장은 세화회 부회장였으며, 필요에 따라서 특별위원회를 설치하고 상임위원회의 결정 사항을 사무국이 실행하는 것으로 했다. 사무국에는 총무부(그 아래에 서무과·경리과), 사업부(그 아래에 지도과·업무과·물자과), 조사부(그 아래에 조사과·보도과)와 별도의 원호계가 따로 설치되었다.[8] 사무국 직원(상공경제회 직원·국민총력조선연맹 사무국원·각 신문사 직원 등이 참여)은 9월 시점에 52명이었다.[9]

경성내지인세화회 결성 이전에도 한국 일부에서 세화회 결성 움직임이 있었는데, 19일에 군이 결성 지원을 결정했고, 그 후 경성내지인세화회가 결성(경성에 세화회가 결성된 것은 라디오로 한국 전역에 방송되었다)되어 총독부도 24일 각 도지사에게 세화회 결성을 촉구하는 '내지인세화회 설립에 관한 건'을 알리고 세화회 결성을 지지하도록 압박했다.[10] 또한

27일 총독부는 미군에 대한 제출 자료와 작성, 미군과의 교섭, 사무 인계와 정리, 피난민수용소 운영, 인양 준비 및 이송 계획, 잔류자 단체 조직, 개인 및 일본인의 권익 보호, 안내소 운영, 세화회 보조금 교부 등을 업무로 하는 종전사무처리본부(총무부 · 절충부 · 정리부 · 보호부를 두었고 후에 급여부를 추가함)를 설치하고 세화회 지원 체제를 정비했다.[11]

이러한 상황으로 인해 한국 각지에서는 지역 상공인들이 중심이 된 세화회가 줄이어 결성되었다. 이들 세화회는 거류민단적인 방침을 세우고 자금은 관공서와 군의 교부금 및 조합비 등으로 충당했다. 소련군 점령 지역이 된 북한에서도 세화회가 결성되었지만 이들은 남한과는 달리 활동 범위가 제한적이었다. 각 지역의 세화회 결성 날짜는 다음과 같다.[12]

- 8월 16일 장연 · 정주 / 17일 청주 · 해주 · 철원 / 18일 평양 / 19일 군산 / 20일 경성 / 20일 무렵 안악 / 23일 겸이포 / 25일 목포 · 성진쌍포 / 26일 인천 · 신의주 / 29일 함흥. 원산 · 경주 / 31일 진남포(다만 일본인세화회의 창구로, 10월 15일 일본인세화회로 발전) / 8월 하순 대전 · 전주 · 대구/ 8월 말 개성 · 순천
- 9월 1일 부산 · 선천 · 흥남 / 5일 길주 / 10일 무렵 사리원 / 9월 상순 · 신막 / 9월 구성 · 청진 · 웅기
- 2월 19일 추을
- 12월 4일 회령
- 1946년 1월 무렵 강계
- 2월 수풍

• 불명확 광주 · 김천 · 춘천 · 재령 · 성흥 · 개천 · 의주 · 북진 · 삭주 · 아오지 · 나진

경성내지인세화회의 활동 및 방침은 9월 2일에 발간된 제1호『경성내지인세화회보』를 통해 엿볼 수 있다.[13] 회보에 따르면 세화회는 당초 "한국에 체류하면서 동포들이 함께 고난의 길을 계속 걸어가며 우리의 친구 한국의 발전에 협력하려고 하는 내지인을 위하여 다양한 도움을 제공하는 것"을 목적으로 했다.[14] 그리고 세화회는 거주 일본인 사이의 연락이나 생활상의 주의사항, 만주 및 북한지역으로부터의 피난민 지원, 한국어 강습회 개최, 직업 알선, 내지 정보 전달 등을 중심으로 활동했다. 내지 인양도 만주 및 북한지역으로부터의 피난민 인양을 우선으로 했으며 전쟁이재민이 아닌 일본인의 무질서한 인양을 경계하는 입장을 취했다.

제1장에서 자세히 언급한 것과 같이 일본 정부의 방침을 받아 내무성으로부터 조선총독부에게도 현지정착 지시가 내려졌다. 또한 제17 방면군도 "내지의 식량 및 특히 폭격으로 인한 주택부족 등의 이유로 대륙거류민 전원의 인양은 현실적으로 불가능하다"는 인식 아래,[15] 군과 민 모두에게 "당분간 전원 체류를 기본방침으로 하고 여러 대책을 진행하여 내지 인양이 가능할 경우에 순차적 조치를 강구함을 기본방침"으로 정했다. 그리고 내지인세화회가 잔류일본인의 생명과 재산 보호를 담당하는 조직이 되어 줄 것을 기대해 '정전협정 이전'의 진용 강화와 조직화를 서둘렀다.[16]

세화회도 미군 주둔 전부터 거류 일본인경성에 17만여 명 사이의 연락 체

제 정비를 서두르고 있었다. 9월 6일 전시의 반상회町会 및 애국반을 재편성하면서, '세화회-세화인 대표·부대표중구 여섯 구역·종로구 일곱 구역·동대문구 세 구역·성동구 세 구역·서대문구 네 구역·마포구 두 구역·용산구 다섯 구역·영등포구 두 구역 등 총32개 구역의 대표자-중개인·부사무인-연락 반장-연락원-가정'이라는 연락 체계를 만들었고, 이러한 조직을 통해 세화회가 발행하는 회보나 매일 오후 3시에 조사부장이 일본인에게 발표하는 북한지역 상황, 치안, 미군관계, 인양관계 등의 정보를 듣기 위한 청강권 배부 등을 실시했다.[17]

이처럼 미군 주둔 전후까지 남한 현지 일본인은 당연히 거류민으로 남는다고 생각하고 있었으며, 그중에서도 제17 방면군은 잔류일본인을 결속하는 조직으로서의 세화회에 대한 기대 때문에 각 지역의 세화회 결성을 적극적으로 지원했다. 또한 세화회도 거주 일본인 조직화에 적극적이었다고 할 수 있다.[18]

이러한 상황에서 9월 8일 미군이 인천에 상륙했고 다음 날인 9일에 조선총독부, 제17 방면군의 항복문서 조인식이 열려 미군에 의한 점령지 행정이 시작되었다(20일에 미군정청美軍政廳이 개청). 그러나 미군 군정은 옛 총독부의 행정 기능을 이용하지 않았다. 항복문서 조인으로 총독부와 제17 방면군은 그 기능을 상실하게 되었고, 9월 12일에 아베 총독, 14일에는 엔도 정무총감 이하 각 국장과 경성부윤 이하 경성부 본청 및 각 구청 과장 이상의 일본인들이 해임되어 명실상부한 일본의 한국 지배는 종말을 고하게 된다. 그리고 총독부 해체로 인해 유일한 조직적인 일본인 단체가 되어버린 세화회는 15일이 되자 내지인세화회라는 명칭을 '일본인세화회'로 바꾸었다. 이것은 한국에서의 일본인의 위치가 '정착'에서 '인양'으로 완전히 전환되었다는 것을 상징했다.

패전 직후인 8월 16일 조선총독부 교통국은 한국으로부터의 일본인 인양을 위해 '수송계획변경요령'을 발표했으며, 내지 인양을 희망하는 사람들부녀자 우선의 수송을 위한 내지와의 수송 경로와 선박 확보에 나섰다.[19] 그러나 인양은 교통국의 계획대로 진행되지 않았으며, 실상은 현지 정착을 원칙으로 하는 가운데 일부 일본인들의 무질서한 밀항선을 통한 비공식 인양이 이루어지고 있었다. 8월 18일부터 24일까지 한국에서 출발한 화물선 27척이 하카타항博多港에 입항했으며, 배 안에는 많은 한국 거주 일본인이 있었는데 이것이 기록에 남아있는 최초의 인양자이다.[20]

이후에도 한국으로부터의 무질서한 인양은 계속되었으나 미군정청도 개설 초기부터 일본인 인양에 대해 적극적인 관심을 보여 9월 20일에는 종전사무처리본부 보호부가 계획한 일본인 인양 계획을 전면 승인했다.[21] 보호부는 남북한 거주 일본인을 85만 명으로 추정하여 그중 65만 명과 만주 및 화베이 인양자 130만 명을 10개월에 걸쳐 송환할 계획을 세우고, 미군정청은 이러한 통계를 바탕으로 일본인 인양 계획을 실행에 옮겨갔다.[22] 특히 GHQ/SCAP는 군인들의 인양을 최우선시하여 한국에 잔류해 있던 군대의 인양을 우선 고려했다. 그러나 당시 부산-하카타博多-센자키仙崎 사이의 선박 수송력에 한계가 있었기 때문에 부산 등지에서는 10월 초까지 2만여 명의 체류자가 넘쳐나고 있었으며 일반인 인양은 이러한 문제를 해결한 후 이루어졌다.[23]

10월 3일 초대 군정장관 아놀드Archibold V. Arnold는 일본인의 신속한 인양 실시 예정과 가장 가까운 세화회에의 등록 의무 및 개인적인 인양 금지에 대한 담화를 발표했고, 이에 따라 각지의 세화회는 인양자 명단 작성 및 인양 순위 결정 등의 준비를 시작했다.[24] 10일 계획수송을 통한 인양열차 시운전이 이루어졌으며, 23일부터는 경성·인천지역의 일본인 인양이 시작되었다(당초 경성 수용소에 있던 북한지역 피란민이 대부분).[25] 당시 한국 정착을 희망했던 일본인들이 많았으나 "연합군 측의 의지와 한국인의 태도를 비추어 볼 때 어쩔 수 없이 일본인 8만 명은 대부분 내지로 인양되어야 한다"는 상황이 전개됨에 따라,[26] 미군정청과 일본인세화회의 연계를 통한 모든 일본인을 대상으로 한 인양 계획수송이 시작되었다. 10월 24일까지 한국에서 인양된 일본인은 17만 3,000여 명으로 추정된다.[27]

한편 10월 1일 경성일본인세화회는 총무부, 사업국그 아래 원호부, 업무부, 외섭부, 문화국그 아래 문화부, 조사부, 위생부, 보도부으로 구성된 조직 개편을 시행하고[28] 미군의 방침에 따라 거주 일본인 인양을 위한 체제를 갖추었다. 한국으로부터의 일본인 인양은 미군과 세화회의 연계하 순조롭게 진행되었고, 미군정청은 일본인의 한국 잔류와 한국 재도항을 허가하지 않는다는 방침을 순차적으로 밝혔다.

1946년 2월 일본 국내 GHQ/SCAP도 미군정청의 특별 허락이 없는 한 일본인의 남한 도항을 금지했으며 이에 대해 일본 국내 모든 지역에도 철저한 지시를 내렸다.[29] 그리고 3월 14일 미군정청은 경성일본인세화회 회장 앞으로 8일 자로 시트Josef R. Sheetz 군정장관 대리가 발표한 일본인 인양에 관한 미군정청 포고를 전달했다. 이 포고문은 3월 8일부터 3주 안에 특별한 허가자 이외 모든 일본인을 인양하기로 결정했다는 내용을 담은 것으로 실제로 4월까지 남한에 거주하는 대부분의 일본인이 인양되었다.[30] 이처럼 일본인 인양으로 인해 대일본제국으로 지역적으로 일체화되어 있었던 일본열도와 한반도는 사실상 분리되었다.

한편 단기간에 순조롭게 완료된 남한의 일본인 인양과는 달리 제4장에서 자세히 언급한 것과 같이 북한의 상황은 악화일로였다. 3월 18일 북한 함흥 일본인의 남한 집단탈출을 효시로 하여 북한 곳곳에서 일본인들의 집단탈출이 본격화되었다. 점령 초기 소련군은 일본인의 남하를 금지했으나 일본인의 탈출은 진정되지 않았고 결국 소련군이 묵인하는 가운데 10월 중순까지 약 26만여 명이 탈출했다.

경성일본인세화회는 3월 이후가 되면 북한지역을 탈출한 일본인들의 구호활동을 위해 일부만 남한에 머물게 되었다. 그리고 이후 북한지역 탈출이 일단락되면서 직원들도 대부분 인양되어 1946년 12월 27일 경성일본인세화회는 경성에서 철수했다. 그리고 마지막 남은 부산일본인세화회는 대한민국 성립 직전인 1948년 7월 10일에 철수하여 이로써 대부분의 일본인들이 한국에서 인양되었다.[31]

2. 재외동포원호회구료부在外同胞援護会救療部를 통해 보는 인양자 응급원호활동의 전개

남한에서의 일본인 인양이 미군의 적극적인 관여로 큰 혼란 없이 빠른 시일 내 마무리되자 경성일본인세화회의 활동은 북한으로부터의 피난민 구호가 큰 비중을 차지하게 되었다. 북한에서는 소련군 공격과 동시에 이

재민이 발생했고 피난민들이 계속해서 경성으로 유입되고 있었기 때문에 부산으로 이송해도 그 숫자가 여전히 줄어들지 않는 상황이었다.[32]

이런 가운데 경성일본인세화회는 38도선 부근 미군시설로의 수용과 부산으로의 수송에 관한 피난민 구호에 중심적인 역할을 했으며 1946년 3월까지 약 4만 3000여 명을 구호했다. 특히 9월 11일 세화회에 설치된 이동의료국은 한국 인양에서 주목받는 존재가 되었다.

경성제국대학 법문학부 조교수였던 이즈미 세이치泉靖一, 문화인류학는 9월 경성제국대학 총장 야마가 노부지山家信次의 요청에 따라 경성일본인세화회에서 일본인 피난민의 의료 활동을 도왔다. 당시 경성제국대학 의학부의 잔류 학생들이 결성한 '내지인 학도단'에 의한 피난민 구호 활동과 경성제국대학 의학부 조교수 스코 모쿠지로須江杢二郎가 중심이 된 인양난민수용소에서 진료가 이루어지고 있었지만, 의약품과 의사가 부족했기 때문에 야마가 총장이 이즈미에게 도움을 요청했던 것이다. 전시에 열정적으로 이루어지던 중국과 남방에서의 조사연구 경험을 살려 이즈미는 인양 난민에 대한 의료체계의 조직화를 위해 노력했고 경성제국대학 의학부를 중심으로 의료팀을 결성했다주요 멤버는 다나카 마사시(田中正四)·기타무라 세이치(北村精一)·이마무라 유타카(今村豊)·야마모토 료켄(山本良健) 등. 이들은 우선 경성에 이재민 구제병원원장 기타무라(北村)·부원장 스에(須江)과 각 수용소에 진료소를 개설했고 경성 이외 다른 지역에도 동일한 의료체제 마련을 촉구했다. 또한 38도선 일본인 피난민에 대한 의료구호 활동 및 경성-부산-하카타-센자키 사이의 인양열차와 그리고 인양선에서의 의료 활동 등을 목적으로 한 이동의료국Medical Reliefcl-MRU이 스즈키 기요시鈴木清 교수 지도로

조직된 것을 계승하여 이동의료국의 연계 체제 구축에도 힘썼다.[33]

시작 당시 활동자금은 세화회 원호에 의지했지만 얼마 지나지 않아 자금난에 빠졌기 때문에, 이즈미는 1945년 12월 하카타로 인양된 후 재외동포원호회후술와 교섭하여 이듬해 2월 2일 재외동포원호회가 경성진료소와 이동의료국을 인수함으로써 재외동포원호회구료부在外同胞援護会救療部로 다시 조직화되었다. 구료부 본부는 하카타의 쇼후쿠지聖福寺 절 경내에 두었으며 쇼후쿠병원聖福病院이라는 종합병원도 병설했다.[34]

또한 이즈미의 활동은 이러한 의료 활동의 조직화뿐만 아니라 일본 국내에서 인양자 원호활동에 적극적이었던 '부인지우' 도모노카이'婦人之友' 友の会 회원의 협조를 얻어 구료부 아래에 인양 고아 수용시설인 '쇼후쿠료聖福寮'1946.8.15 개소, 1947.3.16 임무 종료, 164명 수용와 하카타항에 상륙한 인양 여성을 대상으로 한 낙태, 성병 치료 시설인 '후쓰카이치요양소二日市療養所'1946.3.25 개소, 1947년 가을 폐쇄 개설에 중심적인 역할을 했다.[35]

이즈미가 개설에 관여한 후쓰카이치요양소구 애국부인회 후쿠오카현(福岡県) 지부 무사시(武蔵)온천 휴양소를 후쿠오카현에서 차용가 수용한 환자의 총 숫자는 1946년 3월 25일부터 12월 말까지 380명에 달했으며 그중 '불법 임신'이 218명, 성병이 35명이었다.[36] '불법 임신'자에 대한 낙태수술은 전쟁 중에 공포되었던 국민우생법으로 엄격하게 제한되고 있었고 중절은 낙태죄를 물을 수밖에 없는 위법 행위였으나, 정부는 이러한 의료행위를 긴급 대책으로 조직적이고 철저하게 시행했다.

인양자 중에서도 성폭행 피해자가 되어 임신 또는 성병에 걸린 여성 구호는 매우 중요한 과제였다. 만주, 북한으로부터 본격적인 인양이 시작될 것으로 예상되었던 1946년 4월 후생성 의료국은 '인양부녀자의료구호실시요령'을 정하여 "특수질환 치료를 위한 수용력을 충분히 고려하여 적극적이고 효과적으로 실시"하기 위한 구호체계 확립을 도모했다. 구체적으로는 우선 인양선 내 전단지'인양 부녀자 여러분께'를 배포하여 무료 진료를 알리고, 원칙적으로 인양항에 상륙한 후 지방 인양원호국검역소에 개설된 부녀자구호상담소에서 상담, 문진, 지도를 받고 제1차 부녀자병원으로 지정된 각 국립병원 또는 국립요양원에서 진찰, 입원, 치료하도록 했다.[37]

또한 후생성은 1946년 봄 이후에 인양이 본격화될 경우의 환자 수를 전혀 예상할 수 없었던 상황에서 절대 필요 병상으로 4,700병상후에 1,700병상 추가을 준비했고 상황에 따라 6,400상의 추가 설치도 생각하고 있었다.[38] 그리고 '인양부녀자의료구호실시요령'에 따라 인양원호원은 4월 26일 자로 '만선인양부녀자의 의료구호에 관한 건滿朝引揚婦女子の医療救護に関する件'을 각 인양원호국에 통보했고 부녀자구호상담소상담소원은 여성사회사업가와 국립병원, 요양소, 일본적십자사 구호반 부장급 간호사 등를 서둘러 설치하여 국립병원과 요양원과의 연계 강화 등을 도모했다.[39]

그러나 치료대상자만 최소 22만 명 이상이 예상되던 상황에서 이즈미 등 의료구호부만으로 대응하는 것은 불가능했다. 사실 후생성은 이즈미 등의 활동 이전부터 규슈제국대학 의학부 부인과에도 의사 파견을 요청해 둔 상태였다. 당시 규슈제국대학 관계자의 회상에 따르면, 인양 개시 전 이미 후생성은 규슈제국대학 의학부에 인양 여성을 대상으로 한 성병 치료와 임신 중절을 실시하기 위한 의사 파견을 명령했다. 대학 측

은 학부 내 의국회의를 수차례 연 후에 의국원 파견을 공식 결정한 것으로 보인다.[40]

규슈제국대학은 하카타항에 상륙한 여성을 후쿠오카현福岡県 고가국립하카타요양소古賀市国立博多療養所[41]에서 치료받게 했고, 사세보항佐世保港 상륙 여성은 사가현佐賀県 나카하라국립사가요양소中原国立佐賀療養所[42]에서 치료받게 했는데 경성제국대학이 담당한 후쓰카이치요양소와의 교류가 없어 서로의 활동을 전혀 알지 못했다.[43] 후쓰카이치요양소는 경성제국대학 관계자를 중심으로 한 한국 인양자가 자체적으로 개설하여 운영했으나, 후쓰카이치보다 환자수가 많았던 고가요양소와 나카하라요양소는 후생성 관할하에서 규슈제국대학 의국원이 동원되는 형태로 운영되고 있었다.

그 외 인양원호국에서도 후생성의 지시로 동일한 치료가 이루어지고 있었다. 마이즈루舞鶴 지방인양원호국에서는 원호원의 통지에 앞서, 3월 21일 부산에서 입항한 인양선 마미야마루間宮丸에서 13세 이상 55세 이하의 여성을 대상으로 한 특별상담을 실시했는데, 1946년도로 한정하면 매독환자는 543명에 이르렀다. 6월부터 8월까지 3개월 간 후루다오섬葫蘆島으로부터의 인양자는 15세 이상 55세 이하의 여성이 4만 6,887명, 상담대상은 2,430명, 상담을 실시한 인원은 331명에 달하였는데, 그중 임신이 13명(불법 임신 여부는 불명확), 성병이 41명, 질병이 277명이었고 국립마이즈루병원으로의 이송이 669명, 진료가 2,300명이었다.[44]

센자키인양원호국에서도 1946년 4월부터 8월까지 15세 이상 50세 미만의 여성의 총 숫자는 1만 7,247명그중 북한인양자가 1만 1,288명이었으며, 상담자는 5,130명, 환자는 477명이었는데, 그중 임신이 111명, 유산이 23명(불법 임신 여부는 불명확), 성병이 389명이었고 국립야마구치병원으로 이송된 사람은 94명이었다.[45]

소련군 침공으로 인해 북한에서 38도선을 남하해 온 피난민은 1945년 10월 하순부터 일본으로의 인양이 시작되었다. 그리고 당시는 인양 여성이 안고 있던 문제에 대한 대처가 이미 검토되고 있었다. 후생성은 이즈미가 활동하기 전부터 대책을 강구하고 있었으며, 인원과 조직이 부족했기 때문에 만주로부터의 본격적인 인양 시작을 앞두고 이동의료국을 구료부로 재편하고 전국적인 치료체제로 편입시켰다. 또한 인양 여성의 불법 임신이나 성병은 인양항에서 처리하는 것을 원칙으로 했으나 지방으로 돌아가 발각될 경우도 대비했다. 그런 경우에는 '극비리에 국립병원'에서 요양시킬 것을 도도부현都道府県을 통해 시정촌市町村에 전달했다.[46]

한편 인양 여성의 낙태수술은 만주 등 현지에서 이미 시행되고 있었다. 예를 들면 만주 인양이 시작된 1946년 봄 선양에서는 옛 만주의과대학 등에서 일본인 의사에 의해 낙태수술이 이루어져 '대부분 정리가 된' 상황이었다.[47] 북한 평양에서도 집단탈출이 현실화된 5월 하순이면 '로스케Rusky의 자손을 떼어낼 것을 의뢰한 여자가 300명 이상'이라는 이야기가 전해지기도 했다.[48] 즉 태아의 월령을 생각해도 피해자 대부분에 대한 일정한 조치는 인양 시작 전에 이루어졌으며 이는 후생성의 정책과는 무관하게 현지에서 자발적으로 이루어졌다.

아울러 구료부는 만주 인양이 시작되자 구호활동을 확대해 나갔다. 최종적으로는 경성, 부산, 고토로섬에 지부를 설치하고 센자키, 마이즈루, 우지나, 가라쓰唐津, 사세보에 출장소를 설치하여 의사, 간호사의 인양선 탑승 및 일본인 인양자뿐만 아니라 일본에서 귀국하는 중국인과 한국인에 대한 의료 활동까지 수행했다.[49] 국가 주권을 잃은 패전국 일본은 정부기관인 후생성이 만주나 남한 등지 국외에서의 활동이 불가능했다. 이러한 한계를 민간조직인 구료부가 보완하고 있었으나, 그보다는 오히려 일본 국외에서의 적극적인 활동을 통해 구료부의 조직적 특징을 찾을 수 있다.

한편 국내에서는 정부가 인양 여성의 성병과 불법 임신에 대해 철저한 조치를 취하고 있었지만 실행조직으로 협력한 민간단체가 구료부뿐만은 아니었다. 구료부가 재조직화된 시기인 1946년 2월 하니 모토코羽仁もと子는 자신이 주관하는 '부인지우' 도모노카이의 사세보 회원들에게 사세보인양원호국에서 만주인양 부녀자상담소를 개설할 것을 명령했다(정식 개설은 5월 14일).[50] 하니는 1930년대 동북대흉작 때 동북 세틀먼트 운동을 펼치는 등 봉사활동에 충분한 실적과 조직력을 가지고 있었지만, 1946년 3월 13일 인양원호를 관할하는 후생성 외각조직으로 설치되었던 인양원호원 장관에 일본YMCA동맹 총책임자인 사이토 소이치斉藤惣一가 취임한 것과 큰 관계가 있다.

점령하에서 외교권을 상실했던 일본으로서는 인양자 구호가 단순한 국내 대책에 그치는 것이 아니라 GHQ/SCAP를 비롯한 점령국 각 기관과의 교섭도 중요했다. 사이토는 북미YMCA동맹을 비롯한 세계 각지의 YMCA와 적십자국제위원회, 유엔포로특별위원회 등 국제기구와의 폭넓은 인맥을 가지고 있었으며,[51] 후생대신 아지다 히토시芦田均 역시 사이토의 실적과 인맥에 기대하며 그의 장관 취임을 강력하게 주장했다.[52] 그리고 장관이 된 사이토는 인양 여성이 안고 있는 문제에 대해 사무적이지 않은 세밀한 대응이 필요하다고 생각하여 오래전부터 친분이 있던 하니에게 협력을 요청했다. 이리하여 '도모노카이'가 각 인양원호국에 개설된 부녀자상담소에서 활동하게 된 것이다.[53]

인양 여성의 불법 임신 문제는 이러한 민·관의 포괄적인 네트워크하에서 이루어졌으며, 이는 민관협업을 통한 초기 인양자 구호의 특징을 상징한다고 할 수 있다. 또한 의료에 중점을 두었던 구료부와 달리 '도모노카이' 모임은 부녀자상담소사세보, 하카타, 센자키 외에도 쇼후쿠료의 운영과 전국 조직을 활용한 인양자에 대한 생활필수품 제공, 양복재봉 강습 등의 인양자 구호 활동을 대규모로 펼쳐나갔다.[54]

이외에도 도쿄제국대학 학생인 후지모토 데루오藤本照男 등이 중심이 되어 결성한 재외학부모구출학생동맹도 재외동포원호회의 전폭적인 지원을 받으면서 '상륙지에서 정착지까지'라는 전국 릴레이 방식을 통한 인양자원호와 한국, 만주에 잠입하여 구호활동 등을 펼친 당시 가장 활발한 봉사조직이었다.[55]

한편 정부의 인양원호조직으로는 후생성의 외곽 단체인 동포원호회와 외무성의 외곽 단체인 재외동포원호회가 있었으며 민간단체와 연계하여 인양자 구호활동을 펼쳤다. 동포원호회는 전쟁재해 원호사업을 중심으로 1945년 4월 28일에 설립된 은사재단전쟁재해원호회恩賜財団戦災援護会, 전신은 오가사와라 제도 및 오키나와 본섬 등의 피난민 원호를 목적으로 1944년 10월 1일 설립된 재단법인전시국민협조의회(財団法人戦時国民協助義会)가 은사재단군인원호회恩賜財団軍人援

護会, 1938년 11월 5일 재단법인제국군인후원회와 재단법인대일본군인원호회, 재단법인진무육영회를 통합하여 설립. 1946년 1월 30일 해산의 사업 중 모자생활 지원시설 등의 수용시설과 유족 자녀의 육영자금 대출회수 등의 사업을 지속하기 위해 1946년 3월 13일 군인원호회를 합병함으로써 탄생되었다.[56]

동포원호회는 이미 전쟁재해원호회戦災援護会 시절부터 인양자 구호활동체제를 갖추고 있었으며 1945년 12월 20일부터 '인양자원호에 대한 여론 환기 및 부녀자 공용품 나눔 운동'을 실시하는 등 적극적인 활동을 펼쳤다.[57] 동포원호회는 이들 전쟁재해원호회 활동을 계승하여 ①인양원호사업 ②물자배포사업 ③주택공급사업 ④생업원호사업 ⑤생활상담사업 ⑥아동복지사업 ⑦모자복지사업 ⑧재해구조사업 ⑨보건의료사업 ⑩신체장애인복지사업 ⑪직영·조성사업 ⑫홍보활동 등 12개 활동을 중심으로 적극적으로 인양자원호사업을 전개했다. 또한 각지의 인양자들에 의해 결성된 인양자 단체 간의 연락협력기관으로 '인양일본인원호관계단체연락위원회引揚邦人援護関係団体連絡委員会' 설치와 일본적십자사·전일본민생위원연맹·일본 사회사업협회, 각 종교단체 및 교화단체 등이 포함된 '인양원호사랑의 운동引揚援護愛の運動'을 실시하는 등 전후 인양자 구호활동의 중심적인 역할을 담당했다.[58]

이러한 동포원호회를 중심으로 한 원호활동에서 중요한 계기가 된 것은 다카마쓰 노미야高松宮의 존재였다. 이미 전쟁재해원호회 시절인 1945년 4월 21일 다카마쓰는 총재로 취임해 조직 강화를 목적으로 전후 초기 인양자 구호 활동을 광범위하게 전개하고 있었다. 실제로 다카마쓰는 전쟁 말기 일본 적십자사와 제생회済生会 총재로 취임하면서 "황족이 사회와 국민을 위한 일에 진력하기 위해 이러한 공직을 분담하는 것이 좋다", "최고의 비상시기에 황실과 국체를 위해 노력해야 한다"고 생각하여 받아들였듯이[59] 패전 후의 사회적 혼란 속에서도 황족이 해야 할 역할을 강하게 의식하고 있었다. 또한 북한지역 여성에 대한 성폭력 정보에도 민감하게 반응했다.[60] 인양이 시작되자 인양자 상륙지에 '상담소를 설치하여 그 어떠한 상담이라도 응하는 것이 하나의 방안'이라고 기록했으며,[61] 인양 시작 후에는 적극적으로 각지의 인양원호국을 방문했고 그중에는 후쓰카이치 요양소도 포함되었다.[62] 다카마쓰 노미야는 하니 모토코와도 인연이 깊었으며, 재외부형구출학생동맹在外父兄救出学生同盟도 지원하는 등 다양한 원호 단체와 연결되어 있어 이 시기 인양자 구호활동의 중심적인 인물이었다고 할 수 있다.

이러한 민관협업이 적극적으로 진행되었던 이유는 '차별 없는 평등원칙'에 입각한 GHQ/SCAP가 인양자를 특별 취급하는 것에 대한 부정적인 인식과 더불어 생활보호법을 적용하면 충분하다는 입장이었다는 점을 들 수 있다.[63] 즉 GHQ/SCAP의 소극적 방침으로는 현실 상황에 대처할 수 없다고 생각한 후생성은 다양한 민간단체들과의 협력을 필요로 했으며, 이들 민관협업을 뒷받침하는 조직으로 외곽단체인 동포원호회를 활용한 것이다.

한편 외무성 계열의 재단법인재외동포원호회는 GHQ/SCAP가 처음부터 정부에 의한 인양원호에 부정적이었다는 점을 고려하여, 정부 내부에서 민간단체에 의한 구호활동이라는 형식을 취하기로 하고 외무성 관리국장관리국은 구·대동아성의 업무를 인계받기 위해 설치 모리시게 간오森重干夫와 내무성 관리국장 오시마 히로오大島弘夫가 중심이 되어 재외동포원호회 설립을 계획했다. 설립 자금은 전시에 중국 거주 일본인이 대동아성으로 보냈던 국방헌금 259만 엔을 외무성으로부터 차입하는 방식으로 확보했다.[64] 그 후 1945년 10월 16일 외무성 및 내무성의 인가를 받은 재외동포원호회가 설립되었고 이사장으로 규슈지방 부총감 마쓰다 레이스케松田令輔가 취임했다.[65] 재외동포원호회도 동포원호회와 마찬가지로 인양항에서의 직접 구호와 인양자 정착 지원까지의 폭넓은 업무를 시행했지만, 실제로 동포원호회 사업과 중복되는 부분이 많아 앞서 언급한 구료부가 특별한 조직이었다고 할 수 있다.[66] 그러나 설립 시의 기금만으로는 대규모 원호활동이 곤란했으며 추가 지원자금으로 계획되었던 대장성 예금부로부터의 차입과 후생성으로부터의 보조금 교부도 제대로 이루어지지 않아 외무성으로부터의 차입금과 기부금을 통한 운영만으로는 한계가 있었다. 이에 해외로부터의 인양이 일단락되어 정부의 인양원호사업이 본격화되자, 1946년 10월 조직을 축소시켜 인양자에 대한 정착지원을 중점적으로 실시하는 방침으로 전환했다.[67]

한편 동포원호회도 일본인 인양이 일단락된 1948년 7월 31일 다카마쓰 노미야가 퇴임하면서 1951년 3월 31일에 해산했다. 이후 동포원호회, 일본 사회사업협회, 전일본민생위원연맹 세 단체의 통합으로 사회복지협의회가 설립되면서,[68] 패전 직후부터 시작된 민관협업을 통한 인양자원호는 일단락을 짓게 된다.

3. 인양정착원호사업引揚定着援護事業으로의 전환과 인양자 단체의 변용

패전 직후부터 응급구호와 정착지원을 축으로 하는 인양원호사업은 정부 내부에서 검토되어 왔다. 이미 8월 30일 차관 회의 결정 '외지사할린을 포함 및 외국재류일본인 인양자 응급구호조치요강'에서는 연고지 정착 촉진 또는 무연고자에 대한 숙박시설 제공, 취업알선 및 직업안내, 전쟁재해원호회를 통한 생활곤란자 원호방침을 세우고 있었다.[69] 그러나 점령이 시작되어 일본 정부는 인양자원호정책의 주도권을 상실했기 때문에 이러한 방침은 일본 정부 주도로 실행되지 못했다. 10월 GHQ/SCAP의 해외잔류일본인 인양방침이 정해지자 후생성이 인양원호 실무를 맡게 되었고 GHQ/SCAP의 감독하에서 인양원호 정책을 실행하게 되었다.[70]

후생성이 시작한 인양원호는 응급구호가 중심이었다. 10월 단계에서 외무성 관리국이 계획한 긴급 인양이 필요한 일본인 수는 북한 25만 명 전원, 남한 45만 명 중 31만 명그중 약 9만 명은 인양이 완료된 것으로 추정, 대만 40만 명 중 17만 명, 남사할린 40만 명 중 20만 명그중 10만에서 7만 5,000명이 인양이 완료된 것으로 추정, 만주관동주를 포함 123만 명 중 60만 명그중 약 10만 명이 인양이 완료된 것으로 추정, 중국 본토 46만 6,482명 중 26만 3,203명이었으며, 이 외에 남방과 기타 지역을 포함하여 총 333만 70명 중 190만 5,321명으로 추산하고 있었다.[71]

또한 인양 지역을 긴급한 정도에 따라 갑과 을 두 지역으로 나누었는데 갑 지역에는 소련군 점령 지역인 만주, 한국, 남사할린, 쿠릴 및 치안이 불안정한 화베이, 화남 그리고 미·일의 격전지였던 남양군도, 필리핀, 뉴기니를 포함시켰으며, 인양자의 우선순위는 병상자, 노인·어린이·부녀자, 오지 인양자피난민로 정했다.[72] 갑 지역의 잔류일본인은 우선도가 높았지만 한꺼번에 인양하는 것은 물리적으로 불가능했다. 그러나 200만 명에 가까운 인양자가 빠른 시일 내에 발생할 것으로는 예상하고 있었다. 그럴 경우 인양항 부근뿐만 아니라 전국적으로 큰 혼란이 일어날 수 있었기 때문에 응급구호와 함께 구체적인 정착지원 검토도 필요하게 되었다.

이러한 사실에 입각하여 후생성은 10월 1일부로 각 도도부현에 '전쟁종결에 따른 외지 및 외국재류일본인 인양민에 대한 원호에 관한 건戦争終結ニ伴フ外地及在留邦人引揚民ニ対スル援護ニ関スル件'을 통보하고 상륙지에 인양민 사무소를 개설하여 철저한 검역 및 식량·생필품의 무상지급, 정착지로의 신속한 수송, 무연고자에 대한 공동주택 제공, 취학자에 대한 특별편의, 만주개척민에 대한 개척이주지 우선 알선 등의 방침을 전달했다. 그리고 응급구호는 국고 부담으로 하고 기타 경비는 전쟁재난원호회후의 동포 원호회 부담으로 실시했으며 동시에 현지의 인적 협력도 요청했다.[73] 이 단계에서 GHQ/SCAP는 인양항을 확정하지 않았지만 10월 15일 최초의 인양항마이즈루, 시모노세키, 사세보, 센자키, 가고시마, 구레, 하카타, 우라가, 요코하마, 모지, 하코다테이 지정되어 수용시설 개설허가와 10월 31일까지의 시설조직 및 운영계획 제출을 명령했다.[74]

이처럼 11월 이후 인양자수용체제가 확립되면서 초기 인양자원호의 중심이 되는 응급구호의 골격을 갖추게 되었다. 한편 인양자원호는 인양항에서의 응급구호뿐만 아니라 장기적으로 주택제공과 취업알선과 같은 정착지원도 급선무였다.

응급구호체제가 확립되자 후생성은 1946년 2월 25일 차관회의에서 '정착지에서의 해외인양자 원호요강(안)'을 제출하고 도도부현 및 시정촌에 의한 인양자의 정착, 취업, 취학 지원체제 확립과 정부 시책에 호응해 가면서 인양자 단체의 자주적 활동을 촉진시키기로 결정했다.[75] 그리고 이 요강에 따라 정부의 정착지원체제가 구축되었다. 일반적으로 인양자는 지연이 있는 경우 출신지나 본적지 등에 일시적으로 몸을 의탁했지만, 대부분의 사할린 인양자들처럼 지연이 없는 무연고자에 대해서는 행정 당국이 인양자의 주택알선 등의 정착지원을 담당했다. 당시 취업알선도 중요한 시책이었지만 패전 후의 사회적 경제적 혼란 속에서 인양자에게만 특별하게 취업 기회를 줄 수 있는 환경은 아니었다.

그러한 제한적 상황에서 인양자들의 최초 일자리 중 상당수는 탄광이었다. 전쟁 상황이 악화되는 가운데 생산 증강이 시급했던 내지의 탄광에서는 노동력 부족을 메우기 위해 한국인과 중국인을 대량으로 파견했지만 패전으로 인해 이들이 조국으로 돌아가자 다시 노동력 부족에 시달리게 되었다. 정부는 경제부흥과 민생안정을 도모하기 위해 연료와 식량 확보를 최우선시하였고 연료인 석탄 증산을 적극적으로 진행했다.[76] 이러한 이유로 탄광노동자로 인양자, 전쟁재난자, 복귀군인 등이 대량으로 산으로 들어갔다.[77]

탄광의 경우는 단기간 근무가 많았으며 인양자들은 점차 새로운 생활을 재건해 나아갔다. 또한 만주 등에서 대규모 개발에 관여하고 있었던 일부 기술자들은 전후 고도경제성장에 필수적인 노하우를 지닌 사람들이 많았다. 만주에서 일본인구제총회 대표였던 다카사키 다쓰노스케高碕達之助가 1952년 전원개발총재電源開發總裁로 취임했을 때는 과장급으로 다수의 만주 관계자를 받아들였고,[78] 기술진 인선에도 힘을 쏟아 만주, 한국, 타이완으로부터의 인양자를 적극적으로 고용한 사례도 있다.[79]

식량 상황은 전시의 일본이 만주, 한국, 타이완으로부터의 식량 수입에 의존했기 때문에 패전으로 인해 국내에서 새로운 농지를 확보해야 했다. 1945년 11월 9일 시데하라 기주로幣原喜重郎 내각은 '긴급개척사업실시요령緊急開拓事業実施要領'을 내각회의에서 결정하고 '종전 후 식량 사정 및 복귀에 따른 신농촌건설 요청에 즉시 응하면서, 대규모 개간간척 및 토지개량사업을 실시하여 식량 자급화를 모색함과 동시에 이직을 한 공원, 군인 그 외의 귀농을 촉진'할 것을 도모했다.[80] 본래의 긴급개척사업은 식량문제 해결과 복귀병사의 정착지 확보를 목적으로 했기 때문에, 실직한 노동자나 전직 군인 등 패전으로 인해 사회적 기반을 상실한 사람들을 구제하는 방안이라는 측면이 강했다. 그러나 실제로 긴급개척사업의 주력이 된 것은 만주에서 인양되어 온 전 개척단원이었다.

만주 인양이 시작되기 전인 1946년 2월 각 시정촌에서 만주개척청년의용대원을 포함한 만주 개척단원 송출 인원에 대한 조사가 시작되었다.[81] 그리고 인양이 시작되자 일본 정부는 '인양개척민은 대부분 생활근거를 상실한 완전한 생활곤궁자'이고 이들에 대해 필수품인 '특별우선배급'이나 '우선적인 생업지원'과 같은 구호활동 이외에 '인양개척민을 취농시키는 것은 긴급개척사업의 시행과 식량증산촉진적인 측면에서 매우 적당한 조치이므로 취농희망자에게는 우선적으로 취농을 알선'할 것을 각 시정촌에 요구했다.[82] 그리고 앞서 언급한 '정착지에서의 해외인양자원호요강(안)'에서도 취농가능자는 '정착계획에서 특별한 고려' 대상이었으며, 특히 개척단원 출신자를 '우선 정착'시키기로 결정했다.[83] 그 결과 긴급개척사업은 실시 직후부터 만주 개척단원의 대량 인양으로 인해 개척단원이 주체가 되어 중장기적 식량 '정책'보다는 단기적인 인양원호 '대책'적인 성격으로 강화되었다. 하지만 당초 정책이 성급하게 입안되었기 때문에 개척에 적당한 땅이라고 할 수 없는 지역에 대량 정착이 이루어져 긴급개척사업 대부분은 실패하게 된다.[84]

한편 개척단원 이외의 인양자에게도 생활 재건은 큰 과제였다. 인양 직후 인양인은 상호부조 조직인 지역별, 회사별 인양자 단체를 조직하여 인맥 재건과 생활 기반을 다시 세우고자 했으며, 마지막 장에서 후술하겠지만 상실한 재산 회복을 요구하며 정치활동을 전개해 나갔다.

한국에서는 패전 전부터 존재하던 중앙조선협회가 패전 후에도 존속하여 한국 인양자에 대한 원호활동을 펼쳤으나, 최종적으로는 경성일본인세화회에 호응하는 형식으로 1946년 3월 1일 '조선인양동포세화회朝鮮引揚同胞世話会'를 발족하고 회장에는 세키야 테이사부로関屋貞三郎가 취임했다(7월 31일에 호즈미 신로쿠로穂積真六郎가 회장에 취임).[85] 또한 같은 시기에 한국에서 활동하던 기업인들에 의한 조선사업자회朝鮮事業者会 등도 결성되었으며, 1947년 7월 한국의 관계 인양자 단체들은 '사단법인동화협회社団法人同和協会'로 통합되어(후생대신 인가) 한국 인양자에 대한 원호활동을 광범위하게 전개했다.[86] 이후 동화협회는 1952년 10월 '사단법인중앙일한협회社団法人中央日韓協会'로 개칭하여 제3장에서 언급한 타이완협회와 마찬가지로 전후 한일관계에 깊이 관여했다.

만주의 경우는 인양자 숫자도 많았고 단체도 다양했다. 그중 핵심조직이었던 만·몽동포원호회満蒙同胞援護会는 패전 직후 구·만주국대사관을 중심으로 만주관계 일본재류 주요회사 대표자 등이 협의하여 8월 30일 외무성으로부터 설립인가를 받은 '재단법인만주국관계귀국자원호회財団法人満州国関係帰国者援護会'가 전신이다. 만주국으로부터의 인양원호사업은 원래 전시의 만주국 정부, 만철, 기타 만주관계기관 관계자들에 의해 결성되었던 사단법인만주회社団法人満州会, 1942.5.25 내각총리대신이 인가. 전신은 같은 해 2월 2일 내각총리대신이 인가한 사단법인만주교우회가 실시해야 했지만, 인원도 부족했고 체계도 갖추어져 있지 않았기 때문에 급히 만주국 주일공사였던 가쓰라 사다지로桂定治郎가 만주중앙은행 도쿄지점에서 만주중공업개발에 대한 3억 엔을 융자받아 만주중공업개발로부터 원호회에 기부하는 방식으로 기금을 마련하여 원호회를 설립했다(이사장은 가쓰라 사다지로).[87] 그러나 기금 3억 엔은 11월 19일 GHQ/SCAP의 명령에 따라 동결되었고 원호회 업무도 정지되었다. 그 후 인양원호사업 재개는 인정되었지만 기금 동결은 해제되지 않아 다시 신규사업계획을 수립하여 1946년 3월 15일 '재단법인만·몽동포원호회'로 재출발하게 되었다.[88] 만·몽동포원호회는 전국 지부, 하카타, 사세보, 마이즈루, 우시나, 오타케 등의 인양항에 사무소를 설치하고 만주 인양자의 구호활동과 직업 알선을 실시했다. 또한 만주 각지에서 결성된 일본인회의 잔무 정리를 목적으로 한 위원회를 설치하고 인양자 사이의 정보 교환의 장으로서 『만몽통신満蒙通信』을 발행하는 등의 활동을 벌였다.[89]

아울러 앞서 언급한 만주회는 1945년 11월 30일 '사단법인쇼토쿠구락부社団法人昭徳倶楽部'로 개칭하기로 결정하고(다음해 3월 19일 외무대신이 인가), 1946년 11월 29일에는 대외관계에 대한 고려 및 만주관계단체로 제한되었던 성격을 탈피하기 위한 목적으로 '사단법인국제선린구락부社団法人国際善隣倶楽部'로 개칭했으나(1947년 7월 18일 외무성이 인가),[90] 만·몽동포원호회와는 줄곧 표리일체의 관계였다. 구체적으로는 주요 임원 겸임과 1954년부터 1972년까지 만·몽동포원호회에 4,300만 엔 남짓한 재정지원을 하는 등 인적, 자금적으로도 밀접했으며, 1972년 6월 30일 만·몽동포원호회가 역사적 소명을 마치고 해산한 후에는 재직증명서 발급 등의 업무를 승계했다.[91] 그 뒤 1972년 5월 국제선린구락부는 '사단법인국제선린협의회社団法人国際善隣協議会'로 개칭했다(같은 달 25일 외무대신이 인가).

만주 관련으로는 이외에도 회사별 조직으로 최대 규모인 만주철도 관계자가 1946년 12월 6일에 결성한 '만철사우신생회満鉄社友新生会'가 있다. 이 조직은 전쟁 전부터 만철사원친목단체로 존립해 온 만철사우회満鉄社友会와는 별개의 조직이며, 만철사우회는 패전 후 얼마 지나지 않아 해산했다. 그 후 만철사우신생회는 1954년 7월 21일 재단법인만철회財団法人満鉄会로 바뀌었다(11월 25일 후생대신이 인가). 또한 만주 개척단원단체로 '재단법인개척민원호회財団法人開拓民援護会'가 1945년 12월 1일 결성되었는데(외무대신이 인가), 이 단체는 전쟁 전 탁무성拓務省의 외곽단체로 이민정책 추진기관이었던 만주이주협회를 개편한 것이며, 1946년 9월 전 대동아성 만주사무국 개척과장 와구리 히로시和栗博 등을 중심으로 결성된 '전국개척민자흥회全国開拓民自興会'와 표리일체의 관계였다. 이후 1948년

5월 1일 원호회가 해산하면서 자흥회에 재산을 양도 후 12월 24일 '사단법인개척자자흥회社団法人開拓者復興会'로 바뀌게 된다.

이처럼 일본 국내에서는 인양 직후부터 인양자 단체가 많이 탄생했다. 그리고 이들을 각 도도부현 단위로 통합하여 그 핵심기관으로 '사단법인인양자단체전국연합회전연, 社団法人引揚者団体全国連合会'를 1946년 6월 결성했다(회원은 각 도도부현의 인양자 단체, 만·몽동포원호회 등의 지역별 인양자 단체는 협력단체이다).

한편 인양자에 대한 원호활동은 직접적인 구호활동이나 생활자립지원 외에 소련 및 중공 지배 지역에 잔류하던 일본인의 조기 귀환을 요구하는 귀환촉진운동 계통도 있었다. 대표적인 단체로는 소련관하억류장병동포귀환촉진연맹ソ連管下抑留将兵同胞帰還促進連盟, 나라현에 거주하던 민간인 오키 에이치(大木英一)에 의해 1945.11.28부터 활동이 시작되었고 다음해 5월 8일 조직 결성. 1949.11.28 해산과 재외동포귀환촉진연맹在外同胞帰還促進連盟, 만주국 총무장관 호시노 나오키(星野直樹)의 동생으로 전후 상하이에서 인양된 호시노 요시키(星野芳樹)가 같이 행동했던 오키(大木)와의 관계를 끊고 결성한 단체을 들 수 있다.[92] 그리고 이들 단체를 결속하는 조직으로 1947년 10월 '재외동포귀환촉진전국협의회전협, 在外同胞帰還促進全国協議会'를 결성했다. 이처럼 전연 및 전협 결성을 계기로 민간에서는 초기의 구호활동이 재외재산보상요구운동 또는 소련·중공 지역 잔류자의 귀환촉진운동으로 질적으로 변화해 나갔다.

나가며

처음 예상과는 달리 단기간에 대부분의 일본인이 인양됨에 따라 각 인양항에 설치되어 있던 인양원호국은 시베리아 억류자 및 중국 체류자들의 수용 업무를 담당했던 마이즈루와 사세보를 제외하고 1947년 들어 줄이어 문을 닫았다. 동시에 초기 인양자에 대한 응급구호활동도 일단락되어 인양자 거주지의 주택공급이나 취업알선, 나아가 생활지원 등 행정주체의 정착지원으로 인양원호의 핵심도 바뀌었다.

이러한 변화 속에서 초기에 활발했던 많은 민간인 단체에 의한 자발성이 강한 인양원호활동은 행정의 일환으로 편입되어 갔다. 또한 인양자 단체의 활동도 전연·전협 결성을 계기로 재외재산보상요구운동과 잔류자귀환촉진운동으로 기울어졌다. 이처럼 인양문제 자체가 질적으로 변화함에 따라 사회적으로는 원호의식이 희미해지고 인양자라는 특정인에 의한 특이한 운동으로 인식되기 시작했다.

또한 이러한 운동 속에서 인양자 및 미인양자문제는 국내 정치에서 좌우 정당의 정책 논쟁의 도구가 되어 '반공'의 재료가 되어갔다. 그리고 재외재산보상문제도 전쟁배상 문제와 연계되어 정치 문제화되었으며 어느새 인양자가 안고 있던 여러 문제는 간과되어 버렸다.

인양자 단체 중에서는 한국이나 타이완과 깊은 연관성을 가진 단체들도 있었는데 이들은 국교수립에 따른 전후보상 문제나 일본기업의 재진출과 표리일체의 관계를 이루고 있었다. 다른 한편으로는 제7장에서 다룬 사할린연맹처럼 영토반환 문제에 강하게 구애되는 단체도 있었다. 만주의 경우는 미소냉전 구조하의 국공 대립이라는 국제 정치가 얽혀 중·일수교가 늦어졌기 때문에 한국이나 타이완의 인양자 단체에서 보이는 정치관여 움직임은 별로 없었다. 오히려 제6장에서 설명하는 역사 인식 문제에 깊이 관여했다. 다만 모든 단체가 보인 공통된 경향은 인양자의 생활권리나 보상을 우선시하는 데 있었으며 식민지지배 자체에 대한 관심은 보이지 않았다. 이 점에 대해서는 마지막 장에서 다시 검증할 것이다.

한편 인양자 단체가 요구한 재외재산보상과는 별도로 인양자 개개인의 생활과 직결되는 문제는 의식주 환경정비를 중심으로 한 행정지원 정책에 의해 제도적으로는 개선된 것처럼 보였다. 그러나 인양 여성으로 상징되는 전쟁 피해나 개척단원에 대한 전후 정착정책의 실패 등 인양자를 둘러싼 무거운 과제는 전후 일본 사회 속에서 망각되어 갔다.

대일본제국의 어두운 면을 계속 짊어진 인양자와 전후 일본 사회의 단절은 제6장·제7장에서 검증할 인양자의 특이한 역사관 형성에 큰 영향을 주었다.

제6장

인양 체험의 기억화와 역사 인식

만주 인양자의 전후사

들어가며

일본의 근대는 일본의 역사가 시작된 이래 대규모의 인구 이동의 시대이기도 했다. 일본인은 대만·조선·만주라는 식민지와 중국 각지의 거류지로 행동범위를 계속 확대하고 만주국 건국 후에는 바다를 건너 대량의 농업 이민까지 갔다. 국제화라고 불린 현재보다도 훨씬 많은, 동시에 현지와의 연결성이 강한 일본인 사회가 75년 전에 존재하고 있었던 것이다.

그것이 1945년 패전으로 급격하게 수축되어 '외지'의 일본인은 '인양자'로서 '내지'로 '귀환'했다. 한편, 전후 일본 사회는 일본열도에 한정된 지역 개념에 묶여 패전까지 동아시아와 일본과의 인적 교류를 기초로 한 깊은 관계가 있었던 것을 망각하고 있었다. 그 과정에서 인양자의 존재 자체도 사회의 한쪽 구석으로 밀려나 있었지만, 그것과 반비례한 것처럼 인양자는 자신의 존재를 증명하듯이 인양 체험을 포함한 외지에서의 기억을 기록으로 남기고자 하는 의지가 강하게 작용했다. 이것이 전후 방대한 수에 달하는 인양자가 체험수기를 공간하거나 인양자 단체가 역사편찬사업을 하는 사상적 배경이다. 그리고 그들의 체험 기억의 기록화 안에서 식민지지배의 총괄이 행해져 일본 사회에 일정의 영향력을 미치는 역사 인식의 형성으로 연결되었다.

해외인양문제는 단순히 외지에 있던 일본인이 내지에 인양된 과정만을 보면 끝나는 문제가 아니라, 오히려 인양 후의 인양자와 일본 사회와의 관계와 인양자 스스로가 자신의 외지 체험을 어떻게 '총괄'하고 있는지를 보아야만 한다. 그 안에서 일본의 식민지지배란 무엇이었는지를 생각해 볼 계기도 될 수 있을 것이다.

그러나 '인양자'로서 일괄되는 사람들은 각각 다른 배경과 환경 안에서 외지로 건너가 생활하고 있었다. 당연히, 그들의 의식은 다양하고 또 본래의 체험이나 기억, 역사 인식도 달라야 할 터이지만, 전후 일본 사회에서 외지 체험은 획일화된 기억이 되었다.

일찍이 대일본제국의 판도에 포함되어 있던 식민지조선·대만·남사할린·남양군도·관동주·만주국, 점령지중국 본토·동남아시아 등에 거주하고 있던 일본인은 350만 명 가까이 증가했다. 그들은 패전 후에 국내로 인양되었지만 그 과정에서 많은 희생자를 낳았다. 그중 가장 많은 인양자를, 또 최대의 희생자를 낳은 것이 만주 인양이었다. 하지만, 일반적으로 만주 인양자다롄(大連) 인양자를 포함한다는 비극성이 강조된 이미지로 일괄되는 경향이 있다. 다만, 120만 명을 넘는 만주 인양자는 직업도 거주지도 다르고 또 만주와의 역사적·지리적·사회적인 관계도 실로 다양하다.

만주 인양자는 거류민·비정주자·개척자의 3개의 그룹으로 나눌 수 있다. 거류민이란, 주로 구 만철부속지와 관동주에서의 중소규모의 상공업을 경영하던 사람들을 가리킨다. 그들 대부분은 만주사변 이전부터 생활기반을 만주에 두고 살고 있었고 패전 시에는 제2·제3세대가 된 사람도 많았다. 따라서 토지와 가옥이라는 물질적인 형이하의 관계 외에 만주와 어떤 역사적·의식적인 형이상의 관계도 많았다. 다만 대부분이 관동주 및 만주 연선의 부속지 내로 한정되어 있다는 특징이 있었다.

비정주자라는 것은 주로 만주국 건국 후에 건너온 만주국의 관리와 국책회사의 사원, 관동군의 직업군인을 가리킨다. 그들은 본래의 생활기반은 일본 국내에 두고 소속된 조직의 형편에 따라 만주로 건너 온 사람들로 대부분은 도시 주민지방 부임자를 포함한다이다. 만철사원은 이 그룹에 포함된 사람도 있지만, 그중에는 만주에 생활기반을 두고 제1그룹에 속한 사람도 있다. 또한 엄밀히 말하면 관동군 관계자와 만주국 및 국책회사 관계자와는 성격을 달리하지만, 만주와 어떤 역사적·의식적 연결이 있다고 해도 관사와 사택 거주로 인해 토지와 가옥이라는 물질적인 연결이 없다는 공통항이 있었다.

개척단이란 만주국 건국 후에 일본 정부의 이민정책에 따라서 보내진 사람들이다. 그들은 만주와는 전혀 관계가 없는 제1·제2그룹과는 달리, 도시 근교 또는 농촌부에 정주하고 농업에 종사했다. 만주와의 역사적·의식적인 관계가 전혀 없음에도 불구하고 토지와 가옥이라는 물질적인 연결이 특히 강하다는 특징을 가진다.

나아가, 이상 3개의 그룹은 각각 역사적·의식적·물질적 배경 외에 생활면에서도 크게 다르다. 특히 개척단원과 그 이외의 일본인 그룹과는 경제적·사회적 요소에서 큰 격절隔絶이 보이고 일상에서의 접점도 거의 없는 것에 주목할 필요가 있을 것이다. 그리고, 패전 후의 혼란과 피해는 개척단원에 집중되었던 점이 중요하다.

일반적으로 만주 인양은 전술한 바와 같이 비극의 이야기로 유포되거나, 혹은 만주국 관료 등으로 대표되는 만주 체험자를 '만주 인맥' 등으로 부르며 전후 정치 이면의 역사로 취급하는 경향이 있다.[1] 그러나 이러한 견해는 만주 인양을 과도하게 스테레오타입화한 것이어서 실태의 복잡함을 간과하기 쉽다. 다른 배경을 가진 만주 인양자의 차이를 전제로

해서 생각하지 않으면 만주 인양이 가진 역사적 의미는 분명하게 밝힐 수 없을 것이다.

이 장에서는 해외인양에서 가장 많은 일본인이 관계된 만주 인양을 예로, 각자 다른 만주 체험을 해온 그들이 전후에 어떤 의식을 의지하며 자신의 역사를 총괄하려고 했는지 고찰함으로써 전후 일본에서 인양 체험은 어떤 '역사화'의 과정을 거쳐 지금에 이르렀는지 밝히고자 한다.[2]

1. 개인 안의 만주 체험

—다카사키 다쓰노스케高崎達之助와 히라시마 도시오平島敏夫

만주 인양은 다롄관동주을 합치면 인양자 수가 120만 명을 넘고 또 희생자도 25만 명 가깝게 늘어난다. 당연히 만주 인양을 둘러싼 체험과 기억은 강한 비극성을 띠며 전후 엄청난 양의 체험기가 출판되었고, 다큐멘터리나 영화·TV 드라마 등 매스미디어에서도 반복해서 방영되었다. 그 때문에 만주 인양이 전후 일본 사회에 미친 심리적 영향은 크고 전후 일본인이 껴안은 전전 만주의 이미지는 만주 인양이라는 비극성이 강한 역사적 사상을 기초로 형성되어, 나아가 이러한 만주 이미지가 전후의 중·일관계에도 심리적으로 커다란 영향을 미치고 있었다.

그렇지만, 총체적으로는 비극성만으로 이야기되는 경향이 있는 만주 인양도 개개인의 체험 레벨에서는 다양성이나 복잡성으로 가득하고 그들이 개별적으로 품어온 만주관이나 역사관, 나아가 전후 중국과의 관계는 실로 다양하다. 본절에서는 몇몇 개인적 사례를 통해서 만주 인양자의 의식과 전후 중국과의 관계가 어떠한 것이었는지 검증한다.

오늘날의 중·일국교정상화 준비작업을 한 것으로 역사적으로 평가받는 것은 1992년 12월에 결정된 LT무역으로 대표되는 경제교류였지만, 중·일경제교류에서 중심적 역할을 한 것은 다카사키 다쓰노스케와 그 뒤를 이은 오카자키 가헤타岡崎嘉平太였다. 그리고, 이 양자에 공통되는 것은 전전의 중국을 활약의 장으로 하여 패전 후에 돌아왔다는 점이었다. 다카사키는 만주중공업개발만업(滿業) 총재로서 만주에, 오카자키는 대동아성 참사관으로서 상해에 있었다, 다만, 양자는 중국으로부터의 인양이라는 점에는 공통점이 있지만, 다카사키는 국제정치에 휘둘리며 구제총회 회장으로서 패전 후의 만주에서 일본인 구제에 분주하여 고국에 귀환하는 것도 용이하지 않았다. 한편, 오카자키의 경우는 큰 혼란 없이 국민정부 지배하의 상해에서 인양되었다는 점에서 전혀 다른 인양 체험이다.

수많은 비극을 낳은 만주 인양 체험의 강렬함은 많은 일본인에게 헤아릴 수 없는 정신적 영향을 미쳤지만, 재만在滿일본인 대표로서 활약한 다카사키도 마찬가지였다. 그러나 이러한 체험이 전후 중·일관계에 어떤 관계로 나타났는지와 관련해서는 반드시 같은 것은 아니었다. 오히려 다카사키처럼 경제라는 현실 세계에서 중국과 관련이 있는 인물은 적었고 역사 인식이라는 관념적 세계에 그쳐 중국과는 직접적으로 관계가 없는 인물이 많았다고 할 수 있다.

일본인구제총회 회장 다카사키 다쓰노스케와 부회장 히라시마 도시오는 만업 총재와 남만주철도만철 부총재라는 만주국 경제의 중추를 담당한 국책회사의 책임자였지만, 두 사람의 만주관이나 인양 후의 중국과의 관계 방식은 크게 다르다.

오사카에서 동양제관製罐이라는 캔 가공회사를 경영한 다카사키는 아유카와 요시스케鮎川義介가 그 경영수완을 보고 만업으로 불러들인 것에서도 알 수 있는 것처럼 타고난 경제인이었다. 그리고 1947년 11월에 돌아온 후, 공직추방을 받은 다카사키는 추방 해제 후 1952년 9월 전원개발電源開發 총재가 되었다. 그리고 1954년 12월 제1차 하토야마 이치로鳩山一郎 내각에서 경제심의청 장관으로 입각, 익년 2월 총선거에서 중의원의원으로 당선, 이후 전전부터의 사업을 계속하면서 정치가로서의 활동을 개시했다.

한편, 히라시마는 내무관료이고 동기로는 만주국 최후의 총무장관이 된 다케베 로쿠조武部六蔵가 있었다. 내무성에서 만철 지방과장, 대만 총독 비서관을 거쳐 중의원의원이 된 후, 1935년 9월 만주국협화회 중앙사무국 차관으로서 다시 만주로 돌아와 패전 직전에 만철 부총재가 되었다. 전후는 함께 돌아온 다카사키와 마찬가지로 공직추방이 되지만 다카사키가 전원개발 총재에 취임함과 동시에 이사에 취임했다. 이후, 1956년 7월 참의원의원에 당선되어 다카사키와 거의 동시기에 정치활동을 재개했다.

이처럼 다카사키와 히라시마는 패전 이후 거의 같은 궤적을 걸으며 표면적으로 두 사람은 표리일체의 관계에 있었다고 할 수 있지만, 가치관이나 만주관에서 근본적인 상이함이 있었다.

다카사키와 만주와의 관계는 캔의 원재료인 블리키blik 강재鋼材의 공급 부족으로 고민하며 그 해결책을 도모한 것이 계기가 되었다. 그때까지만 해도 "매력적인 곳이 아니었던" 만주국은 경제 관념이 결핍된 군인이 설치고 경영 효율성이 좋지 않아서 결코 이상국가라 할 수 있는 곳은 아니었다.[3]

만주국과 관련있는 관료와 군인이 전후가 되어 만주국을 이상국가화하고 '오족협화'와 '왕도낙토'라는 추상적인 용어를 난발한 것에 대해 다카사키는 저작 안에서 그러한 추상론은 일절 기록하지 않고 있다. 바로 그 점에서 경제인으로서의 다카사키의 합리성과 만주 체험자 안에서의 특이성을 엿볼 수 있다.[4] 그리고, 전후에 다카사키가 대공산권 무역에서 활약할 수 있었던 것은 만주에서의 경험이라기보다도 경제인으로서의 실적에서 정치적 평가에 연연하지 않는 철저한 경제적 합리주의적 자세가 대중관계의 중간역할로서 적임이었다고 할 수 있다. 만주 체험자 안에서는 특이한 존재였던 다카사키의 활동을 통해서 보면 전후 중·일관계에서 만주 체험이라는 것은 그만큼 중요하지 않았고 오히려 정치성을 강하게 띤 경우 만주 체험은 전후 중·일관계의 본류에서 벗어나는 요인조차 되었다고도 생각할 수 있을 것이다.

한편, 히라시마는 같은 관료라고 해도 만주국 건국 후에 건너온 호시노 나오키星野直樹, 대장관료와 기시 노부스케岸信介, 상공관료, 후루미 다다유키古海忠之, 대장관료와는 달리 만주사변 이전부터 만주 체험을 거친 것이 특징이었다. 내무차관에서 만철 사장으로 전임한 가와무라 다케지川村竹治의 비서역으로 1922년 11월에 만철에 입사해, 대만총독이 된 가와무라의 비서관이 되어 만주를 떠날 때까지의 "6년여 동안 생각하고 또 실행한 것이 결국 나의 전반 생을 운명 지은" 히라시마에게 있어서 "만주에 민족협화의 신국가를 건설"하는 것은 꿈이었다고 한다.[5] 히라시마는 동북군벌과의 긴장관계 속에서 만주를 체험했고, 이윽고 만주 건국을 추진한 만주청년연맹 관계자와의 접점을 통해 다시 한번 만주국협화회 중앙사무국 차장으로서 만주로 건너가는 배경이 있다. 실은 히라시마는 호시노나기시 등과 달리 이시하라 간지石原莞爾의 사상적 영향을 받은 야마구치 주지山口重次 등 구·만주국협화당 관계자와 깊은 관계가 있었던 점에서 특이한 존재이기도 했다.[6]

전술한 바와 같이, 전후에 표면적으로는 다카사키와 같은 궤적을 걸어온 히라시마였지만 만주 인양자와의 관계에서 다카사키와 크게 달랐다. 특히, 히라시마는 만·몽滿蒙동포원호회의 회장을 역임하고 만주 인양자의 생활보장에서 재외재산보상문제, 나아가 후술하는 동회의 역사편찬사업 추진에 의한 만주와 근대 일본과의 역사적 총괄이라는 활동에 경주한 반면, 정치가로서 현실의 중·일관계에 적극적으로 관계하는 일은 없었다.[7]

이것은 역사문제에 거리를 두고 현실의 중·일관계 추진이라는 밖미래을 지향하고 있던 다카사키와는 반대로 현실의 중·일관계보다도 역사문제라는 안(과거)을 향하고 있던 것을 의미한다. 그리고 다카사키와 히라시마 각각이 지향한 방향은 전후 일본인이 중국에 대해서 취해온 두 개의 상반된 태도를 상징하는 것이었다.

전후가 되어 중국과 새롭게 마주하게 된 일본인 중 한편은 다카사키처럼 현실주의적인 태도를 취하고 다른 한편은 히라시마처럼 역사 관계 안에서 중국과 접하려고 했다. 전자는 특히 경제 관계자를 중심으로 해서 오늘날에 이르고 있다. 중·일국교정상화도 실제는 과거의 굴레가 없는 현실주의적인 인물에 의해서 실현되고 있었던 것이다.[8]

그 한편에서 후자는 과거에 구속되어 중국과 접해왔다. 히라시마 등 만·몽동포원호회 관계자와는 대극의 역사관이지만, 관동군 참모였던 엔도 사부로遠藤三郎도 그중 하나이다. 엔도는 히라시마와 마찬가지로 역사에 구애받으면서도 다카사키와 마찬가지로 현실의 중·일관계에도 적극적으로 관여했다. 엔도는 다른 관동군 관계자와는 달리 속죄의식과 독자의 국제관에서 중·일관계의 진전을 꾀한 점에 있어서 특이한 존재였지만 실제 중·일관계에 미친 영향력은 거의 없다고 해도 좋다.[9]

또, 푸순撫順전범관리소와 타이위안太原전범관리소에 수감되어 귀국 후에 '인죄認罪'운동을 중심으로 중·일 우호를 적극적으로 호소한 중국귀환자연락회중귀련(中歸連, 1957.9 결성)의 사람들도 엔도와 같은 범주에 들어간다.

히라시마와 엔도와는 달리 자신들이 원해도 중국과 관계를 맺을 수 없었던 사람들도 있다. 그것은 유용留用이라는 형태로 중화인민공화국의 건국에 관계된 사람들이지만, 기술자 등 특수기능자를 제외하면 귀국 후 보상받지 못한 전후를 보낸 사람이 많았다. 귀국이 늦어져 사회 복귀가 늦어진 데다가 공산권에서의 인양자라는 것으로 사회의 편견에 노출되게 된 것이다. 그리고 일본 정부도 귀중한 인맥을 가진 그들을 중·일관계 안에서 활용할 생각도 기술도 갖고 있지 않았기 때문에 귀국 후의 그들과 중국과의 관계는 개인적 관계 이상은 아니었다.[10]

엔도 등의 속죄의식이나 반전사상에 근거한 역사관은 확실한 윤곽을 가지고 있어 중·일관계에 대한 생각을 이해하는 것은 어렵지 않다. 그러나 히라시마 등의 역사관은 확실한 윤곽이 있는 것 같지만 실제로는 애매하고 개개인에 따라 미묘한 상이점이 보인다. 이러한 히라시마의 역사 인식은 어떤 배경에서 형성된 것일까. 또 그들의 미묘한 상이점이란 어떤 것일까. 다음 절 이후에서는 히라시마 등이 중심이 되어 진행한 역사 편찬사업을 통해서 전후 일본에서 인양자의 만주 체험은 어떤 역사 인식이 되어 나타나는지를 검증해 보자.

2. '만주'와 '만주국'을 둘러싼 역사 인식 – 『만주개발 40년사』

전후 일본에서 과거의 만주 지배는 역사 연구자에 의한 평가와는 별도로 관계자에 의한 총괄이 빠른 단계에서 진행되었다. 그 가운데 중요한 역할을 한 것이 만·몽동포원호회이다.

패전 직후, 일본 국내에서는 주일만주국대사관 및 주일만주국 주요회사의 대표자가 모여서 만주에서의 인양자를 대상으로 한 원호기관 결성을 결정했다. 이미 만주국 자체는 소멸했지만, 만주국주일대사관은 '외교관계시국행정직권특례'에 근거해 만주중앙은행 도쿄지점에 대해서 만업에 3억 엔의 무담보 대부를 명하고 그 자금을 만업이 원호기관 설립 기금으로 기부하는 형태를 취해 1945년 8월 30일 만주국 관계 귀국자 원호회를 외무성인가 재단법인으로 설립했다.[11]

그러나 이 계획은 11월 19일 GHQ / SCAP이 기금을 동결했기 때문에 원호회의 활동이 중단되어 결국 익년 3월 15일 기금은 동결된 채 원호

업무만을 수행하는 재단법인만·몽동포원호회로서 재출발하게 되었다.[12]

우여곡절을 거쳐 탄생한 만·몽동포원호회는 설립 시는 만주 인양자에 대한 생활원호가 중심이었지만, 강화조약 후에 인양자문제가 재외재산보상요구운동으로 질적 전환을 거두는 가운데 새로운 목표를 내걸게 되었다.

보혁 2대 정치세력을 축으로 한 55년 체제가 시작되고 수년 후인 1959년 1월, 만·몽동포원호회는 만주 인양사 편찬사업을 개시했다. 이 무렵부터 만·몽동포원호회는 '만주 인양사', '만주개발사', '만주건국사'의 3부작 구상을 구체화하지만, 우선 제1탄으로서 '만주인양사'의 편찬을 개시하여 1962년 1월에 『만몽종전사』를 간행했다. 이어서 『만주개척사』의 편찬을 시작할 예정이었지만, 이미 만철 관계자를 중심으로 한 만사회가 만철 중심의 개발사 편찬에 착수하고 있던 점에서 편찬은 만사회에 맡기고 자금원조만으로 그치고 있었다.

만사회의 역사편찬 활동은 만·몽동포원호회보다도 빨랐다. 1950년 중반 경, 전 만철이사였던 오쿠라 긴모치大蔵公望가 만주개발사 편찬을 제창하고 오쿠라가 주선한 '일금회一金會' 멤버 정·재계의 장로 유지의 찬동을 얻어서, 강화조약 조인을 앞둔 다음해 51년 봄에 만철 관계자를 중심으로 국철 등 만철 관계의 제회사를 원호회원으로 한 만사회가 임의단체로서 결성되었다.[13] 그리고 샌프란시스코 강화조약 조인이 있던 9월에 역사편찬을 향한 첫 번째 좌담회가 열렸다.[14] 점령체제가 끝나가는 이 시기에 관계자에 의한 역사편찬이 시작된 것은 연합국이 도쿄재판에서 내린 '정치적 심판'과는 다른 패자에 의한 '역사적 평가'가 어떻게 시도된 것인지 엿볼 수 있다는 점에서 중요한 의미가 있다.

만사회 설립 목적은 제1회 좌담회에서 회장인 오쿠라 긴모치가 "종전 후 일본 국내에서는 만주에서의 일본의 업적에 관해 상당한 오해가 있었고, 일본이 오랜 기간 만주를 침략했다는 생각을 일본 국민에게 심어주는 경향이 많아 실로 오랫동안 만주에 있었던 자로서 유감이지 않을 수 없다"고 말하고 있다. 이처럼 만주 진출은 침략이고, 거기에서 행한 산업개발은 식민지지배에 다름 아니다는 전후 일본에서 널리 퍼진 평가에 대한 반발이 기저에 있었다.[15] 이 편찬 개시 후 얼마 안 되어 일어난 '쇼와사' 논쟁에서 볼 수 있는 것처럼 당시 일본 사회에 있었던 역사관을 둘러싼 알력은 단순히 반발이나 반동, 또는 이데올로기 대립만으로는 정리할 수 없는 뿌리 깊은 문제가 있었다 할 수 있다.[16]

나아가, 만사회의 반발은 만주 진출을 침략으로 평가한 전후 역사학계와 매스미디어뿐만 아니라 일본 정부에 대해서도 마찬가지로 향했다. 오쿠라는 동 좌담회에서 조선과 대만이나 사할린은 일본 영토였다는 표면적인 통치 실태에 관해 정부에서 역사편찬의 움직임이 있다고 하는데, "만주는 일본의 영토가 아니라는 표면적인 부분에서 만주는 제외되어 있다"고 만주와의 역사적 관계를 직시하지 않는 정부의 자세를 비판했다. 그는 "정부가 해주지 않는다면 우리 민간의 손으로 훌륭하게 이것을 하자"고 정부에 의존하지 않고 독자적으로 역사편찬을 시작한 것의 의의를 강조했다.[17]

만사회도 만·몽동포원호회도 역시 대부분은 보수정당 지지자로 구성되었지만 역사의 구체적인 평가를 둘러싸고 발생하는 보수정권과의 미묘한 '거리'는 심각한 문제여서 전후 일본의 '보수적'이라든가, 경우에 따라서는 '반동'까지 불린 역사관은 반드시 보수정권자민당 정권의 정책과 밀접하게 연결되는 것은 아니었다. 오히려 55년 체제하의 보수정권은 역사문제에 대해 냉담했던 것에 주의해야만 된다.

나아가 만사회의 역사편찬에 대한 자세의 큰 특징은 "쇼와 6년 이후의 일이 일본이 만주에서 했던 일의 전부가 아니기 때문에, 그 전의 일들이 일본의 생각을 가장 잘 표현하고 있다"고 해서 '쇼와 6년 이전' 즉 만주사변 이전의 역사를 중시하는 자세를 분명히 하고 있던 점을 들 수 있다.

회장이었던 오쿠라 자신이 만철 이사로서 만주와 관계가 있던 시기는 다이쇼 후반부터 만주사변 직전까지 즉 중국 내셔널리즘을 배경으로 동북군벌정권에 의한 국권 회복과 권익을 유지하려고 하는 일본과의 이해충돌이라는 의미에서 중·일관계가 가장 긴장되었던 시기였다. 게다가 일본 측이 정치적으로도 경제적으로도 불리한 상황에 빠져 있던 시기에 해당했다. 따라서 오쿠라에게 있어서 만주 체험은 전혀 앞이 보이지 않는 중국 측과의 교섭이나 만철의 경영악화 등으로 매우 분주하였기 때문에 반드시 일본이 생각한 대로 만주를 지배하고 있다는 느낌을 실제 갖고 있었던 것은 아니었다.[18]

실은 오쿠라와 마찬가지로 만사회의 멤버 대부분은 만철 관계자와 재만상공업자로 만주사변 이전부터 만주와 관계된 사람들이었다. 이것은 만·몽동포원호회가 만주국 관계자 중심으로 구성되어 있었던 것과 대조적이었다. 나아가 만사회의 활동 개시 시기가 비교적 빠르고 러·일전쟁 직후부터 만주사변 직전까지의 시기에 만주와 관계가 있고 인양자가 아닌 사람이 많이 존명하고 있었다. 이로 인해 필연적으로 그들의 체험과 기억이나 평가에 근거한 만주사변 이전 중심의 역사편찬이 된 반면, 만주사변 이후, 특히 만주국을 둘러싼 평가에 관해서는 직접적으로 언급하지 않게 되었다. 여기서 주목해야 할 점은 만주 지배의 역사적 평가에서도 만주사변 이전과 이후에 관한 인적 구성이 크게 변하고 있고 똑같은 정당화의 논리 안에서도 미묘하게 성격을 달리하고 있다는 점이다.

인양자로 본 재만일본인의 복잡한 구성과 마찬가지로 만주사변을 경계로 하여 만주와의 관계 방식도 인식도 크게 달라진 것이 실정實情이다. 이러한 차이는 '만주'와 관계가 있는 것인지, '만주국'과 관계가 있는 것인지의 차이라고도 할 수 있지만, 후술하는 것처럼 후자에서는 전자에서 그다지 볼 수 없었던 이데올로기적 요소가 전면에 드러나게 된다.[19]

또 만사회의 역사편찬의 특징은 실제로 편찬의 중심이 된 자가 이전에 만철 조사부원이었다는 점에 있다. 당초의 편찬위원은 에다요시 이사무枝吉勇, 야마구치 신로쿠로山口辰六郎, 몬마 다케시門馬驍의 3명에, 이후 우에노 겐上野愿, 만철사사(社史), 사토 다케오佐藤武夫, 요시우에 사토시吉植悟가 더해졌다. 최종적인 각 항의 책임자는 야마구치 신로쿠로서설 및 총론·우에노 겐만철사사·니시바타 마사노리西畑正倫, 교통건설·사토 다케오농업·사카모토 다카오坂本峻雄, 광업·하마치 쓰네가츠浜地常勝, 푸순탄광·요시우에 사토시공업·사토 마사노리佐藤正典, 중앙시험소·몬마 다케시상업·나카무라 요시노리中村芳法, 그 외 연락 담당라는 면면으로 구성되어 간행 최종단계의 편찬 정리는 에다요시 이사무가 했다.[20]

이 편찬사업의 중핵이 된 전 만철 조사부원의 대부분은 만주사변 이

전에 만철에 입사하여 경제조사회를 거쳐 만철 조사부에 소속된 자들이었다. 만철 조사부 사건으로 연좌 검거되고, 전후가 되어 만철 조사부원의 대명사처럼 미디어에서 거론된 이토 다케오伊藤武雄와 이시도 기요토모石堂清倫·노무라 기요이치野村清一 와는 다른 그룹으로 전 만철 조사부원의 전후는 크게 보면 2개의 파로 나누어져 있던 것을 알 수 있다.

이러한 『만주개발 40년사』의 편찬은 1955년 말까지 거의 원고가 완성되었지만, 출판 일정이 분명하지 않아 중단되어 결국, 만·몽동포원호회의 협력을 얻는 형태로 1962년 편찬이 재개되어 에다요시가 편찬을 도맡아서 하기로 했다. 그리고 1964년 9월 드디어 『만주개발 40년사』가 간행되었다. 전 3권의 이 책은 통일성 있는 내용으로 또 후술하는 『만주국사』와는 달리 이데올로기적 요소가 희박하다는 특징이 있다. 그것은 집필·편찬에 자신감을 보인 전 만철 조사부원 중심으로 진행된 것이 큰 이유였지만 만주사변 이전부터 만주에 관여해 온 그룹의 만주관·역사관이 투영된 것이라고 할 수 있을 것이다.

이렇게 해서 3부작 중 2작은 완성되어 드디어 최후의 『만주건국사』의 편찬에 착수하게 된다. 그러나 앞의 2작은 재만일본인의 인양사, 만철 중심의 산업개발사였던 것에 대해 이번은 만주국 관계자를 중핵으로 하는 만·몽동포원호회에 의해서 만주 지배의 상징이자 실체 그 자체였던 만주국을 역사적으로 총괄한다는 정치적 중요성을 가진 사업이 되었다.

3. '패자'와 '승자'의 역사 인식-『만주국사』

만·몽동포원호회의 『만주국사』 편찬은 1966년 6월 9일 편찬계획에 관한 의견 교환회가 개최되어 7월에 편찬간행회가 설치되고 구체적인 작업이 시작되었다.[21] 『만주국사』 편찬간행회 요강에는 "간행회는 만주 건국의 정신과 그 세계사적 의의를 천명하고 사실史實에 근거하여 만주국의 건국과정을 서술하고 이를 간행하는 것을 목적"으로 한다. 편찬 방법은 아래와 같다.[22]

편찬 방법

① 만주국 건국의 정신과 그 세계사적 의의를 천명한다(세계의 참 항구적인 평화를 실현하기 위한 전형, 국가의 건국을 지향한 것을 분명하게 한다)

② 동방의 도의와 서방의 과학기술이 혼연 융합 일체화한 근대국가 만주국의 건국과정을 역사적으로 서술한다

③ 만주국의 민족협화를 원칙으로 하는 정치, 경제, 군사, 산업, 사회, 교통, 문교 등 각 부문별 건설, 정비의 실정을 서술한다

④ 만주국에 대한 회고와 비판

관동군 수뇌부의 교질交迭과 지나사변의 영향에 의한 만주국의 변모를 회고·비판한다

이후 1970년에서 71년에 걸쳐서 간행된 『만주국사』의 기본선은 여기에 분명하게 나타나 있다. 즉, 만주건국 이념의 숭고성을 전면에 내걸

고 세계사적 의의를 강조하는 것으로, 당시 역사학계를 중심으로 뿌리 깊은 지배·피지배, 침략·저항이라는 이원 대립적 개념을 축으로 한 비판적 역사관을 극복하려고 한 것이다.

이러한 기본방침은 『만주국사』 편찬주임이 된 한다 도시하루半田敏治, 전 다이도 학원(大同学院) 교수가 만주국 관계자를 모아서 개최한 제1회 건국좌담회1966.9.26 개최의 발언에서 읽을 수 있다.

한다는 "아시아에서의 일본의 발흥을 억압하고 동아의 번견番犬 이상으로 키우지 않겠다는 앵글로 색슨의 정책이 바로 지나에 반영되어 (…중략…) 동북정권이 만주에서의 일본의 세력을 일소해 버리기까지 발전해, 일본 및 일본인의 권익 옹호와 국방의 안전이라는 점에서 그것이 만주사변이 되었다"고 서술한다. 만주사변은 어디까지나 일본의 권익을 지키는 자위 조치의 발동이고 그 결과 태어난 만주국은 오족협화를 이념으로 한 세계적으로도 유례를 찾아볼 수 없는 이상국가로 평가하고 있다.[23] 한다의 발언에서는 아시아의 식민지화를 계획한 '앵글로 색슨', 즉 영미 제국주의 국가와 그것에 부추겨진 국민정부·동북정권에 대항하는 일본이라는 이윽고 '대동아전쟁'에서 주창된 동아의 해방과 연대라는 이데올로기에 통저하는 역사관을 볼 수 있다.

실제로는 만사회가 편찬한 『만주개발 40년사』는 도쿄재판에 대한 반발이라는 측면이 있으면서도 실제 편찬은 "정치과정은 최소한으로 언급하고 만주의 경제·사회가 일본의 진출과 시책에 의해서 얼마나 변모해 갔는지 그 경제·사회의 발전에 기여한 면과 그것에 수반된 부정적인 면을 사실 그대로 기술한 것"으로서 정치적 평가는 의도적으로 피했다.[24]

만사회처럼 근대적 발전을 긍정적으로 파악하여 경제·사회적 영향을 '객관적'으로 평가하려는 자세는 패전 후 일찍부터 정부 내부에서 널리 퍼지고 있었다. 그러한 생각의 대표적인 것은 대장성 관리국에서 작성한 『일본인의 해외 활동에 관한 역사적 조사』이다. 이 조사보고서는 전전 일본의 식민지지배를 정부 측이 총괄한 것이지만 그 기조는 근대적 발전론에 근거해서 경제·사회면에서의 일본의 공헌을 강조하는 것이었다. 일본 정부에게 이 시기 가장 중요한 과제는 배상 문제였다. 그중에서도 최대의 전쟁 피해국으로 배상금도 상당액이 될 것으로 예상된 것은 중국 당시는 대만의 국민당 정권, 그리고 식민지지배의 보상이 문제가 된 경우는 한국에도 거액의 보상금이 필요하다는 염려가 있었다. 전후 부흥의 방해가 될지도 모르는 배상 문제에 관해서 극력 배상액의 저감을 꾀할 필요가 있었던 정부는 식민지·점령지 지배의 경제적·사회적 공헌을 강조하고 현지에 남아있는 사회 인프라로 배상의 대상代償으로 충당하려고 생각했다.[25] 이러한 현실의 외교문제와 얽혀서 『역사적 조사』로 대표되는 식민지 근대화론이 퍼지고 그것이 만사회의 역사편찬에도 영향을 주었다.

이에 대해 『만주국사』는 정치적 평가를 정면에서 다루고 있다. 패전·점령이라는 굴욕에서 고도경제성장으로 인해 국가 위신이 회복되고 동시에 60년대 이후 활발해진 학생운동에서 볼 수 있는 것처럼, 구 사회질서의 붕괴와 혼란 속에서 하야시 후사오林房雄의 「대동아전쟁 긍정론」1964으로 대표되는 구미 열강의 식민지하에 저항하고 동아의 해방을 축으로 한 역사관이 오랜 기간의 봉인을 풀고 전국적으로 널리 퍼지기 시작한 것이 큰 사회적 배경이 되고 있다.[26] 또 정치적 배경으로는 일·화평화조약, 한·일기본조약 체결에 의한 배상 방기放棄가 확정되고 정치적으로 이제까지의 근대적 발전론을 일부러 전면에 내걸 필요가 없어진 것을 들 수 있을 것이다.

이렇게 해서 지금까지의 만사회의 논리에 정치적 이데올로기가 씌워진 형태로 『만주국사』는 태어났지만 오히려 제국주의적 식민지지배의 부정과 만주국의 이상국가화라는 일면을 강조하는 결과에 빠져 만주사변과 만주국의 본질을 도리어 잃어버리는 결과를 초래했다. 짓궂게도 이시하라 간지石原莞爾의 한쪽 팔로 만주사변부터 만주 건국에 걸쳐 중요한 역할을 담당한 가타쿠라 다다시片倉衷, 관동군 참모는 제2회 좌담회에서 "역시 만주사변의 문제에서 처음부터 끝까지 생각해야만 하는 것은 대소련관계라고 생각한다"고 만주사변의 본질을 적확하게 말하고 있지만 어쨌든 세계사적 의의로 매듭짓고자 하는 한다의 생각과의 상이함을 볼 수 있다.[27]

사변을 일으킨 당사자인 가타쿠라의 입장에서는 만주사변은 대소련전을 상정해서 일으킨 것이었고, 그 결과 태어난 만주국도 소련을 강하게 의식한 것이었다는 현실 인식은 당연한 것이었다. 즉, 식민지지배를 둘러싼 선악론도 오족협화를 둘러싼 이상론도 아닌, 대소련정책과 일본에게 있어서 국가 이익이라는 현실론에서 만주국이 이야기된 것이고, 만주국의 제 모순이 분명해져 속죄론이나 긍정론과는 다른 역사 총괄이 가능해질 터였다.

그러나 결과적으로 이시하라의 강한 사상적 영향을 받고 있던 가타쿠라도 건국이념의 정당성까지 부정하는 것은 아니었기 때문에, 『만주국사』는 한다가 주장한 이상론의 강한 영향을 받아서 편찬되기에 이르렀다. 이 현실론에 근거해 끝까지 파고든 논의가 결락된 것이 『만주국사』의 약점이 되었다. 나아가 『만주국사』의 편찬에 관계된 사람들도 만주와의 관계는 다종다양하고 만주국에 대한 견해와 사고도 다르다는 것을 간과해서는 안 된다.

만주국에 대한 인식은 '오족협화', '왕도낙토'라는 건국이념의 영향을 강하게 받은 재지在地그룹과 총동원체제를 축으로 한 일만일체론의 영향을 강하게 받은 관료그룹, 나아가서는 양 그룹과도 관계가 있으면서 독자의 입장을 취한 관동군 막료그룹으로 나눌 수 있다.

재지그룹이란, 야마구치 주지山口重次와 오자와 가이사쿠小沢開作 등 만주사변 이전부터 만주에 살며 만주청년연맹 등의 활동을 통해서 만주사변에 적극적으로 관여하고 만주 건국 후에는 이시하라 간지의 사상적 영향을 받은 협화회를 주된 활동 무대로 하여 일부는 동아연맹운동에 참가한 사람들이 일반적이다. 이에 대해 관료그룹은 호시노 나오키星野直樹와 기시 노부스케岸信介 등 만주국 건국 후에 일본 국내에서 건너온 만주국의 국가건설 중추를 담당한 실무관료대부분은 혁신관료로 불린다이다.

한편, 관동군 막료그룹은 최종적인 결정권을 쥐고 만주국을 실질적으로 지배하고 있던 자들로, 가타쿠라 다다시와 다케시타 요시하루竹下義晴·와치 다카지和知鷹二·하나야 다다시花谷正·누마다 다카조沼田多稼蔵·이케다 스미히사池田純久·이와쿠라 히데오岩畔豪雄·쓰지 마사노부辻政信 등을 들 수 있다. 그들은 가타쿠라처럼 이사하라 간지와 가까운 자도 있는가 하면 이시하라의 정적이었던 도조東條와 가까운 이케다 등도 있고, 각자의 육군 내부에서의 입장에 따라 재지그룹과 관료그룹과의 관계의 원근

조밀이 나타나고 있다. 그렇지만 전체적으로 전후가 되고 나서 만·몽동포원호회 등 인양자 단체와 깊이 관계를 맺고 있었던 것은 가타쿠라 정도였다. 실은 만주국의 실태에 가장 깊이 관여했던 관동군 막료그룹조직이 결코 굳건한 것이 아니었고, 게다가 전후에 만·몽동포원호회 등에 참가해서 표면화된 활동도 만주시대에 대해 적극적인 발언도 하지 않았던 것이 만주국의 역사평가에 적지 않은 영향을 주고 있었던 것은 주의해야 할 것이다.[28]

이상 3그룹 어디나 전후의 '오족협화'나 '왕도낙토'를 전면에 내세우고 만주국의 역사적 의의를 정당화한 것은 같지만 근간에 있어서 커다란 인식의 상이가 보인다. 재지그룹은 어떤 의미에서 만주국을 창출했다는 자각이 있고 그 원동력이 다민족 공존의 이상국가 건설에 있었다고 말한다. 한편, 관료그룹은 전시 총동원체제하에서의 일만일체론으로 일본에게 있어서의 만주국이라는 시점으로 일관되고 있다. 즉, 양자 사이의 결정적인 상이는 '일본'엄밀하게 말하면 국가이라는 요구를 어떻게 파악하고 있는가에 있다. 전자의 논리는 만주사변의 각각의 요인이 이시하라 간지에 의한 대소련 전략구상과 중국 내셔널리즘의 대두에 의한 재만일본인 사회의 폐쇄감이 서로 얽혀서 일어난 것으로 그것이 건국 후에 다민족 공존의 이상국가 건설로 변용된 것에 지나지 않았지만 그 과정에서 '일본'이라는 요소가 상대화되고 있었던 특징을 가진다.

이에 대해 후자는 관료주도국가 모델 건설이라는 지극히 현실주의적 요구를 기반으로 하고 있다. 만주사변에 관여하지 않고 이시하라 간지의 사상적 영향도 거의 받지 않는 그들에게 있어 '오족협화'나 '왕도낙토'는 정책 수행을 위한 슬로건에 지나지 않았다.[29] 만주국의 역사과정에 있어서는 만주국이 후자에 의해 관료주도국가가 되는 과정에서 이시하라주의는 실질적으로 배제되어 전자의 만주국에 대한 관계는 협화회 등의 한정된 범위로 억지로 가두어져 있었다. 즉 전자와 후자는 본질적으로 대립하는 관계에 있었던 것이다.[30]

한편, 후자에도 복잡한 사정이 있고, 구·만주국 관료의 만주국에 대한 평가와 접하는 방법은 크게 2개로 나눌 수 있다. 기시 노부스케와 시이나 에쓰사부로椎名悦三郎, 상공관료 : 전후 기시 내각에서 관방장관 등 전후가 되어 정치 세계로 나간 자와 호시노 나오키와 후루미 다다유키처럼 정치 세계에 들어가지 못한 자와의 사이에는 커다란 인식의 차이가 보이지만, 거기에는 패전 후의 전범문제가 얽혀 있었다.

만주국을 관료주도국가로서 육성해온 그룹 중에서도 만주국에서는 속어로 '2기 3스케'[31]의 한 사람으로 일컬어지는 호시노 나오키는 패전 후에 A급 전범으로 종신금고형을 받고 석방 후, 정계 진출을 단념하고 경제계에서 생애를 마쳤다. 말하자면 기시 이상으로 만주국 육성에 커다란 영향을 발휘한 호시노의 전후는 '과거의 사람'으로서의 여생이었다고 할 수 있다. 이와는 대조적으로 똑같이 '2기 3스케'의 한 사람이었던 기시 노부스케는 호시노와 똑같이 전범으로 지명되었지만 정계에 진출하여 총리대신까지 올랐다. 호시노와 기시의 대조적인 전후는 두 사람의 개인적인 요소도 크지만 이러한 두 사람의 환경적 상이함은 만주국 시대에 대한 미묘하게 다른 회상으로 나타나고 있다.

호시노는 만주에서 실적을 만들고 도조 내각에 입각, 패전 후에 전범으로 스가모巣鴨감옥에 구류되기까지 기시와 같은 궤적을 걸었지만 스가모감옥 석방 후, 정계로 방향을 바꾼다. 그러나 뜻대로 되지 않았고 고토 게타五島慶太와의 관계로 도큐東急그룹 내 한 기업의 사장으로서 일생을 마친다. 결과적으로 그의 전후는 만주에서 발휘한 실력 이상의 것을 발휘하지 못한 채 끝나 버렸다고 할 수 있다. 이러한 호시노의 불우함은 오히려 만주국 시대에 대해 과도하게 생각이 투영되어 나타나게 된다. 전후가 되어 호시노는 만주국 시대를 자주 이야기하고 기록으로도 남겼지만 만주국에서 행한 구체적인 중추적 활동을 관념론에서 설명하는 것에 그 특징이 있다.

한편, 기시가 전후에 만주국 시대에 관해서 말한 것은 『아, 만주』만주회고집간행회편, 1965의 서문에서는 민족협화적인 이상국가상을 말하고 있는 것 외에는 만주국에서 수행한 자신의 일 이상은 언급하지 않는다. 그것은 결국 기시가 전후에 이야기한 만주국의 역사적 의의는 장년기의 그가 이룬 것에 대한 정당화였을 뿐 그 이상도 그 이하도 아니었던 것을 의미한다. 기시는 아직도 활동을 계속하는 현역 정치가로서 만주국의 체험과 평가를 이야기한 것이었기 때문에 호시노처럼 과거의 사람이 된 사람의 추억이야기와는 배경에서도 의식에서도 결정적인 차이가 있었다.[32]

호시노와 같이 실질적인 만주국의 최고책임자였던 총무청차장 후루미 다다유키와 총무장관 다케베 로쿠조도 전범으로서 소련·중국에 오랜 기간 억류되어 있었기 때문에 귀국 후의 사회활동은 수수함에 그쳤다. 귀국 후 얼마 지나지 않아 사망한 다케베는 차치하고 후루미는 본인이 정계 진출에 의욕을 보였지만, 표밭이었던 후원해야 할 인양자 단체가 분열되었기 때문에 낙선한다. 이후 만주국의 '이키지비키'[33]로서 만주국의 역사를 전하는 것에 전념한다. 호시노와 후루미는 그들의 존재를 증명하는 만주국 시대를 보다 강하게 의식하며 전후를 보낸 것이다.

이처럼 만주국 관계자 중에서도 다양해서 전후 만주국의 역사적 평가에 대해 마주하는 방법도 다르다. 다만 총체적으로는 현지 사회의 주체성이 간과된 채 관념론이 선행되어 일본인의 활약을 중심으로 현지민은 수동적인 존재로만 그려지는 것은 똑같다. 그리고 결정적인 문제는 가타쿠라 등 일부를 제외하고 관동군 관계자 대부분이 만주국에 대해 거의 말하고 있지 않기 때문에, 만주국의 부정적인 면은 대부분 관동군이 원인이 되어 타 그룹의 면죄부가 되어 버린 것에 있었다.

더구나 관동군에 의한 만주국 지배를 생각할 경우 종장에서도 언급하겠지만 관동군 막료가 소련에 억류되어서 연합국에 의한 도쿄재판이 아니라 1949년 12월에 소련 단독으로 개정한 하바롭스크Khabarovsk 재판에서 재판받은 것, 또 소련은 그들의 일부만이 중국으로 인도되었기 때문에 중국 측도 관동군의 만주국 지배를 어중간한 형태로밖에 재판할 수 없었던 것 등 관동군 책임을 둘러싼 문제에 당시의 국제관계가 큰 영향을 주고 있었던 것도 간과해서는 안 된다.

결국, 만주국 지배의 중심에 있었던 관동군 문제를 명확히 하지 않은 채, 만주국 관계자를 중심으로 『만주국사』가 완성되고 있었다. 게다가 호시노와 후루미가 말한 만주체험에는 현실 정치에서 벗어난 것으로 보이는 '체험의 정화'가 무의식 중에 일어나고 있었다. 즉, 만주국 시대의 다양한 정치대립과 정책의 실패라는 체험은 시간과 함께 정화되어 순수하고 긍정적인 측면으로 색을 입힌 기억이 형성되고 있었던 것이다. 『만주국사』 편찬에 관계된 멤버 중에는 야마구치와 후루미처럼 만주국 시대에는 정치적·인맥적으로 대립관계에 있었던 자가 동거하고 있었지만, 그들이 하나의 사업에 얽혀 있을 수 있던 것도 '패자의 역사'를 공유하고 있었기 때문이다. 그것이 전후에도 보수정치가로서 '승자의 역사'를 걸어온 기시와 시이나와의 결정적인 상이점이었다.

전후의 만주국을 역사적으로 총괄한 것으로 평가받는 『만주국사』는 '간행사'총론에서 히라시마가 이상국가로서의 만주국을 강조하고 침략성을 강조하는 역사관을 정면에서 반론하고 있는 것에 대해 '후기'각론에서 후루미가 '오족협화'가 추상론의 범주를 벗어나지 못한 타민족에 대한 독선성도 적지 않았다고 자기반성을 서술하는 상이한 만주국관이 혼재하고 있다. 이것은 각각 다른 만주 체험자의 개인적 배경이 복잡하게 서로 얽혀서 나타난 것으로 만주국에 대한 역사평가의 어려움을 상징하고 있다고 할 수 있을 것이다.

4. 비극과 원망의 역사 인식 – 『만주개척사』

만사회와 만·몽동포원호회는 만철사원과 만주국 관료 등 대부분이 도시 재주자로 구성되어 있었고 만주국 시대의 정치 지도층과 가까운 사람들이 다수를 점하고 있었다. 전후의 정치적인 불우함을 탓하는 사람도 있지만 대부분 일정한 사회적 지위를 얻고 경제적으로 궁핍한 것은 아니었다. 이러한 의미에서 그들은 전후의 역사평가와 자신의 사회적 환경에 대해서 부끄러운 것이 있었다고 해도 근본적으로는 '혜택을 받고 있었던' 것이다.

다만, 만주 인양자 중에는 이와 같은 사람들만이 아니라 가장 비참한 인양 체험을 하고 전후에도 고도경제성장으로부터 남겨져 경제적으로 궁핍한 사람들이 있었다. 그것은 만주 이민으로 건너간 개척단원들이었다.

『만주국사』의 편찬사업이 시작된 한편으로 1966년에 『만주개척사』가 간행되었다. 편찬의 주체는 사단법인개척자흥회이다. 이 편찬사업은 본래 전전에 있었던 만주이주협회가 패전 후 1945년 12월에 개조되어 생긴 재단법인개척민원호회에 의해 1948년에 계획되어 아사가와 기이치浅川其一, 전 탁무기사와 하세가와 세이치長谷川誠一, 전 만주척식공사 사원가 중심이 되어 관계자료 수집과 실태조사에 근거해 집필을 시작하고 있었다. 이 사업을 개척자흥회가 계승한 것이다. 개척자흥회는 1948년 개척민원호회가 해산되고 전국개척민자흥회에 재산을 양도하여 12월에 탄생했다. 그러나 전신인 전국개척민자흥회는 전후 1946년 9월 전 대동아성 만주사무국 개척과장 와구리 히로시和栗博 등이 중심이 되어 결성된 것에서도 알 수 있는 것처럼 만주 이민정책에 깊이 관여한 척무성·대동아성과의 관계가 강하게 남아있는 단체였다.[34]

다른 만주 인양자 단체에 의한 역사편찬 중에는 가장 일찍부터 편찬사업이 시작이 되기는 했지만, 거의 20년이 지나서 간신히 간행된 것이다. 척무성·대동아성의 영향이 강하게 남아있는 단체가 편찬한 『만주개척사』는 간행회회장 히라카와 마모루平川守, 농림관료 : 만주국산업부척정사 제1지도과장·개척총국총무처총무과장 등을 역임, 전후는 농림사무차관이 됨와 '만주개척의 아버지'로 불리는 가토 간지加藤完治가 쓴 서문을 보면 편찬에 통저하는 역사관이 어떠한 것인지 분명히 알 수 있다. 거기에는 "만주 개척은 민족협화의 이상 실현과 일본민족의 발전을 지향한 역사적인 대사업"으로 개척정책의 고매함과 개척단원의 각고刻苦 근면에 의한 미개지 개발의 성과를 들 수 있기는 하지만, 소련군 침공에 의해 좌절하고, 많은 개척단원이 비극에 말려들어 무념의 죽음을 거두었다는 기조로 일관되고 있다.[35]

만주 인양자 중에서도 개척단원은 그 비극성에 있어서 압도적이었지만, 나아가 인양 후의 그들의 생활환경은 혜택받지 못하고 대부분 고도경제성장에서 뒤처진 자들이었다. 이러한 사회적·역사적 원망과 한탄에 사로잡힌 그들은 그 비극성만을 강조함으로써 전후 일본 사회에 대해 고발할 권리를 가질 수 있었던 것이다.

『만주개척 40년사』나 『만주국사』에 관계된 만철사원이나 재만상공업자, 만주국 관료나 관동군 막료와는 완전히 다른 층의 사람들이 개척단원이었다. 만주국 관료와 관동군 막료나 재만일본인이 가진 가해인지 공존인지 어느 쪽의 의식이나 현지민과의 관계로 한정된다. 하지만, 개척단원에 대한 가해자는 소련군과 현지민뿐만 아니라 만주국 관료와 관동군 나아가 일본 정부 그리고 당시 일본 사회까지 포함된다. 이러한 전제에서 전후 일본에서의 만주의 역사적 자리매김을 생각할 때 개척단의 문제가 서로 얽혀서 보다 복잡해지는 것을 잊어서는 안 된다.

하지만, 그 비극과 원망과 한탄의 상징이라도 되어야 할 『만주개척사』에는 전전의 만주 이민 대량송출을 실행하고 그 비극의 책임을 가장 많이 짊어져야 할 가토 간지를 비롯해 만주 이민정책의 수행에 직접 관계된 관료가 다수 편찬에 참여하고 있고, 만주개척정책 그 자체의 비판적 검증이 시도된 적은 없었다. 즉, 입식계획의 회사 선정과 반강제적인 이민 할당, 성省 이익 우선의 장을 중시한 대책 등 만주개척정책이 안고 있던 본질적인 문제는 패전 시의 비극에 의해 완전히 뒤집어 은폐되었다고 할 수 있을 것이다. 그리고 이 책의 간행 이후, 부현이나 개척단, 의용단마다 편찬한 개척사도 거의 이러한 역사관에 따르고 있다. 이렇게 해서 개척단원의 분노의 창 끝이 교묘하게 교차된 채 비극성만이 강조되어 간 것이다.

또, 『만주개척사』의 편찬은 제7장에서 상술하는 순난비 건립과 한 쌍이 되고 있다. 개척자흥회는 1957년 12월 순난비 건립계획을 분명하게 하고 만주개척순난자지비 건설위원회[36]를 설치하여 용지 매수와 순난비 건설을 실시했다. 1963년 8월 10일 도쿄도 다마시 세세키 사쿠라가오카多摩市聖蹟桜ヶ丘에서 〈만주개척순난자지비척혼비〉의 낙성식을 거행하였다.[37] 계획 당초부터 사자를 위로하는 '위령비'가 아니라, 국가와 어떤 사회집단을 위해 몸을 희생한 자의 현창적 의미를 가진 '순난비'로 평가한 것, 실제로 건립된 '척혼비'가 전전의 '충혼비'의 계열에 있는 것, 비의 휘호가 가토 간지에 의한 것을 생각하면 개척단원에게 있어서의 만주 인양이 타 만주 인양자와는 완전히 이질적인 역사관을 가지고 있는 것을 분명히 알 수 있을 것이다. 그리고 이 사업과 한 쌍이 되는 편찬사업도 역사적 검증보다도 현창적이고 동시에 위령적 요소가 강했던 것을 이야기하고 있다.

만주를 둘러싼 역사편찬은 개척단에 관한 것이 압도적으로 많고 또

인양자 개인의 수기도 개척단원에 의한 것이 압도적이다. 전후가 되어 수없이 세상에 나온 이러한 인양 체험기에 의해 만주 인양의 비극성은 보다 강렬하고 동시에 광범위하게 사회에 퍼졌다.

나아가, 『만주개척사』를 시작으로 해서 역사편찬과 동시에 순난비·척혼비·개척비·위령비 등으로 칭해진 기념비가 속속 건립되어 간 것이 개척단원을 둘러싼 커다란 특징이었다.[38]

만주 인양에 관한 위령비는 만철회가 건립한 〈만철유혼비〉시즈오카현 후지영원(静岡県富士霊園)나 만주국군 관계자에 의한 〈오족의 묘〉와카야마현 다카노야마(和歌山県高野山) 등 일부 기업·조직에 의한 것은 있다. 그러나 만사회와 만·몽동포원호회라는 만주관계자 전체로서 구상된 것은 있었지만, 실현되지는 않았다. 지방에서는 〈만·소순난비〉구마모토현(熊本県) 호국신사 경내와 만주와 관계없이 전 지역의 인양자를 대상으로 한 〈인양물고자物故者, 죽은 자위령탑〉군마현(群馬県) 호국신사 경내 등도 존재하지만,[39] 전국 각지에서 압도적으로 많이 볼 수 있는 것은 개척단과 관계된 것이었다.

위령비는 문자 그대로 비업非業의 죽음을 거둔 희생자에 대한 공양에서 일보 전진하여 국가 등에 순직한 희생자의 현창을 목적으로 한다. 여기서 희생자는 소련 참전 이후의 만주에서 한창 혼란스런 가운데 목숨을 잃은 사람들로 거기에는 당연하게도 피해자 의식밖에 존재하지 않는다. 그리고 기념비에 비극적으로 일어난 사건과 희생자의 이름이 새겨진 것으로 피해자 의식은 영원한 것이 된다. 구마모토현 호국신사에 건립된 〈만·소순난비〉는 전 만주국 군의였던 야마모토 노보루山本昇의 "매년 히로시마, 나가사키의 원폭희생자는 겹겹이 공양을 받고 있는데 만소의 순난자에게는 누구 한 사람 돌아보는 사람도 없다. 마치 개나 고양이가 죽은 것과 마찬가지다. 이래도 되는 것일까"라는 한 마디에서 건립계획이 시작되었다.[40] 야마모토의 말은 확실히 만주 인양자, 특히 희생자의 대부분을 차지하면서도 전후에 결코 보상받은 적이 없었던 개척단원의 무념을 대변하고 있다고 말할 수 있을 것이다.

그러나 이러한 무념에 지탱되어 건립된 위령비와 편찬된 개척단사에서의 비판의 칼날은 본래 그 책임을 짊어져야 할 방향으로 향하지 않았다. 거기에 전후에 유야무야된 책임 소재와는 역으로 강조된 비극성이라는 개척단원의 인양을 둘러싼 뿌리 깊은 문제와 만주 개척에 대한 역사 평가의 곤란함이 나타나 있다고 할 수 있을 것이다.

나가며

일본 근대사 안에서 만주가 가진 역사적 중요성은 상당히 크다. 러·일전쟁으로 인해 만주로 진출한 일본은 본격적인 식민지 제국으로 발전했다. 그것은 다민족국가의 시작이고 또 타민족과의 일상적인 접촉으로 이문화와 생활습관이 일본 사회로 유입될 가능성을 의미하고 있었다. 만주에 있었던 일본인은 그러한 사회구조 변화의 매체가 될 터였지만, 1945년 패전으로 돌연 타민족과의 회로는 단절되고 일본 사회는 보다 다양성을 포함한 사회로 이행하지 못하고 전후를 맞이했다.

러·일전쟁에서 패전까지 40년에 걸친 만주 경영 가운데, 재만일본인 사회는 1931년 만주사변까지는 관동주와 만철부속지에 거의 한정되어 있었다. 그것이 만주국 건국을 기회로 만주 전역으로 확대되었지만, 그 기간은 15년도 되지 않는다. 만주에 거주하는 일본인과 타민족과의 상호 영향 관계는 어중간한 형태로 돌연 끝난 것이다. 그것이 이상의 좌절과 인양의 비극이라는 형태로 수렴되어 만주국의 역사평가에 큰 영향을 주고 있었다.

한편, 전후 일본에서는 역사학계를 중심으로 만주 지배의 비판적 검증이 성행했고 재만일본인은 일본제국주의 그 자체로 또는 지배의 선병先兵으로 취급되어 그들이 안고 있는 모순을 이해하는 일은 없었다.

이러한 전후의 한 시기까지 역사학계에서의 주류였던 파악방법은 확실히 큰 결락이 있었다. 그러나 이에 대한 반발로 나타난 공헌론과 긍정론도 큰 결함을 안고 있었다. 당시의 역사학계에 존재한 이데올로기 색이 강한 역사관에 대한 대항으로서 자료에 근거한 실증성을 축으로 하여 역사를 편찬하려는 자세는 그 나름의 정당성을 가지고 있었다. 하지만 제3자가 아닌 체험자 스스로가 자신의 체험을 역사화한다는 모순을 안고 있었다. 그들은 자신의 체험, 그것도 '정화된 체험'을 후세에 전하려고 한 것에 지나지 않았다. 결국 양자에게 공통된 것은 관념론과 추상론을 극력 배제하여 현실을 비판적으로 검증한다는 자각된 시선의 결여에 있었다.

인간이나 사회의 정신적 쇠약은 말에 의해서 나타난다. 쇼와의 전중기는 실로 그것이 적확하다고 할 수 있을 것이다. 현실을 직시하고 끝까지 파고들어 고찰하지 않고 안이하게 낳은 공소空疎한 정치 슬로건을 가지고 아시아와 역사를 평가하고 일본의 행동을 정당화하는 일본사회에서 일어난 사상의 퇴영退嬰현상은 만주사변 후에 현저해졌다. 사변 이전부터 있었던 '만·몽생명선'론은 정치적·경제적 이해라는 구체성을 간신히 포함하고 있었지만, 사변 후에 낳은 '오족협화'와 '왕도낙토'에서는 그러한 구체성이 결여되었다. 이후, 중·일전쟁부터 미·일전쟁을 거쳐 파국으로 치닫기까지 '동아공동체'나 '대동아공영권', '팔굉일우' 등의 공소한 슬로건이 일본 사회의 도처에 발호하게 된다. 중·일공동체의 파트너가 되어야 할 중국인에 대한 시선과 이해가 완전히 결여된 것도 간과하지 않았다.[41]

이 같은 전전 일본 사회를 덮고 있던 정신적 악폐는 패전에 의해서도 치료되지 않았다. 오히려 전후가 되어 전쟁책임론이 서로 뒤엉켜 극복되기는커녕 더욱 뿌리 깊은 것이 되었다고 할 수 있다. 게다가 식민지 상실로 인해 타민족과의 일상적인 접촉의 기회가 격감하고 일본 사회의 단일민족성이 강조되었기 때문에 전전보다도 타민족 지배의 감각적 이해력이 극도로 저하하였다. 그러한 가운데 전후 일본 사회에서는 여전히 관념론과 추상론이 활개를 친 채 식민지와 전쟁이 역사로서 논의되어 완전히 정반대의 역사평가가 연이어 태어났다. 만주와 만주국의 역사적 평가는 실로 이러한 전후 일본 사회의 역사 인식을 둘러싼 혼미를 상징하는 것이었다고 할 수 있을 것이다.

제7장

위령과 제국

표상된 인양 체험

들어가며

일본이 패전한 후 귀국할 때까지 사망한 해외 체류 일본인은 전시戰時 중 전몰자와 같은 전쟁희생자이지만 그들의 위령에 관해서는 전후 엄청나게 건립된 전몰자 위령비와 달리 한정된 것에 그치고 있다.

전몰자를 대상으로 한 전전戰前의 충혼비와 전후戰後의 위령비는 모두 지역성을 기반으로 건립되어 있다. 어떤 지역의 강한 인적 유대 속에 포함되는 전몰자는 그 지역 전체의 기억 속에 포섭되어야 하는 것이었다. 그러나 인양자引揚者에게 지역의 기억이란 이미 잃어버린 외지식민지였고, 일본 내에는 그들의 기억을 포섭할 장소는 존재하지 않았다. 그래서 기념비는 특수한 장소에 건립되는 특징이 있다. 그런 점에서 전후 일본 사회는 해외인양자에게 몸을 의지할 장소가 없는 사회였음을 읽어내는 것도 가능할 것이다.

해외인양 중에서도 가장 많은 약 24만 5천 명의 희생자를 낸 것은 소련군이 침공한 만주滿洲이며, 다음으로 마찬가지로 소련군의 침공에 노출된 북한약 2만 6천 명과 사할린樺太, 치시마(千島)와 합쳐 약 1만 3,500명이다. 해외인양자의 기념비에 이와 같은 사정으로 인해 구·식민지마다 골고루 있는 것이 아니라 만주와 사할린의 희생자와 관련된 것이 대부분이지만 일본 사회는 이들 희생자의 존재마저 거의 잊고 있다. 히로시마広島와 오키나와沖縄 등에 국한된 전쟁희생자의 기억이 얼마나 왜곡됐는지, 해외인양을 둘러싼 기념비에서 그것을 읽어내는 것이 가능하지 않을까.[1]

〈지도 6〉 국내 인양항(引揚港)

또한 대일본제국이라는 식민지제국이 붕괴하면서 일어난 해외인양은 일대 민족 이동을 동반한 전후 동아시아 사회구조를 크게 바꾸는 사건이었다. 따라서 단순히 일본인만의 문제가 아니라 여러 민족에게도 깊은 관련이 있는 것이다. 하지만 현재 일본에서 이야기되는 해외인양은 일본 사회의 좁은 범위 내에서 일본인에 국한된 기억으로 겨우 구전되고 있을 뿐이다. 거기서 흘러나오는 다민족의 존재를 재확인함으로써 전전 일본은 광대한 식민지제국으로 자신의 역사는 일본인만의 역사가 아님을 실감할 수 있을 것이다. 그러한 생각을 도출해내는 계기로서 기념비를 검증하는 것은 중요하지 않을까.

한편 해외인양은 최근에야 검증 대상이 되고 있지만, 기념비를 대상으로 한 연구는 거의 이루어지지 않고 있다. 기념비를 둘러싼 역사연구는 아직 동시대성이 강해 역사연구 대상으로 취급하기 어려운 문제를 안고 있지만, 해외인양에 관해서는 1차 자료가 부족하고 관계자의 기억과 기념비만이 유일한 기록이라고 할 수 있는 경우가 많아 기념비를 어떻게 읽어내느냐가 중요한 작업이 될 것이다.

이 장에서는 이러한 현황을 바탕으로 각지 인양항의 기념비, 만주 인양에 관한 기념비, 사할린 인양 관련 기념비를 구체적인 분석 대상으로 다룬다. 그리고 해외인양과 관련된 사람들과 지역 기억의 표상으로서의 기념비를 통해 무엇이 이야기되고 무엇이 누락되었으며, 그리고 일본 사회에 어떻게 인식되고 있는지를 밝힘으로써 해외인양의 사회적 의미를 검증해 나간다.

1. 인양항을 둘러싼 기억과 표상

해외인양의 역사적 사실이 인양자라는 한정된 범위뿐만 아니라 일본인 전체의 기억과 어떻게 결부되어 있는지를 보여주는 점에서 참고가 되는 것은 인양자가 아닌 민간 유지와 지자체 등에 의해 건립된 기념비이다. 그리고 이들은 주로 인양항이라는 역사와 관련되어 있다.

인양항은 GHQ/SCAP에 의해 지정된 15곳출장소를 포함한다. 그리고 단기간에 폐쇄된 벳푸(別府)는 제외한다 외에 잠정 업무를 수행한 가고시마현鹿児島県의 가지키항加治木港과 오키나와현沖縄県의 히사바사키항久場崎港을 합쳐 17곳이지만, 현재 흔적을 보여주는 기념비가 모든 장소에 건립되어 있지는 않다〈표 5〉 참조.

최대규모의 인양항이었던 하카타博多, 후쿠오카시(福岡市) 하카타구(區)와 사세보佐世保, 사세보시(市), 시베리아 억류자의 인양항으로 마지막까지 남은 마이즈루舞鶴, 마이즈루시(市), 조선으로부터의 인양자를 많이 받아들인 센자키仙崎, 나가토시(長門市), 사할린으로부터 인양자를 받아들인 하코다테函館, 하코다테시

〈표 5〉 각 인양항의 기념비와 관련 시설

인양항	기념비 명칭	건립년월	발기인	휘호자	건립장소
하코다테(函館)	〈가라후토인양자 상륙기념비〉	1977년 9월 12일	사단법인 전국가라후토연맹 가라후토지부	–	하코다테 시청 앞
요코하마(横浜)	–	–	–	–	–
우라가(浦賀)	〈우라가항 인양기념비〉	2006년 10월	–	–	니시우라가 미나토녹지(西浦賀みなと緑地) 내
나고야(名古屋)	–	–	–	–	–
다나베(田辺)	〈해외인양자 상륙기념비〉	1986년 10월 5일	다나베시 · 다나베모리항(文里港) 인양 40주년 기념사업을 추진하는 모임 · 기난(紀南)문화재연구회	–	구 · 다나베 인양항 부근
마이즈루(舞鶴)	〈평화의 군상〉	1970년 3월 8일	교토부지사 니나가와 도라조(蜷川虎三) · 마이즈루시장 사타니 야스시(佐谷靖)	–	인양기념공원 내
우지나(宇品)	–	–	–	–	–
오타케(大竹)	–	–	–	–	–
센자키(仙崎)	〈인양기념비〉	1992년 1월		나카토시장(長門市長) 후쿠다 마사노리(福田政則)	센자키 인양항 부근
시모노세키(下関)	–	–	–	–	–
하카타(博多)	〈하카타항 인양기념비〉	1996년 3월 28일	–	후쿠오카시장 구와바라 케이이치(桑原敬一)	하카타 인양항 부근
도바타(戸畑)	–	–	–	–	–
가라쓰(唐津)	–	–	–	–	–
사세보(佐世保)	〈인양첫걸음터(引揚第一歩の地)〉	1986년 5월 3일	사세보시 우라가시라(浦頭) 인양기념공원 건설촉진 기성회	사세보시 우라가시라 인양기념공원건설촉진 기성회 회장 · 사세보시장 가케하시 구마시(桟熊獅)	우라가시라 인양부두 부근
가고시마(鹿児島)	–	–	–	–	–
가지키(加治木)	〈인양선 입항의 터 가지키〉	1998년 10월 29일	가지키항 인양사몰자 위령제 실행위원회	–	가지키초(加治木町) 혼다지구 시오이리바시(本田地區塩入橋)
구바사키(久場崎)	〈전후 인양자상륙 터〉	1996년 3월 31일	나카구스쿠손(中城村) 전후 50주년 기념사업	나카구스쿠손 촌장 아라가키 세이한(新垣盛繁)	구바사키 인양항 부근

주: 최초 인양항으로 벳푸別府도 포함되어 있었는데 원호국 개설 전에 지정이 해제되었기 때문에 실제 인양항에는 포함되지 않았다.

관련 기념비(부지 내)	관련 시설(부지 내)	관련 기념비(부지 외)	관련 시설(부지 외)
–	–	–	하코다테검역소 다이마치조치장(台町措置場)
–	요코하마검역소	–	–
	육군 부두	〈공양탑〉(1950년 3월 건립/구리하마(久里浜) 소년원 내), 〈우라가인양원호국인양자정령탑〉(1947년 1월 건립/초안지(長安寺) 절 내)	
–	–	–	–
–	–	〈다나베 해병단 본부 터 다나베 인양원호국 본청사 터(1987년 2월 20일 건립/다나베시·다나베 모리항 인양 40주년 기념사업을 추진하는 모임/다나베시)·〈사적다나베해병단본부터〉(2003년 3월 30일 건립/다나베 동부향토사 간담회/다나베시)	다나베시 역사민족자료관
〈아 어머니 나라(あゝ母なる国)〉(1963년 5월 18일 건립/1978년 4월 새 비석 건립/마이즈루시/아리타 하치로(有田八郎) 글)·〈이국의 언덕(異国の丘)〉(1978년 11월 건립/마이즈루시)·〈망향위령비(望郷慰霊の碑)〉(1979년 10월/사쿠호쿠카이(朔北會) 회장 구사치 데이고(草地貞吾) 기록/마에오 시게사부로 (前尾繁三郎) 글. 다이라인양부두(平引揚桟橋)(1994년 5월 27일 복원)·가타리베노구사리(語り部の鎖)(인양을 기념하는 마이즈루전국토모노카이(引揚を記念する舞鶴全国友の会))·초령비(招霊の碑)	마이즈루인양기념관	〈순난비(殉難の碑)〉(우키시마마루순난자추도비(浮島丸殉難者追悼の碑))/1978년 8월 24일 건립/우키시마마루순난자추도비 건립 실행위원회/마이즈루시). 〈하와이일본계 2세를 그리워하다 우호 평화의 사쿠라〉(마이즈루)시의회 의장 야노 겐노스케(矢野健之助) 외	–
〈육관잔교적비(六管桟橋跡碑)(第六管區海上保安本部桟橋跡地)〉(히로시마현 히로시마항만진흥국)·〈육군잔교적기념가비(陸軍桟橋跡記念歌碑)〉(1998년 12월/육군잔교적기념가비건립위원회)·〈평화의 초석(平和の礎)〉(1994년 12월 건립/전국강제억류자협회 히로시마현지부 위령비건립위원회)·〈육군운수부·선박사령부 구·적비(蹟碑)〉·〈메이지천황주차지〉(明治天皇御駐蹕址)(1939년 1월 건립)·〈우지나개선관건설기념비(宇品凱旋館建設記念碑)〉(1940년 2월 11일 건립)	–	–	–
〈오타케해병단〉	–	–	–
〈해외인양상육적지(海外引揚上陸跡地)〉(나가토시 상공관광과)	–	–	–
–	–	〈고안마루노구사리(興安丸の鎖)〉	–
〈하카타항 인양기념비 나노쓰오칸(那の津往還) 도요후쿠 도모노리(豊福知徳)〉	–	자생병원〈인(仁)〉(1981년 3월 건립/고지마 게이조(児島敬三)/지쿠시노시(筑紫野市) 제생회병원(済生會病院) 내 후쓰카이치시 보양소 터(二日市保養所跡))	–
–	–	–	–
–	–	–	–
〈우라가시라인양기념평화의 상〉(1986년 5월 3일 건립/사세보시장 가케하시 구마시)·〈〈귀국선(返り船) 다바다 요시오(田端義夫) 가창비(歌唱碑)〉〉(2000년 1월 22일 건립/〈귀국선〉가비(歌碑)건립실행위원회)	우라가시라 인양기념 평화공원. 우라가시라 인양기념자료관	공양탑(1949년 2월/사세보인양원호국/혼부쓰지(本佛寺) 절 가마(釜)묘지 내 합장묘)	하에노사키역(南風崎駅)
–	–	–	–
–	–	〈혼(魂)〉(1953년 12월 이장/기치조지(吉祥寺) 절 묘지 내 무연묘(無縁墓))·묘지유래기(墓地由来記)(1995년 10월 29일 건립/가지키항 인양 사몰자 위령제 실행위원회)·국립요양소 미나미큐슈병원(南九州病院)	–
–	–	–	–

市), 남쪽으로부터의 인양자를 많이 받아들인 우라가浦賀, 요쿠스카시(横須賀市), 다나베田辺, 다나베시(市), 남양군도 등에 거주하던 오키나와현 사람의 인양항이었던 히사바사키久場崎 나카죠무라中城村에는 기념비가 세워졌다.

한편 인양항으로 지정되었다가 원호국 개설 직후 폐지된 벳푸벳푸시나 실제 업무가 없었던 가라쓰唐津, 가라쓰시(市), 인양항으로 지정되면서도 중계 업무밖에 할 수 없었던 시모노세키下関, 시모노세키시(市)와 도바타戸畑, 기타큐슈시(北九州市) 도바타구(區)는 남쪽 인양항이었던 나고야名古屋, 나고야시(市) 미나토구(港區), 대만 인양자를 많이 받아들인 가고시마鹿児島, 가고시마시(市) : 초기 단기간 가고시마의 대체로서 인양자의 상륙지였던 가지키를 제외한다 등의 모든 원호국이 폐지된 후에 그 유일한 수용 업무를 수행했던 요코하마원호소横浜援護所, 요코하마시(市) 가나자와구(金沢區)에는 흔적도 남아 있지 않다. 또한 청일전쟁 이후 군대의 송출항送出港이었던 우지나宇品, 히로시마시(広島市) 미나미구(南區)에 대해서는 그 역사를 새긴 기념비〈육관잔교적비(六管栈橋跡碑)〉, 〈육군잔교기념가비(陸軍栈橋記念歌碑)〉에 군대의 송출과 유골의 송환送還은 언급되어 있는데 복원復員과 인양 사실에 대해서는 언급되지 않았다. 또한 우시나미의 출장소였던 오타케大竹, 오타케시에도 오타케해병단大竹海兵団 기념비만 남아있다.

인양항 관련 기념비 중 가장 먼저 건립된 것은 마이즈루의 〈평화의 군상平和の群像〉1970년 3월 8일 건립 : 〈사진 1〉이다. 이것은 '이 땅에 돌아오지 못하고 타국에 쓰러진 여러 영혼에 조의를 표함과 동시에 세계의 평화를 기원하며 전쟁을 영구히 포기하는 일본 국민의 비원을 담아 오랫동안 후세에 전하기' 위해 교토부京都府와 마이즈루시가 건립한 것이다.[2]

〈평화의 군상〉 건립은 인양기념공원 정비의 일환으로 이루어졌다. 원래 1958년 11월 15일 마이즈루인양원호국舞鶴引揚援護局이 폐지된 직후부터 마이즈루시에서 원호국 부지에 인양기념탑 건립의 목소리가 높아져 1959년 4월 1일 마이즈루시의회 제안에 의한 '인양기념탑건설요망의안引揚記念塔建設要望議案'이 교토부시의회 의장회를 통과, 25일에는 마이즈루시의회에서 '인양기념탑건설촉진특별위원회引揚記念塔建設促進特別委員會'가 설치되어 교토부를 비롯한 각 방면에 대한 건설 움직임이 본격화되었다. 운동은 한때 진전을 보지 못했지만 1969년 10월에 마이즈루시와 교토부 공동에 의한 인양기념공원건립으로 최종적으로는 1970년 3월에 인양원호국이 내려다보이는 작은 구릉지국유지 불하에 인양기념공원이 완공되고, 같은 달 8월에 〈평화의 군상〉 제막식이 열렸다.[3]

〈사진 1〉〈평화의 군상(平和の群像)〉(마이즈루시, 1970.3.8 건립)

또한 1985년 10월에 해외인양 40주년을 기념하여 마이즈루시가 '인양항 '마이즈루'를 그리워하는 전국모임'을 개최한 것을 계기로 하여 1988년 3월 25일에 인양자와 일반 시민 모금을 합쳐 인양기념공원 내에 마이즈루인양기념관이 완공되어 공원과 위령비와 기념관이 일체가 된 시설로 확충되었다.[4]

또한 〈평화의 군상〉보다도 7년 전에 인양자 유지有志에 의해 〈아 어머니 나라あゝ母なる国〉1963년 건립 : 〈사진 2〉가 건립되었다. 휘호는 공산권으로부터의

〈사진 2〉〈아 어머니 나라(あゝ母なる国)〉(마이즈루시, 1963.5.18 건립)

인양 촉진 운동을 추진한 재외동포귀환촉진연맹의 회장이었던 아리타 하치로有田八郎가 썼는데 특징적인 것은 '마이즈루지구 부인단체 구·마이즈루인양원호국원의 인양자원호의 애정에 감사'하고 인양자 유지에 의해 건립된 점에 있으며,[5] 마이즈루시의회 중심으로 진행된 〈평화의 군상〉과는 다른 계보에 있었다. 단 이 비석은 원래 콘크리트로 제작되었으며 이전에 마이즈루인양원호국 북측에 고즈넉이 세워져 있었는데 노후로 인해 1978년에 마이즈루시에서 인양기념공원 내에 재건하였다. 이것은 본래 독자적으로 있던 인양자에 의한 비석이 행정 주도의 공원정비계획 속에 흡수되고 있었음을 보여준다. 그리고 같은 시기에 〈이국의 언덕 암벽의 어머니異国の丘 岸壁の母〉 노래비가 마이즈루시에 의해, 이듬해에는 〈망향위령비望郷慰霊の碑〉가 시베리아 억류자들의 모임인 사쿠호쿠카이朔北會, 회장 전 관동군 구사치 데이고(草地貞吾)에 의해 건립되었다.

이 시기 이런 비석들이 속속 건립되면서 대규모 인양공원으로 정비된 배경에는 종장終章에서 언급하듯 인양자문제에 대한 관심이 줄어든 대신 시베리아 억류가 사회적으로 주목받았음을 들 수 있다. 1972년에 〈암벽의 어머니〉노래 : 후타바 유리코(二葉百合子, 1954년의 기쿠치 아키코(菊池章子)에 의한 히트곡 리메이크)가 대히트하고, 이를 바탕으로 한 영화1976와 드라마1977가 등장

했다. 이듬해인 1973년부터 야마자키 도요코山崎豊子 원작 「불모지대不毛地帯」가 『선데이 마이니치サンデー毎日』에 연재 개시1978까지, 단행본1976, 1978 간행이 베스트셀러가 되어 1976년에 영화화되었고, 1979년에 TV 드라마로 제작되었다. 1970년대에 대중매체를 중심으로 한 시베리아 억류작품의 붐이 일면서 사회적인 관심이 높아졌던 것과 관련이 있다.

이와 같이 인양원호국의 폐지를 기해 역사를 기념비 형태로 남기려는 움직임이 시의회와 민간 속에서 시작되었고, 후에 언론의 영향으로 차례차례 기념비가 건립되어 간 것이 마이즈루의 특징이다. 그리고 이러한 흐름 속에서 간과해서는 안 되는 것은 마이즈루에서의 인양에 대한 기억이 후기後期 시베리아 억류자로 좁혀져 간 것이었다.

마이즈루인양원호국의 활동은 전기1946.2~1952와 후기1953~폐지(1958)로 나뉘는데, 전기는 원호국을 두었던 곳의 지명을 따서 가미야스시대上安時代, 1946.2~8와 헤이시대平時代, 1946.12 이후로 나뉜다. 헤이시대 이후에는 소련이나 중국에 억류·고용되어 있던 사람들을 수용하는 업무를 했으며, 특히 시베리아 억류자의 귀환이 많았기 때문에 이것이 오늘날 인양항 마이즈루의 이미지가 되고 있다. 그러나 가미야스시대 및 원호국 폐지 전에는 하카타나 사세보와 마찬가지로 만주나 조선 등에서의 민간인 인양자 수용과 조선인·중국인의 송환을 실시했다. 마이즈루는 진수부鎮守府가 있던 나카마이즈루中舞鶴를 경계로 서쪽 마이즈루와 동쪽 마이즈루로 나뉘고 양쪽에 항구가 있는데, 가미야스시대의 인양항은 현재의 서항서마이즈루이었다. 그러다가 헤이시대 이후에는 동항동마이즈루이 되었고, 시베리아 억류자·중국 고용자의 상륙지가 되었다. 가미야스시대에 포함된 1946년

3월부터는 조선인 송환은 헤이 지역에서 이루어졌다.[6]

헤이 지역은 대형 선박이 직접 가로로 댈 수 있을 정도의 수심이 없었기 때문에 인양원호국 폐지 후에는 항만으로서 기능이 정지되었다. 따라서 육상부陸上部는 몇 가지 변화가 있었는데 전체적으로 상륙지 주변 경관은 당시의 모습을 간직하고 있으며 인양기념공원이 정비되면서 인양항 마이즈루의 이미지는 시베리아 억류를 중심으로 한 동마이즈루에 고착화되어 갔다. 한편으로 서항은 인양항으로서 역할을 마친 후에도 상업항으로 확장되었기 때문에 인양항시대의 흔적은 거의 소멸되었고, 현재는 서마이즈루에 인양자가 상륙했던 것은 거의 잊혀지고 말았다.

마이즈루의 사례를 보면 민간인의 귀환이 아니라 병사시베리아 억류자의 복원이라는 측면이 강하게 기억되었다. 그것은 귀환 기념 공원 내에 위령비와 헌목獻木에도 짙게 드러난다. 원래 민간인의 '인양'과 병사의 '복원'은 사무처리를 포함해 성질상 다른 것이었는데 마이즈루에서는 시베리아 억류자의 기억이 강조되면서 모두 '인양'으로 이야기하게 된 것이다.

한편 이러한 억류자 중심의 기억이 형성되어 가던 1978년에 패전 시 마이즈루만灣 내에서 촉뢰觸雷에 의해 침몰한 우키시마마루浮島丸의 위령비인 〈순난비殉難の碑〉우키시마마루 순난자 추모비가 건립되었다1978.8.24 : 〈사진 3〉. 이는 아오모리현青森県 오미나토大湊 해군시설부 등에서 징용되었던 조선인 노동자 및 그 가족들이 패전으로 우키시마마루승선자 수 3,700여 명에서 고국으로 귀환하던 중 1945년 8월 24일 마이즈루만 내에서 폭침하여 549명일본인 승무원 25명을 포함이 사망한 사고의 위령비이다.

침몰했던 우키시마마루는 1950년 3월에야 선체 인양이 결정돼 같은 달

13일에 착공식과 위령제가 거행되었다. 1954년 2월 말에 작업이 완료되어 수습된 시신 340구와 조난 당시 유골과 함께 시내 히가시혼간지東本願寺 절 별원別院에 안치되었다. 그리고 4월 14일 제1회 조난자 추

〈사진 3〉〈순난비(殉難の碑)〉(마이즈루시, 1978.8.24 건립)

모 위령제가 열렸으며 1960년과 1967년에도 거행되었다. 이후 1970년 8월 24일 조·일협회日朝協会 마이즈루지부가 중심이 되어 우키시마마루 순난 25주년 추모 위령제가 열린 것을 계기로 추모비 건립의 목소리가 높아졌고, 1975년 가을에 조·일협회 마이즈루지부를 중심으로 우키시마마루순난자 추모비 건립 실행위원회회장은 당시 마이즈루시장 사타니 야스시(佐谷靖)가 결성되었다. 1978년 8월 24일에 제막식과 위령제가 거행되었다.[7] 일본인 이외의 외국인 인양자 위령비로는 제3절에서 언급하는 사할린 소수민족과 우키시마마루의 위령비뿐이다.

우키시마마루와 마찬가지로 촉뢰에 의해 침몰한 인양선은 이밖에 다마마루珠丸를 들 수 있다. 다마마루는 원래대로라면 한반도로부터 공식 인양하는 첫 선박이 되었을 터인데 1945년 10월 14일 쓰시마対馬섬 이즈하라항厳原港을 출범하여 이키壱岐 가쓰모토勝本 앞바다에 접어들 무렵 폭침하여 545명 이상이 희생되었다. 이후 1970년 유족회가 결성되어 이듬해 10월 14일 27주기를 목표로 위령비 건립이 계획되었으며 1971

〈사진 4〉〈다마마루조난자위령탑(珠丸遭難者慰霊塔)〉
(쓰시마시(対馬市), 1971.10.15 건립)

년 10월 15일 쓰시마 섬 이즈하라에서 〈다마마루조난자위령탑〉〈사진 4〉 제막식이 거행되었다.[8]

우키시마마루와 다마마루는 일본 해난사고 역사상 도야마루洞爺丸 조난1945년 9월 26일 사망자·실종자 1,155명에 버금가는 규모의 대형참사로 위령비는 모두 건립되었다. 하지만 전후 일본 사회에서는 거의 잊혀 있다. 다마마루 사고는 조선 인양자나 현지인들 사이에서 세세하게 전해지는 정도이며 위령비도 현재는 조용히 서 있을 뿐이다. 우키시마마루호에 대해서는 근처에 있는 인양기념공원이 아니라 우키시마마루호 폭침 현장 가까운 곳 시모사바카(下佐波賀)에 위령비가 건립되었다. 건립실행위원회 회장에는 대안제도対岸諸島의 관계에 적극적이었던 당시의 사타니 야스시 시장이 취임하고, 교토부와 마이즈루시의 지원도 있어 지금도 위령제가 행해지고 있다. 그러나 희생자의 대부분이 조선인이었기 때문에 지역에서의 기억은 한정적이며, 또한 이 조난 사고 이외에 마이즈루에서 조선인의 송환이 행해진 것도 잊혀지고 있어 많은 민족을 끌어들인 해외인양의 기억으로 뿌리내리지 않고 있다.[9]

인양항을 둘러싼 기억을 전하는 것에 마이즈루는 비교적 적극적이었다. 여기에는 사타니의 존재가 크다. 혁신계였던 사타니는 1954년 8월부터 6기에 걸쳐 마이즈루시장을 지냈는데, 취임 당시 마이즈루시의 재정은 위기 상황에 있었다. 군항軍港 도시였던 마이즈루는 재정 후 군軍 관련 보조금이 없어진 데다가 군수 관련 공장의 해체로 인한 지역 산업계의 쇠퇴와 실업자의 증가로 세수가 대폭 감소하여 1955년도부터 7년간에 걸친 재정 재건 계획을 진행할 수밖에 없었다.[10]

이러한 가운데, 일·소 국교 회복이 정치 의제가 되고 있었던 1954년 10월에 교토부의회 의장이 '중·일 간 일·소 무역항으로서 마이즈루항 지정 요망에 관한 의견서日中, 日ソ貿易港として舞鶴港指定要望に関する意見書'를 제출, 1956년 6월에는 마이즈루시의회가 '대안무역·어업촉진에 관한 의견서対岸貿易·漁業促進に関する意見書'를 관계 장관 등에 제출했다. 일·소 국교 회복 다음해인 1957년 12월 6일에 체결된 일·소통상조약 체결을 계기로 마이즈루시와 교토부의 소련·중국·북한과의 대안 무역 추진 움직임이 활발해져 1958년 6월에 염원하던 일·소 정기 항로의 기항지로 지정되었다. 이어 8월에는 일·소 친선 사절단의 일원으로 사타니가 소련을 방문했으며 1961년 6월 21일에는 나홋카Nakhodka시와의 자매 도시 제휴를 맺었다.[11]

공산권 국가에 대한 관심이 많았던 사타니는 재정 재건을 위해 대안 무역을 통한 경제 발전을 구상하였고, 당시 혁신계의 니나가와 도라조蜷川虎三가 지사로 있던 교토부 또한 이를 지원했다. 〈평화의 군상〉의 발기인으로 사타니와 니나가와가 이름을 올리고 있는 사실이 그것을 말해주고 있다. 역설적으로 보면 소련과의 교류에 대한 관심이 줄어들면 인양에 대한 관심도 줄어들 것이라는 위험성을 내포하고 있었다. 인양항 마이즈루의 기억이 형성되어 간 배경에는 이러한 대소련교류 추진이라는 마이즈루시·교토부의 정치적·경제적 요구가 있었음을 간과해서는 안 된다.

이처럼 마이즈루는 행정의 전면적 지원으로 인양항의 역사가 가시화되었는데 그 외의 인양항에 대해서는 어떠했을까. 하코다테函館에서는 가라후토로부터 공식 인양이 완료된 지 30년째가 되는 1977년에 〈가라후토인양자상륙기념비樺太引揚者上陸記念碑〉가 전국가라후토연맹全国樺太聯盟 하코다테지부에 의해 건립되었는데 이것은 후술한 것처럼 다른 기념비와는 성격을 달리한다. 한편 만주 등의 본격적인 인양개시로부터 40년째에 해당하는 1986년에 다나베에서는 〈해외인양자상륙기념비海外引揚者上陸記念碑〉, 이듬해 인양원호국 본청사 유적지에도 기념비가 기난紀南문화재연구회와 다나베시 등에 의해 건립되었다. 그리고 사세보에서도 〈인양첫걸음터引揚第一歩の地〉가 사세보시에 의해 건립되었고, 아울러 인양항을 내려다보는 구릉지가 우라가시라浦頭 인양기념 평화공원으로 정비되어 〈우라가시라인양기념평화의 상浦頭引揚記念平和の像〉 건립과 우라가시라 인양기념자료관 건립이 이루어졌다. 사세보의 경우는 마이즈루보다 규모는 작은데 기념비와 공원과 자료관이 일체가 된 비슷한 정비사업이었다고 할 수 있다.

이후 인양 50년째인 1996년에는 하카타에 〈하카타항인양기념비〉가 후쿠오카福岡시에 의해, 오키나와현의 히사바사키久場崎에는 〈전후인양자상륙의 땅戦後引揚者上陸の地〉이 나카구스쿠손中城村에 의해 각각 건립되었다. 또한 가고시마현鹿児島県 가지키초加治木町에서 전후 50년을 계기로 인양 사몰자 위령제가 거행된 것을 계기로 〈인양선입항의 땅 가지키引揚船入

港の地 加治木〉가 지역 민간 유지에 의해 건립되었다. 이 사이의 1992년에는 몇 주년이라는 시점과는 무관하게 센자키仙崎에 〈인양기념비〉가 나가토시에 의해서 건립되었다. 이어 인양 60년째인 2006년 우라가에서 〈우라가항인양기념비〉가 요코스카横須賀시에 의해서 건립되었다. 우라가의 경우는 인양 60년을 기회로 인양자 등의 기부금으로 건립되었지만, 요코스카시의 100주년 사전 사업의 일환이라는 요소도 있었다.

오늘날까지 건립된 각 인양항의 기념비 건립자 이름을 보면 민간 유지에 의해 건립된 가지키의 경우는 예외이고 그 이외에는 행정이 주체가 되고 있다. 그러나 실제로는 하카타의 '인양항·하카타를 생각하는 모임引揚げ港·博多を考える集い'이나 다나베의 '타나베모리항인양40주년기념사업을 추진하는 모임田辺文里港引揚40周年記念事業をすすめる会'과 같은 시민 그룹이 행정을 움직여 기념비 건립으로 이어진 사례도 있다. 다른 곳에서도 인양자나 일반 시민의 요청이나 기부금이 쇄도하고 있는 등 완전한 관제 기념비라는 것은 아니다.[12]

그러나 기념비 건립 이후 지속적인 관심은 좀처럼 어려운 실정이다. 예를 들어 많은 일본인과 대중매체는 전후 50년에는 큰 관심을 기울였는데 그 1년 뒤인 인양 50년에는 거의 관심을 기울이지 않았다. 이는 일반 일본인들이 1945년을 전환점으로 생각하고 있는 데 비해 많은 인양자는 고국으로 귀환한 1946년을 전환점으로 받아들이고 있는 점에서 1년이라는 전후 의식 차이가 그대로 드러났다고 봐야 할 것이다. 패전이 아니라 인양을 기점으로 건립된 인양항 관련 기념비에는 이런 전후 의식 차이가 있음을 간과해서는 안 된다.

〈사진 5〉 무연묘 〈혼(魂)〉(가지키쵸(加治木町), 1953.12월경 개장(改葬))

그리고 인양항 기념비와는 별도로 인양 과정에서 숨진 사람의 유골을 매장한 무덤이나 위령비도 지역에 따라 존재한다. 앞서 언급한 가지키에서는 인양자 수용시설과 인접한 공동묘지 내〈사진 5〉에,[13] 사세보의 경우 전 사세보인양원호국에 인접한 혼부쓰지本仏寺 절 가미釜묘지〈사진 6〉에 무연고자대부분 남쪽에서 전사한 병사의 합장묘가 있다.[14] 그리고 우라가에도 인양선 내에서 일어난 집단 콜레라 감염 사망자 2천여 명에 관한 위령비 2기구리하마(久里浜) 조안지(長安寺) 절 경내 〈우라가인양원호국인양자정령탑(浦賀引揚援護局引揚者精霊搭)〉, 구리하마 소년원부지 내 〈공양탑〉가 있다.[15]

이와 같은 사망자 위령비 중 특이한 것은 하카타 인양원호국 후쓰카이치二日市 보양소保養所에서 낙태된 태아 위령비 〈인의 비〉〈사진 7〉이다. 이것은 1981년 3월에 후쿠오카현립 슈유칸修猷館 고교 교사 고지마 게이조児島敬三가 세운 것이다. 고지마와 후쓰카이치 보양소와의 관계는 전혀 없었지만 후쓰카이치 보양소에서 인양자의 낙태 수술이 이루어졌다는 사실을 알게 된 고지마는 수술에 종사한 경성제국대학 의사와 간호사가 우생보호법에 의해 낙태가 금지된 가운데 '직업을 걸고 행한 그들의 인도적 행위는 후세에 전해져야 한다고 생각해' 사재私財를 들여 건립했다.[16] 〈인의 비〉는 가지키나 사세보, 우라가와 달리 관계자의 손에 의하지 않고 건립된 유

일한 것이다.[17] 또한 이 비석의 건립 이전부터 후쓰카이치 보양소의 터를 이어받은 제생회済生會 후쓰카이치병원현재는 요양홈 무사시원(むさし苑)에 의해 공양이 이루어지고 있으며, 비석 건립 1년 후에는 미즈코지조水子地蔵가 안치되었다. 그리고 현재도 경성제국대학 관계자를 포함한 위령제가 5월 14일에 행해지고 있다.

〈사진 6〉 혼부쓰지절(本仏寺) 가마묘지(釜墓地) (사세보시(佐世保市))

〈사진 7〉 〈인의 비(仁の碑)〉 (지쿠시노시(筑紫野市), 1981.3 건립)

인양항에서 인수자가 없었던 유골이나 시신, 심지어 낙태된 태아와 같은 무연불無縁佛에 대해서는 인양자의 기억 속에는 존재하지 않고 받아들인 쪽 사람들의 기억 속에서만 간신히 존재한다. 그러나 실제 인양자 수용 업무를 맡은 13곳오키나와 제외의 인양항 중 무연고묘나 위령비가 있는 곳은 고작 4곳에 불과하다. 또 이 중에는 가마묘지와 같이 전사한 병사의 유해가 주체라는 사례도 있다.[18] 그리고 이곳에 매장된 사망자의 위령도 묘지의 유지관리도 민간인 유지有志에게 맡기고 있다. 이처럼 전쟁희생자 중에서 가장 잊혀진 것이 인양자의 무연불이라 할 수 있다.

2. 인양 희생자를 둘러싼 '순난'과 '위령'

전후 일본 사회는 외지와 관련된 기억을 배제하는 형태로 형성되어 갔다. 기억의 터전을 잃고 전후 사회에도 받아들여지지 않은 인양자들에게 유일한 기억을 확인할 수 있었던 것이 기념비인 셈이다. 다만 이러한 기념비는 지역적 연계가 부족했기 때문에 건립할 '장소'를 어디로 할 것인가 하는 문제가 따라다녔다.

인양항이라는 공간은 인양자와 이들을 수용한 측 양측에 대한 기억의 장이 될 수 있었기 때문에 기념비를 건립하기에 최적의 장소이기도 했다. 그러나 해외인양의 기억 중에서 가장 중요한 요소를 가진 인양자가 현지에서 겪은 일에 대해서는 양측이 기억을 공유하기는 어렵다. 이 때문에 현지에 있던 공동체의 기억을 확인하고 인양되지 못한 사망자를 위령하는 기념비의 건립 장소가 문제가 되어 결과적으로 갈 곳이 없어진 기념비를 받아들인 곳이 각지의 호국신사였다.

개척단 등에 대상이 한정되지 않는 인양자 전체 기념비는 결코 많지 않다. 지역 차원에서 건립 연도가 빠른 인양자 기념비는 1961년 3월 제막식을 거행한 〈인양사망자위령탑〉〈사진 8〉이다. 이는 군마현인양자연합회에 의해 군마현호국신사 경내에 건립된 것인데, 건립에 관여한 인양자의 의식은 어떤 것이었을까.

〈사진 8〉 〈인양사망자위령탑(引揚物故者慰霊塔)〉
(군마시(群馬市) · 군마현호국신사(群馬県護國神社))

위령비 건립 총괄 지휘를 맡은 군마현인양자연합회 회장 기무라 미노루木村実, 전 만주국 혁신시 동방토건주식회사(革新市東邦土建株式会社) 전무이사 · 전후는 다카사키(高崎) 시의회 의원는 전후 20주년 기념 사업으로 간행한 『군마현해외인양지群馬県海外引揚誌』에서 "우리 인양자는 오랜 세월의 피와 땀의 결정을 모두 빼앗기고 벌거벗은 채 생명만 겨우 이어 조국 일본의 땅을 밟은 지 만 20년, 해외에 있을 때 우리의 소중한 역사와 인양 전후 타향에서의 이루 말할 수 없는 고난의 실체는 체험자 외에는 상상할 수 없다. 우리가 이야기하는 것 외에는 세상으로부터 빨리 잊혀지려고 합니다"라고 말하고 있지만, 이러한 인양자의 원념怨念이라고 할 수 있는 억울함과 사회에서 잊혀지려는 위기감이 건립의 배경이 되고 있다고 할 수 있다.[19]

다만 이 위령비 건립 배경에는 '재외재산보상요구운동在外財産補償要求運動'이라는 정치적 운동의 존재를 간과해서는 안 된다. 인양 때 잃은 재외사유재산의 보상을 일본 정부에 요구하는 움직임은 1946년 11월 29일 인양자단체전국연합회의 결성으로 시작되었다. 그러나 당초에 추진한 재외사유재산 반환요구는 샌프란시스코 강화조약으로 일본이 해외에 남긴 일본계 자산을 포기하면서 좌절되었고 1952년 11월 16일 인양자단체전국연

〈사진 9〉 〈척혼비(拓魂碑)〉(다마시(多摩市), 1963.8.10 건립)

합회의 행동단체로 재외자산보상획득동맹在外資産補償獲得同盟이 결성되면서 사유재산 보상요구로 옮겨갔다. 마침내 1957년 5월 17일에 '인양자급부금등지급법引揚者給付金等支給法'이 통과되어 보상이 아닌 위로금이 지급되게 되었다. 하지만 인양자단체전국연합회는 이에 납득하지 않고 운동을 계속했다. 그리고 민법상 청구권이 시효를 맞이하는 강화조약 발효 10년째인 1962년 4월 27일을 눈앞에 두고 다시 보상요구 운동이 고조되었는데, 위령비 건립은 바로 이런 움직임 속에서 이루어진 것이다.[20]

한편 '인양자급부금등지급법'이 통과된 같은 해 12월에 원래 만주 개척단 관계자들의 단체인 사단법인개척자흥회社団法人開拓自興会는 쓰키치혼간지築地本願寺 절에서 진행된 13주기 법요에서 순난비 건립 계획을 발표했다. 그리고 이듬해인 1958년 7월 총회 이후 건립 계획이 구체화되면서 세이세키사쿠라가오카聖蹟桜ケ丘에 490평의 용지를 확보, 1963년 8월 10일 〈척혼비〉〈사진 9〉 결성식을 거행했다.[21]

여기서 중요한 것은 인양자단체전국연합회가 추진한 재외사유재산 보상요구운동에 대해 개척자흥회는 적극적으로 가담하지 않았다는 점이다. 사실 메이지 시대부터 만주와 조선 등지에 걸쳐 토착화해 나름대로 재산을 모은 사람들과는 달리 국책에 의해 만주로 보내진 개척단원에게 사유재산이라고 부를 만한 저축은 거의 없었다. 오히려 만주로 건너가기 전에 토지나 건물을 청산해 버렸기 때문에 귀국 후에는 정착할 곳이 없어 정부의 새로운 정착지 알선과 정착 후의 지원이 절실한 문제였다. 게다가 인양 희생자의 대부분을 차지하고 비극을 한 몸에 짊어지고 있는 개척단원들은 국가의 위령과 현창을 가장 강하게 바라고 있었다. 여기에 같은 인양자라도 개척단원과 비개척단원인 자와는 결정적인 차이를 보였고, 그것이 그들이 건립한 기념비에도 나타나 있었다.

개척단원들이 품은 재외 사유재산보상요구 운동에 대한 위화감과 그들의 독특한 기념비에 대한 생각을 보여주는 사례로 고치현高知縣에서 일어난 사건은 시사하는 바가 크다.

1954년 9월에 고치현 재외인양자대회가 개최되었는데 중심 의제는 재외사유재산 보상요구였다. 그러나 그 자리에 참석하고 있던 고치현 개척민자흥회 회장 후쿠도메 후쿠타로福留福太郎는 보상을 요구하는 촉진결의로 가득찬 회의장 분위기에 대해 "다만 쓸쓸히 가슴을 누를 수 없는 무엇인가"를 느껴 '단상壇上'에서 패전의 비극으로 인해 "지금도 비운의 유한遺恨을 남기고" 있는 "희생자의 영혼을 평안하게 영원히 진좌시키겠다는 마음에서 제사祭事 발언이 없음을 유감스럽다고 절규"하였고, 이 후쿠도메의 발언을 계기로 자흥회 회원들은 '순난자 동지를 개죽음하는 일'이 없도록 신사비의 건립을 결정했다.[22] 그리고 1956년 7월 14일 전 대동아장관이었던 아오키 가즈오青木一男의 휘호에 의한 〈만주개척민순난지비〉〈사진 10〉와 개척신사開拓神社의 제막식이 고치현호국신사 경내에서 거행되었다. 건립 장소는 호국신사 경내이지만, 당초에는 제1 후보지가 고치시

〈사진 10〉〈만주개척민순난지비(滿州開拓民殉難之碑)〉
(고치시 · 고치현호국신사, 1956.7.14 건립)

마루노우치丸の內, 제2 후보지가 고치시 야나기하라공원柳原公園, 제3 후보지가 바로 고치시 히쓰잔공원筆山公園이었다. 그러나 교섭이 잘 이루어지지 않아 결국 고치현호국신사 모리시타森下 궁사宮司의 '각별한 배려'로 부지를 무상으로 대여받는 것으로 결말이 난 경위가 있다.[23]

고치현의 경우 기념비 명칭은 '위령비'가 아니라 '순난비'이다. 개척단과 관련된 기념비 중 상당수는 이 '순난비'가 후술하는 '척혼비'인데, 이 기념비 명칭에서 단순한 개인 공양이 아니라 국책으로 진행된 만주이민이라는 국가사업에 순직한 현창적 의미를 강렬하게 담고 있다고 이해할 수 있을 것이다.

이 고치현호국신사의 순난비 건립 3년 후 앞서 언급한 개척자흥회의 '척혼비'가 세이세키사쿠라가오카에 건립되었고, 이 비석을 감싸듯 전국의 개척단·의용대별로 단비団碑가 속속 건립현재는 173기되어 마치 개척단의 척혼공원이 된 것처럼 성지가 되었다. 그러나 이 비석의 명명자로 스스로 휘호한 것은 만주 이민의 창시자인 가토 간지加藤完治였다. 더구나 척혼비는 보다 적극적인 국책에 대한 정신挺身과 순사殉死라는 의미가 강하여 전전의 '충혼비'로 통하는 것이었다. 그리고 이후 각지에서 건립된 개척단 관계 기념비는 '척혼비'로 되어 있었다.

이러한 특이성을 지닌 개척단의 기념비 중에서도 만주개척청년의용대만·몽(滿蒙)개척청소년의용대의 위령비는 더욱 첨예한 것이 되었다.

〈사진 11〉〈만·몽개척청소년의용군위령비(滿蒙開拓青少年義勇軍慰霊碑)〉
(아키타시(秋田市)·아키타호국신사(秋田県護国神社), 1978.8.15 건립)

1978년 8월 15일 아키타현호국신사 경내에서 〈만·몽개척청소년의용군위령비〉〈사진 11〉 건립 제막식이 거행되었다. 이후 이 위령비 건립을 기념하여 '마음의 종이 비석心の紙碑'으로 불리는 기념지『진혼鎮魂』이 간행되었는데, '발간사'에서 위령비 건립을 추진한 다카시미즈석비회高清水石碑会 회장 다카하시 마사오高橋政雄는 "황국 소년의 자부심과 이상향 건설을 위해 대륙에서 피땀과 눈물을 흘린 것이 지금 눈에 떠올라 지금도 몸과 마음이 긴장감으로 가득 차 있다"라고 토로한다. 아울러 위령비의 의의는 '영령의 정신을 우리가 자손에게까지 계승하여 조국의 장래에, 그리고 세계의 영원한 평화로 연결시켜 가는 것'에 있는데, '호국 영령의 비석은 전국 방방곡곡에 세워져 있고, 이 비석들은 과거 전승戰勝 예찬의 표시였을지 모르지만, 이제는 이러한 생각은 진부하므로 세계의 항구 평화로, 새로운 마음가짐으로 나가야 할 것이다'라고 단순한 전전의 충혼비와 같은 현창적인 요소가 강한 것이 아니라 '세계의 항구 평화'를 기원하기 위한 것이라고 고매한 이념을 내세우고 있었다.[24]

전후 건립된 많은 기념비는 이처럼 '세계평화' 등을 내세운 것이 많다.

〈사진 12〉〈만·소순난비(満ソ殉難碑)〉(구마모토시(熊本市)·구마모토현호국신사(熊本県護国神社), 1970.8.9 건립)

그 연장선에 있다고 할 수 있는 구마모토현호국신사의 〈만·소순난비〉1970년 8월 9일 건립 : 〈사진 12〉는 "제2차 세계대전 종전시 만주 전란으로 불행하게 목숨을 잃은 수십만 동포의 소토비卒塔婆[25]일 뿐만 아니라 순직한 일본·만주·조선·몽골·소련인들의 공동 공양탑이다"라는 건비建碑의 취지를 내세워 세계평화를 주창할 뿐만 아니라 일본인 이외의 다른 민족을 포함한 공양탑으로 확대되었다.[26] 세계평화라는 목적의 추상화와 함께 죽음의 추상화를 통한 대상의 확산이라는 점도 전후 기념비의 특징이다.

개척단에 관한 기념비도 이 사례에서 빠지지 않지만, 전전에는 이상향 실현을 위한 헌신적인 노력, 전후에는 세계평화의 상징, 그 사이를 잇는 것이 패전 시의 비극적 최후라는 도식으로 되어 있다. 억울하게 죽어간 개척단원에 대해 살아남은 자들이 그 죽음을 '개죽음'으로 만들지 않으려면 어떤 고매한 이상에 대한 순시殉死로 규정하는 것은 자연스러운 감정이라고 할 수 있다. 그러나 이러한 죽음의 추상화에서는 왜 그들이 죽어야 했느냐는 구체적인 원인을 설명할 수 없다.

개척단원 800여 명의 80%가 사망살해·자결·병사하거나 실종된 나가노현長野県 요미카키무라読書村개척단의 교원으로 기적적으로 귀환할 수 있었던 소마 히로미相馬弘海는 요미카키무라개척단 위령제에서의 조사弔辞

에서 "요미카키무라개척단원의 60%가 넘는 사람들이 만주 땅에서 억울한 죽음을 당한 사실을 후손들에게 영원히 전하고 싶다. 전쟁 중에 오키나와에도 비극이 많았지만 항복하면 목숨은 건졌다. 요미카키무라개척단의 비극은 항복해도 살아남지 못했던 것입니다"라고 개척단원의 억울한 죽음을 헤아려 구전해야 할 살아남은 자의 책무를 대변하고 있다.[27]

오키나와전투의 민간인 희생자보다 더 많은 희생자를 낸 만주 인양의 상당수는 개척단원이었던 사실은 전후 일본 사회에 거의 알려지지 않았다. 그 부끄러운 마음을 전하며 일본인 전체의 기억으로 가기 위해서는 그들의 죽음을 쓸데없이 추상화해서는 안 된다. 본래 필요한 것은 만주개척이라는 국책이 안고 있던 결함을 밝혀내는 것이며, 살아남은 개척단원들이야말로 고발자가 될 수 있었다. 그러나 전후에 책임 소재는 밝혀지지 않았고 그들도 그 목소리를 내지 못했다. 기념비 역시 그런 진정한 사망자의 목소리에 부응한 것은 아니었다. 척혼비의 글자는 만주 이민 정책의 최대 책임자인 가토 간지加藤完治에 의한 것이며, 전후에도 가토는 '만주개척의 아버지'로서 개척단원, 특히 의용대원들로부터 추앙을 받았던 점에서 그것은 분명한 사실일 것이다.

또한 상당수가 자발적이지 않고 마을 내 사정으로 인해 어쩔 수 없이 만주로 건너간 개척단원의 비극을 생각할 경우 내보낸 측마을에 남은 자들의 책임 문제를 언급하지 않을 수 없게 된다. 그러나 간신히 살아온 개척단원들이 도착한 고향에서는 개척단 송출을 둘러싼 책임 문제가 금기시되고 말았다. 이로 미루어 생각하면 개척단 위령비는 촌락공동체 내부의 응어리와 책임론을 봉인한다는 암묵적 교환조건에 따라 건립된 측면도

있었다고 할 수 있다.[28]

만주 개척단과 관련된 기념비에는 개척단원의 비극과 너무나 강렬한 비극성 때문에 덮여버린 전쟁책임 소재라는 문제를 안고 있다.[29]

3. 사할린 인양으로 보는 '고향'과 '이향'

만주와 마찬가지로 소련군의 공격으로 많은 희생자를 낸 사할린의 경우 그 위령비가 성립되는 방법부터가 독특한 존재이다. 전국가라후토연맹에 의해 건립된 〈가라후토개척기념비樺太開拓記念碑〉〈사진 13〉는 홋카이도신궁北海道神宮 경내에 있다. 원래 이 개척비는 1963년 여름 무렵부터 계획되어 1964년도 사업계획에서 「가라후토40년사樺太40年史」후에 『가라후토연혁·행정사(樺太沿革 · 行政史)』와 『가라후토종전사(樺太終戦史)』로 분리) 편찬 계획과 동시에 '가라후토합동위령탑건립의 건樺太合同慰霊塔建設の件'을 내세우고 연맹 창립 20주년 기념사업으로 삼을 계획이었는데 연맹 내부의 다른 사업과의 관계로 계획은 늦어졌고 1971년 2월에 '가라후토위령비건립기성회규정樺太慰霊碑建設期成会規程'이 정해지면서 사업이 비로소 구체화되기에 이르렀다.

게다가 당초에 메이지신궁明治神宮에 건립할 계획이었는데 메이지신궁 측이 받아들이지 않아 홋카이도신궁옛 가라후토신사와 같은 제신으로 바뀌었다. 그러나 홋카이도신궁 쪽에서도 처음에는 거부되어 재차 부탁하여 실현되었고 그 과정에서 계획한 기념비 명칭인 '위령비'1964년 단계에서는 '위령탑'가 "불교의식이 느껴지므로 신사궁의 경내에 맞지 않는다"고 홋카이도신궁 측의 '지도指導'를 받은 결과 〈가라후토개척기념비樺太開拓記念碑〉가 되었다. 그리고 비문에 메이지 천황의 '어제御製'를 싣고 싶다는 희망은 궁내청으로부터 전례가 없다고 하여 각하되는 등 우여곡절을 겪은 끝에 비로소 1973년 8월 23일 가라후토신사 예제일에 맞추어 제막식이 거행되었다.[30]

〈사진 13〉 〈가라후토개척기념비(樺太開拓記念碑)〉
(삿포로시(札幌市)·홋카이도신궁, 1973.8.23 건립)

이 기념비의 건립 경위를 보면 인양자 기념비 건립 장소의 어려움을 엿볼 수 있다. 참고로 호국신사에서 주로 사용되고 있는 '위령비'가 홋카이도신궁 측에 거절되고 있는 것만 보아도 호국신사가 지닌 성격의 특이성과 위령비를 수용하는 역할을 엿볼 수 있다.

사실 이 기념비 건립의 배경에는 사할린 인양자를 둘러싼 복잡한 배경이 자리 잡고 있었다. 비문에는 근세부터 역사적 유대가 깊은 사할린은 러시아의 압박으로 한번은 포기했지만, 러일전쟁으로 남쪽 지역을 '회복'하고, "우리 조상은 이곳을 묘지로 정하여 불모에 도전하고 혹한에 맞서, 심혈을 기울여 식산殖産을 일으켜 제도를 정비하고 문교文教를 추진하여 근대 사할린을 이룩했다"가 그 '보물의 섬'은 소련에 의해 불법으로 점령당하여 샌프란시스코 강화조약으로 소련의 영유가 인정되지 않아 현재에 이르고 있다는 내용이 장문으로 기록되어 있다. 여기서 강조되고 있듯이 국제법상 귀속 미정의 땅으로 되어 있다는 것은 사할린 인양자에게 중요한 의미를 가지고 있었다.

1948년 4월에 사할린 인양자의 전국 조직으로 전국가라후토연맹이 설립되었다. 동시에 사할린 인양자 중에 사할린 반환을 요구하는 목소리도 높아지고 있었지만, 운동으로 구체화한 것은 1954년 6월 이후이다. 이듬해인 1955년 3월 23일에 전국가라후토연맹 산하에 '남사할린반환기성동맹'이 결성되어 정계에 대한 압박과 홍보 활동을 전개했다. 남사할린반환기성동맹은 '북방영토'에는 남사할린과 북쪽의 치시마열도도 포함된다고 했지만, 정부는 남쪽 치시마열도, 이른바 북방 4도로 한정하고 있었다.

게다가 북방영토 문제는 특수법인인 남방동포원호회南方同胞援護会, 1956 설립가 오키나와·오가사와라小笠原 문제와 함께 다루고 있었다. 1965년 이후 오가사와라제도諸島가 조국으로 복귀되면서 오키나와 반환 또한 목표로 정하였기 때문에 남방동포원호회에서 북방영토 문제를 분리하기 위해 1969년 10월 1일에는 특수법인인 북방영토문제대책협회北方領土問題対策協会가 설립되었고, 그 과정에서 북방영토에서 남사할린을 제외하려는 움직임이 정부 내부에서 일어나고 있었다.[31]

다른 식민지와 달리 사할린의 경우 전후 일·소 관계가 짙게 영향을 주고 있는 것이 특징이다. 만주와 조선·대만 등과 달리 사할린의 귀속에 관해서는 샌프란시스코 강화조약을 조인하면서 일본 정부는 영유권을 포기했지만, 소련은 조인하지 않아 남사할린과 치시마열도의 귀속은 국제법상 애매한 채 오늘에 이르고 있다. 사정이 이렇다 보니 사할린 인양자의 고향인 남사할린은 이미 외국이 되어 다시는 돌아갈 수 없는 고향이 아니라 언젠가는 일본으로 반환되어 돌아가야 할 고향이 되었던 것이다.

이러한 생각이 사할린 인양자의 기저에 있었고, 이를 확인하기 위해 기념비는 존재하고 있었다. 즉 만주 등의 인양자들에게 기념비는 과거를 돌아보고 죽은 자를 위령하기 위한 것이지만, 사할린 인양자들에게 기념비는 과거뿐만 아니라 현재 그리고 미래를 내다보는 공동체의 희망을 보여주는 것이었다.

전국가라후토연맹은 반환운동을 확산시키기 위해 적극적인 기념비 건립을 추진해 나갔다. 1961년 8월 일본을 방문한 소련의 아나스타스 미코얀Анастас И. Микоян 제1 부총리에게 제출한 요청서에는 남사할린의 반환과 함께 남사할린 자원 개발에 대한 구·가라후토 거주자의 활용과 사할린 잔류일본인과의 통신·여행 자유화 외에 남사할린에서의 일본인 합동위령비 건립도 요망하고 있었다. 이때부터 남사할린반환운동과 위령비 건립이 함께 이루어졌으며, 같은 해 11월 21일 홋카이도지부 연합회에서는 1945년 8월 22일 사할린에서 긴급 소개疎開 도중 루모이留萌 앞바다에서 격침된 오가사와라마루小笠原丸·다이토마루泰東丸·다이니신코마루第二新興丸 선원 희생자1,708명의 합동위령비 건립이 결정되었고, 이듬해인 1962년 9월 22일 〈가라후토인양3선순난자위령지비〉〈사진 14〉가 루모이시의 센보다이千望台에 건립되었다.[32]

사실 이 위령비 건립으로 10여 년 전인 1952년 11월에 마시케초增毛町 의회 의원 무라카미 다카노리村上高徳가 마시케초 묘지 한쪽에 납골 순난비 〈오가사와라마루조난자순난지비〉〈사진 15〉를 건립한 바 있다. 무라카미는 자비로 1950년부터 침몰 3선 인양 운동을 벌여 313구의 유골을 수집

했으나 전국가라후토연맹은 이 사업에 아무런 관여를 하지 않았다.[33]

〈사진 14〉〈가라후토인양3선순난자위령지비(樺太引揚三船殉難者慰霊之碑)(이전 후 〈가라후토인양3선순난 평화의 비(樺太引揚三船殉難 平和の碑)〉. 루모이시(留萌市), 1962.9.22 건립)

개인이 앞서서 행하던 3선순난자 위령 사업을 전국가라후토연맹이 뒤에서 추종한 것은 위령비 건립이 반환 운동의 고조라는 정치적 요소와 밀접한 관계에 있었음을 의미하고 있었다.

〈사진 15〉〈오가사와라마루조난자순난지비(小笠原丸遭難者殉難之碑)〉(마시케초(増毛町), 1952.11 건립)

3선순난자위령비가 건립되자 만주처럼 소련 공격에 의한 희생자 위령이 주목받게 되었다. 조속히 1962년 겨울 무렵부터 사할린을 원하는 왓카나이에 위령비 건립을 요구하는 움직임이 일어나 왓카나이 시장을 중심으로 건립이 추진되어 자금 대부분을 민간 기부금으로 조달하고 이듬해인 1963년 8월 21일에는 〈빙설의 문〉〈사진 16〉이 건립되었다(태풍에 의한 붕괴로 1972년 9월 18일 재건). 아울러 〈9명의 처녀비〉〈사진 17〉도 함께 건립되었는데, 이는 1945년 8월 20일 마오카真岡우체국의 전화교환수였던 9명의

여성이 소련의 침공에 음독 자살한 사건의 위령비이다.[34]

〈사진 16〉〈빙설의 문(氷雪の門)〉
(왓카나이시(稚内市), 1963.8.21 건립 · 1972.9.18 재건)

이렇게 1960년대 전반에 적극적인 위령비 건립이 이루어졌고, 1970년대에 들어서는 앞서 언급한 〈가라후토개척기념비〉가 건립되었다. 1975년 8월에는 오비라조小平町에서도 〈3선조난위령지비〉가 건립되었고 이듬해 8월에는 도마마에조苫前町에서도 위령비가 건립되었다. 이어 1977년에는 제1절에서 언급한 〈가라후토인양자상륙기념비〉가 전국가라후토연맹 하코다테지부에 의해 하코다테 시청 앞에 건립되었다.[35] 이러한 위령비 건립과 동시에 1961년부터 전국가라후토연맹은 사할린에서의 유골 수집을 정부 등에 진술하기 시작하여 1965년 7월부터 사할린 성묘가 실현되었다.[36]

〈사진 17〉〈9명의 처녀비(9人の乙女の碑)〉(왓카나이시, 1963.8.21 건립)

그러나 전국가라후토연맹의 활발한 활동과는 반대로 국제 정치 상황에서 사할린 반환은 비현실적으로 되어 갔다. 일본 정부는 북방영토 문제를 4개 섬 반환으로 좁혔고, 사할린 인양자의 생활 기반도 안정되었기 때문에 반환 운동은 퇴진해 갔다. 전국가라후토연맹의 위령비 건립은 1970년대로 끝났지만 이러한 정치적·경제적 변화가 큰 영향을 미쳤다. 더욱이 1980년대부터 1990년대에 걸쳐 사할린 인양자의 고령화와 2세대로의 세대교체가 진행되면서 이들의 관심은 고향의 성묘와 현지 위령비 건립으로 점차 옮겨갔다.

국제 정치에도 큰 변화가 왔고 1991년 12월 소련이 붕괴되면서 사할린으로의 도항과 현지와의 교류가 이전보다 훨씬 쉬워졌다. 그리고 1996년 11월 1일 사할린주 스미르니흐Smirnykh, 게톤(気屯)에 건립된 〈가라후토·치시마전몰자위령비〉를 비롯하여 사할린의 16곳고톤(古屯)·게톤(気屯)·시스카(敷香)·에스토루(惠須取)·시루토루(知取)·진나이(珍内)·시라우라(白浦)·오치아이(落合)·도마리오르(泊居)·노다(野田)·마오카(真岡)·도요하라(豊原)·루타가(留多加)·오도마리(大泊)·혼토(本斗)·나이호로(内幌)에 위령비가 건립되어 갔다.[37]

사할린의 인양자에게 사할린의 존재가 일본 사회 속에서 잊혀져 간다는 것은 그들의 존재 자체가 잊혀지는 일이기도 했다. 그러므로 남사할린 반환 운동을 통해 사회를 계발하고 더욱 적극적인 기념비 건립으로 그들의 존재와 역사를 일본 사회에 각인하고자 하였다. 다만, 그것은 일본인의 사할린이었으며, 일본 통치하의 남사할린에는 사할린 아이누와 니부흐인Nivkhi, 윌타인Ulta 등의 소수민족, 나아가 러시아인까지 거주하고 있었던 것은 누락되어 있었다. 게다가 또 '조국' 일본으로 '귀환'하고 있었던 것이다.

아바시리국정공원網走國定公園 덴토산天都山 중턱 전망대에 소수민족 윌타인·니부흐인 전몰자 위령비 〈정면의 비静眠の碑=기리시에キリシエ)〉가 건

립된 것은 1982년 5월 3일이었다.

이 비석은 '조국' 일본으로 '인양'해 온 윌타인의 겐다누Dahinien Gendanu = 기타가와 겐타로(北川源太郎)가 건립한 것이다. 겐다누는 전시 중에 대소련 첩보전 요원으로 시스카육군 특무기관에 군속으로 소집되어 패전 후에는 시베리아에 억류, 자신은 지금까지 일본인임을 자각해 왔기 때문에 당연하다는 듯이 일본으로 귀환해 왔지만, 영입한 '조국'에게 일본인 취급을 받지 못하고 푸대접을 받는 가운데 군인 은급恩給 인정을 계속 정부에 호소했던 인물이다. 호소는 인정받지 못했지만, 운동이 좌절된 뒤에 겐다누는 3가지 꿈을 실현하는 데 착수했다. 그것은 ① 윌타인 문화를 남기기 위한 자료관 건립, 사할린 동포와의 교류, 전몰자 위령비기리시에 건립이었다. 당시 홋카이도에는 일본인과 마찬가지로 전화의 사할린에서 인양해 온 소수민족이 적지 않았지만, 그들 고유의 문화는 풍전등화였다. 그러던 중 겐다누는 멸망해가는 윌타인 문화를 계승하기로 결심하고 1978년 8월 5일 '북방소수민족자료관 작카 두후니Jakka Dofuni, 소중한 것을 보관하는 곳'를 개관했다. 이어 1981년 7월에 36년 만에 고향을 찾아 사할린과의 교류도 시작되었다. 남은 것은 위령비뿐이었지만 실은 예전에 겐다누 등을 소집한 오기 사다오扇貞雄 특무기관장이 그들의 위령을 위해 효

〈사진 18〉〈정면의 비(静眠の碑)〉
(아바시리시 · 1982.5.3 건립)

고현호국신사에 〈북방이민족위령비北方異民族慰霊之碑〉라는 위령비를 세우고 있었다. 겐다누 자신도 이 비석을 참배한 적이 있었는데, 스스로 오호츠크해에 임하는 아바시리에 위령비를 건립하려는 마음이 강했으며, 윌타인협회의 호소에 따라 1982년 5월 3일 헌법기념일에 맞춰 소수민족 윌타인·니브흐인 전몰자위령비 〈정면의 비기리시에〉〈사진 18〉가 건립되었다.

위령비오호츠크해를 상징하는 진한 녹색의 뱀 문석의 뒷면에는 다음과 같은 비문이 새겨져 있다.[38]

> 1942년 돌연 소집 영장을 받고 사할린의 옛 국경에서 그리고 전후 전범자의 오명을 쓰고
>
> 시베리아에서 비명횡사한 윌타인 니브흐인 젊은이들 그 수 30명에 달하다
>
> 일본 정부가 아무리 책임을 회피해도 이 비석은 영원히 역사의 사실을 말해 줄 것이다
>
> ウリンガジ アクパッタアリシュ (조용히 잠들다)

또한 앞면에는 다음과 같은 문구가 새겨져 있다.

> 그대들의 죽음을 헛되지 않게 하다
>
> 평화의 소원을 담아
>
> 1982.5.3. 윌타인협회

제막식 후 8월 15일 오후에 위령비 앞에서 제1회 위령제가 윌타인 전

통 의식에 의해 거행되었고, 이후 매년 위령제가 거행되었다. 그로부터 2년 뒤인 1984년 7월 8일 겐다누는 작카 두후니의 연구실에서 급사했다.[39]

겐다누의 활동에는, 월타인협회, 특히 아바시리 미나미가오카 고교 교사였던 다나카 료田中了가 큰 역할을 하고 있다. 다나카는 겐다누 사후에도 사할린과의 교류도 추진해 1991년 7월에는 일·소협회 홋카이도 연합회로서 고톤포베디노, Pobedino에 〈일·소평화우호비日蘇平和友好の碑〉를 건립했고, 월타인협회도 시민 등의 모금에 의해 1997년에는 〈북방선주소수민족전몰자위령비北方先住少数民族戦没者慰霊碑〉를 옛 시스카 강 건너의 포로나이스크Poronaysk시 유즈니Yuzhny, 사치(佐知) 섬에 건립했다. 그러나 2007년 겐타누의 처제이자 겐다누 사후 그의 유지를 이어 운동의 정신적 지주였던 기타가와 아이코北川アイ子가 사망하면서 큰 고비를 맞았다. 소수민족 문화의 구현자가 소멸하고 그 지원자도 고령화되는 등 문화의 계승과 위령비의 유지는 큰 과제가 되고 있었다. 결국 2012년 10월에 작카 두후니는 완전히 폐관되어 사할린 소수민족의 흔적을 엿볼 수 없게 되었다.

이러한 형태의 기념비 건립은 전후 보상을 둘러싼 시민운동과 연동한 것으로 전국가라후토연맹과 같은 특정 단체와는 기념비 건립 의도도 사상적 배경도 크게 다르다. 이는 전국가라후토연맹이 개척기념비 제막식을 가라후토신사 예제일에 맞추고, 월타인협회는 헌법기념일에 맞춘 사실에서도 쉽게 읽을 수 있을 것이다. 그리고 당연히 양측의 교류는 전혀 없다. 어느 쪽이든 각각의 운동체나 단체의 생각이 짙게 나타나기 때문에 일정 이상의 확대를 가질 수 없다는 딜레마를 안고 있었다. 게다가 양자 모두에 공통되지만 건립된 기념비가 홋카이도 내에 한정되어 있었듯이 사할린의 기억은 전후 홋카이도라는 한 지방의 기억에 머물러 일본 사회 전체가 공유하는 것이 될 수 없었다. 그 배경에는 사할린 인양자의 35%가 내지內地와의 연결이 이미 없어진 무연고자약 11만 명였으며, 이들 대부분이 홋카이도에 정착해 있었다는 사정이 있었다.[40] 즉, 전후 출발 시점부터 사할린의 기억은 홋카이도 내에 치우치지 않을 수 없었던 것이다.

사할린 인양을 둘러싼 기념비에는 일본 사회에서 잊히려는 사할린 일본인 인양자와 사할린 인양의 기억 속에서도 잊히고 있는 사할린 소수 민족이라는 망각의 이중구조를 갖고 있음을 단적으로 보여주는 것이다.

나가며

전후 일본 사회 속에서 고립되어 버린 해외인양 기념비는 많은 것을 우리에게 알려준다. 해외인양자를 받아들인 곳은 애초부터 한정된 항구였고 인양을 받아들인 사람들도 한정되어 있었다. 다만 수용자들에게 그 기억은 강렬한 것이었고, 거기에 어떤 형태로든 그 선명한 기억을 후세에 전하고 싶은 의지가 작용함은 당연했다. 그것이 인양항에서 기념비가 건립되어 간 배경이다. 그러나 이러한 강렬한 체험을 경험하지 않은 대다수 일본인에게 해외인양은 거의 망각의 저편에 있었다고 말할 수 있다.

그것은 우키시마마루나 다마마루와 같은 해난사고가 역사적으로 기억되어야 할 대형사고임에도 불구하고 거의 잊혀진 것에서도 드러난다. 그리고 그 배경에는 우키시마마루는 조선인, 다마마루는 조선 인양자라는 전후 일본 사회에 포섭되지 못한 사람들이었다는 점도 중요한 요인이었던 것으로 보인다.

더욱이 최대의 비극을 겪은 만주 인양자에게 패전은 '일체의 재산을 잃고 조국 땅으로 추방되는' 것이었고, 귀국해서도 조국의 일본인들로부터 골칫거리 취급을 받아 '이질異質의 페이지를 여는 것'에 지나지 않았다. 게다가 식민지지배의 첨병으로 비판받으며 '전쟁의 희생을 과중하게 강요당하는 결과가 되어 "전쟁은 죄악이다"라는 독죄瀆罪마저 지게' 되었다. 이러한 '비참한 운명에 내몰린 화근은 영원히 사라지지는 않는다'라는 것이 그들의 거짓 없는 심정이었다.[41]

만주 인양자들에게 가족과 친지를 잃고 또 수많은 희생자를 본 기억은 지울 수 없다. 게다가 전후 일본 사회는 그들을 공동체의 기억에서 따돌리고 있는 가운데 이대로는 인양 희생자는 '마치 개 고양이가 죽은 것과 같다'[42]는 위기감이 생겨났고 그것이 기념비 건립으로 이어졌다.

히로시마·나가사키의 원폭 희생자들은 국가적으로 위령제를 지내고 있다. 또 오키나와전투 희생자도 마찬가지다. 그러나 히로시마 원폭 희생자약 14만 명, 도쿄 대공습 희생자약 8만 4천 명, 오키나와전투 민간인 희생자약 9만 4천 명, 이들보다 만주 인양 희생자약 24만 5천 명가 훨씬 많았다. 그러나 제2차 세계대전에서 일본이 입은 민간인 피해 가운데 최대였음에도 불구하고 이런 사실은 거의 알려지지 않았다. 여기에도 만주 인양자, 특히 24만 5천여 명의 희생자 가운데 8만여 명의 희생자를 낸 개척단원이 기념비에 담은 원통함을 볼 수 있다.

이러한 맥락에서 일본 국내에서 벌어졌던 마지막 지상전이었던 사할린에 대해 생각해 볼 필요가 있다. 민간인을 끌어들인 마지막 지상전은 만주와 북한과 남사할린·치시마에서 일어났다. 그리고 식민지를 제외한 '내지'로 따지면 북쪽의 전쟁터가 된 남사할린·치시마가 마지막이지 결코 남쪽의 전쟁터이었던 오키나와는 아니다. 이런 사실이 전후가 되어서도 쉽게 잊혀져 버린 점이 사할린 인양자가 기념비를 건립해 간 배경이다. 왓카나이의 〈9명의 처녀비〉는 오키나와의 〈히메유리 탑〉과 같은 상황에서 일어난 같은 세대 여성의 비극이지만, 전후의 이야기 방식은 완전히 대조적이어서 사할린전투와 오키나와전투의 기억을 상징한다고 할 수 있다.[43]

그러나 이러한 인양자의 억울함을 새긴 기념비가 호소하는 것은 어디까지나 같은 일본인을 대상으로 한 것이지 다른 민족을 대상으로 한 것이 아니고 또한 기념비에 새겨지는 사람도 일본인뿐이었다. 여기서 나온 사할린 소수민족 기념비는 제국이라는 기억을 쉽게 잊은 일본인과 전후 일본 사회에 대한 고발이다. 우키시마마루의 위령비도 비슷한 의미를 지니고 있다.

해외인양은 단순히 일본인만의 문제가 아니라 여러 민족을 끌어들인 일대 사회변동이었지만, 이러한 관점은 전후 일본에서 완전히 결여되어 버렸다. 인양자는 자신의 것만을 전하려 했고, 이에 대한 일본 사회는 그들의 존재도 역사도 망각하고 인양이라는 역사적 사실을 돌아보지 않았다. 그런 가운데 해외인양을 둘러싼 기념비는 전후 일본 사회 속에서 망각되어 간 일제의 역사를 힘겹게 전하는 기록이었다. 그러나 그 기록도 관련자가 감소하면서 사회로부터 망각되고 있다.

종장

'대일본제국'의 청산과 동아시아의 탈식민지화

총괄과 전망

1. 끝맺지 못한 '대일본제국'의 청산

2. 제2차 세계대전에 의한 유라시아대륙의 민족변동

3. 전후 세계의 탈식민지화와 국민국가 재편

해외인양 연구의 가능성－일국사一國史를 넘어서

총괄과 전망

대일본제국이 붕괴한 결과, 청일전쟁 이후에 획득한 식민지대만, 관동주, 남사할린, 조선, 남양군도, 만주국 및 중일전쟁 이후에 확대한 점령지중국 본토, 동남아시아 등에 거주하던 일본인은 일본국이 된 영역으로 되돌아갔다.

제2차 세계대전 패배로 발생한 군인과 군속을 제외한 해외로부터 돌아온 인양자는 공식통계에 의하면 만주100만 3,609명, 다롄21만 5,037명, 중국 본토 및 홍콩50만 785명, 대만32만 2,156명, 남한41만 110명, 북한29만 7,194명, 남사할린 및 치시마千島, 27만 7,490명, 남양군도2만 7,506명, 동남아시아8만 5,445명, 기타 지역소련, 호주, 오키나와, 오가사와라 등을 합하면 총 318만 8,085명에 이른다.[1] 다만 같은 인양일지라도 전쟁 종결 전에 진행된 피난이냐 또는 종결 후의 송환인가에 따라서 그 성격은 크게 다르다.

전쟁 종결 전에 진행된 것은 정확하게는 인양이 아니라 소개疏開 또는 피난이라 할 수 있다. 아시아태평양전쟁 중 남양군도에서는 미군에 의한 위협이 현실로 다가오는 와중에 민간인을 일본 본토에 소개했는데, 남사할린, 치시마에서도 소련군이 침공을 시작한 직후부터 홋카이도를 향한 긴급 소개와 탈출이 이어졌다. 이들은 실제 전투 속에 진행된 민간인의 피난이었으며, 엄밀한 의미에서는 인양이라 할 수 없다. 한편 필리핀 다바오Davao나 남양군도의 사이판처럼 미군의 진격으로 거주지를 포기하고 일본군과 함께 피난 생활을 보낸 후에 미군에 수용되어 전쟁이 끝난 후에 송환된 경우는 피난과 인양의 경계선에 있다 할 수 있다. 한편 소련군이 침공한 만주, 북한, 남사할린에서는 전화戰禍에 휩쓸려서 난민이 된 민간인도 있었는가 하면, 반대로 인양이 시작될 때까지 피난 생활을 하지 않는 민간인도 있었다. 다시 말해서 같은 인양일지라도 전화에 휩쓸리지 않고 패전을 맞이하고 현지의 정치권력에 의해서 강제적으로 퇴거를 하게 된 것은 중국 본토소련군이 침공한 몽고연합자치정부 지배 지역을 제외, 대만, 남한뿐이었다.

이 책이 대상으로 한 것은 패전 전에 전쟁터가 되어 사실상 상실한 상태에 있던 남양군도를 제외한 식민지로부터의 인양이다.[2] 이들 식민지에 거주하고 있던 일본인은 전체 인구의 90%가 일본인인 남사할린을 제외하면, 인구비에서는 소수파이면서도 다수파인 현지인에 대해서 정치적, 경제적, 사회적 우위에 서는 입장이었으며, 또한 본국의 일본인 이상으로 풍요로운 생활을 누리고 있던 자가 많았다. 그러나 패전으로 대일본제국이 붕괴한 결과, 이들을 비호庇護하던 정치권력은 소멸하고 말았다. 게다가 국공내전이 격화한 중국, 미국과 소련에 의한 분단통치가 진행된 한반도에서는 현지에 강력한 단독 정권이 확립되지 않았기 때문에 사회 질서의 혼란이 심해지면서 이들을 둘러싼 환경은 날로 악화되고 있었다.

이러한 격변에 직면한 일본인이 어떠한 요인으로 본국으로 돌아갈 수 있었는가, 그리고 대일본제국의 유아遺兒가 된 '인양자'는 전후 일본 사회에서 어떠한 존재가 되었는가? 이 책에서는 이들 과제를 검증함으로써 전전戰前의 대일본제국과 전후의 일본국 사이에 가로막고 있는 극복할 수 없는 단층을 살펴보았다. 그리고 패전으로 일어난 식민지 상실이라는 특이성이 이 단층을 낳았으며, 나아가서 전후 일본의 식민지지배를 둘러싼 역사 인식에 심각한 영향을 미치게 되었다고 본다.

식민지 상실의 특이성은 해외인양을 둘러싼 역사 속에서 드러난다. 따라서 아시아지역을 무대로 한 해외인양이라는 역사는 일본사라는 일국사라는 프레임 안에서는 해명할 수 없는 문제이다. 이 책에서는 이러한 문제의식으로 국제적 시점에 중점을 둠으로써 세계사의 프레임으로 일본인의 해외인양을 자리매김하려고 노력하였다.

그러나 이러한 시도는 아직 첫 단추를 낀 상태에 불과하다. 해외인양을 세계사의 한 부분으로 파악하기 위해서는 해외인양의 출발점이 되는 대일본제국의 붕괴를 불러일으킨 소련의 영향을 검증해야 한다. 그리고 동시에 제국이 지배하던 영역에서 발생한 민족변동의 대상으로 일본인에게만 한정시키지 않고 조선인, 대만인, 중국인, 몽골인 등 아시아의 여러 민족으로 확대해야만 한다.

해외인양은 일본에 한정된 역사가 아니라 제2차 세계대전의 귀결, 그리고 전후 국제질서를 재구축하는 과정에서 유라시아대륙 규모로 발생한 세계적 민족변동의 일부이다. 나아가서 식민지 제국의 해체라는 관점에서 바라보면, 전후에 아시아 전역에서 본격화된 탈식민지화의 일단이기도 하다. 게다가 대일본제국 지배하에 있던 동아시아의 탈식민지화는, 동남아시아에서 남아시아에 걸쳐서 승전국영국, 프랑스, 네덜란드이 지배하던 식민지에서 현지민이 주체가 된 독립운동으로 달성된 것과는 크게 달라서, '돌발적'으로 실현된 것이었다. 패전에 의한 갑작스러운 식민지 상실은 지배하는 쪽인 일본에 한정되지 않고, 피지배 쪽에도 커다란 영향을 미치게 되어, 국가라는 아이덴티티와 국민의 역사 인식에 기인한 내셔널리즘 형성에 깊게 연결되어 있다고 할 수 있다.

이 장에서는 대일본제국의 청산이 지금까지 끝내지 못하고 있는 요인을 역사적으로 검증하고, 마지막으로 해외인양 연구의 장래 전망으로서 유라시아대륙 규모의 민족변동 그리고 동아시아에서 진행되는 탈식민지화에 이어지는 시좌를 제기함으로써 이 책을 이어가는 연구의 출발점으로 삼고자 한다.[3]

1. 끝맺지 못한 '대일본제국'의 청산

메이지 이후, 많은 일본인이 일본열도에서 동아시아 각지로 넘어갔는데, 미국 대륙으로 이민 간 경우나 동남아시아에 외화벌이 나가는 경우와 비교하면, 도항을 둘러싼 경제적 요인이나 현지에서의 사회환경은 크게 달랐다.

동아시아로 건너간 일본인은 처음부터 대일본제국의 세력 확대가 배경에 있었기 때문에 정치성을 강하게 배태胚胎한 존재로서 구조적으로 현지민과는 비대칭적인 관계에 있었다. 한반도, 대만, 만주와 같은 식민지는 당연하고, 중국 본토였던 상하이, 텐진 등의 거류지에 있던 일본인의 경우도 중·일 양국의 조약에 따라서 인정된 권리나 영사관, 경찰의 비호 등, 대일본제국 정부의 유무형의 은혜를 받아서 현지민에 대한 우위성을 지니고 있었다는 점에서는 예외가 아니었다.

만주사변 이후의 대일본제국은 '거류민 보호'를 명목으로 한 군사행동으로 중국의 주요 지역을 점령한 후에 난징국민정부왕자오밍(汪兆銘) 정권와

몽고자치방정부蒙古自治邦政府, 몽강(蒙疆) 정권를 통해서 실질적인 식민지지배를 실행하였으며, 최종적으로는 동남아시아를 군사적으로 점령해서 아시아의 광대한 지역을 지배하에 두었다. 그리고 군사적으로 지배하는 지역이 확대됨에 따라서 관과 민 모두 많은 일본인이 건너갔으며, 현지 사회에서 우월적 지위를 획득하였다. 그러나 제2차 세계대전에서 패배함으로써 그들은 일본열도에 송환되었으며, 전후 일본 사회에서 '인양자'라 불렸다. 근대일본의 대외 팽창을 체현한 존재이며, 대일본제국의 유아遺兒라고도 할 수 있는 그들에게 제국이 붕괴한 후의 일본은 '조국'이 아니라 '이국異國'이었다고 할 수 있다.

만주에서 피난해서 북한에서 잔류할 수밖에 없는 상황에서 북위 38도선을 돌파해서 목숨을 걸고 하카타博多로 귀환한 어느 여성은 도착한 항구인양항에서 전쟁 중에 들었던 군가軍歌풍하고는 너무나도 다른 밝은 분위기의 〈링고노 우타リンゴの唄, 뜻 : 사과 노래〉를 들었을 때 강한 위화감을 느꼈다고 글로 남기고 있는데,[4] 이러한 위화감은 말할 것도 없이 1945년 8월 15일을 기점으로 식민지지배의 역사를 망각하고 '평화국가'가 된 일본과 대일본제국의 청산을 한 몸에 짊어져야 했던 인양자 사이에 놓여 있는 넘기 힘든 간격을 여실히 나타내고 있다.

인양자의 재출발은 국내 일본인보다 1년 늦게 시작되었는데, 1년이라는 시간의 차이는 매우 커서 그 차이는 분명했다. 특히 만주에서 인양한 개척단원이 맞이한 전후戰後는 평탄하지 않았으며, 그들 대부분은 고도경제성장을 거쳐서 경제대국이 된 일본에서 뒤처진 존재였다. 인양자 중에서도 개척단원의 특이성에 대해서는 제7장에서도 언급했는데, 일반

인양자 사이에 '보상'을 둘러싼 인식의 차이가 현재화顯在化한 '재외재산 보상요구운동'에 관해서는 개척단원 이외의 인양자에게도 만족할 수 있는 결과는 돌아오지 않았다.

인양자가 패전 후에 현지에 남기고 온 재산에 대한 보상을 둘러싼 운동은 샌프란시스코 강화조약1951으로 일본 정부가 재외재산권을 포기함으로써 좌절되고 말았다. 패전으로 연합국이 요구할 막대한 배상 청구는 일본 정부로서는 절대적으로 피해야만 하는 과제였다. 특히 국토를 전쟁터로 만들어서 막대한 피해를 입힌 중국에 대한 전쟁 보상, 그리고 식민지로 지배한 한국에 대한 식민지 보상은 전후 부흥을 가로막는 요인이 될 수 있었기 때문이다.

그러나 전쟁의 당사국이었던 중화민국은 국공내전에 패해서 대만으로 내몰렸으며, 한반도도 대한민국남한과 조선민주주의인민공화국북한이라는 분단국가가 성립한 상태였다. 일본이 독립을 맞이했을 때, 국제정세는 전쟁배상도 식민지 보상도 애매한 정치적 타협으로 해결이 가능한 상황이었다. 실제로 미국의 압력을 받은 중화민국은 중·일평화조약1951에 의해서 중간배상을 제외한 최종적인 대일배상청구권을 포기했다. 그리고 중국의 정통 정부임을 자인하는 중화인민공화국도 중국에 대한 단교의 보상으로 대일배상청구를 요구하지 않는 조건으로 중·일국교정상화를 실현했다.[5]

한편 연합국의 일원으로 인정받지 못하고 강화회의에 참여할 수 없었던 한국과 일본과의 국교 수립을 위한 교섭은 식민지 보상 문제로 난항을 거듭했으나, 북한에 대한 대항을 의식한 박정희 정권은 한·일기본조약1965으로 식민지지배를 둘러싼 보상청구권을 취하하고 일본으로부터 경제원조를 얻는다는 명분으로 타협했다.[6]

일본 정부가 풀어야 했던 전쟁배상, 식민지보상문제는 동남아시아필리핀, (당시) 버마, 남베트남, 인도네시아에 대한 전쟁배상 및 중화민국에 대한 중간배상을 제외하고 최종적으로는 이렇게 해결되었는데, 동시에 일본 정부는 배상과 보상에 충당할 수 있는 재외재산을 포기했다. 그러나 포기한 재외재산의 대부분은 GHQ 점령기에 폐쇄한 기업의 자산 또는 개인의 재산이었다. 말하자면 인양자의 개인재산이 국가배상에 충당된 것이다.

그리고 배상, 보상 문제는 대만의 중화민국과 대륙의 중화인민공화국, 한반도의 한국과 북한이라는 동아시아가 분단국가가 된 상태에서 처리된 것이 중요한 의미를 지니고 있었다.

일본이 식민지로 점령한 대만과 만주는 일본의 패전으로 중화민국으로 '복귀'했다. 중화민국은 식민지지배를 둘러싼 보상보다는 중일전쟁에 대한 전쟁배상을 요구했는데, 결과적으로는 국공내전에 패했기 때문에 중간배상을 제외하고 전쟁배상을 포기할 수밖에 없었다. 한편 일본은 대륙의 중화인민공화국을 정통 정부로 인정하지 않고 있었기 때문에 양국 사이에서 배상 문제를 협의하는 일은 없었다. 그 후 1972년 9월에 중·일국교정상화를 통해서 중화인민공화국이 중국의 정통 정부로서 정통성을 확립하기 위해서 배상청구권을 포기했다. 그리고 중·일 양국의 접근은 1955년 4월 반둥Bandung 회의에서 저우언라이周恩來와 다카사키 다쓰노스케高碕達之助가 접촉한 이래 단속적으로 이어졌는데, 중국의 일본에 대한 접근은 소련과의 긴장 관계를 배경으로 진행되었다는 점을 생각한다면, 중국이 대일배상청구권을 포기한 것은 국가 운영을 위한 주체로서의 정통성을 획득한다는 명목뿐 아니라, 중·소 대립이라는 현실적인 정치적 요인에 의해 규정되어 있었다고 볼 수 있다.[7]

더욱이 제3장에서 언급한 것처럼 중일전쟁 중에 일본이 자행한 전쟁범죄에 대해서도 국공내전이 시작되자 중화민국은 대일관계의 강화와 일제하에서 활동한 기술자를 계속 데리고 있으면서 유용留用해서 전후 부흥을 꾀하기 위해 관대한 방침을 취했다. 게다가 대만이나 만주에 대한 식민지지배에 관한 문제도 총괄해서 요구하지 않았다. 이에 대해서 중화인민공화국은 푸순撫順과 타이위안太原에 전범관리소를 설치해서 재판으로 국민당이 애매하게 처리한 전쟁범죄와 식민지지배에 대한 총괄을 실행했다. 그러나 대상이 된 일본인 전범은 옌시산閻錫山군에 참가해서 공산군의 포로가 된 장병과 민간인 등으로 구성된 타이위안전범관리소 수용자 140명과 만주국 정부 관계자 및 관동군 장병 등으로 구성된 푸순전범관리소 수용자 968명이었으며, 그중에서도 푸순전범관리소 수용자는 패전 후에 소련군에 구인되어 1950년 소련에서 인도된 자들이었다.[8] 이뿐만 아니라, 소련에서 인도된 이들 전범의 7할은 관동군 관계자이기는 하나, 그 실태는 패전 직전에 화베이華北에서 만주로 이동한 관동군 예하 부대 장병 및 헌병대원이었으며, 야마다 오토조山田乙三 총사령관, 하타히코 사부로秦彦三郎[9] 총참모장 이하 만주국 지배의 실권을 쥐고 있던 관동군 총사령부 등 고위급 장성은 1명도 포함되지 않았다.[10]

이는 중국이 직접 전쟁범죄를 재단했다는 명분을 유지할 수 있었더라도 실제로는 전범의 선택권은 소련에 있었다는 것을 의미한다. 즉 전범 문제에 관해서도 당시 국제정세의 강한 영향을 받고 있었기 때문에 당사국인 중국이 주체적으로 총괄할 수 있는 환경은 아니었다는 사실을 말해준다.

또한 한반도는 일본의 패전과 동시에 '해방'되었지만, 미·소에 의한 군정을 거쳐서 한국과 북한이라는 분단국가가 되었으며, 식민지지배를 둘러싼 보상 문제는 한국과는 경제협력이라는 형태로 해결된 한편으로 북한하고는 국교도 수립되지 않는 등 미해결 상태로 남아있다.

이처럼 국가간에서는 대일본제국에 관한 청산은 애매하지만 일단 결론에 이르렀으나, 개인에 대한 보상에 관해서는 실질적으로 보류한 채로 미해결 상태여서 끊임없이 정치문제가 되고 있다.

인양자에 대한 재외재산보상을 요구하는 움직임은 1946년 9월 19일 인양자 단체가 결의한 보상요구결의에 거슬러 올라간다. 이 결의에 대해서 일본 정부는 10월 22일에 세대 당 15,000엔, 합계 150억엔을 연말까지 지급한다는 '인양자등원호긴급대책실시에 관한 건引揚者等援護緊急対策実施に関する件'을 각의 결의하였으나, GHQ/SCAP 승인이 나지 않아서 실현되지 않았다.[11] 당초 GHQ/SCAP는 인양자에 대한 특별대우를 반대했으나, 이후 점령정책의 변화를 거쳐서 1948년 5월에 중의원·참의원 두 원에서 '인양동포대책에 관한 결의引揚同胞対策に関する決議'가 통과해서 전쟁 희생에 대한 부담의 공평화라는 원칙에서 국가가 할 수 있는 범위에서 대책을 강구하는 방향으로 바뀌어, 이에 의해서 같은 해 8월에 설치된 '인양동포대책심의회'에서 재외재산에 관한 조사심의가 진행되어, 1953년 10월에 조사심의기관 설치가 결의되었다.[12]

이 결의에 앞서서 체결된 샌프란시스코 강화조약에서 일본은 연합국에 대해서 연합국 내에 있는 일본 국민이 소유한 재산에 대한 처분권을 인정했다. 이에 대해서 인양자 사이에서는 처분된 재외재산에 대해서 일본 정부가 보상해줘야 한다는 주장이 일고 있었다. 앞에서 언급한 조사심의기관 설치를 위한 결의에는 이러한 움직임이 영향을 미치고 있었으며, 1953년 11월 13일 재외재산문제조사회[13] 설치가 각의에서 결정되었고, 1956년 12월 10일에 재외재산문제심의회가 '재외재산문제 처리방침에 대해서'를 내각총리대신 하토야마 이치로鳩山一郎 앞으로 답신答申하였다.[14] 이 답신에서는 정부가 재외재산을 보상하는 문제에 대한 법적인 의무가 있고 없고에 대한 결론을 유보한 채로 인양자의 특수성을 고려해서 '특별한 정책적 원호조치'가 필요하다고 결론을 맺고 있다. 그리고 이 답신을 받아서 1957년 5월 17일, '인양자급부금등지급법引揚者給付金等支給法'이 공포(같은 날 시행)되었고, 인양자와 그 유족에 대해서 급부금給付金, 연리 6부, 상환기간 10년인 기명 국채이 지급되었다.[15] 당시 급부금은 319만건, 총액 463억 엔에 이르렀으나, 자국민에 대한 보상을 법적으로 의무화한 서독이나 이탈리아와는 달리, 샌프란시스코 강화조약에는 '보상조항'이 없었기 때문에 개인에 관한 정부 보상의 법적 의무를 애매하게 해 놓은 것이 재외재산보상을 둘러싼 문제의 주된 원인이었다.[16]

그러나 애초에 재외재산문제는 연합국에 대한 보상 문제와 연계된 정치문제이기 때문에 강화조약 조인에 의한 국가간 배상 문제=정치문제가 해결되면 일본 정부가 재외재산문제를 해결해야 할 필요성은 낮아지는 것이다.[17] 물론 일정 수의 가맹자를 가진 인양자 단체의 정치적 영향력 등을 고려하지 않으면 안 되는 일본 국내 사정은 무시할 수 없다. 이러한 정치적 사정 때문에 심의회 답신에서 법적 의무를 애매하게 둔 채로 특수사정이라는 이유로 급부금을 지급한 것이다. 그런데 이러한 정치적 타협은 문제의 기본 해결을 실질적으로 미룬 것에 불과하며, 재외재단보상문제는 급부금 지급에 의해서 일시적으로 진정되더라도 시간이 지나면 다시 불씨가 되어 문제가 될 소지를 품고 있었다.

사실 지급법 공포부터 6년이 되기 직전인 1963년 3월 15일, 자유민주당 정조회장이 '재외재산보상문제조사회'를 서둘러 설치하도록 총리부總理府 총무장관에게 요청하였다. 자민당 안에 재외재산보상문제가 급부상한 것은 '선거 대책'이라는 의견이 있었으나,[18] 고니시 히데오小西英雄, 인양자단체전국연합회 고문, 나카노 시로中野四郎, 인양자단체전국연합회 회장 등 인양자 단체에 관계하는 의원이 그 선봉에 섰다는 사실이 이를 증명해준다.[19] 그 후, 4월 들어서 총리부에 임시재외재산문제조사실이 설치되었으며, 관계기관내각법제국, 대장성 사이에서 '재외재산문제에 관한 연락회'가 열렸다. 그러나 총리부는 조사회 재개는 "의미가 없는데 영향이 크다"는 이유로 소극적이었으며,[20] 대장성도 '인양자급부금등지급법'에 의해서 이미 해결된 사안이라는 입장에서 반대했다.[21]

이처럼 일본 정부는 새로운 입법조치에 소극적이었기 때문에 총리부 총무장관과 대장성 대신 사이에서 "전후 처리 문제에 관해서 앞으로 같은 부류의 기구 신설은 하지 않는다"는 양해가 이루어진 상태에서 조사실이 신설된 것이다.[22] 전후 처리는 이것이 마지막이라는 인식 아래에 구체안이 검토된 제3차 재외재산문제심의회의 답신1966년 11월에서는 특별교부금 지급으로 재외재산보상문제는 최종적으로 해결되었다는 결론에 이르렀다. 그리고 사토 에이사쿠佐藤榮作 내각의 각의 결정을 거쳐서 1967년 8월 1일 자 공포된 '인양자 등에 대한 특별교부금 지급에 관한 법률'에 의해서 1인당 2만~16만 엔재외연수 8년 이상의 경우는 1만 엔 가산. 무이자, 상환기간 10년인 기명 국채. 유족에는 7할이 지급312만 건, 총액 1635억 엔되었다.

이상의 내용으로 재외재산보상문제는 최종적으로 해결되었으나, 전후 처리 문제는 그 이후에도 계속 문제가 되어 전후 정치의 총결산을 외치는 나카소네 야스히로中曾根康弘 내각이 성립하자, 총리부 총무장관의 사적인 자문기관인 전후처리문제간담회1982.6.30 설치에 의한 1984년 12월 21일자 보고서에 따라서 1988년 5월 24일에 '평화기념사업특별기금 등에 관한 법률'이 시행되어, 같은 해 7월에 설립한 평화기념사업특별기금2013.4.1 해산에 의한 위자慰藉사업을 끝으로 최종적으로 타결되었다.[23] 그러나 1991년 9월부터 시작된 기금에 의한 위자사업은 시베리아 억류자에 10만 엔국채이 지급된 데에 반해서 인양자에 대해서는 내각총리대신 이름으로 된 편지뿐으로 금전적인 보상은 없었다.

이처럼 배상 문제의 국제적인 해결이 확정된 샌프란시스코 강화조약 이후, 인양자를 둘러싼 문제는 국내문제로 국한되어 갔다. 그 과정에서 인양자 단체는 전쟁희생자라는 피해자라는 면을 강조함으로써 일본 정부로부터 일정한 양보를 끌어내려고 했지만, 이러한 '국내지향적'인 사고는 제6장에서 검증한 것처럼 역사 인식과 표리일체의 관계에 있었다고 할 수 있다. 그러나 정치적 영향력을 수반한 인양자 단체의 활발한 활동은 특별교부금문제가 정점이었고, 1980년대 이후가 되자 그 영향력은 빠른 속도로 동력을 잃어갔다. 인양자문제의 최종결론으로 간주되었던 1967년의 특별교부금지급에 의해서 인양자단체전국연합회의 조직으로서의 존재의의는 사실상 소멸했다고 볼 수 있다. 실제로 그 후에 인양자단체전국연합회의 활동은 정체되었으며, 평화기념사업특별기금이 설치될 때쯤에는 정치력을 잃은 상태였다. 그리고 인양자 단체를 대신해서 영향력을 강화한 것이 시베리아 억류자 단체였다.

시베리아 억류자 단체는 소련의 형법으로 중노동 25년의 판결을 받은 전·관동군보도부장 하세가와 우이치長谷川宇一가 1953년 11월 29일에 나홋카Nakhodka를 출항한 배 안에서 수형자의 조기 귀국 촉진과 상호부조를 목적으로 결성한 '재소동포귀환촉진회在ソ同胞帰還促進會'가 시작이었다.[24] 재소동포귀환촉진회는 1956년 10월 19일 조인된 일·소공동선언에 의거해서 같은 달 안에 장기억류자의 귀환이 완료된 후에 '장기억류자동맹'으로 이름으로 바꾸어 소련에 의해서 부당하게 '전범'이 된 장기억류자에 대한 보상요구운동으로 전환해서 전국적인 청원운동을 전개한 결과, 자민당 안에서도 찬동하는 자가 늘었다. 그러나 1967년에 인양자에 대한 특별교부금 지급으로 전후 처리가 최종적으로 해결된 것으로 간주됨에 따라 억류자에 대한 새로운 보상은 불가능해져서 결국 1973년 9월에 운동은 종결되고 말았다.[25] 이처럼 1970년대 전반까지는 인양자문제와 비교하면 억류자문제의 정치적 영향력은 미미했다고 할 수 있다.[26]

하세가와 등이 주도한 장기억류자동맹에 의한 보상운동은 일반억류자를 대상으로 한 것이 아니었다. 그래서 운동의 확산에는 한계가 있었지만, 1974년 3월에 사가현佐賀縣 이마리시伊万里市에 거주하는 군인 출신자들이 지역구 출신 자민당 중의원위원인 호리 시게루保利茂에게 국가보상에 관한 진정을 한 것이 계기가 되어 1977년 11월에 규슈九州의 여섯 개 현縣과 간토關東지역 세 개 도都와 현縣 억류자에 의해서 '전국전후강제억류보상요구추진협의회全國戰後强制抑留補償要求推進協議會'가 결성되었다. 이듬해 1978년 4월에는 60,557명이라는 회원 수를 가진 전국조직인 '전국전후강제억류보상요구추진협의회중앙연합회'로 발족하였다.[27]

한편 전국전후강제억류보상요구추진협의회가 결성되기 직전인 1977년 9월에 '전국억류자보상협의회 야마가타山形연합회'를 일으킨 억류자 출신 사이토 로쿠로斎藤六郎가 1979년 5월에 중앙연합회 회장이 되어 '전국억류자보상협의회'통명은 사이토단체로 개명해서 일본 정부에 대해서 보상요구를 추진하자, 소련에 대한 보상요구를 주장하는 반대파 사이에 노선 대립이 발생해서 이듬해 1980년 1월에 반反사이토파가 자민당 중의원의원이자 억류자 출신인 아이자와 히데유키相澤英之[28]를 전국전후강제억류보상요구추진협의회 중앙연합회 회장에 옹립함으로써 사이토파와 아이자와파로 분열되었다. 이듬해 2월에 214명의 자민당 소속 국회의원이 '전후강제억류자의 처우개선에 관한 의원연맹'을 결성하자, 아이자와파는 의원연맹과의 관계를 기반으로 정치력을 강화해서 앞에서 언급한 것처럼 평화기념사업특별기금법 성립에 지대한 영향력을 행사했다.[29]

이렇듯 1980년대 이후는 두 개로 분열한 조직의 대립은 존재했지만, 전후 처리 문제의 주역은 '인양자'에서 '억류자'로 바뀌었다.[30] 이러한 전환을 가져다 온 요인은 단체를 이끄는 세대의 교체에 있었다.[31] 인양자문제는 당사자의 고령화와 자연적인 감소로 인해 정치적 영향력도 사회의 관심도 줄어드는 것은 피할 수 없는 결과였다. 이러한 경향이 현저해진 패전 30년이 되는 1975년 전후는 뒤에서 언급하는 중국 잔류일본인 문제가 부상하는 것과 맞물려서 인양자문제의 전환기가 되었다고 할 수 있다.

전후 인양자문제는 이처럼 최종적으로는 사유재산 보상을 둘러싼 문제에 국한되어 갔는데, 이로 인해서 보다 중요하고 근본적인 문제가 일반사회에서 매몰되고 말았다. 그중에서도 많은 희생자를 낸 개척단원만주개척청년의용대원을 포함을 둘러싼 문제는 실질적으로 망각되고 말았다.

제1장에서 검증한 것처럼 패전 직후의 일본 정부는 현지 정착이라는 방침을 원칙으로 하면서, 현지에서 생활이 곤란하거나 질병 등의 사유로 돌아오는 민간인이 발생하는 사태를 상정한 준비는 하고 있었다. 그러나 인양자에 대한 단기적인 수용대책은 마련되어 있었지만, 중장기적인 원호정책이 준비된 것은 아니었다. 게다가 당초 예상과는 달리, 1946년에 들어서서 단기간에 대량의 인양자가 발생하자, 식량과 의류의 지급이나 주택 공급과 같은 긴급한 대책에 집중하지 않을 수 없는 상황으로 몰렸다. 또한 점령기 중에 확인된 과제가 산적한 상태에서 일본 정부는 인양자만 우선해서 원호대상으로 할 수도 없었고, GHQ/SCAP도 인양자를 특별 취급하는 것을 용인하지 않았다. 이러한 상황 속에서 결과적으로 인양자는 자력으로 전후를 재출발해야만 했는데, 만주 개척단 출신자처럼 정부의 지원과 보상을 절대적으로 필요로 하는 인양자도 있었다. 그러나 긴급개척정책을 비롯한 개척단 출신자에 대한 대부분의 원호사업은 실패하고 말았다. 그리고 개척단원 출신자 중에는 원래는 민간인으로

서 인양자에 포함되어야 할 사람이 패전 직전에 소집된 사실 때문에 병사로서 패전을 맞이해서 시베리아에 억류된 결과, 본인은 억류자로 분류되는데 본인 이외의 가족은 인양자로 분류되는 등, 억류자와 인양자라는 2중성을 가진 가족도 많았다. 즉 억류자와 인양자는 반드시 분리되는 존재가 아니라, 어느 부분에서는 표리일체의 관계에 있었는데, 양자에 대한 원호 시책이 통일적으로 운영되는 일은 없었다.

그리고 인양자문제와 교체되듯이 부상한 억류자문제에 사회의 관심이 쏠렸는데, 그렇다고 인양자문제가 완전히 해결된 것도 아니었다. 지금까지와는 다른 형태로 새로운 '인양자문제'가 발생한 것이다. 이른바 중국 동북부만주와 사할린가라후토의 잔류일본인 문제이다.

제2장에서 상세하게 설명한 것처럼, 만주에서 넘어오는 일본인 집단인양은 1946년 5월부터 1948년 8월까지 이어졌다(전기 집단인양).[32] 그 후, 중화인민공화국이 건국되자 일시적으로 중단되지만, 1952년 12월 1일에 베이징방송이 약 3만 명에 이르는 중국 잔류일본인의 귀국문제 해결에 임할 용의가 있다고 전한 내용을 받아서, 일본적십자사, 일·중우호협회, 일본평화연락회 그리고 중국홍십자회中國紅十字會 사이에 교섭이 시작되어, 이듬해 1953년 3월 5일에 '일본인거류민귀국문제에 관한 공동커뮤니케'가 조인되었다. 이에 의해서 인양이 재개되었으며, 중간에 중단된 시기를 끼고 1958년 7월까지 계속되었다(후기 집단인양).[33]

한편 남사할린에서 돌아오는 인양은 제4장에서 언급한 것처럼, 1946년 12월부터 1949년 7월까지 5차에 걸쳐서 진행되었으며, 대부분의 일본인이 귀환한 걸로 되어 있는데, 실제로는 잔류할 수밖에 없었던 일본인이 있었다. 이들 대부분은 패전 후에 조선인과 혼인관계가 된 일본인 여성과 그 자녀들이었다. 1956년 10월 19일 조인된 일·소공동선언12.12 발표에 의해서 국교가 회복되어 일본으로 도항이 가능해지자, 이듬해 8월부터 1959년 9월까지 5차에 걸쳐서 그녀들의 집단인양이 재개되었다. 재개된 집단인양으로 2,345명이 귀환했는데, 그중 일본인은 766명이고 나머지는 조선인 배우자와 그 가족이었다.[34] 이처럼 사할린 잔류일본인은 일·소공동선언 후에 귀환이 가능했는데, 일본인 배우자를 제외한 일본과의 관계가 없는 가족의 '인양'은 '이주'라 할 수 있는 것이었다. 또한 배우자가 조선인남한 출신 한국인이었기 때문에 일본으로의 '인양'을 선택하지 않고 사할린에 남은 일본인도 적지 않았다.[35]

배우자가 비일본인이기 때문에 인양으로 돌아올 수 없었던 사례는 중국에도 있었다. 그리고 중국의 경우는 고아가 된 자가 양부와의 관계 때문에 인양 의사를 밝히지 못했다. 또는 인양이 진행된다는 사실조차 알지 못했던 사례가 많았다는 점이 문제를 더 복잡하게 만들었다.

일본의 전후 처리에서 중요한 과제는 미귀환자라 불리는 행방불명자에 대한 조치였다. 패전 직후부터 이어진 혼란기를 거쳐서 1955년경이 되자 인양도 일단락되어 해외잔류자의 상황도 알려졌다. 구·육군의 미복원자 조사를 담당하는 부재留守 업무부,[36] 구·해군의 미복원자 조사를 담당하는 제2복원국 잔무처리부하고 미인양 내국인 조사를 담당하는 외무성은 1950년 5월 1일 현재, 패전 당시의 해외 잔류일본인 추정 인원 약 660만 명 중 약 625만 명이 인양으로 귀환했고, 미귀환자는 약 34만 명, 그 후의 조사에 의해서 1954년 4월 당시의 미귀환자는 77,000명으로 추정되었다. 게다가 일·소국교 회복에 의한 시베리아 억류자의 귀환 및 중국에서 후기 집단인양이 종료됨에 따라서 1959년 4월 1일 자 '미귀환자에 관한 특별조치법'후술 예정 시행 시의 추정인원은 31,000명으로 반으로 줄어든 상태였다.[37]

미귀환자 중에서도 민간인미인양 일본 국민에 대해서는 1954년 4월에 후생성 미귀환조사부에 군민軍民 미귀환자 조사가 일원화될 때까지 외무성에서 담당했으나, 패전 당시 해외 거류민에 대한 기록이 미정비 상태였다는 점과 전기 집단인양이 종료한 1948년 11월에 각 도도부현都道府縣 민생부국民生部局 세화과世話課, 미복원자에 대한 조사를 담당를 통해서 미인양자 조사를 시행하려 했으나, 법적 근거도 없고, 예산의 뒷받침도 없어서 GHQ/SCAP도 허가하지 않아서 결국 조사는 진척이 없었다. 그 후 1948년 10월 19일에 인양동포대책심의회에서 미인양국민조사를 바로 실시하기로 결의해서 같은 해 12월 29일에 '특수미귀환자급여법'이 공포되어 소련 영내에 있는 미인양국민이 특별미귀환자 자격을 얻었고, 그리고 이듬해 12월 15일에 이 법이 개정되어서 사할린, 치시마, 북한, 관동주, 만주, 중국 본토에 있는 미인양국민도 여기에 추가되어 조사가 진행하기 시작해서 1952년 8월에 지방자치법의 일부 개정으로 각 도도부현이 미인양국민에 대한 조사 업무를 처리할 수 있게 되었다.[38] 이상에서처럼 미복원자에 비해서 미인양자의 경우는 패전 전부터 정리된 기록이 없었다는 점과 함께 패전 후에도 행정부처에 의한 본격적인 조사가 크게 지체되어 있었고, 뿐만이 아니라, 미인양국민의 발생하고 있는 지역이 소련, 중국, 북한 등 외교관계가 없는 나라였기 때문에 실태를 파악하는

데 커다란 어려움이 있었다.

중국 잔류일본인에 관해서는 후기 집단인양이 종료한 1958년 12월 말 시점에 미인양자 21,287명이고 그중에서 16,474명이 소식이 파악되지 않았으나, '미귀환자에 관한 특별조치법'이 시행됨에 따라서 미인양자가 크게 줄었다.[39] '미귀환자에 관한 특별조치법'은 전후 처리의 총결산이라 할 수 있는 것이며, 전쟁으로 행방불명이 된 사람에 대해서 전시사망戰時死亡 선고가 가능해지는 제도였다. 당시 전쟁 중에 행방불명이 된 군인, 군속이나 민간인 친족 입장에서는 전사戰死가 미판명인 상태에서는 유족연금 등의 생활 보장을 받을 수 없는 상황이었는데, 이 법이 시행됨에 따라서 행방불명자의 사망을 친족이 신고할 수 있게 된 것이다.

사할린과 중국의 미인양자의 경우도 본인 의사로 잔류한 자를 제외하면 대부분은 사망한 것으로 간주되어 친족의 신고로 호적에서 말소일본 국적의 상실되었다. 그런데 실제로는 후기 집단인양이 완료한 후에도 많은 일본인이 잔류하고 있었다. 중국 잔류일본인은 패전 당시의 연령으로 잔류부인婦人, 15세 이상, 잔류고아孤兒, 15세 미만라는 두 종류로 분류되었다. 잔류부인의 경우, 본인에게는 일본인이라는 의식은 있어도 패전 후에 결혼한 중국인 남편 사이에서 태어난 자녀가 있다는 등의 가정 사정 때문에 집단인양에 참여하지 않는 사례도 많았다. 잔류고아의 경우는 패전 당시 5세 이하였던 자는 전체의 76.9%를 차지하고 있었는데[40] 그들은 패전 당시의 기억이 희박해서 자신을 일본인으로 인식하지 않고 있거나 인식을 하고 있더라도 후기 집단인양 종료 시점에는 18세 이하였기 때문에 대부분의 경우는 생활면에서 양부모로부터 독립하지 못하고 있었으며, 자기 의사로 후기 집단인양에 참여할 수 없었다.

이러한 실태가 밝혀진 것은 1972년 9월 29일 중·일공동성명에 의한 국교정상화 이후의 일이다. 일본 정부는 이듬해 1973년 3월부터 미귀환자 2,963명, 전시사망선고에 의한 제적자 13,564명, 본인 의사로 잔류를 선택한 자 1,040명의 명부를 재베이징일본대사관에 송부해서 조사를 시작했다.[41] 한편 잔류일본인쪽잔류고아가 중심에서는 친족 찾기와 일본으로의 귀국을 요구하는 움직임이 활발해졌다. 일본 정부는 잔류일본인조사는 실시하나 그들의 귀국을 적극적으로 실행할 법적인 체제를 갖추지 못하고 있었기 때문에 결과적으로 민간 주도로 친족 찾기와 귀국이 이루어졌다. 게다가 처음에는 친족임이 판명된 고아는 귀국을 할 수 있었는데 친족임이 판명되지 않는 사람은 귀국할 수 없었다. 그 후, 1981년 3월에 방일訪日 조사가 시작되었는데, 패전 당시 12세 이하로 신원이 불명인 잔류고아가 대상이었고, 13세 이상의 일본인대부분은 여성으로 잔류부인이라 불린다은 본인 의사로 잔류를 선택한 사람으로 간주되어 친족이 받아들이지 않는 한, 귀국할 수 없었다.

중국 잔류일본인을 둘러싼 문제는 국교정상화에 의해서 급부상한 문제였다는 점과 현실적인 진척이 빨랐기 때문에 행정부처의 대응도 법적인 정비도 현실을 뒤쫓아가는 상황이 이어졌다. 결국 그 후의 전개도 1985년 3월의 신원인수인제도身元引受人制度, 친족이 판명되지 않는 고아도 영주귀국 가능에 의해서 잔류고아의 귀국체제가 정비되는 한편으로 잔류부인에 대해서는 정비가 늦어져서 1991년 6월이 되어서야 비로소 특별신원인수인제도를 잔류부인에게도 확대 적용했다. 그러나 이 제도는 귀국을 위해서는 친족의 동의가 필요했으며, 게다가 특별신원인수인이 부족한 현실이 있었기 때문에 1993년 9월에 잔류부인의 강제귀국이라는 사건이 발생했고, 이 사건을 계기로 1994년 4월 '중국잔류국민 등의 원활한 귀국의 촉진 및 영주귀국 후의 자립 지원에 관한 법률중국잔류방인지원법(中國殘留邦人支援法)'이 제정되어 국교정상화로부터 20년 이상의 세월이 흐른 후에 잔류일본인의 귀국과 귀국 후의 원호援護가 국가의 책무로서 자리를 잡게 된 것이다. 그런데 이 시기에는 잔류일본인의 친족 찾기와 귀국지원보다 귀국자가 일본 국내에서 살아가기 위한 생활지원이 문제가 되고 있었으며, 불충분한 생활지원책뿐 아니라, 귀국자의 고령화도 겹쳐서 생활고에 시달리는 귀국자 가족이 새로운 문제로 부상하고 있었다. 이러한 와중에 일본 정부의 지원책에 불만을 품은 귀국자는 2000년에 생활지원을 위한 특별입법을 요구하면서 국회청원운동을 전개했는데, 결국 청원이 채택되지 않자, 이듬해 2001년 12월에 국가배상청구소송을 일으키는 상황으로 발전하였다. 결국 이 문제는 정치적인 해결을 위해서 2007년 12월에 '중국잔류국민지원법中國殘留邦人支援法'이 개정되어 오늘에 이르고 있다.[42] 또한 이와 병행해서 사할린 잔류일본인에 대해서도 1988년 12월에 일시귀국원호제도一時歸國援護制度를 정비해서 1990년부터는 현지조사도 병행되어 '중국잔류국민지원법' 제정 후에는 이 법으로 대처가 가능해졌다.[43]

이처럼 중·일국교정상화 이후, '인양자'는 질적으로 크게 변했다. 잔류일본인에게 인양의 가능성이 없어진다면 현지에 동화되는 것은 자연스러운 흐름이었다. 그리고 현지민화된 상태에서 국교정상화가 실현해서 본인의 '인양'이 가능해지자 양부모, 배우자, 자녀 등의 가족도 행동을 함께 하는 것은 자연스러운 흐름이다. 그러나 본인을 제외하면 그들은 이주자에 가까운 존재였다. 이처럼 '인양자'와 '이주자'가 하나의 가족 안에 혼재하는 상태가 생긴 결과, 그들은 '귀국자'로 취급받게 되었다.[44]

한편 중국과 사할린 이외의 지역에서도 잔류일본인이 확인되는 조선민주주의인민공화국북한에 관해서는 미·소협정에 의해서 1946년 12월부터 1948년 7월까지 진행된 공식 인양에 의해서 22,201명이 귀환했다. 그 후, 잔류자는 강제유용기술자 16명, 수형자 15명 외에는 조선인 배우자를 가진 일본인 여성으로 파악되고 있었다. 그 후, 그들은 한국전쟁에 휩쓸렸지만 1950년 12월에 43명11세대가 피난민으로서 부산으로 탈출해서 일본으로 돌아오거나, 어업노동자로서 캄차카로 건너간 45명이 남한한국으로 탈출한 예도 있었다.[45] 북한에 거주하는 미귀환자는 1954년 5월 1일 현재, 군민 합쳐서 3,426명어느 시기까지의 생존 정보자 2,165명, 불확실한 사망정보자 791명, 생사불명자 479명으로 추산하고 있었으나,[46] 한국전쟁의 영향도 있어서 잔류일본인의 실태 파악은 극히 어려운 상황이었다.[47]

북한과의 교섭은 중국의 경우와 마찬가지로, 일본적십자사와 조선민주주의인민공화국 적십자사 사이에서 1954년 1월부터 접촉이 시도되었고, 1956년 2월 27일에 인양에 관한 공동커뮤니케평양협정이 체결되었다. 그 결과, 같은 해 4월 22일에 36명16세대가 인양했는데, 그 내역은 조선인과 결혼한 일본인 여성 13명과 그 자녀가 대부분이었다.[48] 일본 정부는 평양협정에서 미귀환자 68명수형자 15명, 억류자 8명, 생존가능성이 있는 자 45명에 대한 안부 조회를 요청했는데 북한으로부터는 35명건재자 8명에 대한 회신이 있었다. 그리고 평양협정에 의한 인양자의 증언 등을 바탕으로 생존자이름이 판명된 것은 38명의 대부분이 패전 전에 조선인과 결혼한 일본인 여성이며, 인양 희망자도 적다는 사실이 확인되어, 북한과의 교섭은 1957년 9월부로 실질적으로 종료했다.[49]

이처럼 북한에 관해서는 중국이나 사할린과 비교할 때 특이성이 두드러졌다. 일본 정부도 잔류일본인의 실태조사에 관해서 대부분은 패전 전에 조선인과 결혼한 일본인이라는 점 때문에 적극적으로 인양을 독려하는 일은 없었다. 또한 패전 후의 혼란 속에 중국과 마찬가지로 고아가 발생했을 것으로 추측이 되는데, 잔류고아의 존재를 일본은 파악하지 못했으며, 북한도 정보 제공을 하지 않았다. 즉 북한은 중국과는 달리, 잔류일본인을 국교정상화를 향한 외교카드로 적극적으로 이용하려 하지 않았던 것이다.[50] 그래서 비공식협의를 통해서 약간 명이 인양을 한 것 외에는 구체적인 진전이 없는 채로 끝나버렸다. 더욱이 일·조교섭日朝交涉, 북·일교섭에서는 일본인의 인양보다 재일조선인의 귀국 문제가 커다란 과제가 되고 있었다. 말하자면 북한 잔류일본인의 인양은 재일조선인의 귀환사업과 표리일체의 관계에 있었던 것이다.[51]

결국 일·조교섭은 그 후 따로 진전을 보지 못한 채로 현재에 이르고 있는데, 일본과 북한 사이에 풀어야 할 대일본제국의 청산은 미·소냉전과 중·소대립의 영향 아래에서 국교정상화를 우선한 중국과 일본하고도, 그리고 식민지지배를 둘러싼 '보상'이냐 '경제지원'이냐로 서로 대립하면서도 정치적으로 해결한 한국과 일본과도 다르며, '잔류일본인인양'과 '재일조선인귀국'이라는 프레임에 한정된 특이한 형태로 애매하게 처리된 채로 오늘날에 이르고 있다.

2. 제2차 세계대전에 의한 유라시아대륙의 민족변동

해외인양이 국내문제로 수렴되면서 식민지지배를 둘러싼 역사는 잊혀 갔다. 동시에 대일본제국이 붕괴함으로써 시작된 동아시아의 탈식민지화는 미·소냉전의 강력한 영향 아래에 친미 노선을 선택한 '구·식민지 종주국' 일본이 주체적인 '우리 문제'로서 직시하는 일도 없었다. 그 결과, 냉정이 종결되자 일본과 중국, 한국 사이에 역사 인식을 둘러싼 대립이 표면화되어 과도한 내셔널리즘이 자극됨으로써 각국의 국민감정을 악화시키고 있다.

학술연구 영역에서도 대일본제국 붕괴가 동아시아에 가져온 영향에 대한 논의가 충분히 이루어지고 있다고는 말할 수 없다. 해외인양 연구에 진척이 없었던 이유의 하나는 여기에 있다. 물론 서장에서도 언급한 것처럼 근래에 들어서 동아시아를 중심으로 한 대일본제국 역내에서 전개된 '사람의 이동'을 다룬 연구가 활발해져서 이러한 틀 안에서 일본인의 인양문제도 다루려는 경향이 있다. 그러나 이들 연구는 사회사, 경제사적인 접근이 중심이며, 동시에 주제가 세분화되는 한편으로 정치사, 국제관계사적인 검증이 충분하지 않다.[52] 그중에서도 대일본제국 붕괴 직후에 일어난 민족변동[53]은, 전쟁을 수반한 군사적, 정치사적 강제력에 의해서 일어났다는 엄연한 사실이 등한시되고 있다는 점에서 그렇다. 그렇기 때문에 일본인의 인양은 어떤 정치적 요인에 의해서 일어났는지, 또는 그 역사적 특징은 무엇이며, 일본사에 머물지 않고 동아시아사, 나아가서 세계사에 어떻게 자리매김할 수 있는지에 대해서 아직 명확한 개념이 제기되지 않고 있다. 일본인의 해외인양은 동아시아의 시점으로 바라보면 되는 것이 아니라, 제2차 세계대전에 의해서 유라시아대륙 규모로 일어난 민족변동과 사회변용이라는 세계사적인 시좌 안에 포착해서 생각하는 것이 중요하다.

유럽에서는 근래에 들어서 전후사戰後史를 독일 등의 특정국 또는 서유럽의 부흥을 중심으로 논의해온 흐름에서 벗어나서 시야를 동유럽을 포함한 대륙규모로 확대해서 전쟁에 의한 황폐와 소련의 영향력에 의한 사회주의화를 포함한 보다 종합적인 연구 성과가 도출되고 있다. 먼저 냉전 종결 후인 1990년대에 동유럽 각국에서 세계대전 종결 직후의 민족변동을 대상으로 한 연구가 시작되었으며, 2000년대에 들어서자 미국에서 나온 냉전사冷戰史에 관한 연구 성과를 받아서 폴란드, 체코슬로바키아를 중심으로 한 강제 추방과 민족국가화를 다룬 필립 터Philipp Ther의 *Redrawing Nations : Ethnic Cleansing in East-Central Europe, 1944-1948*이 출판되어 기존의 국가별 연구를 초월한 중앙유럽-동유럽사의 시좌를 제시하였다.[54] 동시기에 발표된 노먼 나이마크Norman M. Naimark의 『민족정화의 유럽사』는 '민족정화'라는 개념으로 소련 국내에서 체첸·인구시인과 크리미아·타라르인의 추방, 폴란드, 체코슬로바키아에서의 독일인 추방을 밝혀내고 있다.[55] 이러한 연구 성과를 받아서 토니 주트Tony Judt의 『유럽 전후사』가 1945년부터 2005년까지 60년에 걸친 유럽 현대사의 시작으로서 제2차 세계대전 전후에 동유럽에서 일어난 정치체제의 변혁과 그에 수반된 대규모 민족변동을 다루어 기존의 유럽 전후사에서 누락된 과제를 주목하는 계기를 만들었다.[56]

주트의 연구는 동유럽에서 일어난 민족변동을 유럽사 안에서 설명했다는 점에서 선구적이지만, 전체 분량에서 하나의 장을 할애하는 데 그치고 있기에 깊이 있는 검증에는 이르지 못했다. 그런데 주트의 연구에 영향을 받아서 민족변동이나 그 요인이 된 정치개혁에 초점을 맞춘 실증적인 연구 성과가 나오기 시작했다. 민족변동에 초점을 맞춘 벤 셰퍼드 Ben Shephard의 *The Long Road Home : The Aftermath of the Second World War*, 그리고 제2차 세계대전 말기의 소련의 군사적 침공과 전후 동유럽에서 일어난 정치변혁이라는 프레임을 통해서 민족변동을 지적한 키이스 로우Keith Lowe의 *Savage Continent : Europe in the Aftermath of World War II*를 대표적인 성과로 들 수 있다.[57] 이들 연구는 러시아부터 발칸반도에 이르는 광대한 지역을 대상으로 한 넓은 시야를 가진 연구에 머물지 않고, 국가 레벨부터 서민 레벨까지 이르는 시점을 가짐으로써 다각적이고 중층적인 전체상을 그려내고 있다. 또한 이들 연구는 학술적인 전문성을 추구하면 추구할수록 깊이 있는 실증을 기대할 수 있는 한편으로 대상 범위가 좁아지는데, 다큐멘터리 수법을 융합해서 입체적인 역사상을 그려내는 데 성공했다.

유럽에서는 오래전부터 민족이동이 활발하고 그 범위도 넓어서, 독일인을 예로 들자면 독일제국과 오스트리아제국이라는 영토 안에 머물지 않고 발트해 연안부터 볼가강Volga River 유역에 이르는 광활한 지역에 독일계 민족이 흩어져 살고 있었다. 이처럼 근대국민국가 성립 이전부터 민족이 국경을 넘어서 산재한 역사가 있었던 것이다. 그리고 제1차 세계대전 후에 독일제국의 영토 축소, 오스트리아제국의 해체가 있자, 중부와 동부유럽에서는 민족자결이라는 이름 아래에 새 국가가 성립했다. 그러나 체코슬로바키아, 폴란드, 헝가리, 루마니아, 유고슬라비아는 단일민족국가가 아니라, 독일계를 비롯한 다양한 민족이 줄무늬 모양으로 혼재하는 국내 상황은 제1차 세계대전 전과 크게 다르지 않았다.[58]

이처럼 제1차 세계대전 후에 체코슬로바키아, 폴란드, 헝가리, 유고슬라비아 등의 국민국가가 생겼지만, 각각의 국가가 지닌 내실은 복수의 소수민족을 포섭한 채였다. 나치스·독일은 이들 미해결 상태였던 민족문제를 이용해서 근대국가 성립 이전부터 거주하던 독일계 민족을 포섭해서 영토를 확대했다. 이것으로 그치지 않고 제2차 세계대전이 발발하자 독일을 중심으로 한 추축국樞軸國의 점령지역이 확대했는데 이를 받아서 독일인, 이탈리아인, 헝가리인의 입식入植이 정책적으로 추진되었다. 독일은 병합한 체코나 점령한 폴란드를, 이탈리아는 병합한 알바니아나 달마티아Dalmatia 지방유고슬라비아을, 헝가리는 할양받은 동부 보이보디나Voivodina와 트란실바니아Transylvania, 루마니아에 자국민을 입식해서 점령의 실체화를 꾀하였다. 그리고 입식 외에도 정치·경제적 주도권을 장악한 독일인의 활동 범위는 점령지 전역으로 확대하였다. 그러나 추축국의 패배로 이들 지역에 거주하던 독일인, 이탈리아인, 헝가리인에 대한 배제가 진행되었다. 그 대상은 제2차 세계대전 중에 입식한 자에 한정되지 않고, 중세 때부터 거주하던 자에게까지 적용되었다. 그리고 이들 지역에서 배제의 주체가 된 것은 소련이었다.

동유럽에서는 당초 소련에 의한 군사적 침공에 의한 피난민 발생에서 시작되었는데, 세계대전 종식 후에 진행된 강제 추방 그리고 소련이 주체가 된 정치적 주도에 의한 급속한 사회주의화라는 흐름 속에서 강제 이주와 단계적인 민족변동이 일어났다는 점이 중요하다. 이 중에서 가장 큰 규모의 민족변동에 노출된 것인 독일인이었는데, 독일과 같은 추축국 진영에 속한 나라에서도 패전에 의한 '인양'이 발생하였다. 추축국 중에서는 일본과 마찬가지로 식민지를 경영한 이탈리아에서는 에리트레아Eritrea나 소말리아Somalia 등에서 돌아온 자 외에도 제2차 세계대전 중에 점령한 아드리아Adria해 연안의 달마티아지방과 알바니아Albania, 자국령이었던 이스트리아Istria반도 등에서 추방민追放民이 발생하였다. 그리고 헝가리나 크로아티아에서도 제2차 세계대전 말기에 발생한 피난민과 전쟁 종식 후에 있었던 영토 할양으로 발생한 추방민이 발생했다.

한편 소련 영내에서도 장기간에 걸쳐서 독일군에 의해 점령된 우크라이나Ukraine나 전쟁 전에는 독립국이었던 발트 3국에서도 소련군 침공에 의한 피난민이 발생하였다.[59] 또한 소련군이 다시 점령한 후에 독일에 협력했다는 이유로 크리미아Crimean반도의 타타르Tatar인이 중앙아시아에 강제 이주를 당하거나,[60] 제2차 세계대전 후에도 소련에 대한 저항운동이 이어진 발트 3국이나 우크라이나에서는 시민을 시베리아로 추방하고 러시아계 주민을 이주시키는 일이 이어졌다.[61] 러시아 영내에서 진행된 이러한 민족의 강제 이주는 대독일 협력에 대한 징벌적 측면뿐 아니라, 안전보장상의 이유와 전후 부흥을 위한 노동력 재배분이라는 소련의 국내 사정이 커다란 요인이 되었으며, 어디까지나 국외 추방이 아니라 국내에서의 인적 재배치라는 특징을 지니고 있었다.[62] 남사할린에 대한 소련인 입식도 이러한 사정과 관계가 없지는 않을 것이다. 그리고 소련에서 독립한 발트 3국에서는 이러한 역사를 소련에 의한 정치 탄압의 하나로 보고 내셔널리즘을 지키기 위한 역사적 기억으로 삼고 있다.[63]

동유럽에서 대규모 민족변동이 진행되었는데, 그중에서도 구·오스트리아제국과 구·러시아제국 영역이면서 제1차 세계대전 후에 독립한 폴란드하고 리투아니아 그리고 소련연방을 구성하는 공화국인 우크라이나, 벨라루스의 접경지역은 훨씬 복잡한 양상을 보였다. 이들 지역은 민족이 혼재한 채로 제2차 세계대전을 맞이했고, 전쟁 후에는 소련의 영향 아래 정치적 강제력에 의해서 대규모 '주민 교환'과 강제 이주가 강행되어, 결과적으로 폴란드에서는 단일민족에 가까운 국가가 성립하게 된다. 그러나 소련 붕괴 후에 폴란드에서 진행된 우크라이나인에 대한 강제 이주는 소련 시대의 탄압과 같다고 보는 우크라이나와 가해자 쪽이었던 폴란드 사이에서 그 평가는 지금도 큰 격차를 보인다.[64]

이처럼 동유럽이나 발트 3국에서는 세계대전 후에 일어난 민족변동의 역사가 공적인 장에서 정치적 소재로 다루어지곤 하는데, 이웃한 국가들과의 역사 인식의 공유도 진척되지 않고 있다. 동유럽에서는 소련의 영향력이 확대되어 국경선에 커다란 변경이 생긴 것이 민족변동을 부채질했는데, 그 원인은 프롤레타리아국제주의를 표방하는 사회주의하고는 모순되는 민족국가로의 형성이 진행된 데 찾을 수 있다. 애초에 국민국가로서의 기반이 빈약했던 폴란드나 체코슬로바키아 등의 동유럽 국가가 소련에 의해서 사회주의화가 강제되었기 때문에 국민의 통제를 꾀해서 국가 기반을 안정시키기 위해서는 사회주의라는 이데올로기가 아니라 '민족'이라는 실태에 의존하지 않으면 안 되었던 것이다. 유일하게 자력으로 해방을 거머쥔 유고슬라비아를 제외하고 동유럽에서는 사회주의화와 민족변동은 표리일체의 관계에 있었다.

제2차 세계대전 말기, 소련군의 침공으로 동아시아에서 동유럽에 걸친 유라시아대륙에서 대규모 민족변동이 발생했다. 동아시아에서는 대일본제국의 식민지조선, 사할린, 만주 등 및 점령지중국 본토 등, 동유럽에서는 추축국 점령지폴란드, 체코슬로바키아, 우크라이나, 벨라루스, 발트 3국, 유고슬라비아 등 및 추축국 영토독일령 프로이센, 이탈리아령 이스토니아 등이었다. 군사적, 정치적 요인에 의해 이동이 강요된 민족은 이전에는 해당 지역에서 우위적 지위를 차지했던 일본인, 독일인, 이탈리아인 등이었는데, 이들 이외에도 유럽에서는 리투아니아인, 우크라이나인, 폴란드인 등, 동아시아에서는 몽골인, 조선인, 한인漢·漢族, 그리고 러시아혁명을 피해온 백계러시아인 등 수많은 민족이 변동이라는 소용돌이 속에 휩쓸려갔다.

아시아에서도 소련군의 침공은 커다란 민족변동을 일으켰다. 특히 일본의 괴뢰 국가였던 만주국에 거주했던 조선인, 대만인, 몽골인에게 소련의 군사적 침공과 그 뒤에 이어진 국공내전은 그들의 사회환경을 뿌리째 바꾸고 말았다. 대일본제국의 붕괴로 식민지에서 되돌아온 일본인은 이러한 사태 앞에서 농락당하는 수동적인 존재에 불과하다. 대일본제국의 붕괴를 사실상 일으켰고, 전후 중국에서 벌어진 국공내전의 귀추, 한반도에서 분단국가 탄생에 관여하게 되는 소련은 제2차 세계대전 말이 되어서야 아시아에서 전개된 전쟁에 개입했음에도 불구하고, 전쟁터의 주인공이었던 미국 이상으로 동아시아의 전후에 커다란 영향을 끼쳤다.

소련군이 침공한 만주몽고자치방정부 지배 지역에 포함된 차하르(察哈爾)성 포함, 북한해방 전,

남사할린에서는 이 책에서 다룬 것처럼 많은 일본인이 인양을 통해서 돌아오게 되었는데, 대일본제국 밑에서 약 40년 동안 이어온 지역 질서의 붕괴는 일본인에게만 영향을 끼친 것이 아니었다.

대일본제국의 세력권에서는 일본인뿐 아니라, 한인漢人이나 대만인, 조선인, 몽골인 등 많은 민족이 생활권을 형성하고 있었다. 특히 조선인은 제국 영역 내에서의 활동 범위가 확대되어 있어서 만주, 남사할린 나아가서는 대만까지 거주지를 확대하고 있었다. 물론 한국병합 전인 19세기부터 만주에 대한 조선인의 유입은 시작되고 있었다. 또한 제2차 세계대전 중에는 노무 동원 등으로 자유의사와는 관계없는 이동도 있어서 일본인과 동등한 자유의사에 의한 이동만 있었던 것은 아니다. 그러나 대일본제국의 팽창이 조선인의 활동 영역이나 거주 공간을 확대한 것은 사실이다.

또한 한인은 근대 이전부터 널리 구축된 동아시아에서 동남아시아에 걸친 화교 네트워크 외에도 관내關內[65]와 만주 사이를 자유롭게 왕래해 왔다. 화베이와 만주 사이의 빈번한 왕래는 만주국 건국 후에도 끊이지 않았다. 이는 만주가 전통적으로 산둥성山東省과 허베이성河北省 등지로부터 노동력을 의존하는 구조가 만주국 건국 후에도 계속되었기 때문이었다.[66] 대만의 경우도 대안對岸에 있는 푸젠성福建省과는 역사적인 유대가 깊어서 일본이 영유한 후에도 대민인의 왕래가 활발했다. 게다가 만주국 건국 후에는 만주로, 그리고 중일전쟁 후에는 중국 본토의 왕자오밍汪兆銘 정권 지배 지역과 하이난도海南島로, 그리고 동남아시아로 건너가는 대만인도 증가했다.[67] 한인의 활동 영역은 대일본제국의 세력권 안에서도 확대되었는데, 몽골인은 청조淸朝 멸망에서 만주국 건국에 거쳐서 중화민국, 만주국, 몽골인민공화국 그리고 중일전쟁 후에는 몽고연합자치정부 몽강정권. 1941년 8월 4일 이후는 공모자치방정부가 더해져서 속하는 국가가 달라지면서 청조 이전의 활동 영역은 해체되고 말았다.

대일본제국 붕괴로 일어난 동아시아의 민족변동은 동유럽과 마찬가지로 소련이 직접적인 원인이었으며, 동시에 중국 본토와 북한에 사회주의국가가 성립함으로써 동유럽과 마찬가지로 국경을 넘은 대규모 민족변동이 일어났다고 추측하는 것도 가능하다. 그러나 한반도는 일본인을 제외하면 이번부터 단일민족화된 상태였으며, 오히려 같은 민족이 남북으로 분단되는 상황이 된 것이다. 중국은 다민족국가였으나 몽골인이나 조선인에 대한 국경 밖으로의 추방 또는 국내에서 강제 이주가 있었던 것은 아니다. 오히려 중화적인 세계질서에 기초한 전통적 통치 형태가 19세기 이후, 서구적인 세계질서에 기초한 근대형 통치형태로 급속도로 이행했으며, 여기에 더해서 제2차 세계대전 후에 사회주의화가 진행된 결과 지금부터 서술하는 극히 특이한 민족변동을 일으키게 되었다고 할 수 있다.

만주국 붕괴 직후, 만주 거주 대만인은 국민정부의 동북 지역 접수에 협력해서 잔류했다. 일본의 통치기구 또는 기업에 근무하던 대만인의 전문성이 필요했던 국민정부는 만주국 붕괴 후에도 그들의 생활환경은 어느 정도 보장하고 있었다. 그런데 동북 지방 접수가 진척되면서 그들의 필요성도 저하되자, 그들은 1946년 봄 이후에 톈진天津, 상하이上海를 경유해서 중화민국이 된 대만으로 귀환하기 시작했다.[68] 대만인의 경우, '제국신민帝國臣民'이었던 것이 만주국 붕괴 후의 혼란기에는 유리하게 작용했지만, 대만으로 귀환한 후인 1947년에 일어난 2.28 사건을 기점으로 '제국신민'이었던 그들의 정치적 환경이 돌변해서 계엄령하에 그들에 대한 억압이 시작된다. 오히려 대만인에게 있어서 '민족문제'는 2.28 사건이 계기가 되었다고 할 수 있다.[69]

한편 일본인보다 이른 19세기부터 만주로 유입해서 제2차 세계대전 말기에는 200만 명을 넘은 만주 거주 조선인의 경우는 직업과 만주로 건너온 시기(예를 들면 관리나 회사원 등 만주국 건국 후에 넘어온 자하고 만주사변 이전부터 농민으로 정착한 자), 또는 출신지(북위 38도 이북인가 이남인가)에 따라서 대일본제국 패전 이후에 놓인 환경도 귀환 경위도 크게 달랐다.[70] 예를 들면 부친이 남한 출신이고 농장 경영주였던 양세훈梁世勳 가족은 만주국 붕괴 후에도 창춘長春에서 계속 살았으나, 1947년 가을에 중국공산당군이 포위한 창춘을 탈출해서 북한으로 들어간 후, 38도선을 돌파해서 귀환했다. 형이 신부였다는 것도 있어서 공산주의자를 혐오한 양 일가에게 중국공산당도 북한도 '적'이었으며, 그 귀환의 어려움은 일본인의 경우와 크게 다르지 않았다.[71] 양 일가처럼 도시에 거주하는 주민이나 농민은 일본 패전 이후 '한교韓僑'라 불리면서 국민정부의 관리하에 놓였는데, 국민정부는 조선인을 일본인과 동일하게 다루어 토지를 포함한 재산을 접수해서 그들의 생활은 매우 어려웠다. 게다가 국민정부의 송환 방침도 정해지지 않았고, 미군도 적극적으로 움직이지 않았기 때문에 후루다오葫蘆島에서 귀환이 시작된 것은 일본인보다 늦었으며, 일본인의 인양이 거의 완료한 1946년 말이었다. 국민정부는 북위 38도 이남의 원주자原住

者에 한해서 15,000명을 송환할 예정이었는데 시간도 한정되어 있어서 1946년 12월 22일 선양瀋陽을 출발해서 24일에 후루다오를 출항한 한교는 2,483명에 불과했다.[72] 그 후의 송환 계획도 미군으로부터 지원받을 예정이었던 선박 조달도 순조롭지 않아서 귀환은 계획대로 진행되지 못하고 결국 국민정부의 동북 철수가 임박한 1948년 4월부터 8월에 걸쳐서 텐진을 경유한 송환으로 종료되었다.[73]

만주에 잔류한 한교는 일본인 이상으로 복잡한 환경에 놓였으며, 동북 각지에 41개나 되는 한교민회韓僑民會가 조직되었었으며, 자립 해결을 꾀하지 않을 수 없는 상황이 되어 있었다.[74] 결국 후루다오葫蘆島 또는 텐진天津에서 해로로 귀환한 조선인은 얼마 되지 않았으며, 남한으로 귀환한 자 약 100만 명 중 대부분은 탈출이라고 할 수 있는 귀환이었다.[75] 게다가 만주 거주 조선인의 대다수를 차지한 농민이 놓인 환경은 더 어려웠다. 소련군 침공으로 만주에 입식한 일본인 개척단이 현지 주민으로부터 습격을 받아서 많은 희생자를 낸 것은 주지하는 바이나, 조선인 개척단도 현지인의 습격과 약탈에 노출되어 그중에는 마을 주민 대부분이 살해당하는 사건도 발생하였다.[76] 일본인의 경우와 마찬가지로, 보호해줄 정치 주체가 없었던 농촌부 조선인은 특히 무방비 상태였다. 그래서 그들은 스스로 지키기 위해서 중·조中·朝 국경 주변인 연변지역을 거쳐서 북한으로 도망가려는 움직임을 보였다.[77] 이런 피난민에 더해서, 연변지역에 만주사변 이전부터 정착해서 사는 조선인 농민도 만주국 붕괴 후에는 지역적으로 연고가 깊은 북한으로 귀환을 희망하는 자가 늘어났다. 그러나 중국공산당은 오히려 그들의 이동을 억제하려 했다. 내전 초기에 국민정부군에 대해서 열세였던 공산당에게 연변지역은 병력을 충원하기 위한 공급원으로 중요했으며, 내전 동안 조선인의 공헌도가 높게 평가되고 있었기 때문에 중화인민공화국 건설 후에도 계속해서 지역발전에 대한 공헌, 나아가서 중국 소수민족 정책의 모델이 될 것을 기대받고 있었다.[78]

한편 인구 규모는 작지만, 거주 지역이 광대하고 청조가 붕괴한 후부터 범몽골주의가 일부 사이에서 퍼진 몽골인의 입장은 더 복잡한 양상을 보이고 있었다.

만주족에 의한 정복 왕조였던 청은 역대 중화 왕조의 지배가 미치지 못한 몽골, 위구르, 티베트까지 판도에 넣은 최대 왕조였으나, 다른 민족과 문화를 받아들였기 때문에 통치제도가 통일된 것이 아니라 다양했다.[79] 그러나 신해혁명에 의해서 청이 멸망하자 중화민국은 청이 가졌던 '판도'를 그대로 서구형 근대국가의 기반이 되는 '영토'로서 계승했다. 그래서 몽골지역은 중화민국령이며, 몽골인도 중화민국을 구성하는 국민으로서 다시 정의되고, 당시까지 민족마다 달랐던 통치제도의 통일이 진행되었다.[80] 중화민국에 의한 통일된 행정제도가 도입되는 과정에서 맹기제도盟旗制度, 청조에 의한 몽골인 통치제도는 해체되어 급속한 '중국화'가 추진되어, 몽골인을 둘러싼 환경은 커다란 변화를 맞이했는데, 몽골인은 아이신기오로愛新覺羅가 이끄는 청조에 복종은 하고 있었으나, 한인이 주도권을 쥐는 중화민국의 통치를 받는 것에 대한 반발이 강해서 청이 멸망해서 비호자를 잃은 몽골인 중에는 자립을 도모하자는 움직임이 현재화하였다. 특히 한인 비율이 낮았던 북몽골외몽고은 신해혁명이 발발한 1911

년에 제정러시아 지원을 받아서 복드 칸Bogd Khan정권이 성립하자, 1915년 러·중·몽이 체결한 캬흐타협정The Treaty of Kyakhta, 중국어 : 中俄蒙協約에 의해서 자치권을 획득해서 사실상의 독립상태가 되었다. 북몽골자립의 영향은 남몽골내몽고에도 미쳤으며, 1916년에 남몽골의 조스트맹卓索圖盟, 투무트土默特 좌기左旗 출신이며 복드 칸정권에도 참여한 바부자브Babuujab, 巴布扎布가 아이신기오로가의 숙친왕肅親王 산치善耆[81]가 이끄는 종사당宗社黨의 청조 복벽復辟계획과 연결되어 위안스카이 정권 타도를 획책하는 일본육군과 가와시마 나니와川島浪速 등 이른바 대륙낭인의 지원으로 군사를 일으켰다. 그러나 펑톈성奉天省 실권을 장악하는 장쭤린張作霖군과의 전투에서 바부자브는 전사하여 패했다.[82]

1931년 9월에 만주사변이 발발하자 남몽골에서는 바부자브 차남 간주르자브Ganzu M Jabu가 이끄는 내몽고독립군이 남몽골 독립을 위해서 봉기했으나 실패로 돌아갔고, 결국 남몽골과 동부의 후룬베이얼呼倫貝爾, Hulunbuir이 싱안총성興安總省으로 만주국 일부에 편입되어, 남몽골 서부차하얼성, 察哈爾省는 관동군의 내몽 공작에 의해서 중화민국에서 사실상 분리되어 몽고연합자치정부가 되었다. 현재는 내몽골자치구에 포함되어 러시아와 국경을 접하는 후룬베이얼 지방은 몽골계 파이호巴爾虎족이나 할하喀爾喀족 외에도 만주족과 같은 퉁구스계의 솔론索倫족이나 오로첸鄂倫春족, 나아가서 다우르達斡爾족과 같은 독자적인 언어를 가진 부족도 존재하며, 반드시 범몽골주의에 포함되는 지역은 아니었다. 게다가 러시아혁명 후에는 소련 영내에 거주하고 있던 몽골계의 부리야트Buryats족이 대량으로 유입하였다.

이처럼 몽골인의 실제 생활공간은 부족마다 형성되어 있었으며, 게다가 한인과의 통혼이 성행해서 남몽골에서는 순수한 몽골인은 소수파였다. 즉 근대적인 내셔널리즘에 기초해서 몽골계 여러 부족의 정치적 연대를 지향하는 범몽골주의는 지식층 일부에서만 공유되어 있었다고 할 수 있다. 여기에 그치지 않고, 이들의 거주 지역은 북몽골과 중국 영내의 남몽골뿐 아니라, 소령 영내의 부리야트 지방으로까지 퍼져 있었기 때문에 중국은 물론이고 소련에게도 범몽골주의는 위험한 사상이었다.[83] 결과적으로 만주국의 건국과 그를 잇는 몽강蒙疆 정권의 성립으로 몽골인 거주 지역의 분단, 고정화가 진행되었다. 그리고 소련군 침공으로 만주국, 몽강 정권 붕괴 후에 남몽골에서 북몽골로 이동이 일시적으로 발생해서,[84] 몽강 정권의 주석이었던 데므치그돈로브德王 Demcugdongrub 德穆楚克棟魯普 등의 일본 협력자는 국민당에 협력해서 공산당과 싸웠으며, 공산당군에 패하자 몽공인민공화국에 대해서 연대를 제안하는 등 제2차 세계대전 후의 남몽골의 정치정세는 복잡한 과정을 거치게 된다. 그러나 소련도 중국공산당도 몽골인의 민족적 연대를 억누르려 했기 때문에 최종적으로는 남몽골의 분리독립도 북몽골로의 편입도 환상으로 그치고 말았으며, 몽골인의 이동 공간은 완전히 분단되고 말았다.[85]

역사적으로 다민족국가이고 지역적으로도 광대한 중국에서는 동유럽 각국처럼 단일민족국가를 꾀하는 것은 불가능했다. 오히려 사회주의 국가 건설을 위해 민족의 연대를 호소하는 방법으로 국민통합을 꾀하였다. 그런 점에서는 유고슬라비아하고 유사하나, 중장기적으로는 소수민족인 한인으로 동화할 것을 지향했다는 점에서는 유고슬라비아하고는 다르다. 그 결과, 조선인도 몽골인도 각각 다른 국가조선민주주의인민공화국과 중국, 몽골인민공화국과 중국에 포섭된 것이다.

이처럼 대일본제국 붕괴 후, 동아시아에서는 일본인이 송환된 후에 중국이 사회주의의 길을 걸으면서 민족 추방, 주민 교환, 강제 이주도 없이 현 거주지에 머물게 한 채로 인구로 압도하는 한인사회漢人社會에 대한 '동화'가 추진되었다.[86] 그런 점에서 제1차 세계대전 후의 합스부르크제국, 오스만제국 붕괴에서 제2차 세계대전 후에 중앙유럽, 동유럽에서 일어난 튀르키예인, 헝가리인, 독일인의 이주, 교환, 추방 또는 소련 영내에서 일어난 특정 민족에 대한 집단 강제 이주에 볼 수 있는 '탈혼주화脫混住化'[87]는 동아시아에 그대로 적용되지는 않는다. 오히려 한반도나 대만까지 포함한다면, 같은 민족이 각각 다른 국가에 포섭되어 분단되는 과정이었다.[88] 대일본제국의 붕괴가 동아시아에 미친 영향은 바로 여기에 있다고 볼 수 있다.

3. 전후 세계의 탈식민지화와 국민국가 재편

제2차 세계대전 패전국이 된 독일에서도 일본과 마찬가지로 민간인의 '인양'이 발생했다. 그러나 독일은 일본과 그 성격에서 크게 달랐다. 먼저 해당자는 나치·독일의 영토 확장에 따라서 폴란드와 우크라이나에 입식入植한 독일인에 더해서 중세 때부터 발트해 연안이나 동유럽 각지에 생활권을 형성한 독일인도 포함되어 있었으며, 오히려 그들이 다수였다. 또한 발생 원인은 소련군 침공에 따른 피난에서 시작되었으며, 제2차 세계대전 종결 전후에는 점령국 소련 및 피해방국에 의한 강제 추방, 그리고 냉전시대 국가 간 합의에 의한 주민 교환, 사회주의국가로부터의 망명 등 그 요인은 광범위했으며 기간도 장기에 걸친다. 이처럼 독일의 '추방민追放民'은 역사적 배경이 복잡해서 '인양자'와는 동의同義가 되지 않는다.[89] 게다가 군사적 침공과 피난과 추방이 동시에 진행되었기 때문에 피추방자 1,170만 명 중 211만 명이라고 일컬어지는 희생자 수도 일본의 인양자와 비교하면 압도적으로 많았다. 그리고 동서 독일로 분단된 후에 경제부흥을 지향하는 서독 정부는 노동자 부족을 보완하기 위해서 추방민을 적극적으로 수용했다. 이러한 역사적 배경의 복잡함과 많은 희생자, 경제 대국으로 가는 과정에서의 공헌이 컸음에도 전후 독일에서 추방민 문제는 독일의 전쟁 가해에 대한 책임을 상대화시킬 수 있다는 우려에서 사회적으로는 금기시되어왔다.

이런 와중에 21세기에 들어서 노벨상 수상 작가 귄터 그라스Gunter Wilhelm Grass가 『게걸음으로*Im Krebsgang*』를 발표했다.[90] 제2차 세계대전 말에 소련군 잠수함에 의해 격침되어 9,000명 — 대부분이 동프로이센으로부터의 인양자 — 을 넘는 사망자를 냈고, 세계 해난사건 최대의 비극 빌헬름 구스틀로프호 사건이었는데도 불구하고 전후 독일에서 봉인되어온 사실史實을 소재로 한 작품이며, 전후 독일이 타민족에 대한 가해 책임에만 집중해서 자국민이 겪은 비극에 관한 이야기를 이어가지 않는 것이 현실을 직시하지 못하게 만들고 네오나치 대두의 온상이 되었다는 경고는 독일 사회에 커다란 충격을 가했다. 그라스는 바로 앞으로 나가고 싶어도 옆으로밖에 가지 못하는 게와 독일의 전후를 중첩시켜서 현대사회를 뒤덮고 있는 굴절된 역사관을 파헤친 것이다.

그런데 독일이 추방민 문제에 대해서 일관해서 무관심했던 것은 아니다. 본Bonn협정1952[91] 및 파리협정1954에 의해서 영·미·불과의 배상 문제가 평화조약 체결까지 유보된 직후인 1954년부터 서독 정부는 역사학자에 의한 추방민 조사연구를 본격적으로 실시해서 실제 피해자 수를 파악해서 추방민의 체험을 기록하고 피추방민 역사의 국민적 공유를 도모하기 위해서 1961년까지 『중·동부 유럽에서 독일인 추방에 대한 기록』 총 8권[92]을 간행했다.

반면 일본에서는 인양의 역사를 공식적으로 기록하려는 시도는 없었다. 후생성厚生省 내부에서는 전체 인양사引揚史와 지역마다의 인양사 편찬이 계획되었으나, 공식적으로 편찬이 된 것은 원호시책사援護施策史뿐이었다.[93] 결과적으로 각 지역의 인양사는 각 인양자 단체에 위임되어, 인양 체험도 평화기념사업특별기금平和祈念事業特別基金에 의한 『평화의 기초—해외인양자가 이어가는 노고』가 정리되는 걸로 그쳤다.[94] 요는 일본에서는 전문가와 함께 해외인양을 국민이 공유하는 역사로 인식하고자 하는 시도는 없던 것이다. 공적으로도 해외인양의 역사를 기록으로 남기려는 노력은 없었고, 사회적으로도 인양의 역사는 공유되지 않았다. 게다가 그라스의 문제 제기에 비하면 일본에서는 인양을 둘러싼 굴절된 역사관에 대해서 역사학은 물론이고 문학 세계에서도 정면에서 바라보고 다루려는 움직임은 일지 않았다.[95] 그러나 그런 한편으로 일본에서는 독일과 비교하면 수많은 체험기가 개인이나 각종 단체에 의해서 출판되었으며, 이 경향은 전후 75년이 경과한 지금도 이어지고 있다.

이처럼 해외인양의 역사가 사회적으로 공유되지 않는 일본의 특징이 상징적으로 나타나는 것이 인양 여성을 둘러싼 문제라 할 수 있다. 일본에서는 인양자와 성폭력 문제를 가미쓰보 다카시上坪隆[96]가 처음으로 다큐멘터리로 다루었는데, 출판을 하는 과정에서 "일본인이 겪은 피해의 측면만 강조되어 가해자로서의 측면이 희박하다"는 비판을 받은 것처럼,[97] 일본에서는 근래에 이르기까지 사회에서는 물론이고 학술분야에 있어서도 이러한 이해가 일반적이었다. 전쟁에 수반되는 성폭력 문제는 세계적으로도 금기시되는 경향이 강하며, 특히 소련 붕괴 후에는 정치적 이데올로기가 엮이기 때문에 쉽게 반소·반공을 위한 선전재료가 되었다. 서독도 『중·동부 유럽에서 독일인 추방에 대한 기록』에서 성폭력 피해도 다루고 있으나, 아시아계 소련군 병사의 흉악성을 강조하는 등 인종차별적 편견이 짙게 나타나 있었다. 이러한 문제를 유럽에서 정면으로 바라보고 객관적으로 실증작업이 이루어지는 것은 소련이 붕괴한 1990년에 들어서인데, 일본에서는 위안부 문제나 일본군에 의한 성폭력 문제에 대한 학술적 검증이 크게 뒤처진 상태에 있다.[98]

한편 독일의 경우처럼 국가 주도로 진행된 피추방 체험의 기록화는 전쟁배상 및 개인보상 문제의 국가간 해결과 병행해서 진행된 것이었다.[99] 즉 일본의 재외재산문제와 국제적 배경과 정치적 의도를 같은 것으로 본다면, 독일에서 편찬된 『중·동부 유럽에서 독일인 추방에 대한 기록』은 이 책 제6장에서 언급한 『일본인의 해외 활동에 관한 역사적 조사』 총 36권과 같은 문맥에서 비교·검증되어야 할 것이다.[100]

독일과 일본의 경우를 비교해서 알게 되는 것은 일본에서는 전쟁배상과 식민지보상이 일괄되어 있는 점에 특징이 있으며, 전쟁 피해의 강조가 아니라 식민지지배가 근대화에 공헌했다는 이른바 식민지근대화론이 기저에 있었다. 일본과 독일 사이에 보이는 인양자와 추방민을 바라보고 대하는 자체의 차이는 바로 식민지지배를 총괄해서 다루려는 의도의 차이였다고 할 수 있다.[101] 독일의 경우, 제1차 세계대전에서 식민지를 상실했으며, 제2차 세계대전 말의 소련군 침공으로 발생한 강제 추방민은 중세 이후의 입식민入植民 또는 나치 정권에 의한 동방 침략에 수반되는 이주민이었다. 따라서 독일의 추방민 문제에는 탈식민지화라는 요소는 없는 것이다.[102] 그런 의미에서도 식민지에서 인양하는 일본의 인양과는 그 성격을 달리한다.

오히려 같은 추축국이었던 이탈리아는 세계대전 중에 병합한 알바니아Albania, 달마치아Dalmazia, 피우메Fiume 외에 동아프리카제국이탈리아령 소말릴란드(Somaliland), 에리트레아(Eritrea), 에티오피아(Ethiopia)과 리비아Libya, 에게해에 있는 도데카네스Dodecanese제도와 같은 식민지를 가지고 있었다. 아프리카의 식민지는 영국군에 의한 점령, 알바니아와 도데카네스제도는 이탈리아 항복 후에 독일군에 의한 점령, 발칸반도의 병합지併合地는 유고슬라비아에 의한 해방 등, 소련에 관련된 요인에 의한 상실은 아니지만, 이탈리아의 탈식민지화와 식민지 입식자를 둘러싼 문제는 일본의 인양문제를 생각하는 데에 중요한 시사점을 던져준다.

이민 대국이기도 했던 이탈리아는 에티오피아나 도데카네스제도 등의 식민지에 대한 입식도 적극적으로 추진했다. 제2차 세계대전에서 이들 식민지를 상실했지만, 미국은 이탈리아의 식민지 상실은 위신에 관한 문제로 보고, 이탈리아인의 사회적 불만이 고조되는 것을 억제하기 위해서 지극히 관대한 정책을 폈다. 그 결과, 전쟁배상을 제외하고 주민 학살 등에 의해서 커다란 희생을 강요한 에티오피아를 비롯한 식민지에 대한 보상은 없었다.[103] 그리고 동아프리카제국은 영국군의 반격으로 1941년 11월에 에티오피아가 함락해서 실질적으로 소멸되고 만다. 그 후에 영국은 세계대전 중에 점령한 에리트리아의 이탈리아인을 반파시스트운동에 이용하려 했었으나,[104] 생각을 바꾸어서 세계대전 후에도 이탈리아인을 완전히 배제하는 것보다는 통치를 위한 인재로서 활용할 것을 고려하고 있었다. 그 결과, 이탈리아는 1950년에 구·이탈리아령 소말릴란드를 국제연합에 의한 신탁통치라는 형태로 일시적으로 회복하게 된다.[105]

추축국이었음에도 연합국의 공동참전국이라는 특이한 지위를 얻은 이탈리아는, 제2차 세계대전 후에도 우파와 좌파라는 정치적 입장과 관계없이 식민지 회복에 적극적이었다. 1952년에 의회에 설치된 '아프리카의 이탈리아사업조사위원회'가 작성한 보고서 『이탈리아에서의 아프리카』총50권은 전형적인 식민지근대화론으로 관철되어 있으며, 『일본인의 해외 활동에 관한 역사적 조사』와 사상적으로 통하는 것이었다.[106] 1990년대 이후, 식민지를 둘러싼 연구나 논의는 서서히 다양화되고는 있으나, 근래의 역사 수정주의의 영향도 있어서 궁극적으로는 다른 제국주의 국가가 자행한 가혹한 지배에 비해서 온건한 식민지지배를 한 '좋은 이탈리아인italiani, brava gente'이라는 식의 의식이 지금도 강하게 남아있다.[107] 그리고 이탈리아는 식민지 이외에도 유고슬라비아령인 트리에스테Trieste, 제1차 세계대전에서 획득나 달마치아제2차 세계대전 중에 병합 등 발칸반도에까지 영토를 확장하고 있었는데, 이들 지역에 거주하는 이탈리아인은 제2차 세계대전 종식 후에는 독일의 추방민과 같은 상황으로 몰렸다. 그러나 이들 지역으로부터의 추방은 사회주의화에 저항한 일부 슬로바키아인이나 크로아티아인을 끌어들인 유고슬라비아 국내 문제에 더해서 트리에스테 귀속을 둘러싼 미·영의 국제적 욕망과도 긴밀하게 관련되어 있어서 문제가 복잡해졌기 때문에 냉전의 종결과 유고슬라비아의 해체를 겪은 지금까지도 그 평가는 유동적이다. 오히려 베를루스코니 정권 시대인 2004년에 트리에스테·달마치아 지방에서 일어난 유고슬로바키아의 빨치산partisan에 의한 이탈리아인 학살과 추방의 비극을 기억하는 '추억의 날Giorno del ricordo'이 제정된 것처럼 추방민을 피해자로 보는 경향이 강하다.[108]

이처럼 이탈리아인이 식민지에서 귀환하는 인양자나 점령지에서 추방되는 추방민 문제는 오늘날까지 정치적 쟁점이 되곤 하며, 역사적 검증도 크게 진척이 없다. 이렇듯 역사적 평가도 되지 않고 있는 상황 속에 추방민의 실상에 관해서는 2000년대 이후부터 몇몇 체험자에 의한 수기나 연구 서적이 출판되기도 했으나, 그러함에도 사회적으로는 일부 관심에 머물고 있는 것이 현실이며, 희생자를 포함한 정확한 수치조차 확인이 안 되고 있다.[109]

일본과 이탈리아는 패전으로 식민지를 잃었는데, 전승국인 식민지 제국 영국과 프랑스에서도 탈식민지화와 인양자문제는 발생하고 있다. 영국과 프랑스 그리고 전승국이 된 네덜란드 그리고 중립국이었던 포르투갈은 제2차 세계대전으로 단기간에 식민지를 상실한 패전국 일본이나 이탈리아와는 달리, 장기간에 걸쳐서 탈식민지화라는 과제에 임해야만 했다. 그러나 최대 식민지 제국이었던 영국과 프랑스는 탈식민지화의 과정이 서로 다르다. 영국은 인도, 버마, 말레이 등의 식민지가 줄줄이 독립하는 바람에 예상을 훨씬 뛰어넘는 속도로 제국이 해체되어 결과적으로 프랑스가 겪은 탈식민지화를 둘러싼 혼란이 발생하지 않았으며, 영국 본국에서 식민지에서 귀환한 영국인 '인양자'에 대한 보상이나 사회적응 문제, 나아가서는 식민지지배에 대한 역사적 인식을 둘러싼 논의는 표면적으로는 현재화되지 않았다.[110]

한편 프랑스는 인도차이나전쟁과 알제리전쟁 등 장기에 걸친 독립전쟁으로 어려움을 겪어야 했다. 특히 알제리전쟁은 프랑스 국내 여론을 분단시켰으며, 제4공화정을 종식시키는 정치적 혼란을 초래했다. 알제리에 대한 프랑스의 식민지지배는 1830년부터 시작했다는 긴 역사적 사실 때문에 100만 명이 넘는 알제리 식민자스페인계, 유태계를 포함하는 유럽계 백인는 토착성이 강했고 군부하고 일체가 되어 알제리 독립에 대해서 강경하게 반대했으며, 본국으로 귀환한 후에도 사회적응이 문제가 되었다. 인양자가 된 이들은 '검은 발피에 노아, Pieds-noirs'이라 불리며 본국에서 백안시당했는데, 인양자 중에는 사실상 망명에 가까운 친프랑스파 알제리인 병사아르키, Harki도 포함하고 있어서 인양자의 내실은 훨씬 복잡했다.[111] 프랑스에서는 1990년대에 들어서 공문서 공개가 시작됨으로써 실증작업이 진척되어 1999년에 '북아프리카의 질서 작전'이 '알제리전쟁'으로 명칭이 변경되었다. 그 후, 2005년 2월에 '프랑인 인양자에 대한 국민의 감사 및 국민 부담에 관한 법률인양자법'에 제정되어 아르키를 비롯한 알제리 인양자기타 모로코, 튀니지, 인도차이나 등을 포함의 해외에서의 공적을 치하하고 희생을 추도하는 아르키에 대한 사회 보상이 정해졌는데, 반면에 학교 교육에서 식민지지배의 긍정적인 역할을 교육하는 내용이 명문화된 점에 대해서 커다란 비판이 일었다. 결국 프랑스에서는 인양자 나아가서는 이들을 낳게 한 식민지지배에 대한 평가는 오늘날까지도 확정되지 않았다.[112]

이처럼 제2차 세계대전 후에 세계 규모로 탈식민지화가 진행되었으며, 그 과정에서 인양자가 발생했는데, 발생 원인과 국내 사회에 대한 영향은 나라에 따라서 다르다. 그러나 공통되는 것은 탈식민지화에 의해서 발생한 인양자와의 사회적 공생은 현재까지도 많은 과제를 안고 있으며, 그 근원에 있는 식민지지배를 둘러싼 평가도 흔들리고 있다. 오히려 인양자의 비극이나 고난에 초점을 맞춤으로써 식민지지배 자체를 상대화하거나 긍정적으로 평가하려는 움직임이 2000년대 이후에 현저해지고 있다.

'인양자'는 독일에서는 전쟁배상과 전후 부흥이라는 전후 처리와 관계가 있었다. 한편 이탈리아나 프랑스에서는 탈식민지화를 구현하는 존재였다. 세 나라에 공통되는 것은 인양자를 바라보는 자체는 전쟁과 식민지지배를 둘러싼 역사적 인식 그 자체라는 데에 있다. 그리고 일본의 인양자도 독일·이탈리아·프랑스의 인양자와 공통되는 특성을 지니고 있으며, 근대사에 대한 역사 인식을 논의할 때 피해 갈 수 없는 존재라 할 수 있다.

해외인양 연구의 가능성 – 일국사一國史를 넘어서

패전을 맞이할 때까지 대일본제국의 판도에는 민간인 350만 명 중 300만 명이 식민지만주국 및 관동주, 조선, 대만, 남사할린, 남양군도에 거주하고 있었으며, 그 수는 프랑스나 이탈리아의 식민지 거주자보다 훨씬 많았다. 그러나 반세기에 걸쳐서 팽창을 이어온 식민지는 패전에 의한 대일본제국의 붕괴로 갑작스럽게 상실하게 되었다.

일본의 식민지는 남한한국과 대만을 제외하면 소련의 군사 침공으로 상실했다는 것이 커다란 특징이다. 그리고 소련이 침공한 지역에서는 단기간에 전투는 종결했지만, 한반도에서 벌어진 미·소 분단과 국공내전의 영향도 있어서 사회질서가 붕괴되고 혼란이 장기화하는 속에 많은 일본인 희생자를 낳기도 했다. 그러함에도 불구하고, 잔류일본인의 대부분은 예상과 달리 단기간에 귀환할 수 있었다. 또한 남한과 대만은 큰 혼란 없이 미군과 중국군에 인계되었다. 이러한 결과에서 알 수 있듯이, 식민지에서 일어난 독립전쟁 때문에 제국이 서서히 해체된 프랑스하고는 달리, 일본은 식민지지배를 계속할 것인가에 대한 가부可否를 둘러싼 정치적 분열이나 식민지지배를 총괄하기 위한 사회적 갈등과 같은 탈식민지화를 둘러싼 여론의 혼란을 경험하는 일 없이 현재에 이르렀다고 할 수 있다.

여기에 더해서, 일본 본토에 대한 미군 공습이 감행되었고, 오키나와에서 지상전地上戰을 경험했고, 최종적으로는 히로시마, 나가사키에 원자폭탄까지 투하되는 경험을 거쳐서 패배했다는 충격이 식민지 상실이라는 사실을 뒤덮어버렸기 때문에 해외인양문제는 국내 문제로 축소되어 연합국에 대한 배상이나 일본 국내의 경제부흥이라는 전후 처리에 매몰되고 말았다. 결국 해외인양문제는 인양자에 대한 '위자慰藉'라는 내향적 대책으로 끝났으며, 해외인양이라는 역사를 사회에서 공유하는 일도 탈식민지화 문제로 국민적 논의가 이루어지는 일도 없었다. 그 결과, 인양자 스스로도 대일본제국의 청산을 한몸에 떠안았다는 희생자로서의 의식이 강하며, 사회에 대해서 그들이 상실한 권리를 주장하는 쪽으로 주력하게 되었으며, 전쟁의 희생자라는 입장을 넘어서 해외인양의 역사를 전하려는 움직임으로 발전하지 못했다. 물론 소련군이 침공한 지역에서 귀환한 인양자가 전체 인양자의 반을 넘으며, 게다가 30만 명 가까운 희생자를 낸 사실을 볼 때, 대부분의 인양자가 전쟁희생자라는 의식을 품게 되는 것은 자연스러운 감정이라 할 수 있다. 실제로 해외인양의 희생자는 오키나와전투나 히로시마에 투하된 원자폭탄, 도쿄 대공습에 의한 민간인 희생자를 넘는 규모였다. 그러나 전쟁희생자로서의 입장을 강조한다면, 제2차 세계대전으로 발생한 모든 전쟁 피해는 모든 국민이 공평하게 감내해야 한다는 전쟁 피해 수인론受忍論에 의해서 상대화되고 말 것이다. 이는 일·소중립조약에 위반한 소련군 침공에 의한 식민지 상실과 인양자가 겪은 가혹한 체험은 미·소 냉전시대에서는 소련에 대한 비판재료가 될 것이며, 그렇게 되면 인양자는 다른 전쟁희생자와는 달리 역사적 검증보다는 정치적인 이용 가치에 주목이 쏠리게 될 위험성이 높다. 게다가 인양자는 본래 식민지에서는 '특권계급'이었다는 사실을 직시해야 한다는 문제도 있다.

이처럼 다양한 문제가 서로 얽혀 있는 상황에서, 해외인양의 역사는 사회에서 언급되지 않는(언급해서는 안 되는) 사실이 되어 점점 망각 속으로 넘겨졌다. 그러나 전후 일본이 대일본제국의 '유아遺兒'였던 인양자를 직시하지 않는 것은 왜 인양자가 발생했는가에 대한 물음을 던질 계기를 잃는 일이며, 인양자를 낳은 대일본제국이 식민지 제국이며, 다민족국가였다는 사실조차 망각하는 결과를 초래하였다. 인양자문제가 정치적 의제에도 오르지 않게 된 1980년대 이후, 중국이나 한국 사이에 식민지지배와 역사 인식을 둘러싼 문제가 현재화되고 있는데, 여기에는 당시의 정치적 요인 이외에도 경제대국으로 가는 길만 걸어온 전후 일본이 제국의 기억을 망각해왔다는 사실도 하나의 원인으로 있을 것이다.

귄터 그라스가 그의 책에서 동프로이센 추방민의 비극에 대해서 "이렇게 처참한 고난에 입을 다물고 있어서는 안 된다. 진실을 직시하지 않고 피하며, 극우에게 이 문제를 맡겨서는 안 된다. 우리의 죄를 깨닫고 후회와 아픔을 간직하고 있었다고 하더라도, 행동하지 않는 태만은 죽어도 갚을 수 없을 정도로 무거운 잘못이다"라고 작중에서 '노인장'이 말하도록 했듯이,[113] 독일의 추방민 문제에 대한 사회적 무관심은 극우의 정치적 선전에 이용되는 온상이 되고 말았다. 일본 인양자의 비극도 식민지지배나 전쟁책임에 대한 상대화에 이용될 가능성이 크다. 해외인양의 역사는 그 비극성만을 끄집어내서 사람의 감정에 직접 호소할 수 있기 때문이다. 해외인양 연구의 '위험'은 바로 여기에 있다. 그러나 해외인양의 역사를 밝히는 작업은 비극을 나열하는 일도, 인양의 '노고'를 연모하거나 회상하는 일도 아니다.

해외인양은 제2차 세계대전 종결 전후해서 유라시아대륙 규모로 민족변동이 일어나고,[114] 아시아, 아프리카에서 벌어진 탈식민지화에서 보이는 전후의 세계적인 국민국가 재편에 연환連環하는 문제로 생각하지 않으면 안 된다. 동유럽에서는 탈혼주화脫混住化에 의한 사회주의국가가 건설되었고, 아시아, 아프리카에서 독립을 이룬 식민지에서는 민족이나 종교, 내셔널리즘에 기초한 다양한 국가가 세워졌다. 식민지 제국이 해체된 후에 구·종주국에서는 인양자 또는 구·식민지로부터 이민을 받아들이면서 국민이라는 것에 대한 정의가 다시 진행되었다. 이들은 모두 국민국가의 재편이라는 문제로 볼 수 있다. 바로 제2차 세계대전 후는 세계 규모로 국민국가가 재편되는 시대였다. 동아시아에서도 다양한 민족을 '중화민족'이라는 개념으로 규합한 중화인민공화국, 대륙에서 쫓겨서 대만에 갇혀 있지만 대만인을 포함한 중화민족의 정통을 주장하는 중화민국, 동족이면서도 이데올로기에 의해서 분단국가가 된 대한민국과 조선민주주의인민공화국 등 각각의 국가는 그 모습은 다르지만, 대일본제국의 붕괴에서 시작한 국민국가 재편이라는 점에서는 같았다.

이러한 세계적인 변동 속에서 일본도 대일본제국에서 일본이 되는 과정에서 식민지인을 잘라내서 분리하고 '일본인'에 한정된 국민국가 재편을 진행하였다. 그렇게 해서 탄생한 신생 일본국은 대일본제국의 팽창의 역사를 상징하는 전쟁이나 식민지를 부정한 '평화국가'라는 기치를 내세우면서 식민지 제국이라는 역사를 직시하려 하지 않았다. 대일본제국 시대에는 제국의 신민臣民이었던 조선인이 대만인, 그리고 제국 신민으로도 인정받지 못한 가라후토사할린, 대만, 남양군도의 원주민, 그리고 괴뢰국가였던 만주국과 조차지였던 관동주의 현지 주민이 일본국에 의한 전쟁피해보상 대상에서 제외되고, 일본 국민여론도 무관심했던 것은 식민지와 관련되는 온갖 기억을 배제한 일본국의 '기만성'을 상징하고 있다고 할 수 있다. 그 결과, 이러한 식민지의 존재를 망각한 사회에서는 식민지에 관한 기억과 뿌리깊게 이어지는 인양자의 존재도 이단시될 수밖에 없었던 것이다.

그러나 대일본제국의 붕괴를 계기로 시작된 대규모 민족변동과 탈식민지화에 의한 동아시아의 국민국가 재편이라는 현실은 미·소 두 대국의 강력한 외적 압력에 의한 수동적 결과였다. 그러하기에 미·소 냉전이 종식되자 각국의 아이덴티티가 문제시된 것이다. 한국이나 대만에서는 정치의 민주화가 급속도로 진행되었으며, 그동안의 독재정권에 대한 비판이 고조되었지만, 중국에서는 천안문사건을 계기로 공산당 지배의 정통성과 중화민족의 일체성이 지금까지 이상으로 강조되기 시작했다. 한편 북한은 고립이 깊어지는 와중에 체제를 유지하기 위해 보다 강고한 건국 신화를 철저하게 강조하게 되었다. 이처럼 냉전 종결 후의 1990년대 이후, 동아시아의 국민국가는 국가의 아이덴티티에 주목하게 되었는데, 그러한 문맥에서 각국의 국가 성립의 역사에 깊이 엮이는 대일본제국의 기억이 상기되는 것은 필연적인 결과였다. 일본과 그 주변국의 역사 인식 문제는 이처럼 시대의 변화에 영향을 받으며 현재화되었으며, 이들 문제가 결국은 국가 아이덴티티에 연계되기에 정치문제화된 것이라고 할 수 있다.

한편 일본에서는 55년체제의 종언이라는 정치변화가 일어났지만, 국민의 관심이 경제의 부진을 타개하는 데만 집중되어 냉전에 대한 총괄은 물론이고 전후에 태어난 일본국이라는 국민국가 자체에 대해 생각하는 일은 없었다. 냉전의 종결과 소련의 붕괴는 그 실태적인 면에서도 그 사상적인 면에서도 전세계에 커다란 영향을 미쳤으며, 1990년대 이후는 '냉전후冷戰後, 포스트냉전'이라고 일컬어지게 되었는데 일본에서는 아직도 제2차 세계대전을 기점으로 하는 '전후戰後'인 채로 오늘날에 이르고 있다. 이런 상황이기에 당연한 일이지만 식민지지배의 역사를 주체적으로 논의하려는 목소리는 확산하지 않았으며, 오히려 전후 50년을 경계로 인양자가 감소하면서 식민지의 기억은 급속도로 망각의 세계로 들어가게 되었다. 그러나 학술적으로는 동아시아를 둘러싼 환경의 변화로 지금까지 역사학에서 경시되어 있었던 식민지를 일본근대사 안에서 어떻게 재정의할 것인가에 대한 논의가 일기 시작했으며, 오늘날의 식민지 연구의 진전으로 이어졌다고 볼 수 있다.[115] 다만, 연구의 정치화精緻化하고 반비례해서 일국사一國史를 초월한 동아시아사의 전체상을 제시하는 단계에는 이르지 못하고 있다.

해외인양을 학술적으로 검증하는 일은 현재 남아있는 연구과제를 극복하는 입구이기도 하다. 대일본제국 붕괴에서 시작되는 동아시아의 전후사戰後史는 상호 연계되는 것이며, 일국사로 파악할 수 있는 것이 아니다. 해외인양은 민족변동과 탈식민지화에 의한 동아시아의 국민국가 재편의 실상을 반영하는 것이며, 여기에 일본열도에 한정되지 않고 중국대륙이나 한반도, 대만 등 도서島嶼 지역의 시점을 교차시킴으로써 일국사의 프레임을 뛰어넘은 입체적이고도 중층적인 동아시아사를 제시하고, 국민국가라는 것에 대해서 물음을 던질 수 있게 된다.[116] 이 책이 대상으로 한 해외인양 연구의 의의와 앞으로 나아가야 할 방향성은 바로 여기에 있다고 본다.

저자 후기

'인양자'라는 분들과 접하게 된 것은 1990년대 중반, 전후 50년이 되는 무렵부터였다. 전후 보상이 불충분했던 시베리아 억류자, 은급恩給 결격 군인·군속, 해외인양자에 대한 위자사업을 목적으로 만들어진 평화기념사업특별기금이 개인이 보관하는 물품을 수집해서 전국 각지에서 이동전시회를 열고, 인터뷰 조사를 하고, 수기나 체험기를 모아서 편찬하는 일을 하고 있었다. 꽤 다양한 경력을 거쳐서 대학원생이 되어 있던 저자는 수집한 자료 전시를 위한 장식이나 해설문을 만들고 인터뷰 조사를 보조하는 아르바이트를 하고 있었는데, 그때 억류자나 은급 결격 군인에 비하면 인양자는 한 묶음으로 할 수 없는 복잡한 사정이 있다는 사실을 알게 되었다. 한편 당시 일본 사회에서는 현지민에게 횡포를 부린 인양자에게는 동정하지 않는다는 사람도 있는 등, 인양자에 대한 시선은 결코 따뜻한 것이 아니었다. 저자도 처음에는 큰 관심을 가지지 않았으나, 이러한 가해와 피해의 양면성을 지닌 인양자에 접하면 접할수록 점점 이러한 상황을 만들어낸 배경에 대해 알고 싶어졌다.

저자가 대학원생이었던 1990년대는 당시 제국주의 연구라는 틀 안에 있었던 식민지 연구가 하나의 학문영역으로서 크게 발전한 시대였다. 민주화가 시작된 한국이나 대만에서 1차 자료가 공개된 것도 이러한 흐름을 촉진하는 뒷받침이 되었다. 저자도 이러한 은혜를 받아서 자료조사를 국외로 확대했다. 주쿄대학中京大學의 히야마 유키오檜山幸夫 선생님께서 대만에서 주재한 대만총독부 문서의 목록작업에 저자가 참여할 수 있게 해주신 일은 만주 이외의 식민지에 관심을 가지게 되는 계기가 되었다. 해외인양에 관한 첫 번째 논문에서 대만을 다룬 것은 이때 일 때문이었다. 또한 와세다대학早稲田大學의 고바야시 히데오小林英夫 선생님에 동행해서 처음 중국 동북부를 방문해서 당시 농후하게 남아 있던 만주국 시대의 분위기를 체감할 수 있었던 것도 소중한 경험이었다. 두 선생님과의 만남이 없었더라면 저자가 뜻을 둔 일국사에 얽매이지 않는 역사 연구는 태어나지 않았을 것이다.

그러나 식민지 연구는 활발해졌지만 해외인양은 연구 대상이 아니었다. 선행연구는 거의 없는 상황에서 어렵게 자료를 모으고 있었다. 당시는 활동이 활발했던 인양자 단체나 동창회 등에 뛰어들어서 그들의 독특한 세계를 느끼거나 만주국이나 총독부 관료나 국책회사의 관리직원, 학교 교사, 식민지 현지에서 장사하던 사람 등으로부터 시간이 가는 줄 모르고 이야기를 들었다. 때마침 지금 근무하는 곳의 전신인 국립사료관國立史料館 조수助手가 되었고, 2003년부터 3년 동안 일본학술진흥회의 과학연구비조성사업차세대연구A이 채택되어 자료조사를 전국 각지로 넓힐 수가 있었다. 각 지방에 있는 인양항引揚港을 돈 것도 이때이다.

2006년 가을에 해외인양 60년을 기념하는 대회가 구단회관九段會館에서 열렸는데, 2,000명을 넘는 만주 인양자 앞에서 강연을 한 것은 지금 생각하면 감개무량하다. 이 대회는 인양자가 그들의 존재를 사회에 알리는 마지막 행사였다. 언론매체를 통한 연구 성과의 발신을 의식하게 된 것도 이 무렵부터이다. 학자는 어떤 분야든 자기 연구에 대해서 사회적 책임이 있다. 연구와 사회와의 대화를 통해서 자기 연구의 의미에 대해서 스스로

물음을 이어가야 한다. 점점 자기 세계에만 만족하는 연구에 만족하지 못했던 저자는 사회에 조금이나마 도움이 되기를 원했다. 그런 의미에서는 일반적인 학자하고는 상당히 다른 길을 걷게 되었다고 생각한다.

언론매체에서 발신을 시작한 그 시기, 2009년부터 5년 동안 과학연구비조성사업차세대연구S에 채택된 것은 연구의 심화를 결정지었다고 생각한다. 아르메니아Armenia나 크림반도Crimean Pen., 발트 3국 등을 돌며 세계사 시점에서 민족변동의 역사를 체감할 수 있었던 것은 연구의 시야를 넓히는 소중한 경험이었다. 또한 이연식李淵植 씨 등의 해외연구자 '동지'를 얻은 것도 커다란 자극이 되었다. 그리고 해외인양 연구에는 반드시 필요한 러시아에서 자료조사를 시작할 수 있었던 것은 중요한 전기가 되었다.

매우 비효율적인 러시아에서 수행하는 자료수집은 결과적으로 10년이 지난 지금도 계속하고 있는데, 외국인에게는 불가능하다는 국방성 중앙공문서관 소장 자료에 접근할 수 있었다는 점, 직원의 변덕에 농락당하는 일이 잦은 외교정책공문서관을 몇 번 이용할 수 있었던 점 등, 여러 행운이 하나씩 쌓여서 연구가 조금씩 진도를 낼 수 있었다. 그리고 무엇보다도 많은 분들이 저자의 연구를 지지해주셨다. 러시아어는 물론이고 아무것도 모르는 상태에서 뛰어든 러시아라는 대해에서 끈기 있게 적절한 지원을 해주신 아라이 마사키新井正紀 씨를 비롯해서 고바야시 아키나小林昭菜 씨, 아사다 마사후미麻田雅文 씨, 쓰쿠에 후미아키机文明 씨, 우치다 겐스케内田健介 씨, 그리고 놀라울 정도의 행동력과 통찰력을 가진 러시아 과학아카데미 동양학연구소의 엘레나 카타소노바Elena Katasonova 씨에게 깊은 감사의 마음을 전하고 싶다.

예전에는 역사학에서는 100년이 지나지 않으면 역사가 아니라고 했지만, 역시 일정 기간 숙성을 시킬 시간은 필요하다. 특히 생존자가 있는 동안에는 객관성을 가지고 역사적인 평가를 하는 것은 쉬운 일이 아니다. 그런 와중에 2016년 가을에 열린 해외인양 70년 대회는 10년 전과 크게 바뀌었다. 만주에 한정하지 않고 모든 지역에서 온 인양자에 참가를 안내했지만, 참가자는 전 대회에 미치지 못했다. 그리고 이 모임을 지탱하는 만철회滿鐵會를 비롯한 인양자 단체의 대부분이 70주년을 기점으로 해산하기 시작했다. 일본 사회에 간신히 그 흔적을 남기고 있던 해외인양의 기억은 이 무렵을 기점으로 역사가 되고 있었다.

해외인양을 연구 서적으로 정리해서 엮을 수 있는 기회는 상당히 오래전부터 있었다. 그러나 현대적 문제에서 역사로 넘어가는 시기에 이 책을 낼 수 있었다는 것은 시기적으로 가장 적절했다고 생각한다. 다만 이 책은 해외인양문제를 다룬 결정판은 아니다. '인양자'라는 말은 일본 사회에서 사라져가고 있지만, 전·중국잔류고아 등 '귀국자'라 불리는 사람들을 둘러싼 사회적 과제는 남겨진 채이다. 그리고 동아시아에서는 대일본제국 붕괴의 여파는 아직 이어지고 있다. 특정 학문계통에 속하지 않고 '재야'를 의식하면서 일본사를 뛰어넘은 일본사를 지향하는 저자로서 연구가 가야 할 길은 아직 멀기만 하다.

2020년 10월

가토 기요후미

주석

| 서장 |

1 **[역자 주]** 1945년 9월 전후 일본에서 처음으로 유행가 1위에 오른 곡이다. 전후 일본의 혼란한 상황 속에서 일본인들에게 삶의 용기와 희망을 준 노래로 대유행했다. 가수는 나미키 미치코(並木路子)였다. 초토화 된 전후 일본의 밝음과 해방감을 상징하는 가요가 되었다. 인양선 배 안에서도 들었다는 이 노래는 전전과 전후의 연속선을 의미하고 단절을 의미하는 노래였다. 永嶺重敏, 『「リンゴの唄」の真実』, 青弓社, 2018 참조.

2 **[역자 주]** 전후, 중국 측이 중국 동북부(구 · 만주)에 있었던 철도나 제철소 기술자, 종군의사, 간호사, 공군창설 교관 등 전문직 일본인에게 중국 건국과정에 협력을 요청해 일로 종사한 것을 가리킨다. 본문에서는 유용 원문을 그대로 사용한다.

3 '인양(引揚)'은 '히키아게(引揚げ)', '히키아게(引き揚げ)' 등으로도 표기하고 있으며 통일된 표기는 아니다. 본서에서는 '인양한다, 히기아게루(引揚げる)' 등의 행위를 나타내는 경우를 제외하고 역사용어로서 '인양(引揚)', '인양자(引揚者)', '인양문제(引揚問題)'라고 표기를 통일했다.

4 군인(병사, 兵士)의 복원(復員)에 대해서는 본질적인 성격도 그 과정도 전혀 다른 이유에서 본서에서는 대상으로 삼고 있지 않다. 단, 소련군 침략 지역의 경우 시베리아 억류라는 요소를 무시할 수는 없다. 만주에서는 패전 직전의 '방위소집(防衛召集)'에 의해 군인이 된 민간인이나 패전 후에 구류된 관리 등이 다수 포함되어 있는 이유에서 억류자와 인양자를 엄격하게 구분하는 것이 불가능한데, 한편으로는 전혀 동일시할 수 있는 것도 아니다. 또한 시베리아 억류는 그것 자체가 하나의 커다란 문제이기도 하다. 따라서 본서에서는 억류를 인양과 복원과의 중간적인 것으로 자리매김 시킨다. 또한 시베리아 억류에 관해서는 개설적인 것으로서 若槻[1999], 통사로서 전후강제억류사편찬위원회(戦後強制抑留史編纂委員会 編[2005])가 있는데, 근래에 러시아 측의 자료를 적극적으로 활용한 시베리아 억류연구의 우수한 성과가 나오게 되었다. 대표적인 성과로는 富田武[2013, 2016] · 長勢了治[2015]를 들 수 있다. 그 외에도 일본인의 인양과 쌍을 이루는 중국인 · 조선인 · 대만인의 일본 또는 만주를 중심으로 한 기타 식민지로부터의 귀환(帰還)이라는 문제도 중요한데, 본서에서는 일본의 탈식민지화라는 문제 관심에서 일본인의 인양을 대상으로 했다. 덧붙이자면 이 비일본인(非日本人)의 귀환문제에 대해서는 한국이나 대만에서는 인본인 인양보다 관심을 끌고 있으며 연구도 축적되어 있음을 부언해 둔다.

5 근래의 성과로서는 今泉[2016]가 '인양(引揚げ)'을 정면에서 다룬 연구가 있다. 국제관계를 의식한 것이기는 하지만 실제로는 재일조선인이나 화교 등을 대상으로 한 것에 그치고 있어 '인양' 전체를 제시하고 있다고는 말할 수 없다.

6 이러한 개념은 이민사연구에서 제시되었다고 말할 수 있다. 대표적인 것으로는 移民研

究会 編[1997]이나 蘭信三[2008, 2011, 2013]를 들 수 있다. 또한 柳沢[2016]도 패전을 중간에 넣으면서 사람의 이동을 다루고 있는데, '인양'을 직접 다룬 것은 아니다.

7 또한 '주석6'에서 거론한 여러 연구는 모두 공동집필이고 집필자의 전문성 · 속성에서 학제적(学際的)이고 동시에 국제적인 성과라고 볼 수 없는 것은 아니다. 그러나 집필자 사이의 문제의식이 반드시 공유되어 있는 것은 아니고 그 결과로서 각 논문의 관련성이 불명확한 채로 인양의 여러 상(相)을 보여주는데 그치고 있으며 하나의 새로운 개념을 제기한 성과로서 정리되어 있는가에 대해서는 의문이 든다. 마찬가지로 종장에서 언급하는 독일 추방민이나 프랑스 알제리 식민자 등 비교를 시도한 연구로서 蘭 · 川喜田 · 松浦 編[2019]도 일본과 유럽의 비교연구의 중요성을 지적한 점에서는 평가할 수 있다. 그렇지만, 유럽과 아시아에서 일어난 민족운동, 독일의 추방민과 일본의 인양자, 더 나아가서는 일본과 프랑스의 탈식민지화의 근본적인 상위점 등에 대한 깊이가 약하고 연구과제 제시에 그치고 있다. 해외인양 연구는 대상 지역이 광범위하고 문제도 국제문제에서 사회문제에 걸쳐 복잡하게 얽혀있고 동시에 국가나 민족개념 그 자체도 묻지 않으면 안 된다. 게다가 자료도 방대하기 때문에 한 사람의 연구자가 다루기에는 곤란함도 동반된다. 그러나 그렇기 때문에 중심 축이 되는 역사관이 필요한 것이며 그것을 공유할 수 없는 공동연구에는 한계가 있다. 필자는 한 사람의 연구자에 의해 하나의 역사상을 제시하는 것에 의해 비로소 그것을 토대로 해외인양 연구가 전진하는 것이라고 생각하고 있다.

8 필자가 2012년 2월 20일 러시아연방국방성 중앙공문관에서 조사를 했을 때 소련군에 의한 뤼순, 다롄 지구 군정에 관한 문서의 존재를 확인했는데 '중 · 러관계에 미치는 정치적 이유'에 의해 열람을 허가받지 못했다.

9 최근 성과로서는 宮本[2016a], 鈴木久美[2017]가 있다. 한국의 연구 동향에 대해서는 宮本[2016b]가 참고가 된다.

10 **[역자주]** 경성이란 일본 제국주의 시기의 서울을 가리킨 용어이다. 본 역서에서는 제국주의 지배 하의 차별어이기도 하지만, 당시 현실감을 나타내기 위해 이 표현을 그대로 사용한다. 그리고 세와(世話)란 돌본다는 의미이다. 또한 일본어로 세와카이(世話会)는 돌보는 모임 혹은 돌봄회라고 하지 않고 세화회라고 표기한다. 이 세화회는 패전으로 외국인이 된 재조일본인(在朝日本人)의 원호활동이나 인양사업을 실시할 목적으로 설립된 단체이다. 처음에는 경성내지인세화회(京城内地人世話会)라고 칭했고, 총독부의 보조금을 통해 운영되었다. 이후에는 미군정과 연락을 취하며 사업을 진행했다. 북쪽에서 소련군 점령이 시작되면서는 조선북부지역으로부터 탈출한 일본인들의 구호에도 관여했다. 1946년 12월 27일로 이 조직은 해체되었다.

11 한국 측 동향에 관해서는 李淵植[2015] 참조.

12 **[역자주]** 쿠릴열도를 가리키며 일본에서는 이를 치시마열도라고 칭한다.

13 전후 개척에 관해서는 전국적으로 확대되어 간 것과 대부분이 실패로 끝난 것에서 저널

리즘의 관심을 모아 많은 다큐멘터리나 논픽션이 발표되었다. 예를 들면 시레토코(知床)반도에의 전후 입식(入植)의 좌절을 다룬 菊地[2005], 또한 전후 개척 속에서 예외적인 성공 사례가 된 야에산(八重山) 개척을 다룬 金城[1988]를 들 수 있다.

14 도미니카 이민에 관해서는 잔류고아와 마찬가지로 국가배상을 요구하는 소송이 일어났다. 문헌으로서는 若槻[2001], 今野[1993], 小林忠太郎[2004] 등이 있다.

15 〈인양항(引揚港) · 하카다만(博多湾)〉은 현재 요코하마시(横浜市) 나카구(中区)에 있는 (공재(公財))방송 프로그램센터 · 방송 라이브러리에서 시청할 수 있다. 또한 전후 70년을 기해 다시 불법 임신을 다룬 다큐멘터리 몇 개가 지방 민방에서 제작되었다. 그 한편으로 근래 세계적으로 확대되는 역사수정주의의 영향을 받아 전쟁책임을 상대화 하는 소재로 악용되고 있는 사례도 발생하고 있다.

16 각인양원호국사(各引揚援護局史)(하코다테(函館) · 우라가(浦賀) · 나고야(名古屋) · 다나베(田辺) · 마이쓰루(舞鶴) · 우지나(宇品) · 오타케(大竹) · 센자키(仙崎) · 하카다(博多) · 도바타쿠(戸畑) · 가라쓰(唐津) · 사세보(佐世保) · 가고시마(鹿児島))에 대해서는 加藤 編[2001, 2002]에 수록되어 있다. 활동기간이 길었던 사세보, 하코다테, 마이쓰루에 관해서는 활자판으로 제본되었고, 꽤 많은 숫자가 인쇄 배포되었기 때문에 대학이나 도도부현립도서관에서 볼 수 있다. 또한 다나베인양원호국이 편찬한 『국사(局史)』에 대해서는 紀南文化財研究会 編[1986]에 일부가 번각되어 있다. 또한 전범(戰犯) 등 특수한 경우를 다룬 요코하마원호소에 관해서는 厚生省援護所 編[1955]이 편찬되었다. 그 외에 검역업무를 대상으로 한 嶋田修[1954]나 名古屋引揚援護局検疫所 編[1947]도 있다.

17 구체적으로는 山梨県 編[1963] · 福島県厚生部社会課 編[1965] · 岩手県 編[1972] · 茨城県民生部世話課 編[1972] · 新潟県民生部援護課 編[1972] · 富山県厚生部社会福祉課 編[1975]의 여섯 개 현(県)이다. 또한 자치체사(自治体史)에서 인양원호업무나 전후개척 사업에 언급한 것을 합하면 상당수에 이른다.

18 활동사로서는 森枝 編[1966] · 魁生[1959, 1971] · 神奈川県同胞援護会[1996], 체험집으로서는 埼玉県引揚者連合会 編[1974]이 있다. 또한 인양자단체전국연합에 의한 정리된 간행물은 발간되어 있지 않은데 인양자 체험을 정리한 平和祈念豪業特別基金 編[1991~2010]이 간행되었다.

19 재외(在外) 재산 보상요구운동에 관해서 정리된 활동사는 의외로 적다. 적지만 그 예로서는 沖縄県外地引揚者協会石垣支部 編[1996]을 들 수 있다.

20 이들 단체의 「단체사(団体史)」로서는 板東 編著[1992], 台湾協会史編纂委員会 編[1994], 全国樺太連盟 編[1988]이 있다.

21 이 이외에도 만주 개척단의 경우는 満洲開拓史復刊委員会 編[1980]을 비롯해 각 부현(府県)의 「개척사」로서 편찬된 기록 중에 인양에 관해서도 많은 페이지가 할애되어 있다. 또한 각 개척단사나 만주개척청년의용대(満洲開拓青年義勇隊)(통칭 「만몽개척청소년의용군(満蒙開拓青少年義勇軍)) 관계 서적도 포함한다면 방대한 양에 이른다.

22 해외인양에 관한 1차 자료는 행정기관에 있어서 인양자원호나 잔류부인(残留婦人) · 고아 문제 등 현재도 지속되고 있는 업무도 포함한다면 국내외의 자료보존기관에 대량으로 남아있나. 전국 문서관이나 자치체 서고 등에서 전후 인양자원호 관계 자료를 찾아내는 것은 지극히 쉽다. 한편 인양 그 자체 실나 과정을 엿볼 수 있는 자료도 의외로 남아 있다. 이러한 1차 자료를 편찬한 것으로는 加藤 編[2001, 2002]이 각지에 설치된 지방인양원호국의 자료 등 국내에서의 인양관계 자료를 수록한 유일의 자료집이다. 그 외에 대만 인양의 자료집으로서는 大蔵省管理局 編[2000]이 대만 인양 전기를, 河原功 監修 · 編集[1997~1998]이 후기를 커버하고 있어 이 두 종류의 자료집에 의해 대만 인양의 전기간을 알 수 있다. 다 나아가 河原解題[2011~2012]가 전후의 대만 인양자 단체의 동향을 엿볼 수 있는 귀중한 자료집이다. 또한 森田 · 長田[199~1980]가 조선 인양에 관한 기본적인 자료집이다. 단, 그 이외의 지역에 대해서는 난징수용소(南京収容所)에서 발행된 일본인을 위한 신문을 복간한 山中 編[1990]에 그치고 있고, 자료집 측면에서도 연구상황과 마찬가지로 결코 충분하다고는 말할 수 없다. 한편 해외에서는 대만에 있어서 많은 자료집이 간행되고 있다. 일본인의 송환에 관한 중화민국 측의 자료집으로서는 何風婚 編[1990]이 간행되었다. 이 이외에 일계자산(日系資産) 접수와 일본인의 유용에 관한 것으로는 薛月順 編[1993, 1999] · 何鳳婚 編[1993] · 泰孝儀主 編) [1990]이 있고, 국민당에 의한 전시 중의 대만접수 준비계획에서 전후 접수에 관한 중국 국민당 당사관(党史館) 소장 문서 등을 수록한 魏永竹主 編[1995]가 있다. 이들은 대만 인양에 관한 것으로 일본 측 자료와 대조해 보면 대만 인양에 관한 일본측과 중화민국 측의 대응이나 동향에 관한 자료는 충실해 질 것으로 여겨진다. 또한 秦孝儀主 編[1981a, b]도 중국 본토에서의 일본계자산접수와 유용, 더 나아가 송환에 관한 자료나 구 · 만주국에 있어서의 일계자산을 둘러싼 중 · 소 교섭에 관한 자료도 수록되어 있다. 또한 중국 대륙 측에서 간행된 藤街天 編[1996]도 구 · 만주국을 둘러싼 중 · 소 교섭관계 등의 자료가 수록되어 있는데 앞에 소개한 秦孝儀主 編[1981a, b]로부터의 전재(転載) 자료가 많다. 이 이외에 러시아에서는 일 · 소(日ソ) 전쟁 및 동북지방을 둘러싼 중소관계 등에 관한 자료집이 간행되었고, 그중에서도 Ефремов[1997]가 대일본군사작전 및 전쟁 종결 후의 자산접수 · 군인억류에 대해, Гаврилов[2013]가 일본인 억류 및 귀환 문제에 관한 소련 내부 문서를 번역한 기본자료집이 되어 있다. 이들 자료집 게재의 일부를 포함한 소련 측 문서의 번역자료집으로서 富田 · 長勢 編[2017]이 간행되었다. 이상이 해외인양에 관한 자료를 편찬한 것인데 대만이나 중국에서 간행된 자료집의 경우 그 자료의 소장처가 분명해도 그 자료가 도대체 어떤 조직이 작성했고 어떤 파일에 정리되어 있었는가가 명기되어 있지 않고 또한 현물은 비공개로 된 경우가 많다. 그 때문에 현물을 확인하는 데에도 번거로운 일이 자주 발생한다. 마찬가지로 일본에서 공간된 「인양사(引揚史)」 등에서도 의뢰 자료의 정확성을 따지지도 않은 채 인용되고 있는 경우가 있다. 예를 들면 満蒙同胞援護会 編[1962]은 만주 인양의 유일한 정리된 기록인데,

만주 인양이 혼란하던 와중에 이루어졌기 때문에 정보가 부정확하기도 하고, 일본까지 가지고 온 자료가 적었던 이유에서 각 지역의 상황에 관한 기술에 조잡함이 있기도 하고 동일한 지역의 데이터라도 집필자가 달랐던 때문인지 각 장(章)에 따라서 데이터가 크게 다른 예도 있어서 반드시 전면적으로 의거할 수 없는 곳도 있다. 이러한 불확실성은 그 기초가 된 1차 자료의 발굴과 정리에 의해서만이 극복할 수밖에 없는데 현재에는 원본이 소재 불명인 것도 많다. 그러한 와중에 시가대학(滋賀大学) 경제경영연구소가 소장한 만주 인양 관계자료에는 満蒙同胞援護会 編[1962]이 기초가 된 자료가 많이 포함되어 있고, 편찬과정을 밝히는데 중요한 자료군이라고 말 할 수 있다. 또한 모리다 요시오(森田芳夫)에 관해서는 규슈대학(九州大学) 부속도서관이 소장한 모리다문고(森田文庫)가 있다. 森田芳夫[1964] 집필 때에 인용된 외무성 등의 자료는 지금은 없지만 집필 당시에 관계자로부터 인터뷰 조사를 한 노트 등이 남아있고 무엇을 집필 소재로 했는가 등 집필 과정을 엿볼 수 있다.

23 **【역자 주】** '지나(支那)'는 일본이 중국을 호칭할 때 사용한 지리적 명칭으로 왕조나 정권을 초월한 통사적(通史的)으로 사용했다. 이 지나라는 호칭은 일본이 중국에 대한 차별어로 사용했다. 전후에도 '지나'를 그대로 사용할 경우에는 각주를 달아 그 이유를 설명하기도 했다. 일본에서도 지나라던가 지나인이라는 용어를 사용하는 빈도수가 적어졌다. 일반적으로는 중국, 중국인을 사용한다. 그럼에도 불구하고 본 역서에는 일본이 제국주의 시절 중국을 지나라고 표기했고, 행정 용어 등에서도 사용했기 때문에 차별적 요소의 의미가 아니라 당시의 현실감을 보여주기 위해 이 용어를 그대로 사용했다.

| 제1장 |

1 선행연구로서는 서장에서 언급한 加藤陽子[2005]가 있다. 이 외에 미국 측의 일본인 송환 계획 검토과정에 관해서는 Watt[2017]가 있다. 단, 전시 중의 국무성 내부의 검토과정이 중심이고 본 장에서 다루는 대중국정책과의 관련성까지 깊게 들어가고 있지는 않다. 또한 소련 점령지역에서 일본인의 인양을 시베리아 억류문제 시점에서 논한 것으로는 横手慎二[2009]를 들 수 있다. 요코데 논문은 만주 잔류일본인을 둘러싸고 외무성이 스웨덴 · 적십자 국제위원회 · 연합국최고사령관총사령부(GHQ/SCAP)를 통해 실시한 외교교섭을 근거로 현지정착방침이 "곧바로 파기되었다"고 결론지었지만, 외무성이 실시한 교섭은 잔류일본인의 생명 및 재산의 보호 요청이 중심이었지 송환요청은 아니었다. 이 이외에 현지정착방침을 둘러싼 정부의 대응 및 일본인 인양에 대한 미국의 정책을 전후 일본외교와 연결하여 논한 佐藤晋[1999]는 시게미쓰 마모루(重光葵) 외무부장관 등 외무부에 의한 중 · 일 경제제휴 구상을 예로 들고 일본외교의 주체성을 전제로 논을 전개하고 있는데, 패전국 일본이 얼마나 주체성을 가졌는가에 대해서는 의문이 남는다. 이 외의 연구에서는 인양문제에 대한 정부의 대응에 대해 일본 정부 내부에서의 종합조정에 초점을 맞춘 関口[2003], 외무성에 의한 일본인 귀화정책과 유용 및 인양

자의 제국의식을 분석한 浅野豊美[2004]가 있다. 그렇지만 모두 본 장이 대상으로 하는 국제관계사적 시점의 확장이 결여되어 있고 주권을 상실한 일본이 제약된 정치환경하에 있었던 것을 경시하고 있다고 생각된다.

2 **【역자 주】** 미국의 군인이면서 정치가이다. 원수(元帥)계급까지 지냈다. 제2차 세계대전 시기에는 육문참모총장으로서 미국의 승리를 이끌었고, 전후에는 국무장관, 국방장관을 역임하면서 마셜 플랜에 의해 유럽의 부흥을 주도하기도 했다.

3 **【역자 주】** 미국 육군으로 대장을 지냈다. 제2차 세계대전 후기 중국 전선과 버마 전투에서 미육군과 국민혁명군을 지휘하여 일본군과 전투를 벌였다. 전쟁 후 냉전기에는 베를린 봉쇄에 대한 공수작전 지지자로 활동했고 반공주의자의 대표적 인물로 알려져 있다.

4 일본인 구제총회 회장인 다카사키 다쓰노스케(高碕達之助)가 만주의 어려운 상황을 알리기 위해 일본에 밀사를 보내어 정부에 호소한 것은 사실이다. 高碕[1953] (pp.220~231). 또는 일부 일본인이 GHQ/SCAP에 대해 조기 인양을 탄원한 것도 사실이다(만주 잔류일본인의 인양을 호소한 丸山邦雄[1970], 武蔵[2002], 시베리아에 억류된 아들의 귀환을 호소한 大木英一·いまい[1977]). 그러나 그의 활동과 만주 인양실현과는 다른 차원의 문제였다. 물론 마루야마 등의 일본 국내에서의 활동은 일본 정부에게 여론 환기에 좋은 것으로 이용할 수 있는 것이었다.

5 **【역자 주】** 일본의 황족(皇族)인 구니노미야 아사히코신노(久邇宮朝彦親王)의 왕자(王子)이다. 1906년에 히가시쿠니노미야가(東久邇宮家)를 창설했다. 1914년 육군대학교을 졸업하고 이후 7년간 프랑스에 유학했다. 1937년 항공본부장, 제2군사령관, 육군대장, 방위사령관을 역임했다. 종전을 맞아 최초 황족 수상(首相)으로서 내각을 이끌었고, 종전 처리에 관여했다. 그렇지만 2개월만에 총사퇴했고 공직에서도 추방되었다. 이후 황족 신분에서도 떨어져나와 히가시쿠니노미야 나루히코라고 칭하게 되었다.

6 포츠담회담에서 미·소 거래와 포츠담선언 발표에 이르는 과정과 정치적 의도에 대해서는 仲[2000], 그리고 長谷川毅[2006] 참조.

7 소련의 대일 참전에 관한 최신 연구성과로서는 나카(仲)[2000] 참조.

8 **【역자 주】** 일본 해군이며 정치가이다. 군에서의 최종계급은 해군 대장이었다. 해군차관, 연합함대 사령장관, 해군군령부장 등을 역임했다. 예비역 편입 후에는 시종장(侍従長)에 취임하고 추밀고문관도 겸임했다. 고이소 구니아키(小磯國昭) 후임으로 내각 총리대신(제42대)에 취임했다. 일시적으로는 외무대신(제70대), 대동아대신(大東亜大臣)(제3대)도 겸임했다. 육군의 반대에도 불구하고 포츠담선언을 수락하면서 제2차 세계대전을 종식시키는데 주도적 역할을 했다.

9 포츠담선언 발표 이전에 이미 원폭투하는 결정되었고 소련도 대일 참전을 위한 명분으로 이용한 것에 지나지 않았다는 것은 나카(仲)나 하세가와 쓰요시(長谷川毅)에 의한 미·소 제1차 자료를 구사한 상세한 연구에 의해 밝혀졌다.

10 소련군의 만주 침략작전에 관해서는 Glantz[2003] 및 David M. Glantz & Jonathan

House[2005]이 있다. 그 외에 소련 측 문서를 활용한 富田[2020]가 최신 연구이고 동시에 일 · 소 전쟁에 관한 대표적인 연구 성과이다.

11 「三ヶ国宣言受諾に関する在外現地機関に対する訓令(別電)」(「ポツダム宣言受諾関係一件 善後措置及び各地状況関係 第二巻(一般及雑件)」/ A.1.0.0.1-2 / 外務省外交史料館). 8월 10일에 일본 정부는 포츠담선언의 조건부 수락을 미국에 통지하고, 다음 날 제임스 번스(James Francis Byrnes) 회신을 받게 된다. 이 훈령은 제임스 번스 회신의 해석을 둘러싸고 각의 내부에서 분규하게 되는데 이는 12일에 제안되었다. 그리고 14일에 출발한 훈령 구성은 최초에는 출장 공관에 대한 조치가 다루어졌는데, 첫째 어진영, 어문장(御紋章)의 처치, 이어서 기밀문서 처치, 그 이후에 거류민에 대한 조치로 옮겨졌고 구체적 조치 마지막에 거론되고 있는 '본도인(本島人)'과 '반도인(半島人)'에 대한 조치는 '추가로 지시가 있을 때까지는 종래대로 하며 학대 등이 없도록 유의할 것'이라는 것 뿐이었다. 이 훈령은 어떤 의미에서는 당시 일본 정부의 재류민관을 짙게 반영한 것이라고 말할 수 있을 것이다. 또한 이 전보는 대동아성(大東亜省) 관할 지역의 재외공관에 대한 것만 제시한 것으로 그 이외의 외무성 소관 지역인 유럽 중립 여러나라 등에 있는 재외공관은 포함되어 있지 않았다. 대동아지역이라고 불리던 만주국, 중국 본토, 동남아시아 지역은 대동아성의 관할 아래에 있었고, 거류민보호를 다루는 각 지역 재외공관은 대동아장관의 지휘하에 있었다. 이 전보에 대해서는 厚生省社会援護局 編[1997](p.28)에서는 외무성으로부터의 발신으로 적고 있으며 浅野豊美[2004]에서도 외무성 발신이라고 적고 있다. 그러나 상기의 이유 및 포츠담선언 수락 시에 취한 대동아성 측의 대응을 정리한 기록인 「『ポッダム』宣言ノ條項受諾二伴ヒ大東亜地域ニ関シ大東亜省及我方出先各機関ノ執リタル措置並二現地状況」(昭和二十、八、十九)(op. cit., 「ポツダム宣言受諾関係一件 第二巻」)에서는 대동아성이 "거류민은 가능한 한 정착하도록 조치할 것(…중략…) 등을 훈시로 전보했다"고 명기하고, 앞서 언급한 「3개국 선언 수락에 관한 재외 현지 기관에 대한 훈령」과 동일한 내용의 문서를 발신했다고 기록하고 있는 것에서 발신처는 대동아성이라고 보아야 할 것이다.

12 op. cit., 「『ポッダム』宣言ノ條項受諾二伴ヒ大東亜地域ニ関シ大東亜省及我方出先各機関ノ執リタル措置並二現地状況」.

13 **[역자주]** 도조 내각에서 대동아성 설치를 제안한 중심 인물은 스즈키 데이치(鈴木貞一) 기획원 총재였다. 스즈키의 대동아성 설치안에 근거하여 1942년 11월 1일에 설치되었다. 대동아성은 탁무성 폐지에 의해 성청(省庁) 즉 흥아원(興亜院), 대만사무국(対満事務局), 외무성동아국(外務省東亜局) 및 남양국(南洋局)을 일원화 한 것이었다. 이른바 대동아공영권 여러 나라들을 다른 나라들과는 따로 다룬다는 의미에서 외무성 관할에서 분리시켰던 것이다. 대일본제국의 아시아 · 태평양지역 정책의 중심적 역할을 담당하게 되었다.

14 「終戦に伴う支那派遣軍の動向並対策処理に関する電報綴」(浜井 編, 2009, 4巻).

15 「在支居留民利益保全対策ノ件(案)」(「太平洋戦争終結による在外邦人保護引揚関係雑件第1巻」/ K7.1.0.1 / 外務省外交史料館).

16 op. cit., 「戦争終結ニ伴フ朝鮮台湾及樺太在住内地人ニ関スル善後措置要領(案) 二十年八月二十四日. 内務省管理局」.

17 「戦争終結ニ伴フ在外邦人ニ関スル善後措置ニ関スル件」(「終戦処理に関する件」内閣総理大臣官房総務課資料資 / 00056100 / 国立公文書館).

18 [厚生省]引揚援護庁長官官房総務課記録係 編, 1950, p.3.

19 「昭和二十年八月十四日起 次官会議事項綴」. 또한 이때 후생성 시산(試算)으로는 500만(복원병(復員兵) 365만 · 인양자 유업인구(有業人口) 135만의 합계)를 기초로 749만 명의 신규 고용이 필요했다.(「昭和二十年八月 東久邇宮内閣次官会議 記録/閣議 · 事務次官等会議資料 / 平16内閣 CO002100 / 国立公文書館).

20 육군에서도 8월 22일부로 식량자급대책으로서 군용지(軍用地) 개방 통첩이 육군성 부관으로부터 각 군할구 참모장 앞으로 전해졌다. (「軍用地農耕利用ニ関スル通牒」善後措置委員会関係書類綴「滋政資料室収集文書/大本営陸軍部軍事課員(水原治雄氏) 旧蔵資料」/ No.1320-37 国立国会図書館憲政資料室). 이것은 복원병 귀농을 상정한 것이었는데, 나중에 인양자로 대상이 확대되었고, 전후 긴급 개척정책의 단서가 되었다고 볼 수 있다.

21 「閣甲第三九〇号 昭和二十年八月三十日 一、外地(樺太 ヲ含ム)及外国在留邦人引揚者応急援護措置要綱ノ件 二、戦災著越冬対策要綱ノ件」(「公文雑録 昭和二十年 第七巻 円閣 · 次官会議関係(1)」/桒 03079100/国立公文書館).

22 op. cit., 「昭和二十年八月 東久邇宮内閣次官会議記録」.

23 op. cit., 「戦争終結ニ伴フ在外邦人ニ関スル善後措置ニ関スル件」.

24 有吉, 1961, p.44.

25 예를 들면 조선반도 북위 38도선 이남을 관할구역으로 하고 있던 제17 방면군(第一七方面軍)은 미군과의 정전협정을 맺으면서 '내지의 식량 및 특히 폭격에 동반한 주택의 부족 등을 위해 대륙거류민 전원의 인양(引上ヶ)은 인도 상 불가능하다는 이유를 충분하게 인정하고 이 때문에 잔류하는 재류국민(在留邦人)의 엄호(掩護), 식량 등 생활의 안정 보장을 충분하게 고려할 것'을 요구하려고 했던 「京城以南地区ニ関スル停戦協定ニ於ケル提案要綱(案) 二十年八月二十四日 主任者」/ 旧陸海軍関係文書マイクロフィルム / R134).

26 op. cit., 「昭和二十年八月 東久邇宮内閣次官会議記録」.

27 「委員会第十四号 普後措置委員会審議事項及其後ノ推移 一覧」(op. cit., 「善後措置委員会関係書類綴」).

28 有吉, 1961, p.56.

29 「外征部隊及居留民帰還輸送ニ関スル件」(「公文類聚 第六十九編 昭和二十年 第六十五類

02949100 / 国立公文書館).

30 Ibid..

31 처리사항에서 상정된 사용 가능한 선박은 원양항해가능선(遠洋航海可能船) (약 28만 톤 : 내역은 전시표준선 약 20만 총톤 · 재래선 약 8만 총톤 · 근해 항해 가능선(약14만 총톤 : 내역은 임시표준선 약10만톤 · 재래선 약 4만 총톤), 더 나아가 1946년 9월 이후 사용 가능하게 된 선박은 원양항해 가능선(약10만 총톤) · 근해항해 가능선(약5만 총톤)이라고 예상하고 있었다. 그리고 귀환 수송 순서는 1945년 10월부터 개시하여 우선 원양항해 가능선의 각 반정도를 만주(주로 북한 · 다롄)와 중국 본토(주로 톈진(天津) · 칭다오(青島) · 상하이(上海) · 샹강(香港) · 광둥(広東))에 충당하고, 약 7.5개월로 수송 완료, 그 후에 난징(南京) · 중부 태평양 · 필리핀, 기타 남방 지역 · 대만, 치시마(千島) · 조선 · 사할린 · 이즈(伊豆) 오가사와라(小笠原) 및 남서 여러 섬들로부터의 귀환을 실시할 계획이었다.

32 **[역자 주]** 1881.11.6~1965.7.18. 대일본제국 육군 대장. 관동군 총사령관이었으며 이른바 천황의 '옥음방송'을 듣고 소련군에 항복했다. 1944년 7월에는 관동군 총사령관이면서 재만주국특명전권대사를 겸임했다. 시베리아 하바롭스크(Habarovsk), 이바노보(Ivanovo) 수용소에서 11년간 억류되다가 1956년에 귀국했다.

33 「満洲関係 八月三十日」, 「朝鮮関係情報 九月四日」(「終戦支那関係綴 第一号」 / 文庫-柚-418 / 防衛省防衛研究所戦史研究センター).

34 op. cit., 「昭和二十年八月 東久御宮内閣次官会議記録」.

35 이 각의 결정은 선박운항금지 해제를 예상한 것에 의한 것으로 여겨진다. 전일본선박(全日本船舶)은 미태평양 한 대 사령장관 관할하에 있었기 때문에 각의 결정 후 6일에 관리책임자인 발렌타인(Valentine) 해군 소장에게 배선(配船) 계획을 제출하고, 해금을 위한 준비가 실시된다. 그러나 육군은 잔존 선박으로 외정부대 복원(復員) 수송을 충당해야 한다고 생각하고 있었던 것에 반해 해군은 민생안전을 중시하여 물자의 해상 수송에 충당해야 한다고 생각하고 있었기 때문에 배 배분계획입안 단계에서 의견 대립이 생기고 있었다. (有吉, 1961, pp.47~50 · 58~60).

36 op. cit., 「昭和二十年八月十四日起 次官会議事項綴」.

37 op. cit.

38 木戸, 1966, pp.1226~1227.

39 **[역자 주]** 옛날 제도 중에서 궁내성(宮内省)의 장관을 일컫는 말이다. 황실의 모든 사무를 관할하는 책임자이다.

40 東久邇, 1957, pp.203~205; 緒方, 1963, pp.146~147; 有田, 1959, pp.243~245. 또한 東久邇[1957]는 일기 체재를 취하고 있는데, 실제로는 일기를 기초로 한 회고록이라고 말할 수 있다. 「히가시쿠니미야(東久邇宮)일기」(복제본은 국방연구소 전사(戦史) 연구센터 소장)는 공적 간행본에 비해 기술이 간소하다.

41 東久邇, 1957, pp.210~211.

42 「終戦処理会議設置ノ件」「大本営及政府終戦事務連絡委 員会設置ノ件」「公文類聚 第六十九編 昭和二十年 第五十三巻」類 / 029371007 / 国立公文書館) 또한 동일 날짜로 최고전쟁지도회의(最高戦争指導会議)는 폐지되었다.

43 종전연락중앙사무국(終連) 설치 경위와 그 이후의 변천에 대해서는 荒[1994] 참조.

44 重光, 1978, pp.299~300.

45 緒方, 1963, p.159.

46 「一九四五年九月一〇日付在支各公館宛重光外相電信」(「ポツダム宣言受諾関係一件 在外公館(領警)の閉鎖接収及財産文書の処理引渡並在本邦中立国代表との接触停止関係 第二巻 / A1.0.0.1-4 / 外務省外交史料館). 그리고 8월 26일 대동아성은 폐지되고 대동아성의 소관이었던 중국 · 동남아시아의 외교업무는 외무성으로 인계된다.

47 東久邇, 1957, pp.233~234.

48 Wedemeyer, 1958, pp.356~357; トルーマン, 1966, 제1, pp.380~384.

49 「昭和二十年九月五日関東軍総参謀長発陸軍次官宛特別 緊急暗号電報」(『台湾軍 · 関東総軍電報(含渉外報)」/ 中央-終戦処理-581 / 防衛省防衛研究所戦史研究センター). 또한 이 전보는 이 종류로 편철(編綴)되어 있다. 하나는 9월 5일부로, 대부분은 미착(未着)으로 처리되어 있는 것, 또 하나는 9월 6일부로 5일부와 마찬가지의 내용인데, 미착 부분도 판명하고 있는 손글씨도 있다. 본서에서는 6일부의 문서를 참고했는데, 9월 5일에 관동군 총사령부는 접수하고 있었기 때문에 6일부는 잘못 표기로 여겨진다.

50 8월 11일 스웨덴 정부는 일본 정부에 대해 소련으로부터 이익대표단 인수 요청이 이었다는 것을 통지하고, 일본 정부는 8월 14일에 동의하는 취지로 회답했다. (Translation August 14th, 1945. / RUSSIA / Avd : P / Grupp : 19 / Mal : S : I / Gener / Riksarkivet).

51 Memorandum September 1th, 1945(Ibid, RUSSIA).

52 Memorandum Tokyo, September 12th, 1945(Ibid., RUSIA). 일본이 스웨덴 경유로 소련에 전달한 요청은 현재 인식을 결여한 내용이었다. 또한 이때 외무성 위원인 시마 에이지(島英二) 사무관은 주일스웨덴 공사관 참사관 에리크슨(Nils E. Ericson)에 대해 해외에 잔류하고 있는 민간인은 390만 명으로, 그중에 여성 · 어린이 · 환자 등을 포함한 인양희망자는 260만 명이라고 상정했는데, 인양 완료까지 2년 이상은 걸릴 것이라고 전망한다고 전했다. (Resituation in Corea and Manchukuo / Ibid., RUSSIA)

53 「満洲及北鮮ニ於ケル邦人保護ニ関スル交渉経過」(「引揚者及び未帰還者の保護救済関係」/ K.7.1.0.4 / 外務省外交使料館).

54 **[역자 주]** 일본의 외교관이면서 정치가이다. 외부대신, 귀족원 의원, 복원대신(復員大臣) 등을 거쳐 복원청 총재(復員庁総裁)를 지냈으며 부총리(副総理), 중의원 의원, 중의원 의장 등을 지냈다. 히가시쿠니 내각의 총사퇴 이후 내각 총리대신을 맡게 된다.

55 [厚生省]引揚援護庁長官官房総務課記録係 編, 1950, pp.2 · 26. 태평양 제도(諸島) 군인

식량 사정이 열악한 상태에 있기 때문에 급속한 복원이 필요하다고 되어 있다.

56 有吉, 1961, pp.64~65.

57 森田芳夫, 1964, pp.351~353.

58 Ibid., pp.361~364.

59 [厚生省]引揚援喪庁長官官房総務課記録係 編, 1950, pp.4~5. 지방 인양 원호국은 당초는 우라가(浦賀) · 마이즈루(舞鶴) · 구레(呉) · 시모노세키(下関) · 하카다(博多) · 사세보(佐世保) · 가고시마(鹿児島) 등 7개국과 요코하마(横浜, 우라가 · 센자키(仙崎, 시모노세키 · 모지(門司)(하카다, 博多) 세 출장소였는데, 항만기능 상황을 고려하여 최종적으로는 하코다테(函館) · 우라가(浦賀) · 나고야(名古屋) · 마이즈루(舞鶴) · 다나베(田辺) · 우지나(宇品) · 센자키(仙崎) · 하카다(博多) · 가라쓰(唐津) · 사세보(佐世保) · 가고시마(鹿児島)의 11개 지역과 도바타(戸畑)(하카다) · 오타케(大竹, 우지나(宇品)) 두 출장소 및 요코하마(横浜)원호소가 되었다.

60 op. cit., p.31. 또한 상선은 선박운영회(나중에 CMMC), 구 · 해군함선은 해군성(나중에 제이복원성(第二復員省))이 운영하게 되었다. CMMC 설립 경위와 귀환 수송 활동에 관해서는 有吉[1961] 제2장에 자세하다.

61 [厚生省]引揚援護庁長官官房総務課記録係 編, 1950, p.31.

62 Bland & Stevens, 2003, pp.270~271.

63 Ibid., p.271.

64 USFCT Planning for Participation in the Repatriation of Japanese Nationals (Records of U.S. Army Forces in the China-Burma-India Theaters of Operations / China, Burma, India Theaters Histories / China Theater Histories / Historical Records / Repatriation notes on Japanese Nationals / Thru / Statistical / RG, 493 / Entry. 590 / Box. 29 / Folder 1 / p. 3/ The U.S. National Archives and Records Administration : NARA). Library, Columbia University)

65 Ibid., p.3. 350만 명 내역은 만주 143만 4,957명(그중에 민간인 75만 4,957명)을 포함해서 화베이(華北) 56만 4,265명(동, 31만 9,103명) · 화중(華中) 83만 9,346명(동, 14만 6,000명) · 화남(華南) 13만 9,174명(동, 1만 8,380명) · 대만 49만 1,220명(동, 32만 3,269명) · 프랑스인도시나(仏印)(북위 16도 이북) 3만 938명(동, 1,187명)이었다.

66 Ibid., p.4. 미 · 중 공동위원회는 USFCT 총사령부와 중국국민정부군정부 · 군사위원회 각 대표로 구성되었다.

67 Ibid., p.5. USFCT 송환 계획은 딕키(JF seph Dickey) 대장의 제2과(정보담당)과 밀접한 연대하에서 맥나미(Roland W. McNamee) 대장을 중심으로 한 제3과에서 고안되었다. 또한 당초 GHQ / SCAP는 USFCT의 송환 계획에 회의적이었고, 참모장 사자랜드(Richard K. Sutherland)는 웨더마이어에게 실현에 부정적인 견해를 논했다. (Wedemeyer, 1958, pp.351~352).

68 Ibid., p.5.

69 Ibid., p.7.

70 Ibid., p.8.

71 Ibid., pp.8~10.

72 Ibid., p.10.

73 「熊式輝日記」 1945년 10월 12일부. (Hsiung, Shih-hui Collection / Box.13 / Rare Book & Manuscrip)/「中華民国駐蘇俄軍軍事代 表团交涉報告書」(Ibid. / Box.3) 및 熊式輝, 2008, pp.486~493. 동북행영(東北行営)은 숑스후이 외에도 경제위원회 주임 장지아푸(張嘉璈)(장공취안(張公権))과 외교특파원 지앙징구오(蒋経国)가 중심이었다. 또한 熊式輝[2008]에 의하면 1945년 8월 26일에 협의된 동북접수계획 속에서 재만일본인 · 조선인의 처치도 의제가 되었다. 거기서는 거류민화와 귀화 두 종류가 검토되었던 듯 하다. 또한 국민정부에 의한 동북접수 조직 변천에 대해서는 陳立文 · 尚世昌[2000] 참조. 그리고 대전 후 중국 동북을 둘러싼 중소를 중심으로 한 국제관계에 대해서는 「장제스일기(蒋介石日記)」 등 국민정부 측에 추가하여 공산당 측의 자료도 활용하여 동북지역의 정치 상황을 입체적으로 해명한 이어 汪朝光[2016]이 최근의 대표적 연구 성과이다.

74 Memorandum for the President, 13 September 1945 (Paper of Harry S. Truman PSF : Subject File, 1940-1953 / Foreign Affairs File / Cabinet Committee, London Conference to China : 1947 / Box.151/File.China 1945 / Truman Library).

75 장제스는 9월 10일에 쑹즈원(宋子文)을 통해 딘 애치슨(Dean G. Acheson)에 대해 소련군 철수에 의한 만주국에의 국부군부대의 이송 원조를 요청했다. 이 요청은 12일에 국무성을 경유하여 트루먼 대통령에게 전달되었고, 트루먼 대통령도 통합참모본부의 설명에 맞추는 형태로 미군에 의한 지원을 기본적으로는 이해했다(Foreign Relations, 1969, pp.1027~1028). 加藤陽子[2005]는 이 교환내용을 미군 주도에 의한 인양 실시의 중요한 전환점으로 삼고 있는데, 트루먼의 이해는 소련군 철수가 전제된다는 점이었지만, 자신이 적극적으로 이 문제에 관여하려고 한 것은 아니다. 이 시점에서는 소련군의 철수는 불투명한 것이었고 국부군도 만주에 진격할 여유가 없었다. 또한 미군도 국부군 주둔 지원을 수동적인 것으로 하는데 그쳤고 만주 잔류일본인 송환에의 적극적 관여는 상정되고 있지 않았다.

76 董彦平, 1982, p.16.

77 op. cit., 「熊式輝日記」, 1945년 10월 19일; op. cit., 「中華民国駐蘇俄軍軍事代表团交涉報告書」.

78 「蒋介石日記」, 1945년 10월 6일 및 24일(Chi-ang Kai-shek Diaries / Hoover Institution Library & Ar. chives, Stanford University)

79 Ibid., 10월 28일부.

80 Ibid., 10월 16일부.

81 일본인 유용은 국민정부 측의 요청에 대해 지나 파견군이 적극적으로 응한 것에서 생각해 보면 중·일 합작 측면도 강했다. 이 경위에 대해서는 제3장 참조.

82 대전 말기에 중국전선 지휘권을 둘러싸고 중국 전역(戰域) 미군총사령관 조셉 스틸웰(Joseph W. Stilwell)과 장제스의 대립이 현재화 하고 미국 정부의 장제스에 대한 평가도 저하되었다. 스틸웰의 후임인 웨더마이어는 장제스 측이었지만, 미국의 국민정부에 대한 냉혹한 시각은 대전 종결 후에도 지속되고 대중국정책에도 영향을 미치고 있었다. 이들 경위에 대해서는 Barbara W. Tuchman[1996] 및 Wedemeyer[1958] 참조.

83 op. cit., 「熊式輝日記」 1945년 11월 12일부.

84 董彦平, 1982, p.46. 그리고 熊式輝, 2008, p.49; Gillin & Myers, 1989, pp.118~119.

85 op. cit., 「中華民国駐蘇俄軍軍事代表団交渉報告書」.

86 熊式輝, 2008, pp.500~502; 董彦平, 1982, pp.63 · 70.

87 Gillin & Myers, 1989, pp.136~137; 董彦平, 1982, p.68.

88 Ефремов, 1997, С.140. 그리고 일본어 번역으로는 富田 · 長勢 編, 2017, pp.118~119.

89 op. cit., 「山崎元幹日記」, 1945년 9월 27일(개인소장).

90 Gillin & Myers, 1989, pp.78~83.

91 伊原澤周編注, 2012, pp.12~13. 구 · 만주 일본인계 자산을 둘러싼 중국과 소련의 각축에 관해서는 王永祥[2003] 및 폴리조사단 보고서(Pauley Reparation Missions)를 기초로 한 香島[1990], 「張嘉璈日記」를 기초로 한 石井[1990] 등이 있다.

92 「自叙伝 産業人としての所感」, pp.36~39, (高碕達之助文書 / Box.14 / 公益財團法人東洋食品研究所).

93 Gillin & Myers, 1989, pp.106~107.

94 op. cit., 「山崎元幹日記」, 1945.11.9.

95 Ibid..

96 12월이 되어 소련의 각 산업부문의 전문가가 창춘(長春)에 파견되었다. 그러나 모든 시설의 철수가 철저하게 진행되고 있었기 때문에 그들은 제대로 일을 할 수 없었다. (op. cit., 「自叙伝 産業人としての所感」, pp.40~41). 이러한 소련 내부에서는 조직 간의 연대가 결여되어 있었고, 말단 부분에서는 반드시 통일적, 효율적인 정책이 실시되고 있지 않았다. 또한 소련에 의한 일본계 자산접수 실태에 관해서는 국부지배 지역을 대상으로 한 井村[2005] 및 철도시설 접수를 검증한 王強[1993] 참조.

97 Wedemeyer, 1958, pp.447~458. 이 보고서에서는 만주에 대해 조선과 마찬가지로 미 · 소 · 영 · 중 4개국에 의한 신탁통치안이 기술되어 있다.

98 Millis & Duffield, 1951, pp.108~112 and op. cit., USFCT Planning for Participation in the Repatriation of Japanese Nationals, pp.26~27.

99 トルーマン宛蒋介石電信, 1945년 11월 21일부(外交部 編, 2001, pp.205~206).

100 トルーマン宛蒋介石書簡, 1945년 11월 22일부(外交部 編, 2001, pp.206~207).

101 將介石宛魏明道電信, 1945년 11월 27일부(外交部 編, 2001, pp.207~208).

102 Ferrell, 1997, p.74.

103 op. cit., USFCT Planning for Participation in the Repat riation of Japanese Nationals, p. 22.

104 イヤー宛マーシャル書簡(Bland & Stevens, 2003, 1945년 12월 11일부, pp.383~384). 또한 마셜은 웨더마이어만큼 반공(反共)으로 국민정부 편은 아니었고 중국 문제에 미국이 깊숙하게 관여하는 것에 대해서는 신중했다. 그리고 이 중국문제에 대한 인식과 대응의 차이가 방중 직후부터 현재화하고 마침내 웨더마이어와의 대립으로 연결되었다. (웨더마이어와 마셜의 대립에 대해서는 Wedemeyer[1958], 참조).

105 Bland & Stevens, 2003, pp.29~30.

106 トルーマン, 1966, 제2, pp.56~57; Dean Gooderham Acheson, 1979, pp.176~177.

107 「蔣介石宛陳誠電信」, 1945년 11월 29일부(何智霖 編, 2005, p.907).

108 有吉, 1961, pp.85~87.

109 대만으로부터의 일본인 인양에 대해서는 제3장 참조.

110 Agreements Reached at Conference on Repatriation(Records of General Headquarters, Supreme Commander for the Allied Powers (SCAP); 1945-1951 / RG5 / Box.77/Folder 3 / The MacArthur Memorial Library & Archives).

111 [厚生省]引揚援護庁長官官房総務課記録係 編, 1950, pp.5 · 31. 또한 인양 수송에 배당된 선박은 가장 많을 때에는 구 · 해군함선(旧海軍艦船) 172척 · 일본상선 55척(75척까지 가능) · 미군대여선 213척이었다.

112 1946년 5월이 되자 트루먼은 스탈린에 대해 동유럽(東欧) 등에서 인도지원을 실시하는 연합국 구제부흥기관(United Nations Relief and Rehabilitation Administration : UNRRA)에 밀 공출을 부탁했는데 스탈린은 이미 소련에는 여력이 없다는 이유로 거절했다(5월 26일). 그 이유로서는 만주에 주둔하고 있는 소련군 부대의 식량보급 문제가 거론되고 있다. (From Generalissimo Joseph V. Stalin to President Mr. Harry S. Truman. Papers of Harry S. Truman PSF : Subject File, 1940-1953 / Foreign Affairs File / Russia: Moscow to Telegrams : Belgrade[Yougoslavia] : Patterson / Box.165 / File.Russia Stalin / Truman Library). 소련군의 만주 철수는 겨울 엄동기를 피한 것으로 생각되어지는데 당시 소련 국내에서 심각해진 식량부족 문제도 영향을 주고 있었다고 생각된다.

113 소련군 철수에 의한 국부군 주둔 이후의 만주 잔류일본인 인양에 관해서는 제2장 참조.

114 [厚生省]引揚援護庁長官官房総務課記録係 編, 1950, 자료 pp.5~18.

| 제2장 |

1 '만주지역' 범위를 명확하게 규정할 수 없다. 관동주(関東州)를 제외한 만주국의 영토는 현재 내몽골 자치구의 일부를 포함한 범위이고, 중국 북동부와 영역이 완전히 합치하는 게 아니고, 국민정부 시대와 인민공화국 시대에도 동북의 지리적 범위는 약간 다르다.

그러나 만주국 영내로부터의 인양은 만주 인양이라고 일반적으로 호칭되므로 본 장에서는 만주 인양으로 통일했다. 또한 만주국 영내로부터의 인양과 성격, 경위를 달리하는 관동주로부터의 인양(다롄(大連) 인양)에 관해서는 제4장에서 검증한다.

2 厚生省援護局 編, 1978, pp.89 · 197. 다만, 일 · 소 개전 당시 재만(在満)일본인과 인양자를 포함한 사망자, 인양 당시 재류자의 정확한 수는 알 수 없다. 다른 추계에 의하면 8월 시점에서 군인을 제외한 재만일본인수는 만주 121만 8,398명, 관동주 22만 9,256명 · 여행자 1만 5,000명, 군인가족 3만 명으로 합계 149만 2,659명, 일 · 소 개전 후 징집자 16만 명(이 가운데 5만 3,300명이 패전 후에 귀환) · 사망 및 행방불명자 20만 명, 출생자 5,520명으로 추정하고 있다. 1946년 5월 시점에서 119만 1,474명이 되었다(東北日僑善後連絡総処代表「昭和二十一年九月 終戦以降ニ於ケル在満邦人事情報告書 / 国際善隣文庫 / 拓殖大学図書館」). 그 외에 만주에서 조선북부로 온 소개자(疎開者)는 약 6만 명이고 이 가운데 약 2만 명이 패전 후에 만주로 돌아갔다고 추정된다(후생성의 추계에 의한다. 즉, 조선북부에서 온 인양자 총수는 약 30만 명, 사망자 수 약 2만 6,000명).

3 満州開拓史復刊委員会 編, 1980, pp.506~507.

4 재만일본계 자산의 접수, 개별산업으로의 유용 등의 문제를 별도로 한다면, 만주 인양 그 자체를 대상으로 한 연구는 전무하다. 본장과 관련된 선행연구는 서장 참조.

5 草地, 1967, pp.106~108; 防衛庁防衛研究修所戦史室 編, 1974, pp.280 · 365~366.

6 草地, 1967, pp.93~98; 防衛庁防衛研究修所戦史室 編, 1967, pp.349~350.

7 防衛庁防衛研究修所戦史室 編, Ibid, p.378.

8 관동군의 방위소집 근거는 병역법 54조에 의한 '육군방위소집규칙(1942년 9월 26일 제정 · 1945년 5월 개정. 17세~45세까지 청장년 남자가 대상)'에 근거하고 있다. 일본의 병역제도에서는 본인의 본적지가 있는 연대구(聯隊区)로 입영하는 것이 원칙이었다. 만주에 거주하는 일본인은 일본 국적이 유지되어 일본 병역법 대상이어서 소집은 본적지 내지의 연대(聯隊)에 의해 이루어졌다. 즉, 관동군은 만주에 거주하는 일본인을 직접 소집할 수 없었다. 그러나 '육군방위소집규칙(1942년 9월 26일 제정 · 1945년 5월 개정. 17세~45세까지 청장년 남자가 대상)'에 의해 방위소집을 관장하는 사람을 본적지의 사관구(師管区) 사령관에서 거주지의 사관구 사령관으로 변경함으로써 현지 일본인의 소집이 가능해졌다. 또한 관동군이 남성을 대상으로 한 '방위소집'이어서 일반적으로 '송두리째 동원'으로 불리는 총력전 대행을 위해 주로 국가총동원법을 근거로 한 여성과 학생을 포함한 모든 인적자원을 투입하는 '전시동원'과는 다르다.

9 「吉田農夫雄(元関東軍参謀) 満州国在留邦人の引揚について」(文庫-柚-497 / 防衛省防衛研究所戦史研究センター).

10 베를린 함락 당시 소련군의 행적에 관해서는 サンダー&ヨール 編著, 1996; ビーヴァ, 2004 참조. 특히 구 소련 측의 자료를 사용한 실증연구인 ビーヴァ [2004]는 대전 말기의 소련군 조직의 내부 사정과 유럽전선에서의 약탈행위와 산업자산 접수 실태를 아는

데 참고가 된다.

11 「在独大使館内籠城ヨリ独逸引揚迄ノ経緯 大使館参事官 河原畯一郎」(제2차 유럽대전 관계 1건, 재류 국민 보호, 피난 및 인양관계 第2巻 / A.7.0.0.8-6 / 外務省外交史料館). 게다가 오스트리아에서도 소련군이 일반주민에게 행한 약탈과 능욕의 처참함이 보고되고 있다(「昭和二十年八月一三日 疎開及引揚ニ関スル報告 在維訥帝国総領事館」/ op. cit.).

12 大佛, 2007, pp.292~295. 오사라기(大佛)는 만주중국공산당업개발의 베를린 주재원이었던 친구에게 만주 지역에서 함구령이 내린 사실을 듣고 일기로 적었다.

13 「外地在住内地人ニ関スル当面の人心安定方策」(大野緑一郎関係文書/No.2343(R245) / 国立国会図書館憲政資料室). 참고로 방침안은 8월 26일부로 되어 있다.

14 「一九四五年八月一九日 関東軍降伏の記録」(1-й Дальневосточный фронт〈第一極東方面軍〉/ Ф.234 / Оп.3213 / Д.397 / Л.193~204 / Центральном Архиве Министерства обороны Российской Федерации : ЦАМО РФ), 秦彦三郎, 1958, pp.30~39. 또한 소련 붕괴 후 소련군이 접수한 관동군 문서에 기초해, 자리코바에서의 정전 교섭에서 관동군과 소련군 간에 일본병사가 노무를 제공한다는 밀약을 맺어, 그것이 시베리아 억류로 이어졌다는 견해가 전국억류자보상협의회의 사이토 로쿠로(斎藤六郎)에 의해 제기되었다(斎藤六郎)[1995]. 그러나 자리코바 회담은 소련군 측의 일방적인 통보일 뿐 '교섭'이라고 할 수 없었다. 필자도 러시아연방 국방성 중앙공문서관이 소장한 극동 소련군 총사령관 바실레브스키의 개인 파일에 포함된 자리코바 회담 메모를 조사했는데 이러한 기술은 후술하듯이 발견되지 않았다. **【역자주】** 사이토 로쿠로(1923~1995)는 만주에 주둔한 대일본제국 육군 제4군 군법회의 서기로 패전을 맞이해서 시베리아에 억류되었다. 1949년에 귀국해서 고향인 야마가타(山形)에서 자동차판매업에 종사하다가 1979년에 전국억류자보상협의회를 결성해서 회장으로 취임했다. 소련 정부와 직접 교섭을 추진해서 억류 중 사망자 명부를 제출받고, 유족이 자유롭게 성묘를 할 수 있게 하는 등의 성과를 냈다.

15 「一九四五年八月二十日付 スターリン宛ヴァシレフスキー報告書 一九四五年八月十九日暮れにかけての極東戦線状況報告」(Главнокомандующий Советскими войсками на Дальнем Востоке〈極東ソ連軍総司令官〉/ Ф.661 / Оп.178499сс / Д.9 / Л.24~33 / ЦАМО РФ).

16 「一九四五年八月十九日付 関東軍総参謀長 停戦ニ関スル件」(Архивным документам трофейного фонда Квантунской армии「鹵獲関東軍文書」/ Ф.500 / Оп.2 / Д.18 / Л.119~121 / ЦАМО РФ).

17 op. cit., ヴァシレフスキー報告書.

18 또한 秦彦三郎[1958], p.36에는 일본군의 명예존중과 거류민 보고에 만전을 기한다는 것을 "강하게 요청했다"라고 기술되어 있다. 그러나 일본군의 명예는 차치하고 거류민 보호에 관해 각 부대에 정전을 명한 문서에는 기재되어 있기는 하지만, 강력하게 요구할 정도였는지는 의문이다. 그리고 회담에 수행했던 세지마(瀬島)[1995] p.218에서도

같은 내용을 다루고 있다. 그러나 거류민 보호와 더불어 '본국 귀환', 게다가 '장병의 본국 귀환'까지 기재되어 있는데, 이는 사실과 다르다.

19 平島, 1972, pp.85~86.

20 「一九四五年八月二十六日付 大本営朝技参謀 関東軍方面停戦状況ニ関スル実視報告(op. cit.,「鹵獲関東軍文書」/ Ф.500 / Оп.2 / Д.18 / Л. 64~73). 또한 토착이 불가능한 경우로 병사 30만 명(총인원 44만 3,600명 가운데), 상이병 3만 명, 재류일본인 30만 명을 겨울 이전에 송환해야만 했다. 군인들에 비해 민간인의 송환율은 매우 낮고, 100만 명 이상이 잔류하게 된다.

21 「昭和二十年九月三日関東軍総参謀長発陸軍次官宛極秘電報(op. cit.,「台湾軍・関東総軍電報(含渉外報)綴」.

22 Ibid.,「昭和二十年九月五日関東軍総参謀長発陸軍次官宛特別緊急暗号電報」.

23 당시 연합국 점령하에 있던 일본 정부는 소련과의 직접 교섭은 불가능하고 GHQ / SCAP 또는 일 · 소 양국 정부가 이익 보호를 의뢰하고 있는 스웨덴 정부를 통해서만 일본 측의 요청을 전하는 것이 가능했었다.

24 op. cit.,「満州及北鮮ニ於ケル邦人保護ニ関スル交渉経過」.

25 정식 명칭은 '동북민주연합군(東北民主聯軍)'이지만 본 장에서는 편의상 '중국공산당군'으로 통일했다.

26 예들 들면, 안산(鞍山)에서는 소련군 · 중국공산당군 · 국민정부군이 뒤섞여 중국공산당군과 국민정부군의 쟁탈전에 일본인회도 농락당했다. 우선, 1945년 8월 23일에 결성되었던 치안유지회(초대 회장은 안산수비대장 우에다 리사부로(上田利三郎), 나중에 만주철도상무이사 야노 고지(矢野耕治)로 교체)는 9월 20일에 소련에게 해산을 명령받아 같은 달 23일에 일본인교민회(회장 야노(矢野))가 결성되었지만, 11월 20일에 야노 회장이 중국공산당군에게 현금 및 서류를 반출한 혐의로 체포되어(30일 석방) 23일에 전 안산시장 이와미쓰 미나오(岩満三七男)가 회장에 취임했다. 그러나 다음해 2월 6일에 이와미쓰 회장과 아사 게이이치로(朝慶一郎) 부회장(경무과장)이 중국공산당군에게 체포되고(그 뒤에 총살됨), 8일에는 중국공산당군에 의해 해산명령, 간부의 체포로 이어졌다. 이후 3월부터 국공 쟁탈전을 거쳐 4월이 되자 안산을 점령한 국민정부군의 점령하에 거류민회(회장은 의사 이시카와 요시스케(石川義助))와 안산시일교선후연락처가 개설되어 이시카와 회장이 연락주임이 되었다. 결국, 6월 5일 국민정부군에 의해 일본인 견송(遣送) 사무개시가 전달되어 이시카와가 대표자로서 인양까지 임기를 채웠다(満蒙同胞後援会 編, 1962, pp.311~312; 池尻半太郎[鞍山日記](聞人会 編, 1969, pp.12~39)). 또한 안둥(安東)은 만주와 조선을 잇는 철도노선의 주요도시여서, 일 · 소 개전 직후부터 조선으로 피난민이 급증해 8월 15일에는 안둥에 유입된 피난민이 3만 5,000명에 이르렀다. 안둥시는 이러한 사태에 대응해 소개(疎開) 본부(부장은 안둥성 차관 와타나베 란지(渡辺蘭治)를 설치해 피난민의 구제에 나섰다. 17일에 안둥시일본

인회(회장은 안동상공공회 회장 야기 모토하치(八木元八))가 결성되어, 소개(疎開) 본부는 소개부로 일본인회에 편입되었다. 일본인회는 각지의 일본인회와 마찬가지로 구제사업에 나섰지만, 활동성과가 저조해 재류민의 비판을 받았다. 패전 직후부터 안둥시 내에서 국공(国共) 양쪽 계통에 의한 세력다툼이 격화된 데에는 재류일본인 중에 국공 어느 쪽인가의 파와 연결된 사람만이 활발한 활동을 하고 있었던 것이 원인이었다. 이러한 배경하에, 9월 30일에는 안둥 일본인 보도(補導) 사무소가 변경되어, 창춘의 동북지방연락일본인구제총회의 지원을 받아 겨우 활동을 활성화시킬 수 있었다. 그러나 10월 25일 중국공산당군의 안둥 입성 직전에 일부 보도 사무소 간부들이 해군의 지도하에 일본인 808명을 국민정부군계의 애국선봉대에 합류시켜 중국공산당군을 습격한 결과, 대패한 유이케고(湯池子) 사건(애국선봉대 사건)을 일으켰다. 이를 계기로 안둥의 국민정부군계는 제거되고, 가담했던 일부 보도 사무소 간부도 투옥되고 섭외부장 요시오카 마사타카(吉岡正隆)는 총살되었다. 결국, 중국공산당 공안국장의 명령으로 11월 25일에 안둥 주재 공산주의자를 간부로 하는 안둥민중해방동맹이 결성되어 보도 사무소 사업을 이어갔다. 그러나 12월 13일에 국민정부 쪽으로 내통하고 있다는 혐의로 간부 전원이 투옥되어 해방동맹은 해산되고, 이번에는 제대병 모리 사부로(毛利三郎) 등에 의한 일본교민공작대가 조직되었다. 그리고 다음해 1월에 옌안(延安)에서 온 다카하시 사부로(高橋三郎)가 모리를 대신해 주석이 되고 3월에 일본인 해방연맹이라고 개칭했는데, 4월에는 국민정부군에게 추방된 중국공산당군계의 민주연맹 번시후(本溪湖) 지부가 이주하고, 이후 민주연맹이 시정부기관 내의 교민관리과 소속으로 일본인 관계사무와 제1차 견송 사무를 취급하게 되었다. 결국, 10월 26일에 국민정부군이 안둥에 입성하고 일본인 거류민회(회장은 사토 주베이(佐藤重兵衛) · 중간에 후루가네 도쿠오(古金徳夫)로 교체)가 결성되어 최종적으로 인양 사무까지 취급했다(満蒙同胞援護会 編, 1962, pp.328~333 · 550).

27 만주국 시대의 '신징(新京)'에서 '창춘(長春)'으로 명칭이 바뀐 것은 1945년 9월 1일부터이지만 본 장에서는 '창춘'으로 통일했다.

28 高崎, 1953, pp.194~195; 平島, 1972, p.102. 또한 요시다 신 기록에 의하면 '산업간담회'가 아니고 '경제간담회'이고, 13일의 회합장소도 만주전전본사(満州電電本社)로 되어 있다. 또한 일본인 거류민회(회장 요시다 신)도 17일 만주전전본사에서 결성되었다고 한다(「吉田悳 新京最後の日」/ 文庫-柚-94 / 防衛省防衛研究所戦史研究センター).

29 平島, 1972, p.102.

30 高崎, 1953, p.26; 満蒙同胞援護会 編, 1962, p.345. 구제총회 결성 당시의 구성은 회장: 다카사키, 위원 : 오카다 마코토(岡田信) · 오하라 마치오(大原万千百) · 사이토 야헤이타(斎藤弥平太) · 히라야마 후쿠지로(平山復二郎, 만주산업 이사장), 상담역 : 우에무라 신이치(上村伸一) · 미야자키 아키라(宮崎 章) · 미우라 미치히코(三浦通彦) · 다케우치 도쿠이(竹内徳亥) · 시모무라 데이지(下村悌治, 요코하마쇼킨은행 신쿄지점장), 사무국장

겸 총무부장 : 이자와 주이치(飯沢重一, 국민근로부 동원 사장(司長)), 구제부장 : 사카다 슈이치(坂田修一).

31 高崎, 1953, p.217. 구제총회 결성일은 9월 1일로 정해졌지만 다카사키가 소련군 측과 회담한 날짜는 불분명하다.

32 Ibid., pp.217~220.

33 満蒙同胞援護会 編, 1962, pp.363~364.

34 Ibid., p.364.

35 「一九四五年九月二十二日付 鮎川義介宛高崎達之助書簡」(鮎川義介関係文書 / No. 331.9 / 国立国会図書館憲政資料室). 또한 아유카와 요시스케(鮎川義介) 문서는 마이크로필름 촬영 후 폐기되어 원본은 현존하지 않는다. 다만 서간은 여러 권 작성되어서 다카사키 다쓰노스케의 구 자택인 다카사키기념관(효고현(兵庫県) 가와니시시(川西市))에서 동종의 원본을 확인할 수 있었다.

36 高崎, 1953, p.221.

37 op. cit., 鮎川宛高崎書簡.

38 피난민이 유입된 도시는 다롄(大連) · 푸순(撫順) · 선양(瀋陽) · 안둥(安東) · 창춘(長春) · 치치하얼(斉々哈爾) · 하얼빈(哈爾濱) 등이고 1946년 5월 15일의 구제총회 조사에 의하면 피난민 총수는 62만 7,420명에 달했다. (op. cit., 「昭和二十一年九月 終戦以降ニ於ケル在満邦人事情報告書」).

39 満蒙同胞援護会 編, 1962, p.372. 또한 7월 8일 견송 실시까지 창춘에 유입된 피난민은 13만 3,500명, 제1차 견송 종료까지의 유입피난민 총수는 16만 7,442명에 이른다.

40 각 일본인회에서 구제자금의 조달이 가장 고민이었다. 그래서 거출자(拠出者)에게는 귀국 후에 구제총회 수뇌부가 일본 정부와 교섭해서 반환한다는 공약하에 '구제차입금'을 1구좌 1,000엔으로 모집했다. 그러나 생각대로 자금이 모이지 않아서 결국 반강제적으로 할당해서 갹출해 1946년 8월까지 8억 엔을 모집했다(op. cit., 「昭和二十一年九月 終戦以降ニ於ケル在満邦人事情報告書」). 또한 이 구제자금은 '재외공관 차입금 정리준비심사회법'(1947년 6월 1일 공포)에 의해 국가에게 보상을 받게 되었다.

41 満蒙同胞援護会 編, 1962, pp.376~377.

42 Ibid., p.264.

43 Ibid., p.212.

44 「満州中工業系特需組合専務吉田義夫帰来談 最近満州の状況 昭和二十、十二、五 渉外課」(満州-終戦時の日ソ戦-45 / 防衛省防衛研究所戦史研究センター).

45 「東北保案司令長官部日僑俘管理処鮮陽市日僑善後連絡総処 難民救済事業要覧 第二輯」(国際善隣文庫 / 拓殖大学図書館」).

46 op. cit., 「難民救済事業要覧 第二輯」.

47 Ibid..

48 滿蒙同胞援護会 編, 1962, p.469.

49 op. cit., pp.470~471.

50 「民国三十七年六月 東北日僑善後連絡所撫順分所記録」(日本貿易振興機構アジア経済研究所図書館).

51 **【역자 주】** 화족, 만주족, 몽골족, 위그르족, 티벳족 다섯 민족이 자유롭게 연합해 평등한 관계에서 중화민국을 건설할 것을 목표로 삼았다.

52 滿蒙同胞援護会 編, 1962, pp.512~513.

53 Ibid., pp.516~517.

54 『民主日本』 및 후술하는 『前進報日文版』, 『東北導報長春版』은 일본 '도쿄대학대학원 법학정치학연구과 부속 근대일본법정사료 센터'(明治新聞雑誌文庫)에 소장된 加藤編[2002]에 수록. 이 가운데 『民主日本』은 제4호(1946년 5월 7일) · 제5호(5월 9일) · 제7호(5월 12일)가 소장되어 있다. 제1호 발행일은 불분명하지만, 거의 격일로 나와서 5월 1일(메이데이) 가능성이 있다. 이 신문은 일부 2엔(1개월 30엔)이었다. 또한 5월 10일부터 택배제로 운영했고, 23일부터 소형일간도 포함해 사실상 휴간된 듯하다(浅島, 1992).

55 梅, 1958, p.35. 또한 이 자료에서는 '나카코지(仲小路)'를 '中小路某'로 표기했다. 중국공산당군 지배 지역의 재류일본인 가운데는 '오카노 스스무(岡野進, 사카노 산조(野坂参三))'가 자주 등장하는데, 나카코지(仲小路)도 동북철도(중 · 소가 공동경영한 중장철로(中長鉄路) 이외 중국이 경영하는 철도) 소속으로 철도관계 유용자(留用者) 지도권을 쥐고 하얼빈에서 전 만철 조사부원 이시카와 마사요시(石川正義)들을 인민재판으로 실각시키는 등 절대 권력을 휘둘러 '나카코지 천황(仲小路天皇)'으로 불리고 있었다(長谷川潔, 1981, pp.47 · 75~91). 그리고 『民主日本』 제5 · 7호에 게재된 '나카코지 시즈오(仲小路静男)'의 강연요지 「中共の首都延安を語る」에 의하면, 1937년 8월에 소집되어 화베이(華北)를 전전하다 2년 후 현지에서 제대한 이후 대동(大同)의 구로다(黒田部隊) 부대 시설관리과에서 일을 했는데, 대동 산중에서 병사건축 중에 팔로군(八路軍, 중국공산당군의 통칭)에 포위되어 옌안에서 사상교육을 받았다고 한다.

56 東北民主聯軍吉椋軍区政治部「在長春の日本居留民に告げる書」(op. cit., 『民主日本』 第四号). 중국공산당군의 노무공출은 반강제적이어서, 의사 · 약사 · 간호사 등 403명, 철도관계자도 수백 명, 그 외 일반인도 포함하면 엄청난 인원이 이 시기에 유용되었다(平島, 1972, pp.181~182.

57 日本民主連盟文化部「日本人書家、音楽家諸氏に告ぐ」(op. cit., 『民主日本』 第五号).

58 『東北導報』는 창춘판(長春版) 외에 선양판(瀋陽版)도 있었다. 선양판에 대해서는 ワット[2003] 참조.

59 하얼빈은 지속적으로 중국공산당 지배 아래 있었는데, 같은 시기 창춘보다도 식량이 더 풍부하고 일본인이 하는 스시점포도 있어 맥주와 일본 술, 치즈 등도 자유롭게 확보할

수 있었다. 그리고 통화는 만주중앙은행권(정부화폐, 国幣)과 팔로표(八路票)로 불리는 중국공산당군이 발행한 군표(軍票), 소련군표(홍군표(紅軍票)) 3종류가 유통되어 공식적으로는 등가(等価)였지만, 실제는 정부화폐가 가장 신용이 높았고, 팔로표는 신용이 가장 낮았다(梅, 1958, pp.53~54).

60 op. cit.,「昭和二十一年九月 終戦以降ニ於ケル在満邦人事情報告書」.

61 満蒙同胞援護会 編, 1962, pp.460~462.

62 다만, 개척단원 등 피난민이 포함된 경우는 그 비율이 높지 않은 점과 출신지에 따라서도 차이가 있다. 특히 도쿄와 오사카 출신자는 전체보다도 귀환 희망자의 비율이 낮다. 이는 전문기술의 유무 등과 관계된다고 여겨진다.

63 秦孝儀 編, 제5권, 1978, pp.902~911; 秦孝儀 編, 제6권, 1978, pp.4~12;「在国民参政会関於東北交渉問題的報告」, 秦孝儀主 編, 1981a, p.77.

64 「我駐蘇軍軍事代表団団長董彦平報告書」, op. cit., p.239.

65 「満州に於ける国共の動向に関する一私見 資料課」(満州-全般-293/防衛省防衛研究所戦史研究センター).이 자료는 만주 인양자의 사견을 1946년 9월 25일에 제1 복원성(第一復員省) 자료과가 편집한 것. 다만, 미국은 소련군의 전면적인 철수의 목적은 일계자산(日系資産)의 반출이고, 국민정부가 주장하는 중국공산당 지원을 목적으로 한다는 관점은 갖지 않았다(アチソン, 1979, p.250). 그리고 소련군의 전면적인 철수가 된 한 가지 요인으로 같은 시기에 미군이 톈진(天津)에 주둔한 점도 들 수 있다. 즉, 톈진은 만주와 중국 본토를 잇는 경제적 요지이고, 미국은 톈진을 통제함으로써 만주로 영향력을 미치는 것이 용이하게 되었다. 소련은 이를 경계해 톈진과 대항관계에 있는 다롄부터 하얼빈까지 만주의 주축을 유지하려했다고 여겨진다. 영국도 9월 13일 경에 소련군이 산하이관(山海関)에서 만주로 진출하는 중국공산당군에게 20만 정(丁)의 소총을 제공했으며, 선양 지구에서 활동하는 6만의 중국공산당군은 일본군 전차와 기관총으로 무장하고 있다는 정보를 받고 있었다(MILITARY CHINA-Communications; Communist Activities, Chinese Communist activities in Manchuria / WO208 / 4403 / The National Archives : TNA). 그러나 병기 공급에 관한 중국공산당군과의 협력관계 및 일계자산의 반출 사실은 인정하면서도, 소련군의 만주철수는 미군의 화페이 진출과 관련된 문제라는 인식을 갖고 있었다(Mr. Bevin to Sir H. Seymour(Chungking), Soviet activities and ploicy in Manchuria: situation in Manchuria : Soviet negotiations with China on Manchuria: the Manchurian issue / FO371 / 53684 / TNA).
만주국 붕괴 직후부터 중국공산당의 동북진출 과정과 소련군과의 협력·비협력 관계를 명확하게 밝힌 선구적 연구로는 丸山鋼二 [2005]가 있다.

66 대만 인양에 관해서는 제3장 참조.

67 トルーマン, 제1권, 1966, pp.56~57; アチソン, 1979, pp.176~177. 또한 미국은 국민정부가 택한 일본인 유용에 대해 해제를 강하게 요구했지만, 제3장에서 후술하듯이 일본

인이 중국으로부터 일소(一掃)한다는 방침 아래 나온 것이다.

68 「東北政務接収報告」, 秦孝儀主 編, 1981a, p.84.

69 満蒙同胞援護会 編, 1962, p.294.

70 Ibid., p.564.

71 Ibid., pp.566~574.

72 Ibid., pp.296 · 346.

73 Ibid., p.575. 다만, 중국 측의 일교부관리처 조사에 의하면, 교민 145만 명(내역: 국민정부군 지배 지역 약 75만 6,000명 · 중국공산당 지배 지역 약 69만 4,000명)으로 추계하고 1945년 5월 7일부터 12월 말까지 일본 교민 101만 7,548명 · 일본 포로 1만 5,974명을 견송시켰다(「国民36年3月 国民政府主席東北行轅工作報告」(Hsiung, Shih-hui Collection / Box.12 / Folder.4 / Rare Book & Manuscript Library, Columbia University)).

74 満蒙同胞援護会 編, 1962, pp.298~299.

75 Ibid., pp.580~589.

76 Ibid., pp.298~299.

77 Ibid., pp.694~697.

78 Ibid., pp.579~580.

79 Ibid., p.716.

80 일본인 재류자의 중국공산당에서의 생활과 신중국 건국 후 삼반운동(三反運動, 반오직 · 반낭비 · 반관료주의)의 대확산, 한국전쟁을 계기로 한 감시강화 등에 관해서는 長谷川濬[1981]에 상세하게 나온다. 그리고 간호사로서 중국공산당군과 행동을 함께한 무카이 사이(向井サイ)도 같은 체험을 하고 있다(むかい[1974]).하세가와와 무카이처럼 특수한 기술자가 아니고 유용된 경우의 대부분은 중국공산당에게 냉소적이었다. 한편, 만철중앙시험소장으로 유용되었던 마루사와 쓰네야(丸沢常哉)는 같은 체험을 하면서도 신중국 건설에 참가한 의의에 무게를 두고 속죄의식도 있어 중국공산당에 대해 호의적이다(丸沢[1979]). 중국공산당의 유용에 관해서는 大澤[2007]가 후기 집단인양에 관한 대표적 연구이다. 그 외 개별사례로서는 만주제철의 접수과정과 일본인 기술자의 유용 문제를 근본적으로 다루고 신중국 건설에 미친 영향을 검증한 선구적 연구인 松本[2000]를 비롯해, 만철의 철도기술 이전을 다룬 長見[2003], 만주에서 신중국으로의 경제적 연속성을 검증한 田畠[1990] 및 山本有造[2005]의 경제사에 의한 성과를 들 수 있다.

81 소련군 군기의 문란함은 인양자 체험기에서도 예외 없이 나오지만, 그 외에도 시계 나사 감는 법을 모르고 전구로 불을 붙이려고 하는 등 경제적 · 문화적 레벨에서 재만일본인의 우월감을 부추기는 행동도 다수 발견되었다(예를 들면, 森繁, 1977, pp.26~27). 이러한 행위는 어린이의 시선으로 보면, 모멸의 대상이 되었다(松岡満壽男「白菊小時代」〈新京白菊学校第二十期(終戦時五年生)文集刊行会 編, 1990, 収録〉). 이러한 소련병과

의 접촉은 미군으로부터 물질적 · 문화적으로 충격을 받은 국내 일본인과는 같은 패전 체험이라도 본질적으로 전혀 달랐다. 그리고 일본인회 관계자와 소련군 내부가 관련되어 있는 점을 부당하다고 지적하는 사례가 다수 있다(예를 들면, 平島, 1972, p.134). 국민정부군과 관련해 부패나 현지민과의 괴리를 많은 수기를 통해 엿볼 수 있다(예를 들면, 辻, 1978, pp.255~260).

82 「米軍検閲状況」, 「博多援護局業務再開ニ関スル件」(「太平洋戦争終結による在外邦人保護引揚関係 国内受入体制の整備関係 各地受入機関 第1巻」/ K.7.1.0.1-1-1 / 外務省外交史料館). 또한 몇 개의 인양자 수기에서도 인양항(引揚港)에서 불심검문당한 체험을 다루고 있다. 예를 들면, 중국공산당군이 동북지역을 점령했을 때도 머물다 다롄 경유로 1949년 9월에 마이즈루로 인양해 온 전 만주중앙은행 이사 메이전(梅震)은 마이즈루 상륙 후에 미군에게 문서를 모두 몰수당하고 소련의 영향력이나 군사시설 상황, 다롄 현황 등을 수차례 진술해야만 했다. 한편, 일본 측은 소련과 중국공산당의 정보보다도 인양의 실태 그 자체에 관심이 있어 각자 종전 후의 행동, 주재 일본인의 생활실태, 잔류자나 사망자의 성명 등을 구두 또는 종이에 적게 했다(梅[1958], pp.183~187). 그 외 중국공산당 지배 지역인 풍성(鳳城)에서 인양해 온 만주국평화회 풍성현(鳳城県) 사무국장이었던 이다 다다오(飯田忠雄)도 인양 후 현지 일본인민주연맹원에 대해 CIC로부터 조사받은 사실을 필자에게 밝혔다(加藤, 2006a, p.159). 게다가 CIC는 전기 집단인양 종료 후에도 시베리아 억류자와 중국에서 온 후기 집단인양자들에게 적극적으로 조사를 하고 있었다. (元CIC通訳上野陽子氏聞き取り調査：二〇〇七年十一月六日、元舞鶴引揚援護局職員森田正男氏聞き取り調査：二〇〇七年十一月七日).그리고 미국이 압수한 자료 일부가 미국의회 도서관에 소장되어 있다. 대표적인 것은 다롄에서 온 인양자가 소지했던 일본인 노동조합에 관한 자료와 사할린 인양자에게서 압수한 남사할린에서 소련이 일본인용으로 발행하고 있던 『新生命』 등이다. 이러한 마이크로 필름은 국립국회도서관에 소장되어 있고, 加藤 編 제3 · 4권[2002](補遺篇)에 수록되어 있다. 그 외에도 미주 65의 인용자료도 제1 복원성 자료과에서 미군으로 건너온 것이다. 제1 복원성도 각지의 인양항에 상륙지지국을 설치해 복원병(復員兵)에게서 현지 상황을 조사했다. 이러한 제1 복원성과 미국과의 관계에 관해서는 加藤[2011] 참조.

83 満蒙同胞援護会 編, 1962, p.652. 또한 요시다 시게루(吉田茂) 수상은 맥아더에게 선박을 대여해줘서 구 · 만주지역에서 민간 인양장(引揚場)이 실현된 것에 감사를 전하고 있다. 요시다 개인은 맥아더의 권력을 이용하면서 인양을 촉진할 의도가 있었을지 모르지만, 정부 차원에서도 인양 실현에 전력을 다한 미국에게 신세를 졌다는 인식이 강하게 각인되었다.(一九四六年八月二十一日付マッカーサー宛吉田茂書簡(福井 編訳, 2000, pp.134~135)).

| 第3장 |

1 **【역자주】** 지나는 중국을 가리키다.

2 군인을 제외한 대만 인양자 총수는 약 33만 명이었다.

3 第10 방면군은 사이판 함락 후인 1944년 9월에 대만군을 기간으로 해서 신설했다. 12월에는 사령관 안도 리키치(安藤利吉)가 대만 총독도 겸임했다. 패전 당시 육군 약 16만 7천 명, 해군(카오슝(高雄)경비부—1945년 6월 25일 第10 방면군 지휘 아래로 편입) 약 5만 5천 명(군속 약 1만 4천 명 포함)이었으나, 패전 후에는 대만인 및 현지 소집 일본인이 제대하여 복원(復員) 당시는 육해군 합해서 16만 5천 명(오키나와현인 약 2천 명 포함)이었다.

4 대만척식주식회사(台湾拓殖株式会社)에서는 옥음방송에 맞춰 '조서환발봉배식(詔書渙發奉拜式)'을 거행해 11시 45분까지 집합한 전 사원이 다음과 같은 식순으로 옥음방송을 듣는 것으로 되어있었다.

① 개회사(야마시타(山下)간사장, 기업과장, 물자과장, 토지부장). ② 국민의례, 궁성요배, 고타이진구(皇大神宮) 배례. ③ 조서 봉독(이 사이 최경례). ④ 전승 기념(戰捷祈念). ⑤ 훈시. ⑥ 폐회사. 「詔書渙發奉拜式ノ件」(雜文書 / 台湾拓殖株式会社文書 / 00202063 / 國史館台湾文獻館).

5 塩見, 1979, pp.15~18.

6 森田俊介, 1979, pp.10~27.

7 台湾総督府残務整理事務所, 「台湾統治終末報告書」, 加藤 編, 제31권, 2002, pp.12~13.

8 「昭和二十、七~二十、十二、三十一 中澤佑中將陣中メモ」 1945년 9월 1일부(「中澤佑關係文書」 / No.95 / 國立國会圖書館憲政資料室). 육군에서는 9월 중순에 어진영과 칙유의 봉소(奉燒)를 했으나, 해군과는 달리 심야, 극비리에 행했다(台湾会 編, 1997, p.20).

9 op. cit., 「中澤佑中將陣中メモ」 1945년 9월 5일부. 또한, 같은 날 지룽에 미군이 상륙해 포로가 됐던 미군 병사를 수용하고 그날로 귀환했다.

10 塩見, 1979, 1945년 9월 10일부, p.44.

11 Ibid., 「中澤佑中將陣中メモ」.

12 Ibid., 「台湾統治終末報告書」, 加藤 編 ,제31권, 2002, pp.13~15.

13 池田敏雄, 1982, 1945년 9월 6일부.

14 塩見, 1979, p.117; 大藏省管理局 編 제9권, 2000, p.80.

15 塩見, Ibid., pp.117~118.

16 op. cit., 「台湾統治終末報告書」, 加藤 編, 제31권, 2002, p.24; 池田敏雄, 1982, 9월 18 · 21 · 30일부; 塩見, 1979, p.49(1945년 9월 15일부).

17 池田敏雄, 1982, 1945년 10월 19일부.

18 부장은 안도 리키치 第10 방면군 사령관이었다.

19 Ibid., 「台湾統治終末報告書」, 加藤 編, 제31권, 2002, p.18. 대만과 일본 내지의 사이에 그

때까지 시차가 없었으나, 9월 21일부터 표준시가 변경돼 1시간의 시차가 되어 이미 대만과 일본은 '시간의 공유'에서는 분리됐다.

20 池田敏雄, 1982, 1945년 10월 28일부.

21 塩見, 1979, 1946년 4월 4일부, pp.101~105.

22 台湾会 編, 1997, pp.18~19.

23 op. cit., 「中澤佑中将陣中メモ」, 1945년 11월 8일부.

24 塩見, 1979, p.91.

25 池田敏雄, 1982, 1945년 12월 28일

26 塩見, 1979, p.92.

27 op. cit., 「中澤佑中将陣中メモ」, 1945년 12월 18일부. 이 '폭탄적 신청'이란 아마도 국부군의 옛 만주로의 병원 수송용으로 상하이에 집결시킨 미군의 LST와 리버티선 가운데 여유가 생긴 것을 복원용으로 대만에 회송하는 것이 가능해졌기 때문에 본무(本務)의 관계상 수송 개시는 즉시 행한다는 점을 미군이 자청한 것을 가리키는 것으로 생각된다(台湾会 編, 1997, p.32).

28 op. cit., 「中澤佑中将陣中メモ」, 1945년 12월 23·25일부.

29 「中美連合会議程序(번역문)」(中美連合会議記錄 / 台湾省行政長官公署文書 / 4944 / 國史館台湾文獻館).

30 大藏省管理局 編, 제9권, 2000, pp.91~93. 일교관리위원회의 주요 업무는 ① 국민정부 및 대만성 행정장관공서에 의한 일본인 관리에 관한 명령·훈시의 전달과 실행, ② 일본인의 통계 및 관리에 관한 조사, ③ 일본인 송환에 관한 수송계획 및 식량원조, ④ 일본인 환송 때의 위생 검사, ⑤ 일본인 사회의 질서유지 등이었다(李民本·台湾省行政長官公署民政處 編, 1946, p.198).

31 塩見, 1979, p.97. 전술한 미·중연합회의에서도 쌀값을 비롯한 물가 고등(高騰)이 문제시됐다. 예컨대, 타이베이시의 1인 평균 쌀값은 1945년 8월 26.34엔이 11월에는 51엔으로 배증(倍增)했다. op. cit., 「中美連合会議程序(번역문)」.

32 塩見, 1979, 1946년 4월 4일부, p.103.

33 池田敏雄, 1982, 1946년 2월 26일부.

34 塩見, 1979, 1946년 4월 25일부, pp.116~119.

35 羽島久男「終戦前後の台南州下の援護事業」(台湾協会 소장).

36 Ibid..

37 그 결과, 총수는 30만 8,232명으로 남자는 15만 5명, 여자는 15만 8,227명이었다.

38 李民本·台湾省行政長官公署民政處 編, 1946, pp.198~201. 유용자는 ① 농림·광공업 기술원(전체의 59%), ② 교통·통신 기술업무원(동 24%), ③ 금융·상업기술원(동 7.5%), ④ 지방의 의무(醫務)·건설현장 경비원(동, 5%), ⑤ 학자·연구원(동 4.5%) 등으로 구성됐다. 유용 문제에 관해서는, 湯熙勇[1991/1996], 歐素瑛[2010]이 일본인 교

원 유용과 대만 교육계에의 영향을 다룬 연구이다. 대만에서의 일본 측 행정기관 접수에 관해서는 陳純瑩[1993], 산업경제 면에서의 영향에 관해서는 鄭梓[1994], 袁穎生[1998], 阮炳嵐[2000, 2001], 溱[2010] 등의 연구를 들 수 있다.

39 魏永竹 主編, 1995, p.487 및 大藏省管理局 編 제9권, 2000, p.94~95. 마지막 공식 인양은 1949년 8월 14일의 사세보(佐世保)로 인양된 239명. 대만 인양 기간(제1차부터 제3차까지)과 인양인 수는 일본 측과 대만 측 쌍방을 포함한 각종 기록에 의해 약간 다르지만, 본 장에서는 대만 측 자료를 주로 했다.

40 Ibid., p.95 및 「安藤利吉要伝」(390281 ア / 靖国偕行文庫).

41 「留台日僑会報告書 第一報」, 河原功 監修 · 編集, 제1권, 1997, pp.11~12.

42 Ibid., 제1권 , pp.226 · 230~231; 「留台日僑世話役日誌」, Ibid., 제10권, p.317.

43 전술한 미 · 중연락회의에서는 전시 소개자(疎開者)와 전후 밀어자 등 지룽에서 생활곤란자가 된 오키나와현인의 구제 문제가 다루어졌다(op. cit., 「中美連合会議程序(번역문)」).

44 오키나와현인 송환은 1946년 11월부터 12월에 걸쳐 이루어졌다. 모든 현과 시로 귀환 명령이 전달돼 지룽항에 집결한 후(타이둥(台東)현 · 화롄강(花蓮港)시는 화롄항), 미군의 LST 등으로 오키나와 본도(야에야마(八重山)제도 출신자는 이시가키(石垣)항)로 송환되었다(「台湾帰国関係雑書 第二綴 八重山総隊本部」/「牧野清コレクション」/ No.441 / 石垣市立図書館). 오키나와현인의 대만 인양에 관해서는 台湾引揚記編集委員会 編, 1986 참조.

45 森田芳夫, 1964, pp.132~133.

46 인양 당시 제10 방면군에 의한 기능 보완에 대해서는 op. cit., 「台湾統治終末報告書」, 加藤 編, 제31권, 2002, pp.26~27; 台湾会 編, 1997, pp.19 · 32. 일본 측의 선후(善後) 연락부가 중국 측 일교관리위원회를 무시하고 각 현과 시에 대해 일본인 송환에 즈음해 집결 · 수송 시간을 지시한 사태가 발생해 행정장관 이름으로의 주의를 받을 정도였다(「電知日僑集中及輸送時間業經日僑管委会電令該部不得擅發命令由」/ 台湾区日俘(僑)処理案 / 国防部史政編訳局移管文書 / B5018230601-0035-545-4010 / 国家発展委員会擋案管理局).

47 상하이라는 국지적인 면에서의 분석이지만, 국민정부 측의 일본인 송환에 관해서는 陳祖恩, 2006 참조.

48 防衛庁防衛研修所戦史室 編, 1973, pp.540~541; 稲葉正夫 編, 1970, p.3. 전쟁 말기부터 복원까지의 지나 파견군에 관해서는 加藤[2017a] 참조.

49 **[역자주]** 다이리쿠메이. 대원수인 천황의 이름으로 대일본제국 육군에 대해 발표하는 작전명령이다.

50 防衛庁防衛研修所戦史室 編, 1973, pp.541~542.

51 Ibid., p.545.

52 다만, 지나 파견군의 전쟁 계속(繼戰) 의견은 11일의 참모총장 전보(국체호지 · 황토(皇土) 보위를 위한 임무 완수)와 14일의 대륙령 제1380호(대소 · 미 · 중의 지구전으로 본토 결전을 지원)에 동 군의 상주(上奏) 전보는 대본영의 공기를 살핀 니시우라의 구신에 부응한 것으로, 지나 파견군이 솔선해서 강경 의견을 전한 것이 아니며, 정보가 착종(錯綜)하는 가운데 총사령부의 판단은 갈팡질팡했다(稲葉正夫 編, 1970, p.35).

53 **【역자주】** 천황의 뜻을 받들어 반드시 삼가며 실행한다는 의미이다.

54 防衛庁防衛研修所戦史室 編, 1973, pp.545~546.

55 Ibid., p.546.

56 稲葉正夫 編, 1970, pp.13~18. 최종적으로 소련군의 진공은 31일의 산하이관 진입까지 계속됐다.

57 防衛庁防衛研修所戦史室 編, 1973, pp.547~549.

58 稲葉正夫 編, 1970, p.21.

59 Ibid., pp.21~23.

60 今井武夫, 1964, p.227.

61 「支那派遣軍終戦に関する交渉記録綴」(浜井 編, 제3권, 2009, pp.17~35. 즈장회담은 21일 · 22일 · 23일 등 3회 개최됐다.

62 今井武夫, 1964, pp.240~242.

63 邵毓麟, 1968, pp.92~94.

64 稲葉正夫 編, 1970, pp.38 · 40; 邵毓麟,1968, pp.101~104. 오카무라와 사오의 회견일은 양자에 의한 앞의 책에서는 서로 다르다. 여기서는 오카모토 일기를 기초로 했다.

65 浜井 編, 제3권, 2009, pp.69~80.

66 王世杰, 2012, 1945년 8월 27일부, p.728.

67 「ゲ・ドミトロフ、ア・バーニュシュキンの覚書き 蔣介石政府に関する党の方針再考についての毛沢東宛テレグラムの草案添付」(Молотов В.М. / Ф.82 / Опись.2 / Дело.1239 / Л.109~110 / Российский Государственный Архив Социально-Политической Истории : РГАСПИ).

68 새로 총사령부 담당 지역이 된 대만 · 북부 프랑스령 인도차이나의 일본인은 군민 합해서 50만 명 이상으로 이들을 합산하면 200만 명이 넘는다.

69 今井武夫, 1964, pp.261~262.

70 「蔣介石日記」, 1945년 10월 16일부(Chiang Kai-Shek Diaries / Hoover Institution Library & Archives, Stanford University). 베이핑(北平)-톈진 지구에 국한되지만, 일계자산접수에 관해서는 張玉法[1997] 참조. 국민정부에 의한 유용에 관해서는 巴図[2001], 鹿錫俊[2009], 楊大慶[2009]이 대표적이다.

71 蔣介石宛陳誠電信, 1945년 11월 29일부(何智霖 編, 2005, p.907).

72 稲葉正夫 編, 1970, p.77.

73 Ibid., pp.64~65.

74 대만 · 하이난다오(海南島)를 포함한 것으로 이 가운데 사형 28명, 징역 73명이었다.

75 Ibid., pp.103~104. 최종적인 수는 상하이 군사법정에 의하면 수리 건수 2천 2백여 건, 그 가운데 사형 145명 · 징역 4백여 명이었다. 일본 측 조사에서는 사형 및 옥사자(獄死者)는 192명이다(Ibid., p.108).

76 Ibid., p.109.

77 Ibid., pp.127~128.

78 河北平津區留用日籍技術人員自治会天津分會, 「天津日僑歸國準備會概況」(附河北平津區留用日籍技術人員自治会創立沿革)」加藤 編, 제32권, 2002, pp.497 · 556~557.

79 **【역자주】** 군대가 잠시 집중해 있는 곳, 혹은 수용소를 가리킨다.

80 厚生省援護局 編, 1978, p.88. 중국 측이 9월 5일 시점에서 파악한 인원수는 일본인 40만 1,127명 / 조선인 4만 2,034명 / 대만인 2만 6,167명, 내역은 화베이 25만 9,204명(베이핑 8만 1,699명 / 톈진 5만 2,905명 / 탕구 · 탕산(唐山) 6,985명 / 스먼(石門) 1만 6,264명 / 타이위안(太原) 2만 1,478명 / 칭다오 2만 7,428명 / 지난(濟南) 2만 8,865명 / 장뎬(張店) 5,529명 / 즈푸(芝罘) 1,893명 / 카이펑(開封) 1만 2,561명 / 산하이관 4,735명), 화쭝(華中) 13만 5,722명(난징 19만 92명 / 상하이 7만 1,414명 / 쑤저우(蘇州) 1,859명 / 항저우(杭州) 3,513명 / 쉬저우(徐州) 1만 2,831명 / 벙부(蚌埠) 4,168명 / 하이저우(海州) 5,385명 / 우후(蕪湖) 3,936명 / 한커우(漢口) 1만 4,045명 / 주장(九江) 1,881명), 화난(華南) 3만 876명(마카오(澳門) 159명 / 광저우(廣州) 8,238명 / 하이커우(海口) 1만 2,112명 / 샤먼(厦門) 8,338명 / 산터우(汕頭) 2,029명), 멍장(蒙疆) 4만 3,526명(장자커우 2만 4,236명 / 다퉁(大同) 1만 2,366명 / 후허(厚和) 4,336명 / 바오터우(包頭) 2,588명)이었다(何應欽電蔣中正拠冷欣報称在華日僑人數与分布 / 蔣中正總統文物 / 特交文電 / 領袖事功 / 對日抗戰 / 勝利受降(1) / 209 / 数位典蔵号 002-090105-00012-209 / 國史館).

81 秦孝儀主 編, 1981b, pp.580~583.

82 당시의 일본인 수는 7만 9,286명으로, 패전 전부터의 잔류자 수가 4만 8,931명, 패전 후 유입자 수가 3만 355명이다.

83 후에 제1구가 북구와 남구로 나뉘어 5구가 되었다.

84 「上海日僑管理工作概況三十四年十月一日至十二月二十日」(43-1-23/上海市檔案館).

85 정식 유용자 수는 2만 7,883명(이 중 대만은 2만 7,107명), 비정식 유용자 수는 6,955명, 기타 1,683명이었다.

86 稲葉正夫 編, 1970, pp.77~78.

87 이 가운데 일반인은 2만 5,861명이었다.

88 厚生省援護局 編, 1978, pp.109~115.

89 총독부 측이 320만 엔, 기업 측이 180만 엔이었다.

90 台湾協会史編纂委員会 編, 1994, pp.145~146.

91 Ibid., pp.147~150.

92 Ibid., pp.150~151.

93 Ibid., p.152.

94 상무이사로 문화 · 인적 교류 문제를 담당했다. 전 대만총독부 광공(鉱工)국장이었다.

95 필두(筆頭)이사로 개인 · 기업 재산보상 문제를 담당했다. 전 긴카이우선 사장을 역임했으며 일본우선 고문이다.

96 이사로 설탕 문제를 담당했다. 메이지제당 사장이다.

97 미쓰이물산 부사장으로 통상무역 문제를 담당했다.

98 이사로 일대(日臺) 선박 운영 문제를 담당했다. 일본우선 사장이다.

99 이사로 대만 근해 어획 조정 문제를 담당했다. 일본수산 부사장이다.

100 Ibid., pp.39~41.

101 전 타이베이제국대학 시라토리 가쓰요시(白鳥勝義) · 하루노(暖野) 두 교수를 초청해 본부가 정리했다.

102 대일본제당 · 대만제당 · 메이지제당 · 엔스이코(塩水港)제당의 각 위원으로 구성됐다.

103 미쓰이물산 · 미쓰비시상사의 각 위원으로 구성됐다.

104 일본우선 · 오사카상선의 각 위원으로 구성됐다.

105 문화정보교류부회 대표로 주요 교섭 내용은 신문 · 잡지 · 도서의 일화(日華) 자유 교류, 대학 교수 · 유학생 상호교류, 일반 민간인 교류 등이다.

106 설탕부회 대표로 주요 교섭 내용은 일본으로의 막설탕(粗糖) 할당량과 가격 등이다.

107 무역통상부회 대표로 주요 교섭 내용은 일화 통상에서의 무역 품목 검토와 산업의 기술 교류 등이다.

108 선박운항부회 대표로 주된 교섭 내용은 일본-대만 항로와 일본 측 사용 가능 선박 수와 운임 등이다.

109 어장조정부회 대표로 주된 교섭 내용은 대만 근해 어장의 어획량 조정과 어업 기술 지도 · 새로 만든(新造) 어선의 알선 등이다.

110 Ibid., pp.44~48.

111 森田俊介, 1979, pp.55~59.

112 대만 이외의 인양자의 향수를 다룬 것으로는 다카쓰나(高綱)[2002]가 상하이로부터의 인양자를 대상으로 중 · 일국교정상화 이후 급속히 향수를 더 해가는 과정을 밝히고 있다.

113 竹中, 1983, pp.179~180.

114 [厚生省]引揚援護庁長官官房總務課記錄係 編, 1950, p.20.

115 예컨대, 竹中, 1983, pp.236~245. 여기서는 타이베이 제2고등여학교의 대만인 동급생과의 교류를 지적하고 있다. 대만과의 정식 교류는 1952년 4월의 일화평화조약 이후

시작돼 패전부터 그다지 긴 공백기를 거치지 않고 일본과 대만 관계가 재개된 점이 인적 교류에 큰 영향을 미쳤다고 생각된다.

116 賀屋, 1976, p.345. 이밖에 오카무라 야스지도 패전 직후의 재중 일본인에 대한 태도가 예상외로 양호한 바는 장제스 연설이 최대 이유라고 했다(稲葉正夫 編, 1970, pp.10~12). 카오슝 경비부 참모장으로 해군 부대의 전후 처리를 담당한 나카자와 다스쿠(中澤佑)도 국민정부의 인물을 평가하며 중·일국교정상화에 의한 대만 단교를 비판했다(中澤佑刊行会 編, 1979, p.177). 이처럼 장제스의 '이덕보원'의 영향과 그 은의, 국민정부에 대한 평가에 관해서는 대만 인양자와 구 군 관계자의 회상에 빈번히 나타난다.

117 有馬, 1998, p.462. 협의회는 1972년 7월 24일 발족해 9월 8일 총회에서 '중·일국교정상화 기본방침'을 책정하고 종료(곧바로 총무회에서 당의(黨議) 결정). 멤버는 316명(중의원 212명·참의원 99명·전 의원 5명)이나 돼 운영은 13명의 정·부회장회의, 59명의 상임 간사회가 중심이 되어 주 3회 개최했으나, '촉진파'와 '신중파'(본문 중 기재자 이외에는 기타자와 니오키치(北沢直吉)·나카야마 마사아키(中山正暉)·기쿠치 요시로(菊地義郎)·나가카와 슌지(中川俊思)·오노 이치로(大野市郎)·이시하라 신타로(石原慎太郎) 등) 사이에 매회 분규했다(협의회에서의 논의도 포함해 [1982], pp.140~154 참조).

118 이시이만 대만총독부와 대만협회 관계자이며, 나다오는 내무성 지방국장과 차관 시대에 식민지 행정에 관여한 바 있다.

119 다수는 1973년 결성되는 세이란카이(青嵐会)의 멤버이다.

120 '미·일 안보에 대한 영향 우려'란 미국이 일본의 대만 자르기에 동의하면 아시아 제국(반공 진영)의 대미불신이 표면화한다. 또한, 거꾸로 미국·대만 관계가 유지되더라도 미·일 양국의 기본 문제에 대한 충돌로부터 미화(美華)조약과 미·일 안보의 모순이 생겨 미·일 안보가 공동화한다는 것이었다(賀屋, 1976, pp.353~354. 단, 당시 외무성 아시아국 참사관으로 대만 공작에 관여한 나카에 요스케(中江要介)에 의하면, 정부·외무성은 친대만파의 논리를 전혀 상대하지 않았다는 것이다(2003년 4월 4일에 주쿄대학(中京大学) 사회과학연구소에서 열린 강연회에서의 필자의 질문에 대한 회답).

121 민간 레벨에서의 장제스 신화는 정부 레벨 이상으로 기묘한 발전을 거둔다. 예컨대, 요코하마(横浜)시에 있는 이세야마고타이진구(신궁)(伊勢山皇大神宮)에는 승공연합(勝共連合) 계열의 가나가와(神奈川)현 일화친선협회라는 단체에 의해 1987년에 '이덕보원 장공 송덕비(以德報怨蔣公頌德碑)'가 건립됐다. 또한, 아이치(愛知)현 고다초(幸田町)에는 장제스를 모시는 중정신사(中正神社)라는 것이 존재한다. 이 밖에도 일본 전국에 장제스와 얽힌 기념비 등이 점재(點在)하는데, 모두 '이덕보원'과 연관된 것으로 반공산주의적인 요소가 강한 동시에 일본인의 일방적인 장제스관이라는 점이 공통된다.

| 제4장 |

1 소련군이 점령한 것은 북위 38도선 이북으로, 한국전쟁 휴전부터 현재에 이르는 조선민주주의인민공화국(북한)의 영역과는 다르다. 또, 일본인 인양이 문제가 된 시점에는 북한 정부는 존재하지 않았다. 그 때문에 원래는 한반도 북부라 표기해야 하지만, 1948년 9월 북한 건국 시의 영역은 소련군 점령지역과 같은 38도선 이북이었기 때문에, 본 장에서는 한반도 북부 소련 점령지역을 북한으로 표기한다.

2 동아시아와 동북아시아는 엄밀히 구분되는 것은 아니지만, 지리적인 범위가 다소 다르다. 만주 · 중국 본토 · 몽골 · 한반도 · 대만 · 일본열도는 동아시아로 다루는데, 소련 극동부인 아무르주 · 연해주 · 사할린 · 치시마열도(千島列島)는 북아시아로 구분되며, 소련 극동부와 중국 본토 · 대만을 제외한 동아시아를 합쳐 동북아시아(혹은 북동아시아)라고 부른다. 즉, 소련의 시점에서는 동북아시아 정책이므로, 본 장에서는 '동아시아'가 아닌 '동북아시아'를 사용한다.

3 관동주 통치 기관인 관동도독부나 만주철도가 관동주 내에 농업 이민 입식 계획을 실행한 적도 있으나, 결과적으로는 실패로 끝났다. 한랭지여서 쌀농사에 맞지 않는 만주에서는 강제력을 동반하지 않은 자유 이민의 형식을 취한 경우, 입식자를 모집하기는 어려웠다.

4 満蒙同胞援護会 編, 1962, p.443. 또한, 관동주 전체 인구 중, 다롄은 20만 2,176명, 뤼순은 1만 3,556명이었다.

5 Ibid., p.452.

6 Ibid., pp.145~149. 소련군이 정식으로 다롄에 주둔한 것은 22일이지만, 주력부대보다 먼저 파견된 선견대는 21일에 도착했다.

7 Ibid., p.150. 관동주의 현지 중국인 측은 17일 진저우에서 가장 빠른 움직임을 보였다. 다롄과 달리 진저우 등에서는 일본 측 기관과의 연계가 있었다.

8 大連市地方志編纂委員会弁公室 編, 1993a, p.158; 満蒙同胞援護会 編, 1962, p.357; 石堂, 1997, pp.32~35. 시 정부 성립일에 대해 일본 측 자료는 11월 1일로 되어 있으나, 본 책에서는 大連市地方志編纂委員会弁公室 編[1993a]에 따랐다. 또, 패전 직후의 다롄에서 중공과 소련군과의 관계 및 행정기구 변천에 대해서는 汪朝光[2004], 王真[2003], 鄭成[2012] 참조.

9 뤼다지구를 점령한 제39군 사령관은 류드니코프(Иван И. Людников)이며, 군정의 최종적인 결정권은 류드니코프가 가지고 있었다. 제39군의 뤼다지구 군정의 경위 및 개요, 군정관으로서 코즐로프의 높은 능력에 관해서는 제39군 군사평의회 위원이었던 보이코(Василий Р. Бойко)의 회상록 Бойко[1990]에 자세하게 나와 있다.

10 단, 관동주청 장관 이마요시 도시오 등 관동주청 간부와 경찰관들은 연행되어 시베리아로 이송되었다.

11 예를 들면, 선양(瀋陽, 구 · 펑톈(奉天))에 있었던 펑톈신사 재건이나 충령탑 보호를 소

련군이 적극적으로 후원했다(満蒙同胞援護会 編, 1962, pp.512~517).

12 다렌신사의 패전부터 인양에 이르기까지에 대해서는 水野[1966], 大連神社八十年祭奉賛会 編[1987] 참조. 또, 미즈노 히사나오(水野久直)는 다렌신사 주임 신관이었는데, 귀국 후 시모노세키(下関)의 아카마(赤間) 신궁의 궁사가 되었으며, 그 신궁 인근에 다렌신사를 재건했다. 인양 후 다렌신사의 신을 모시는 이들을 둘러싼 사회학적 분석에 대해서는 新田[1997] 참조.

13 大連市地方志編纂委員会弁公室 編, 1993b, pp.21 · 161.

14 石堂, 1997, pp.32~36.

15 Ibid., pp.51~52.

16 「昭和二十二年一月 大連事情 外務通訳生岡崎慶興)(調二)」(「ポツダム宣言受諾関係一件 善後措置及各地状況関係第五巻(南方、満州、欧米(中国を除く)」/ A : 1.0.0.1-2 / 外務省外交史料館)

17 이러한 소련 측 태도의 배경에는 애초에 만주에서 군정을 실시했던 것이 소련군(정확히는 1946년 2월까지 노농적군(労農赤軍))이며, 소련공산당은 아니었던 것이 요인 중 하나라 여겨진다. 소련군의 전신은 애초에 러시아혁명 중에 트로츠키가 적위대(赤衛隊)를 발전시켜 만든 군대이긴 하지만, 제정 러시아군 장교의 계보도 잇는 가운데, 제2차 세계대전 시기에 '국군화' 된 것으로, 완전한 공산당 군대는 아니었다. 그 때문에, 소련군에는 공산당에 의한 정치위원이 배속되어 있었는데, 어디까지나 군대 내부의 감시와 프로파간다가 주 임무였으며, 점령지 군정을 담당하지는 않았다. 이러한 점이 중국공산당 군대인 중국인민해방군(1946년 6월까지 홍군(紅軍))과 크게 다른 점이다. 뒤에서 서술할 북한에 주둔한 제25군 역시 같은 경향을 보이는데, 소련군 내부는 스탈린이 감행한 대숙청의 영향으로 정치에 관여하는 것에 신중했다. 따라서 소련군에 의한 군정은 공산당 지배와는 달리 이데올로기 색채가 강하게 나타나지는 않는 경향을 나타낸 것으로 보인다. 또한, 제2차 세계대전 시기 소련의 전쟁 지도 체제와 소련군의 조직적인 변천에 관해서는 花田[2018]이 참고할 만 하다.

18 위원장에 전 만주철도공장의 도키 쓰요시(土岐強), 서기장은 전 마이니치신문 기자인 하야시 시게루(林茂), 간부에는 전 교토제국대생인 야나기하라 마사모토(柳原正元), 전 다렌일일신문 기자인 미우라 마모루(三浦衛), 일본청년연맹(日本青年連盟)의 사이토 히데오(斎藤秀雄), 전 만주철도 조사부의 이시도 기요토모(石堂清倫) 등 총무 · 조직 · 문화 · 생활개선 · 조사 등 5부로 이루어졌다.

19 石堂, 1997, pp.57~58 · 253.

20 Ibid., pp.63~70. 그 후 6월에 노동조합 제창에 따른 식량협의회(食糧協議会)가 설치되고, 다시금 1억엔 모금 계획을 세웠지만, 만주 지역에서 인양을 개시한 영향으로 거의 모금되지 않았다.

21 満蒙同胞援護会 編, 1962, p.359; 石堂, 1997, p.253. 노동조합은 일제시대의 도나리구

미(【역자주】 隣組, 제2차 세계대전 당시, 국민 통제를 목적으로 조직된 지역 최말단 조직) 제도를 활용하여 말단까지 연락망을 구축했다.

22 다렌에 있었던 제국좌는 조합 극장으로 개칭하고, 일본인을 위한 연극이나 라쿠고(【역자주】 落語, 주로 해학적인 이야기를 한 명의 만담꾼이 여러 인물의 목소리를 흉내 내며 이야기하는 장르)가 상연되었다고 한다(元満州国通信社社員山田一郎氏聞き取り調査：二〇〇八年一月二二日).

23 石堂, 1997, pp.101~110. 만주에서 인양이 개시된 것은 다롄 일본인 사회에 적지 않은 동요를 가져왔다. 조합은 만주 각지(국부 지배 지역)의 인양과의 비교를 강하게 의식하고, 다롄 인양의 공평성과 인도적인 측면을 강조함에 따라 민심의 동요를 억제하고자 했다(「引揚ニ於ケル解放区(旅大地区)ト国民政府治下ノ場合トノ比較」「引揚問題に関し全組合員諸君に訴ふ!」(米国議会図書館所蔵「大連日本人労働組合刊行物」加藤 編, 제3권, 2002)).

24 石堂, 1997, p.157; 満蒙同胞援護会 編, 1962, pp.616~618.

25 소련군 점령하의 만주 일본 사회에 대해서는 제2장 참조.

26 石堂, 1997, pp.72~80.

27 이시도(石堂)에 따르면 어느 시기엔가 일본인 전원이 직공총회에 가입하여, 독립된 조합을 폐지하고 거류민회(居留民会)와 같은 조직을 만들어 행정에 예속시키는 안을 제출하였으며, 소련군 측은 찬성했으나 중공 측이 조합 존속을 강하게 주장한 것으로 보인다(Ibid., p.166). 또, 일본인 기술자 인양에 관해서도 소련군은 희망자를 전원 귀환시킨다는 방침이었으나, 중공 측은 가능한 잔류시킨다는 방침을 채택했다(丸沢[1979], pp.54~57).

28 【역자주】 일본제국 육군에 대한 천황의 명령

29 森田芳夫, 1964, pp.182~183.

30 Ibid, pp.183~186.

31 「関於北朝鮮政治局勢的調査報告(一九四五年一二月)」(沈志華 編, 2003, p.45). 이 문서는 러시아연방 외교정책 공문서관 소장 문서(Ф.013 / Оп.7 / пап.4 / Д.46)의 중국어 역이다.

32 ランコフ, 2011, p,7; Ibid.,「関於北朝鮮政治局勢的調査報告」, 沈志華 編, 2003, p.45). 그 외에 본 장에서 인용한 제25군 군사평의회 문서를 사용하여 북한 건국에 이르기까지 소련의 점령정책을 밝힌 본격적인 연구로는 Ужон[1997]이 유일하다.

33 Гаврилов, 2013, С. 507~508.

34 「北朝鮮における日本人の物質生活条件の向上について」(Постановления Военного Совета 25 Армии (第二五軍軍事評議会決議) / Ф.379 / Оп.532092 / Д.2 / Л.1~3 / ЦАМО РФ). 지원위원회는 위원장 로마넨코 중장, 위원은 군 후방 사단장 체렌코프 소장 · 군 참모본부 경비사령부장 레자노프 중령 · 사령부 정치고문 바라사노프 · 군 후방 위생국장 트로피

모프 대령 · 정치부 제7과 부과장 바신 소령으로 이루어졌다. 또 지방일본인피난민지원위원회는 위원장에 소련군의 각 주둔군 사령관, 위원으로는 소련 측의 지방경비사령관 · 위생국장, 조선 측의 지방인민위원회 위원장 · 지방보건부장 · 지방경찰부장으로 구성했다. 지방지원위원회는 매월 5 · 15 · 20 · 25 · 30일에 평양의 지원위원회에 일본인 생활 상황과 조치를 보고하고, 이를 바탕으로 지원위원회는 매월 1일과 15일에 보고서를 작성했다.

35 'The Political Adviser in Korea(Benninghoff)to the Secretary of State', Foreign Relations , 1971, p.633.

36 Ibid., p.612.

37 Ibid., p.636

38 「一九四六年五月一六日付 参謀総長アレクサンドル・ファシレフスキー元帥よりソロモン・ロゾフスキー外務副大臣宛」(Вопросы репатриации японских военнопленных и гражданского населения из СССР「ソ連からの日本軍捕虜と民間人の本国送還」/ Ф.0146 / Оп.030 / пап.281 / Д.19 / Л.21-22 / Архив Внешней Политики Российской Федерации : АВП РФ). 몰로토프의 지시에 대해 구체적인 내용과 그것이 작성된 배경에 관해서는 현재로서는 원본이 확인되지 않아 불명확하다.

39 op. cit., 「一九四六年三月八日付 ロゾフスキー外務人民委員代理よりニコライ・クズネツォフ海軍総司令官宛」(「ソ連からの日本軍捕虜と民間人の本国送還」). 1946년 3월 15일에 인민위원부는 성(省), 인민위원은 대신으로 개칭되었으므로 3월 15일을 기준으로 로조브스키 등의 직명은 바뀌었다.

40 op. cit., 「一九四六年三月一五日付 イワン・イサコフ海軍参謀総長よりオゾフスキー宛」 및 「一九四六年三月二九日付 ロゾフスキー外務副大臣よりニコライ・フルガーニン並びにクズネツォフ軍事副大臣宛」(「ソ連からの日本軍捕虜と民間人の本国送還」).

41 op. cit., 「一九四六年四月九日付 イサコフよりロゾフスキー宛」(「ソ連からの日本軍捕虜と民間人の本国送還」).

42 op. cit., 「一九四六年五月二七日付 ビクトル・バカエフ海軍副大臣よりロゾフスキー宛」(「ソ連からの日本軍捕虜と民間人の本国送還」).

43 op. cit., 「一九四六年五月二三日付 アレクサンドル・アファナシェフ海軍副大臣よりロゾフスキー宛」(「ソ連からの日本軍捕虜と民間人の本国送還」).

44 제2차 세계대전 종결 직후부터 스탈린의 건강 문제가 부상했다. 1945년 10월에 스탈린은 첫 발작을 일으켜, 그 사이 몰로토프가 정무를 대행했다. 12월에 정무에 복귀한 스탈린은 몰로토프에 대한 경계심이 강해졌고, 12월 말에는 공산당 정치국 내에 대외관계를 관장하는 대외위원회를 설치하여 몰로토프의 정치권력을 억제했다. 나아가 3월 조직개편으로 외무성의 권한 축소를 꾀했다. 또, 외무차관이 된 안드레이 비신스키(Андрей Я. Вышинский)와 몰로토프의 대립도 수면 위로 드러났다(下斗米[2017],

pp.168~169). 이 밖에 1946년 2월에 국방인민위원부와 해군인민위원부가 통합되어 군사인민위원부가 되었으며, 다음 달인 3월에는 군사성(軍事省)으로 개칭했다. 이러한 소련 지도부 내의 알력과 그에 따른 외무성의 권한 축소 및 군사 조직의 대폭적인 개편을 통해 볼 수 있는 정치적 변화는 소련 지도부의 의사결정 혼란으로 이어졌다고 여겨진다.

45 「什特科夫関於朝鮮問題蘇美連合委員会工作情況給莫洛托夫的報告(一九四六年五月三一日)」(沈志華 編, 2003, pp.68~82). 공동위원회는 5월 6일부터 무기한 휴회에 들어가고, 소련은 6월 23일에 서울 영사관을 폐쇄하여 한반도의 미·소 직접 교섭의 장은 소멸했다.

46 「未中第七七八号、北鮮一般邦人の資料概況 昭和三一, 八, 1 調製 厚生省引揚援護局未帰還調査部」(「終戦後朝鮮における日本人の状況および引揚(六)」加藤 編, 제23권, 2002, pp.672~675).

47 북한의 정치권력 변천에 대해서는 ランコフ, 2011, 제1장 참조.

48 鎌田, 1970, pp.190~191, 磯谷, 1980, pp.121~123·133. 또 磯谷[1980]은 이소가야(磯谷)의 일기(1946년 1월 25일부터 1947년 1월 4일까지)를 바탕으로 한 것이며 일기 초록이 게재되어 있는데, 완전판은 磯谷[1984]에 채록되어 있다.

49 실제 정확한 피난민 수는 밝혀지지 않았으나 평안북도에서는 거주자 2만 7,265명 중, 만주의 피난민이 약 2만 명, 평안남도에서는 거주자 5만 715명 중 만주 및 함경북도의 피난민이 약 4민 명(각각 약 2만 명)이었다. 한편, 전장이 된 함경북도는 6만 명 이상의 일본인이 탈출하여 잔류자는 7천~1만 명으로 급감했지만, 함경북도의 피난민이 유입되자, 함경남도의 잔류자가 10만 9,300~11만 명으로 급증했다. 이러한 추계를 바탕으로 잔류자의 3분의 1 이상이 난민화된 것으로 여겨진다(op. cit., 「未中第七七八号、北鮮一般邦人の資料概況」, 加藤 編, 제23권, 2002, pp.676~677).

50 op. cit., 「未中第七七八号、北鮮一般邦人の資料概況」, 加藤 編, 제23권, 2002, pp.702~703.

51 「北鮮戦災現地報告書」(森田·長田 編 ,제3권, 1980, pp.306~315). 스쿠바의 사례뿐 아니라 원산에서도 플렌노브 해군사령관이 일본인에게 호의적으로 여러 지원을 했다(森田芳夫, 1964, p.471).

52 鎌田, 1970, pp.199~201.

53 실제로 스쿠바는 지방 일본인 피난민 지원위원회의 멤버였다(op. cit., 「北朝鮮における日本人の物質生活条件の向上について」).

54 森田芳夫, 1964, pp.572~573 및 松村義士男「東北鮮の脱出工作」(「終戦後朝鮮における日本人の状況および引揚(五)」, 加藤 編 ,제24권, 2002, p.555.

55 磯谷, 1980, p.154.

56 Ibid., p.168.

57 長尾, 2002, p.63. 이때는 '미국이 배를 빌려주지 않아 3, 4월이 될 듯'하다며 인양이 늦어지는 원인이 미국 탓이라는 소문도 퍼졌는데, 이후에도 인양에 대한 소문은 단속적으

로 퍼져 점차 내용도 구체적으로 바뀌어 갔다.

58 함흥일본인위원회 발족에 자극받아, 1946년 1월 1일에 흥남일본인세화회를 개조해 만들어진 흥남일본인거류민회(興南日本人居留民会)는 1월부터 라디오 설치를 허가받아 해외로부터의 인양을 시행하려는 움직임을 파악했다(鎌田, 1970, p.201).

59 op. cit., 「東北鮮の脱出工作」, 加藤 編, 제24권, 2002, pp.549~555.

60 op. cit., 加藤 編, 제24권, 2002, pp.561~567.

61 op. cit., 「未中第七七八号、北鮮一般邦人の資料概況」, 加藤 編, 제23권, 2002, pp.702~703.

62 磯谷, 1980, p.176.

63 함흥일본인위원회 회장인 효도 데쓰조(兵藤鉄蔵)는 5월 6일에 스쿠바 사령관(효도는 스타마로 기억했으나 스쿠바(Скува)를 잘못 기억)과 회견했을 때, '도망치는 자는 쫓지 말 것'이라는 의사표시를 받아 이를 비공식 인양 명령이라 해석했다(효도 데쓰오「県支部長会議挨拶要旨 — 咸興地区日本人の脱出について」, 加藤 編, 제24권, 2002, p.450). 또, 평양에서는 5월 17일에 소련군 사령관 회의에서 일본인에 대한 이동 묵인이 결정되었다는 정보가 흘러나왔다(森田芳夫, 1964, p.617). 원산에서도 함흥의 집단 남하의 영향으로 일본인 탈출이 시작되었지만, 기차가 운행된다는 것은 '남모르게 묵인'하고 있는 것이라고 탈출하는 일본인도 인식하고 있었다(竜野, 1969, p.85).

64 북한에서의 집단 탈출은 6월에 들어 소련군이 일본인 이동을 전면적으로 금지함으로써 1차 중단되었다. 그 이유는 남한에서 콜레라가 유행한데다 북한에서 전염병에 걸린 일본인이 대량으로 유입되는 것을 경계한 미군이 소련군에 항의했기 때문이었다(鎌田, 1970, p.226; 森田芳夫, 1964, pp.601~622).

65 op. cit., 「未中第七七八号、北鮮一般邦人の資料概況」, 加藤 編, 제23권, 2002, pp.674~675.

66 op. cit., 「一九四六年五月一六日付 参謀総長アレクサンドル・ファシレフスキー元帥よりソロモン・ロゾフスキー外務副大臣宛」.

67 일본인 인양문제로 미국과 소련이 대립한 6월 26일 대일이사회 후, 데레뱐코는 일본인 인양에 관해서는 대일이사회의 협의 사항이 아니라며 부정하면서도 한반도로의 인양선 배급을 긍정하고, 자신이 일본인 송환 권한을 가지고 있다고 말했다는 정보가 흘러나왔다(森田芳夫, 1964, p.431).

68 「一九四六年九月六日付 ヤコフ・マリク外務次官よりブルガーニン、セルゲイ・クルグロフ内務大臣、アナトリー・ロディノフ海軍運用部長宛」(op. cit., 「ソ連からの日本軍捕虜と民間人の本国送還」).

69 일본인 포로 및 민간인 송환에 관한 소련 각료회의 결정 (Гаврилов, 2013, С.387-388). 또, 각료회의는 행정의 최고 의사결정 기관으로 의장은 스탈린이었다.

70 「一九四六年一〇月一六日付 帰国業務に関するソ連閣僚会議コンスタンチン・ゴルベフ中将よりマリク宛」(op. cit., 「ソ連からの日本軍捕虜と民間人の本国送還」)

71 森田芳夫, 1964, p.584, 厚生省援護局 編, 1978, pp.101~102.

72 정확히는 8월 9일 아침 무이카(武意加)의 국경 경비대가 소련군의 습격을 받아 순사 두 명이 전사한 것이 최초의 공격이다. 그 직후에는 지역시찰대 히노마루(日の丸)감시초소가 포격을 받았다. 도요하라의 제88사단이 소련의 대일 참전을 알아챈 것은 9일 오전 7시였다(樺太終戦史刊行会 編, 1973, pp.217~219).

73 국민의용대는 본토 결전에 대비해 지역 · 직장 · 학교 등을 단위로 65세 이하의 남자와 45세 이하의 여자로 조직되어, 작전 후방업무 · 경계 보조 · 전쟁 피해 복구 · 중요물자 운송 등의 역할 담당을 목적으로 1945년 3월 23일 각의(閣議) 결정을 거쳐 탄생했다. 실질적으로는 6월 23일 공포된 의용병역법에 의해 15~60세의 남자 · 17~40세의 여자를 대상으로 법제화했다. 사할린에서의 전투의용대에 대해서는 Ibid., pp.256~264 참조.

74 Ibid., pp.483 · 492~494. 또, 시루토루(知取)에서의 정전협정에 따라 무장해제와 남사할린 전체의 소련군 주둔에 관한 러시아 측 최신 연구로는 ヴィシネフスキー, 2020 참조.

75 樺太終戦史刊行会 編, 1973, pp.495~502.

76 Ibid., pp.508~516.

77 Ibid., p.503. 1946년 2월 2일 소련 최고회의 간부회령에 따라 1945년 9월 20일로 거슬러 올라가 남사할린 및 치시마의 토지 · 시설기관의 국유화가 결정되었고, 다음해 47년 2월 25일에 소련 최고회의는 남사할린을 소련 영토로 편입하기로 정식 결정했다.

78 「樺太ノ現況 外務省管理局総務部北方課」, 加藤 編, 제30권, 2002, pp.254~255.

79 Ibid., 「管内状況報告書 樺太元泊郡元泊村」, pp.179~180.

80 樺太終戦史刊行会 編, 1973, p.473. 라디오를 은폐한 자도 상당히 많았지만, 소련 측의 방송 전파가 강력해서 일본으로부터의 방송은 도쿄제1방송 정도밖에 들을 수 없었다. 게다가 사할린 잔류일본인이 기대하는 인양 정보는 만주 · 중국 · 조선이나 남방 방면에서의 인양이 중심이었으며, 사할린에 대해서는 거의 없는 것이나 마찬가지라 낙담하는 일이 많았다(福家, 1982, pp.32~135).

81 樺太終戦史刊行会 編, 1973, pp.528~531.

82 당시 러시아인의 일반적인 인식이나 소련 측의 일본인에 대한 대응은 많은 사할린 인양자의 수기나 증언에서 공통되는 점이 있다. 예를 들면, 泉友三郎[1952] 등 참조. 치시마에서도 패전 직후의 혼란을 제외하면 소련인과의 관계는 비교적 양호해, 일본인에게 귀화를 권하는 움직임도 있었다(北海道 編, 1975 p.23). 또, 소련은 다민족국가였으나 러시아인이 다수파를 차지함에 따라 일반적으로 소련 시절도 '러시아인'이라 부르기 쉽다. 하지만 남사할린에 이주한 사람들은 러시아인뿐만 아니라 우크라이나인이나 타타르인 등 다양했다. 따라서 이 책에서는 '소련인'으로 통일한다.

83 기본적으로는 신사나 사원은 존속시키고, 제례나 봉오도리(**【역자 주】** 盆踊り, 양력 8월 15일 오봉에 마을 주민들이 모여 추는 춤으로 백중맞이 춤이라고도 한다.)등도 행해졌다. 일찍부터 재개된 학교교육에서도 공산주의교육은 이루어지지 않았다. 또, 어진과 스탈린의 초상화를 나란히 걸어놓은 집도 있었다고 한다(「蘭泊村役場職員佐藤晴夫氏聞

き取り調査」, 平和祈念事業特別基金 編, 1993 수록).

84 「留多加郡能登呂村要覧 昭和二〇年一一月一〇日 能登呂村長より内政部長宛提出」(「市町村管内要覧 地方課」/樺 太庁文書 / Зи-1-29 / Государственный Исторический Архив Сахалинской области : ГИАСО).

85 樺太終戦史刊行会 編, 1973, pp.322~334. 단, 밀항을 통한 탈출자 수에 관해서는 패전 직후 일본인 수(35만 8,568명. 주96 참조)에서 밀항을 통한 탈출자 수(약 2만 4천 명)를 뺀 수와 인양 개시 후의 인양자 수(구 · 치시마 주민을 포함하여 27만 4,229명)와는 맞지 않는다. 소련 점령 이후의 현지 사망자 및 출생자(약 2만 명)를 고려하더라도 실제 탈출자 수는 배 이상에 달할 것으로 추측된다. 또한, 치시마는 패전 시 인구 1만 8,845명 중, 탈출자는 9,419명, 패전 후의 출생자 713명, 정식 인양자 958명이었다(北海道 編, 1976, pp.20~22).

86 泉友三郎, 1952, pp.70~71.

87 Ibid., pp.78~83.

88 Ibid., pp.149~151, 樺太終戦史刊行会 編, 1973, p.528.

89 樺太終戦史刊行会 編, 1973, pp.526~528.

90 上田秋男, 1988, pp.66~67. 스탈린이 강제적으로 진행한 농업집단화에 의해 1932년부터 1933년에 걸쳐 일어난 대기근(홀로도모르)의 결과, 수백만 명 규모의 희생자를 낸 우크라이나는 1941년부터 시작된 독소전에서도 주요 전장이 되었다. 점령당한 우크라이나에서는 독일군에 의해 우크라이나 독립을 내건 괴뢰정권이 구성되었다. 이러한 역사적 배경이 전후 우크라이나인 강제 이주로 이어진 것으로 여겨진다.

91 「一九四六年八月二九日付 ロシア=ソビエト連邦社会主義共和国閣僚会議副議長アレクサンドル・グリチェンコよりマリク宛」(op. cit., 「ソ連からの日本軍捕虜と民間人の本国送還」). 또, 여기서 보고된 일본인 수는 실제 인양자 수보다 4만 명 가까이 적다. 조선인 수는 큰 오차가 없으므로, 일본인 수에 관해서는 통계상의 오류라고 여겨지는데, 의도적으로 일본인 탈출을 과장하여 인양 개시를 서두르려 했을 가능성도 생각할 수 있다.

92 「一九四六年九月一四日付 ロシア=ソビエト連邦社会主義共和国閣僚会議議長ミハイル・ロディオノフよりマリク宛」(op. cit., 「ソ連からの日本軍捕虜と民間人の本国送還」).

93 樺太終戦史刊行会 編, 1973, pp.564~570 · 581~582. 민간인 인양자 이외에는 군인 군속 3만 7,223명 / 비일본인 425명 / 선내 사망자 156명 / 출항 전 사망자 923명, 민간 인양자 중 사할린 관계자는 26만 6,872명, 나머지가 치시마 관계자였는데, 치시마의 정식 인양자에 관해서는 주85의 9,586명과 비교하면 2천 명 이상 맞지 않는다. 또, 樺太終戦史刊行会 編[1973]은 하코다테 인양원호국 통계를 인용한 것인데, 厚生省援護局 編[1978]에서는 1976년 12월 말 현재까지 민간인 인양자는 27만 7,485명으로 되어 있다(p.690). 하지만, 제5차 공식 인양 완료 이후의 인양자 수 901명을 빼면 하코다테 인양원호국의 통계와 맞지 않는다. 이처럼 일본 측의 공식 통계는 작성한 조직에 따라 달

라 정확한 수를 모른다는 문제가 있다.

94 「南樺太における朝鮮人に関するテ・スクボルツォフとエフ・ルノフの参考書類」(Молото в В.М. / Ф.82 / Оп.2 / Д.1264 / Л.1-4 / РГАСПИ). '김젠엔'은 사할린 잔류 한국인을 대표하여 귀국 청원을 한 인물로 여겨지는데, 구체적인 지위나 경력 등은 불명확하다. **【역자주】** '김젠엔' 이라는 한글이름 표기 역시 불분명하나, 이 책에서는 원서의 가타카나 표기를 그대로 옮겨 '김젠엔'이라 표기하였다.

95 樺太終戦史刊行会 編, 1973, pp.320~323.

96 Ibid., pp.331~335.

97 Ibid., pp.596~605. 홋카이도 내에서도 가장 눈에 띄는 것이 왓카나이(稚内)였다. 왓카나이는 1949년 3월 시점에 5,459명의 인양자(사할린 인양자는 4,961명)가 정착하여 인구가 3만 명을 돌파했고, 초(町)에서 시(市)로 이행되었다(稚内市史編纂室, 1968, pp.946~947). 또, 홋카이도는 전후 개척을 중심으로 입식(入植)을 알선했는데, 결과적으로는 홋카이도 내 사할린 인양자의 상당수는 도시나 탄광 지대에 집중된 것으로도 알 수 있듯이, 홋카이도에 탄광 지대가 많았던 것이 인양자 수용지로서 사할린 인양자 정착의 경제적 요인이라고도 할 수 있다(탄광 지대가 많은 규슈지방도 역시 인양자 수용지가 되었다).

98 全国樺太連盟 編, 1978, pp.329~332. 덧붙여 패전 후에 가라후토청이 조사한 것으로 보이는 자료에서는 전체 인구 38만 2,713명 중, 일본인 35만 8,568명 / 조선인 2만 3,498명 / 타이완인 3명 / 선주민 406명 / 만주인 1명 / 중국인 103명 / 구 · 러시아인 97명 / 폴란드인 27명 / 터키인 10명이라고 되어 있다(「往復書類 方課」, op. cit., 樺太庁文書 / 3и-1-27 / ГИАСО).

99 全国樺太連盟 編, 1978, p.638.

100 樺太終戦史刊行会 編, 1973, p.580.

101 「樺太千島引揚無縁故者収容所設置について(一九四六年一〇月一八日 教育民生部長より市庁長 · 市庁宛」(引揚者越冬資金繋ぎ資金 / 拓銀資料 / 1611-136840 / 北海道博物館).

102 사할린 인양사인 樺太終戦史刊行会 編[1973]은 전국가라후토연맹(全国樺太連盟)에 의해 편찬되었는데, 홋카이도청의 전면적인 지원 아래 이루어진 사업으로 다른 인양사(만 · 몽동포원호회(満蒙同胞援護会)의 『満蒙終戦史』 등)와는 배경이 다르다. 또, 가라후토청 도쿄사무소에 남은 문서는 종전 후 외무성이 관리했는데, 최종적으로는 홋카이도청이 양도받았다. 그 외, 제7장에서 다루는 사할린 인양에 관한 기념비도 홋카이도 내에 집중되어 있다.

103 op. cit., 주69의 소련 각료회의 결정에서는 사할린 · 치시마의 일본 민간인은 자발적 신청에 근거에 인양할 수 있다고 되어 있다(Гаврилов, 2013, С.387).

104 방산광산장이었던 나가오 에이치(長尾榮一)는 1946년 5월 13일 일기에 '조선인과 내지인과 위치, 주객전도되다!! 조선인 학교에서는 매일 반일 교육을 한다고 들었다!!! 조

선인 아이가 내지인 아이를 괴롭혀서 내지인 아이는 조선인 아이를 무서워하는 상황이 다'라고 기록하고, 일본인 입장이 전락한 것을 한탄하고 있다(長尾, 2002, p.94). 이소가야나 마쓰무라와 같이 조선 측과 직접 교섭을 행한 일본인 사이에서는 난민구호를 위해 애쓴 조선인에 대한 평가가 높았지만, 교섭에 관여하지 않은 일반 인양자의 수기에는 패전 후의 혼란부터 남하 탈출에 이르기까지 조선인에게 받은 박해나 협박에 대한 원망과 탄식을 기록한 것이 많다.

105 函館引揚援護局『樺太在留邦人の実相』一九四八年, p.5 / 函館引揚援護局資料 / 003581 / 513 / 5-001 / 函館市立中央図書館. 하코다테 인양원호국이 작성한 이 소책자는 기본적으로는 소련의 압정에 의해 일본인이 놓인 가혹한 환경을 비판하고, 인양자의 반소·반공의식을 강조하는 내용이었는데, 그럼에도 인양자가 소련인과 함께 살면서 그들이 '개인적으로는 의외로 친해지기 쉬우며, 또 소박하고 선량한 기풍을 가지고 있다는 것을 알고', '그들로부터 일상의 잡담이나 정치에 대한 불만 등도 격의 없이 들을 수 있었다'고 기록되어 있다.

106 사할린 인양자는 하나같이 소련의 사회체제가 가진 경직성이나 비합리성을 지적하는데, 동시에 인종 편견이 없고 솔직한 소련인에게 호의를 보이고 있다(加藤 編, 「樺太情報管理局総務部北方課」 제30권, 2002, pp.353~354). 또, 그들의 수기에는 사할린에서 인양될 때 소련인과의 감상적인 이별을 기술한 것도 상당히 많다.

107 사토 하루오(佐藤晴夫)는 아키타(秋田)에 인양된 후, 지역 발전소에 재취업하여 조합운동에 참가했는데, 조합 내부의 공산당원과의 사이에서 소련에 대한 인식 차이는 메워지지 않았다고 한다(op. cit., 「佐藤晴夫氏聞き取り調査」).

108 サヴェーリエヴァ, 2015, pp.55~56.

109 남사할린에서는 일반인에 비해 기술자 인양이 늦어졌는데, 이는 소련이 일본인 기술자를 필요로 한 것이 아니라, 새로이 이주해 온 소련인 기술자에 대한 인계가 늦어진 것이 원인이었다. 그 점에서 일본인 기술자를 대신할 사람이 없었던 만주나 북한에서 유용된 것과는 성질이 전혀 달랐다.

110 サヴェーリエヴァ, 2015, pp.80~83.

111 북한 성립 후, 소련은 조선인이 북한으로 귀국하는 것을 인정했다. 하지만, 현실적으로 한반도 남부지역 출신자가 많았던 그들은 한국으로의 귀국을 희망했기에 일본인 배우자와 함께 일본으로 인양된 사례를 제외하면 한국과 소련의 국교 수립(1990년 9월)까지 귀국은 불가능했다.

112 실제로 1946년 6월, 일본공산당의 노사카 산조(野坂参三) 등은 민간인이나 병사의 귀환이 지연되는 것이 공산당의 당세 확대를 저해하고 있으며, 재소련 일본인 현황과 송환 예상에 대해 소련이 공식성명을 내주기를 요망했다. (Гаврилов, 2013, C.515)

| 제5장 |

1 인양자 단체에 관한 연구는 그다지 진척되지 않았지만 朴敬珉[2018]·永島[2012]·柴田[2008b]가 본 장과 관련된 선구적인 연구라고 할 수 있다.

2 森田芳夫, 1964, pp.132~133.

3 Ibid., pp.133~134; 金子, 1958, p.130.

4 森田芳夫, 1964, p.134; 金子, 1958, p.131.

5 金子, 1958, p.131.

6 「痩骨先生日記帖八月一八日·二〇日·二一日條」(田中正四, 1961, pp88~90).

7 森田芳夫, 1964, pp.134~136.

8 金子, 1958, p.132 및 『京城内地人世話会々報第一号』(平和祈念事業特別基金 編, 1999, p.14 및 森田芳夫, 1964, pp.133~134. 그리고 조선총독부에 의해 '경성내지인세화회'로 결정된 날짜에 대해 森田芳夫[1964]에는 19일로 되어 있다. 또한 '세화회'라는 명칭을 주장한 사람이 와타나베 시노부(渡辺忍)라고 기록된 자료도 있지만(穂積, 1974, p.192) 여기에서는 가네코 데이치(金子定一)의 일기를 근거로 했다.

9 森田芳夫, 1964, p.138.

10 Ibid., p.139.

11 Ibid., pp.148~150. 다만 총독부의 행정능력이 저하되어 있었기 때문에 충분한 기능을 발휘할 수 없었다.

12 Ibid., pp.140~146·432~439. 진남포 부분은 鎮南浦会 編, 1948, pp.19~20.

13 『京城内地人世話会々報』는 9월 15일 제13호부터 『京城日本人世話会々報』로 명칭 변경. 일요일을 제외하고 매일 발행되어 최고 출판부수는 10월 중순의 1500부, 1946년 2월 1일 발행한 제123호를 마지막으로 종간.

14 『京城内地人世話会々報第二号』, 平和祈念事業特別基金 編, 1999, p.16.

15 「京城以南地区ニ関スル停戦協定ニ於ケル提案要綱(案) 昭二〇、八、二四 主任者」(「現地復員及在鮮内地人処理等に関する研究」/ 中央—終戦処理—556 / 防衛省防衛研究所戦史研究センター).

16 「京城以南地区ニ関スル停戦協定ニ於ケル提案要綱(案) 昭二〇、八、二四 主任者」(Ibid.). 또한 이 시점에서 군이 계산하고 있었던 일본인 숫자는 남한 50만 명, 북한 35만 명이었다.

17 『京城内地人世話会々報 附録』, 平和祈念事業特別基金 編, 1999, p.37; 今村, 1981, pp.137~140.

18 인천에서는 8월 21일 일본인회 결성 움직임이 있었고 경성의 움직임에 맞추어 26일 세화회가 결성되었는데, 이 세화회는 '앞으로의 거류민회의 전제'로 '단순히 인양만을 목표로 하는 조직'은 아니라고 여겨졌다(小谷 編著, 1952, pp.9~13).

19 森田芳夫, 1964, pp.121~122.

20 博多引揚援護局局史係編「局史」(加藤 編, 제9권, 2001, pp.176~177)
21 森田芳夫, 1964, p.351.
22 Ibid., p.150.
23 Ibid., p.352.
24 Ibid., pp.352~353.
25 Ibid., pp.361~364.
26 「朝鮮の状況報告 朝鮮軍報導部長 長屋尚作 昭和二十, 二十一」(文庫-柚-175 / 防衛省防衛研究所戦史研究センター)
27 山名, 1956, p.45.
28 『京城日本人世話会々報 第二十五号』(平和祈念事業特別基金 編, 1999, p.43)
29 「昭和二十一年二月九日 安芸地方事務所長 各町村長殿 南鮮渡航ノ手続ニ関スル件」(「昭和二十年度ヨリ庶務関係書 類綴 温品村役場」/ 温品村918 / 広島市立公文書館)
30 森田芳夫, 1964, pp.397~401. 그리고 주한미군의 1946년 3월 30일부 보고서에 의하면 3월말까지 49만 7,302명이 일본으로 인양되었는데 그 외에 북위 38도선 이북으로부터의 피난민이 8만 5,620명에 달했다. 한편 한국인 귀환자는 162만 6,250명(그중 일본에서 83만 2,788명, 북위 38도선 이북에서 58만 645명)이었다(G-2 PERIODIC REPORT, RG554 / Record General Head-quarters, Far East Command, Supreme Commander, Allied Powers and United Nations Command / United States Army Forces in Korea(USAFIK)G-2 Periodic Reports 1946, 1948 / Box 5 / Entry. A1_1372 / NARA).
31 Ibid., p.418.
32 「痩骨先生日記帖 九月四日条」(田中正四, 1961, p.95)
33 泉靖一, 1971, pp.213~215. 이즈미가 야마가의 요청을 받은 것이 10월로 되어있지만 『泉靖一著作集』(読売新聞社, 1972년)에는 9월로 정정되어있다. 木村秀明 編, 1980, p.17.
34 泉靖一, 1971, pp.218~219.
35 Ibid., pp.122~125 및 一粒のひまわりの種 編, 1978, pp.8~10. 쇼후쿠료 및 후쓰카이치 요양소에 대해서는 上坪[1993], 참조.
36 加藤 編, 제9권, 2001, pp.126~127. 다만 불법 임신자의 숫자가 수용환자일람표에는 213명으로 되어 있다.
37 「引揚婦女子医療救護実施要領」(浦頭引揚記念資料館).
38 Ibid..
39 一色 編, 1961, pp.252~253.
40 岩崎[1987]. 당시 부인과 교실 의국장이었던 이와사키는 8월 하순 후생성의 긴급호출 후 돌아온 기하라 조교수로부터 극비리에 낙태 수술을 할 것을 통보받았다. 이와사키의 회상으로는 8월 하순이었으며 제1장에서 말한 8월 21일 이후의 인양자 수용체제 정비에 관여한 것으로 생각된다. 하지만 이 시기 만주·북한 방면의 피해 상황은 정확히

파악되지 않았고 치료 대상자도 미지수여서 구체적인 요청이라기보다는 준비를 지시한 측면이 강했던 것으로 보인다. 또한 기하라의 호출 시기에 대해서는 松原[2019]에는 1945년 8월말 설과 1946년 9월 설이 있는데 1946년 9월 설이 타당하다고 적고 있다. 그러나 각주50에 언급되어 있듯이 규슈제국대학과 밀접하게 연계하여 낙태수술에 관여한 사세보친우회의 활동이 1946년 5월부터인 것을 감안하면 1946년 9월 설은 시기적으로 늦다고 생각된다.

41 후쿠오카요양소의 환자 총수는 428명(이 중 불법 임신 180명 · 성병 1,000명). 다만 3곳에 개설된 부녀자구호상담소(하카타 검역소 · 마쓰바라 상담소 · 오호리 상담소) 중 오호리 상담소에서 송치된 환자(총수 78명 중 불법 임신 40명 · 성병 21명)의 입원처를 알 수 없다. 하카타 인양원호국은 1946년 12월까지 여성 총수 18만4,801명 중 상담자 10만 3,042명, 그중 환자 총수는 1만 7,971명이었다(加藤 編, 제9권, 2001, pp.127~128).

42 사세보인양원호국에서는 1946년 5월부터 1947년 4월까지 15세 이상 50세 이하의 여성 총수 19만 3,739명 중 상담자가 6만 2,929명이며 그중 환자 수는 2,400명으로 환자 중 불법 임신이 214명, 성병 88명이었다(佐世保引揚援護局局史係 編, 1949, pp.102~104).

43 天児都, 「九大医学部グループも国の密命で」, 「引揚港 · 博多を考える集い」編集委員会 編, 1998, pp.26~28.

44 一色 編, 1961, p.254.

45 厚生省仙崎引揚援護局編, 「仙崎引揚援護局史」(加藤 編, 제8권, 2001, pp.151~152) 또한 환자수와 내역 합계 숫자는 정확하게 일치하지는 않지만 사료의 기록에 따랐다.

46 「昭和二十一年七月二日 安芸地方事務所長 各町村長殿 引揚満洲開拓民の援護に関する件」(「外地引揚一件 瀬野村」/ 瀬野村 2630 / 広島市立公文書館).

47 北村照「葫蘆島出張報告」(「満洲関係文書 在外同胞援護会救療部」/ 波多江幸輔氏資料 / 32216 / 福岡市総合図書館).

48 長尾, 2002, p.96.

49 加藤 編, 제9권, 2001, p.129.

50 西村二三子「引揚援護と佐世保友の会」(全国友の会中央部 編, 2000, pp.228~232).

51 海老沢, 1965, pp.188 · 193~194.

52 芦田, 제1권, 1986, pp.74~75.

53 上坪, 1993, p.207. 또한 사세보인양원호국의 의뢰로 '만주 조선 인양부녀자 상담소'를 개설한 사세보친우회의 활동에 관해서는 「福士房氏口述記録」(2004년 11월 19일 필자 조사) 및 「生活指導報告書」(加藤, 2006a, pp.57~115) 참조.

54 「引揚同胞のため衣類, 醵金をつのります」(『友の新聞』再刊第一号, 1946년 8월 25일) · 「引揚同胞のための生活指導はじまる」(『友の新聞』再刊第二号, 1946년 10월 25일).

55 재외부형구출학생동맹에 대해서는 全国学生同盟史編纂委員会 編, 1996; 毎日新聞社 編,

1968 참조. 또한 학생동맹은 1947년 2월 23일에 자발적으로 해산했으며 일부는 학생동맹도쿄지구본부로 존속했다.

56 桜井 編, 1960, pp.2~7.

57 Ibid., pp.3~4.

58 Ibid., pp.38~98.

59 高松宮, 1997, 1945년 7월 13일부, p.118.

60 Ibid., p.158 · 176, 1945년 9월 28일부 및 10월 23일부.

61 Ibid., 11월 10일부, p.186. .

62 Ibid., 1946년 4월 17일부, p.333.

63 厚生省二〇年史編集委員会 編, 1960, pp.454~455.

64 森重干夫「終戦処理と在外同胞引揚げについて」(満洲開拓史復刊委員会 編, 1980, pp.825~826.

65 「財団法人在外同胞援護会事業誌」(加藤 編, 제15권, 2001, pp.9 · 14).

66 예를 들면 센자키인양원호국 내 동포원호회의 업무는 ① 생활 · 의료 및 생업의 응급구호, ②각종 원호시설 설치, ③ 직업상담지도, ④ 생필품 조달 · 반포 및 알선, ⑤ 신상에 대한 상담, ⑥ 원호사상의 보급이며, 재외동포원호회의 업무는 ① 인양자무료숙박, ② 응급여비 지급, ③ 응급피복 지급, ④ 고아 수용, ⑤ 오키나와현 출신 수용 및 취업알선, ⑥ 인양 화물 포장 및 발송, ⑦ 응급식량품(위문품) 지급, ⑧ 신문잡지 기타 물품 지급, ⑨ 재외자산 무료 신고였다(加藤 編, 제8권[2001], pp.202~204).

67 加藤 編, 제15권, 2001, pp.20~35.

68 桜井 編, 1960, pp.742~744.

69 「外地(樺太ヲ含ム)及外国在留邦人引揚者応急援護措置 要綱」(「引揚民援護関係綴社会局長」/ 木村文庫 / 日本社会事 業大学附属図書館).

70 GHQ / SCAP가 후생성을 인양 업무 책임 관청으로 지정한 10월 18일까지는 어느 부처가 이 업무를 담당할 것인가에 대해 일본 측에서도 결정하기 어려웠다(厚生省二〇年史編集委員会 編, 1960, pp.444~445).

71 「要緊急引揚人員概定ニ関スル件」(op. cit., 「引揚民援護関係綴 社会局長」).

72 Ibid., 「引揚順位ニ関スル件」.

73 Ibid., 「戦争終結ニ伴フ外地及外国在留邦人引揚民ニ対スル援護ニ関スル件」.

74 Ibid., 「日本ニ於ケル帰還引揚者ニ対スル受入施設」.

75 「定着地ニ於ケル海外引揚者援護要綱 (案)」(「自昭和二十一年二月二十一日 幣原内閣次官会議書類 (其ノ二)」/ 閣議 · 事務次官等会議資料 / 平14内閣 00003100 / 国立公文書館).

76 Ibid., 「炭礦労務緊急充足ニ関スル件(昭和二一、三、七 厚生省)」.

77 三井鉱山 編, 1963, pp.17~19. 인양자의 탄광 노동에 대해서는 데이터상의 제약으로 본격적인 연구는 이루어지지 않았지만 인터뷰 조사에 기초한 연구로는 坂田[2019]를 들

수 있다.

78 다카사키는 총재 취임을 수락한 직후 만주에서 행동을 같이한 히라시마(平島)를 불러 '총무담당 이사는 만주관계를 맡았으면 한다(総務担当理事は満洲関係を持って行き度い)' 그 외에도 '과장급으로는 가능한 한 많은 만주 관계자를 넣고 싶다.'라며 히라시마에게 인선을 의뢰했다(「平島敏夫日記」 1957년 8월 27일부, 개인소장). 히라시마는 히라야마 후쿠지로(平山復二郎, 전 만주전업 이사장) 등과 협의했는데 최종적으로 '다카시마 씨와는 생사 운명을 함께했을 뿐만 아니라 그의 인격과 수완에 대해 전부터 최고의 경의를 표하고 있었던' 히라시마에게 이사직을 맡겼다(「平島敏夫日記」 같은 해 9월 5일부).

79 三〇年史編纂委員会 編, 1984, p.72.

80 「緊急開拓事業実施要領」(「公文類聚 第六十九編 昭和二十年 第六十六巻」 / 類02950100 / 国立公文書館).

81 op. cit., 「昭和二十一年七月二日 安芸地方事務所長 各町村長殿 引揚満洲開拓民の援護に関する件」.

82 op. cit., 「昭和二十一年七月二日 安芸地方事務所長 各町村長殿 引揚満洲開拓民の援護に関する件」.

83 op. cit., 「定着地ニ於ケル海外引揚者援護要綱(案)」.

84 전 개척단원을 둘러싼 전후 개척정책 실패에 관해서는 加藤, 2017b 제6장 제3절 참조.

85 原田 編, 1967, p.5 및 「事業概況」(「朝鮮引揚同胞世話会資料」 / 大野緑一郎関係文書 / No. 2358(R45) / 国立国会図書館憲政資料室).

86 原田 編, 1967, p.5.

87 坂東 編著, 1992, p.5.

88 Ibid., pp.42~43.

89 Ibid., pp.45~46.

90 Ibid., pp.33~36.

91 Ibid., pp.48~50.

92 소련 및 중공 지구 잔류자 귀환촉진운동에 대해서는 留守家族団体全国協議会編史刊行委員会 編[1959] 참조.

| 제6장 |

1 매스미디어에서 '만주팀'이나 '만주 인맥'으로 불리며 마치 전후 정치의 이면사(裏面史)처럼 다룬 대표적인 것은 岩川[2007]를 들 수 있다. 당시 생존했던 관계자로부터의 인터뷰를 중심으로 하고 있어 흥미로운 내용도 포함되지만, 일반적인 단순화 · 유형화는 피할 수 없을 것이다. 또한, 역사 연구에서도 이와 같은 단순화 · 유형화를 그대로 받아들이는 사례도 있다. 예를 들면, 小林英夫[2005]에서는 '만주인맥'이 키워드가 되고 있

지만, 실제로는 '기시 노부스케(岸信介) 인맥에 불과하고, 기시=만주'라는 일반적 이미지를 그대로 받아들이고 있다. 만주 인양자를 포함해 전후에 공간된 체험수기를 젠더의 시점에서 분석한 것으로서는 成田[2010]참조.

2 만주 인양 이외에도 비극성을 축으로 한 체험기는 만주와 같은 소련군 침공지역에 있었던 북한과 사할린에서의 인양자의 것에서도 엿볼 수 있다. 다만, 藤原てい[1967]처럼 북한으로부터의 인양자의 경우는 일 · 소 개전 직후에 만주에서 북한으로 피란한 사람들이 많이 포함되어 있고, 광의로 보면 만주 인양에 포함된다. 더욱이 남한이나 대만, 중국 본토 등 비교적 피해가 적었던 지역의 인양자 개인 혹은 단체에 의한 체험기 · 인양사는 만주에 비하면 현격히 수가 적다.

3 다카사키의 만주행에 관해서는 高崎達之助集刊行会 編, 上巻, 1965, pp.132~149 참조.

4 다카사키가 전후 최초로 구 · 만주를 방문했을 때의 모습을 기록한 「十三年ぶりの満州」를 보면 그의 만주관이나 관심의 소재를 잘 알 수 있다. 거기에는 다른 만주국 관계자에게서 많이 보이는 만주국이 중국 동북 발전의 기초를 쌓았다는 듯한 표현은 일절 사용하지 않고 지극히 냉정하게 동북의 현상을 관찰하고 있다. 한편으로 만주체험 관련하여 유일하게 신경쓰고 있는 것이 일본인 사망자의 성묘였다는 것은 만주 인양자가 가지고 있는 소박한 만주관과 인양 체험을 상징하고 있다. (高崎達之助集刊行会 編, 下巻, 1965, pp.178~187)

5 平島, 1972, pp.8~9.

6 만주청년연맹은 동북군벌과의 긴장이 고조되는 가운데 만주의 권익 옹호를 기치로 재만상공업자와 만철사원이 중심이 되어서 1928년 11월에 결성되었다. 그리고 연맹이 참가한 만철사원 야마구치 주지와 가나이 쇼지(金井章次) 등은 만주사변 후, 만주국협화회의 모체가 된 만주국 협화당 결성의 중심멤버가 되었다. 나아가 히라시마의 협화회중앙사무국차장 취임 배경에 관해서는 古海, 1978 p.142 참조. 또 히라시마는 山口[1975]에 서문을 쓰고 만주 건국을 제국주의 침략으로 결정한 역사평가에 반박하며 만주국 건국은 '장(張)정권에 대한 불평불만이 만인(滿人)의 상하에 깊게 뿌리내려 있고 신정권 수립에 대한 요망이 지극히 컸다'에서 비롯된 것으로 '위대한 이상=민족협화에 의한 신국가의 건설'은 '일본 역사가 시작된 이래의 장거(壯擧)'라고 만주국 건국의 의의를 전면적으로 긍정하고 있다.

7 인양 후의 다카사키와 만주 인양자와의 사이에는 그가 전원개발 총재를 인수한 이유 중 하나로 만주 인양자의 취업 해결이 있었던 것처럼 히라시마와 같은 정치적 관계와는 달리 경제적 관계로 연결되어 있었다(高崎達之助集刊行会 編, 下巻, 1965, p.178).

8 중 · 일국교정상화의 기초를 다진 다카사키와 오카자키는 전술한 바와 같이 만주와 중국 본토에서의 체험과 전후의 활약과는 직접적인 관련이 없다. 오히려 현실주의적 감각을 가진 경제인으로서 중 · 일관계에 관여했다고 보아야 할 것이다. 정치가로서 국교정상화를 실현한 다나카 가쿠에이(田中角栄)와 오히라 마사요시(大平正芳)는 중국과

는 어떤 접점도 갖고 있지 않았다. 한편, 만주체험자인 전후 자민당에 속해 있던 기시 노부스케와 그의 복심이었던 시이나 에쓰사부로는 중국이라기보다 대만과의 관계가 강했지만 그들과 대만과의 관계는 전후 냉전 구조 안에서 맺어진 것이어서 만주체험은 어떤 관계도 없다. 즉 중·일국교정상화 때에는 다나카 내각에서 시이나는 특사로서 대만에 가고 일화(일본과 중화민국)단교 후 뒤처리를 했다. 더욱이 전후 형성된 친대파(親臺派)의 사상적 배경과 그 논리에 관해서는 제3장 참조.

9 독특한 비무장중립론이나 세계연방구상을 전개하고 중·일수호를 추진하려고 한 엔도에 대해 구·군관계자는 강하게 반발했고 정부도 엔도의 중국방문에는 냉담했다. 중국 측에서도 엔도의 주장을 좀처럼 이해하지 못했다. (宮武, 1968, pp.219~226, 및 遠藤, 1974, p.412). 엔도는 관동군 시대에는 주로 작전 담당이었기 때문에 내면을 지도하는 일에는 깊이 관여하지 않았다. 그 때문인지 만주시대에 관해서는 치안숙정(粛正)계획이나 열하(熱河)작전, 대소련작전계획 등 군사작전에 관해 담담한 회상으로 그치고 있다.

10 예를 들면, 중국공군 창설에 협력한 하야시 야이치로(林弥一郎)를 중심으로 한 관동군 제2항공단소속 제4연성 비행대원의 귀국 후 인생을 들 수 있다(NHK「留用された日本人」\]09876543qn取材班, 2003, pp.142~216).

11 「財団法人満蒙同胞援護会概要」(片倉衷関係文書 / No. 610(R63) / 国立国会図書館憲政資料室). 이러한 일련의 계획은 원호회 이사장이 된 만주국 주일공사 가쓰라 사다지로(桂定次郎)의 발안으로 된다(坂東 編著, 1992, pp.30~31 · 42), 만·몽동포원호회와 국제선린협회의 설립 경위에 관해서는 제5장 참조.

12 op. cit.,「財団法人満蒙同胞援護会概要」즉, 이때 동결된 자금을 둘러싸고 샌프란시스코 강화조약에 의한 일본 독립 후 1954년이 되어 만·몽동포원호회가 자금을 관리해 온 미쓰이은행, 미쓰비시은행 등을 상대로 반환소송을 일으켜 최고재판소까지 싸웠지만, 1968년 3월 원호회 측의 패소가 확정되었다. 또 전쟁 중부터 사단법인만주회(1942년 5월 25일에 사단법인만주교우회를 개조해서 설립)라는 만주국 관계자의 친목단체가 있었다. 그렇지만 전후가 되어 인원과 자금부족으로 활동이 불가능한 채, 1946년 3월 19일 사단법인 쇼도쿠클럽(昭徳俱楽部)이 되어 11월 29일에는 대외관계에 대한 고려와 만주관계단체로서 한정된 성격으로부터의 탈피를 지향하여 사단법인 국제선린클럽으로 개칭, 나중에 국제선린협회가 되었다. 국제선린협회는 만·몽동포원호회와는 인사·재정면 등에서 표리일체의 관계에 있었고 1972년 6월 30일에 만·몽동포원호회가 해산한 후는 업무를 계승해 현재에 이르고 있다.

13 「満蒙史顚末」(満史会 編, 1965, p.334). 만사회 설립 당초의 임원 구성은 다음과 같다. 회장: 오쿠라 긴모치, 이사: 다카사키 다쓰노스케·이리에 쇼타로(入江正太郎)(상임)·노다 슌사쿠(野田俊作)·무라카미 요시카즈(村上義一)·야마자키 모토키(山崎元幹)·도미나가 요시오(富永能雄)·다무라 요조(田村洋三), 감사: 이토 데이치(伊藤貞一), 주간: 나카무라 요시노리(中村芳法), 고문: 구니자와 신페에(国沢新兵衛), 다나카 세지로

(田中清次郎), 마쓰모토 죠지(松本烝治), 핫타 요시아키(八田嘉明).

14 「座談会速記録第一号満鉄草創案」(「満洲引揚資料」/ 11-16 / 滋賀大学経済経営研究所). 제1회 좌담회는 1951년 9월 21일에 교통협회에서 실시되었다. 출석자는 오쿠라 긴모치·이리에 쇼타로(入江正太郎)·구니자와 신페에(国沢新兵衛)·이토 신이치(伊藤真一)·다무라 요조(田村洋三)·다나베 도시유키(田辺敏行)·무라타 요시마로(村田懿麿)·사카키타니 센지로(榊谷仙次郎)·우류 초죠(瓜生長藏)·나카무라 요시노리(中村芳法)였다. 다시 말하면 좌담회는 1953년 9월 16일의 제14회까지 실시되었다. 내용은「満鉄草創時代」,「商社関係」,「外事関係」,「関東州関係」,「考古調査関係」,「撫順炭鉱関係」,「日露戦争前後」,「鞍山鉄鋼関係」,「中央試験所関係」,「鉄道建設関係」,「料亭関係」,「都督府関係」,「言論関係」,「建築関係」였다(「満鉄開発史目次」).

15 op. cit.,「座談会速記録第一号満鉄草創案」. 또한 만사회의 설립취의서에는 "문화의 뒤뜰로 도외시되었던 삭북의 변경에 있어, 이 땅을 여하튼 세계의 문화권 수준에까지 올려놓은 실력(實歷)이 단순히 '제국주의' '침략주의'로 말소되려 하는 것에 대해 실록을 전함과 동시에 (…중략…) 올바른 사료를 후세 자손에게 남기려고 하는 것이다"고 서술하고 있다.

16 만사회의 편찬사업이 시작되고 얼마 안 돼 遠山·今井清一·藤原彰[1955]가 출판되어 이것에 대해서 가메이 가쓰이치로(亀井勝一郎)가 『文藝春秋』 1956년 3월호에서 「현대 역사가에 대한 의문(現代歴史家への疑問)」을 발표하고 이른바 '쇼와사' 논쟁이 일어났다(가메이의 일련의 주장은 亀井[1957]에 정리되어 있다). 역사에 인간이 그려져 있지 않다고 하며 현대사 연구자에게 던진 가메이의 강렬한 의의(疑義)는 유물사관의 강한 영향을 볼 수 있는 당시의 역사관에 대해 일반 사람들이 갖고 있던 납득하기 어려운 것을 대변한 것이었다고 할 수 있다. 가메이만큼의 논리성은 없지만, 감각적인 의의는 만사회의 멤버도 공유하고 있고 또 후술하는 만주국사 편찬 멤버도 마찬가지이다.

17 op. cit.,「座談会速記録第一号満鉄草創案」.

18 오쿠라 긴모치(大蔵公望)는 고베철도관리국 운수과장에서 1919년 7월에 만철 입사, 운수부 차장을 거쳐 1921년 12월부터 이사, 1927년 9월에 퇴직 후, 1929년 10월에 다시 이사가 되어 만주사변 직전 1931년 7월까지 근무했다. 오쿠라의 제1차 이사 시대의 전반기는 만철의 업적이 순조롭게 진행되었지만, 후반기는 장쭤린(張作霖) 상대의 만철 부설 교섭이 정체, 제2차 이사 시대는 만철 포위선 계획 등을 진행하는 장쉐량(張學良)과의 긴장관계가 높아진 시기에 해당한다.

19 이와 관련하여, 만사회가 편찬한 『満州開発四十年史』는 전후가 되어서 대용한자가 된 '만주(満州)'를 사용하고 있다. 그러나, 『満洲国史』와 후술하는 『満洲開拓史』는 전전과 똑같이 '만주(滿洲)'를 사용하고 있다. 이처럼 용어의 사용법에서도 양자의 인식 차이를 읽을 수 있다.

20 満史会 編, 1965, pp.334~336.

21 「国際善隣倶楽部および'満蒙同胞援護会の『満州国史』編纂関係書類」(op. cit., 片倉衷関係文書) / No. 532(R57)). 또한 의견교환회에 대한 출석 안내자는 이노우에 미노루(井上実) · 이이자와 시게카즈(飯沢重一) · 이나가키 마사오(稲垣征夫) · 우치다 센지(内田仙次) · 가타쿠라 다다시(片倉衷) · 고노 모토오(向野元生) · 사카타 슈이치(坂田修一) · 다케오카 가이치(武岡嘉一) · 다카쿠라 다다시(高倉正) · 한다 도시하루(半田敏晴) · 히라시마 도시오(平島敏夫) · 후루미 다다유키(古海忠之) · 후타가와 요시후미(双川喜文) · 마쓰모토 마스오(松本益雄) · 무토 도미오(武藤富男) 등 15인이었다. 이 외 편찬간행회회장 · 부회장 · 고문 · 위원으로 구성된 상임위원회와 편찬위원회가 있고, 편찬위원회에는 복수의 소위원회가 설치되었다. 또 설립 당초는 고문 8인, 위원 98인이었지만, 실질적인 운영을 담당한 상임위원을 위탁받은 것은 이노우에 미노루(井上実) · 이이자와 주이치(飯沢重一) · 이나가키 마사오(稲垣征夫) · 우치다 센지(内田仙次) · 가타쿠라 다다시(片倉衷) · 겐다 마쓰조(源田松三) · 사카타 슈이치(坂田修一) · 다케우치 쇼지(武内昌次) · 다케오카 가이치(武岡嘉一) · 한다 도시하루(半田敏晴) · 히라카와 마모루(平川守) · 무토 도미오(武藤富男) · 야마모토 노리쓰나(山本紀網) 등 13인, 소위원회는 군사외교위원회(위원장 가타쿠라 다다시 · 부위원장 모리시마 모리토(森島守人) · 행정위원회(위원장 겐다 마쓰조 · 부위원장 이자와 주이치) · 재정경제위원회(위원장 마쓰다 레스케(松田令輔) · 부위원장 이토 히로시(伊藤博) · 교통건설위원회(위원장 다쿠라 하치로(田倉八郎) · 부위원장 혼마 도쿠오(本間徳雄) · 산업개척위원회(위원장 이나가키 마사오(稲垣征夫) · 부위원장 이노우에 미노루(井上実) · 문교사회위원회(위원장 다나카 요시오(田中義男) · 부위원장 기다 기요시(木田清) · 사법위원회(위원장 마에노 시게루(前野茂) · 부위원장 시바 히로부미(柴碩文) · 협화회합작사위원회(위원장 사카타 오사무(坂田修一)라는 구성이었다. 또한 만주국을 이상국가로서 파악하고 있던 사람들의 역사관을 『만주국사』에서 탐구한 것으로는 樋口[2006]을 들 수 있다.

22 op. cit., 「国際善隣倶楽部および'満蒙同胞援護会の『満州国史』編纂関係書類」.

23 国際善隣協会 監修, 1981, pp.6~7.

24 満史会 編, 1965, p.335.

25 『日本人の海外活動に関する歴史的調査』는 "일본 및 일본인의 재외재산은 일본 및 일본인의 해외에서의 정상적인 경제활동의 성과이다"는 생각을 기초로 하여 편찬되어 1947년 말에 탈고, 1948년부터 1950년 7월에 걸쳐서 내부자료로서 인쇄, 제본되었다 大蔵省管理局 編, 2000, pp.11~16. 더욱이 이 편찬사업은 대장성과 외무성에 의해 진행되어 전 경성제국대학 교수였던 스즈키 다케오(鈴木武雄)가 중심인물이었던 '재외재산조사회'에 의해 수행되었다. 만주에 관해서는 만주부회의 회장으로 총괄을 담당한 것이 호시노 나오키의 부하로서 만주국으로 건너간 전 대장관료 마쓰다 레스케였다, 松田令輔回想録刊行会 編, 1986, p.211.

26 하야시 후사오(林房雄)의 「대동아전쟁 긍정론」은 『中央公論』 1963년 9월호부터 1965년

6월호에 걸쳐 연재되었다. 구미와의 '동아백년전쟁'의 귀결로서 '대동아전쟁'을 평가한 하야시의 주장에 대해서 많은 역사학자는 반론이나 묵살로 대응했다. 학문적으로는 그다지 회고되지 않았지만, 보수계의 정 · 재계의 사람들에게는 커다란 반향을 주었다.

27 国際善隣協会 監修, 1981, p.89.

28 예를 들면, 이케다 스미히사(池田純久)는 전후가 되어 이시하라 간지의 만주국에 대한 열정은 인정하지만, '오족협화'는 이름뿐이고 침략이라는 점에는 변함없다고 비판하고 있지만, 반면 자신의 관동군 시대에 관해서는 거의 말하고 있지 않다. 池田純久, 1968, pp.78~79.

29 예를 들면, 기시 노부스케는 이시하라 간지(石原莞爾)를 "단순한 군인적인 사고방식을 벗어난 대아시아주의자이고 군부 안에서의 입장은 어쨌거나 생각은 굉장하였다"고 평가하면서도 "그만큼 친한 관계는 아니었기" 때문에, 보다 깊이 있는 평가는 피하고 있다. 더욱이 기시에게 있어서 만주국 시대에 도조(東條)의 신뢰를 얻어 관계가 긴밀하게 된 것이 "도조 히데키 씨와 대립적인 입장이었던" 이시하라와의 거리에도 영향을 미치고 있다고 추측할 수 있다 岸 · 矢次 · 伊藤隆, 1981, p.24. 또, 기시와 이시하라가 만주에서 함께였던 시기는 만주사변의 중심인물로서의 이시하라의 영향력은 이미 없고 관동군 참모부장으로서 '좌천'되어 있던 시기이지만, 건국 초기 얼마 안 지난 절정기 이시하라와 접촉할 기회가 있었던 호시노 나오키(星野直樹)는 전후의 회상(星野, 1963)에서 이타가키 세시로(板垣征四郎) 등 관동군 수뇌에 관해서 자세히 언급하고 있지만, 이시하라에 관해서는 전혀 언급하고 있지 않다. 한편, 기시와 똑같이 호시노도 도조를 높게 평가하고 있다(星野, 1963, pp.255~264). 나아가 후루미 다다유키(古海忠之)의 경우는 이시하라의 참모부장시대에 협화회의 존재방식을 둘러싸고 대립까지 하고 있었다(古海, 1978, pp.154~159). 협화회를 둘러싼 대립과정을 보면 이시하라 등 만주사변을 일으킨 그룹과 후루미 등 관료그룹이 생각하는 '오족협화'를 중심으로 한 건국이념이 얼마나 다른 것인지가 명확하다.

30 야마구치 주지(山口重治)는 만주국은 사변 전부터 1932년 8월까지를 건국기, 동년 9월 이후를 건국기와 구분하고, 전자인 혼조 시게루(本庄繁) 관동군 사령관 시대는 "대아시아주의에 근거한 만주국 독립육성"이 꾀해졌지만, 후자인 무토 노부요시(武藤信義) 사령관 시대는 고이소 구니아키(小磯国昭) 참모장에 의한 "자본주의에 입각한 만주국을 일본이 속국화하고 식민지화하는 것에 있었다"고 평가하고 건국 초기의 이상주의가 왜곡되어 갔다고 비판하고 있다(山口, 1975, pp.326~327). 또한 육군 내부의 파벌싸움도 얽혀 만주국협화회 내부의 이시하라계 구 협화당 관계자와 신 회원의 사상적 대립 등에 관해서는 후루미, 1978, pp.136~159 참조. 또 만주국 건국에 참가한 재만일본인 관리와 건국 후에 도만해온 일계(一系) 관료와의 대립에 관해서는 星野, 1963, pp.30~31 등 참조.

31 **【역자 주】** 만주국에 강한 영향력을 가진 군 · 재 · 관의 5인의 실력자를 뜻하는 말로 도조

히데키, 호시노 나오키, 아유카와 요시스케, 기시 노부스케, 마쓰오카 요스케

32 満州回顧集刊行会 編[1965]는 만주국실업부 · 흥농부 관계자가 중심이 되어 1961년 4월에 편찬이 계획된 것이지만, 『満州国史』와 상호 보완관계에 있었다고 할 수 있다. 간행회 회장은 기시 노부스케, 부회장은 시이나 에쓰사부로와 이나가키 마사오(稲垣征夫), 사무쪽 대표는 호시노 나오키와 아유카와 요시스케(鮎川義介), 사무국장은 이노우에 미노루(井上実)였다. 그러나 기시와 시이나는 좀처럼 임원이 되는 것을 허락하지 않았다고 한다(만주회고집간행회 편, 1966, pp.23~24). 이러한 경위에서도 현역정치가였던 기시와 시이나에게 있어서 만주국 관계자와의 어중간하면서도 미묘한 관계가 엿보인다. 더욱이 기시와 만찬가지로 시이나도 만주국 시대를 그 정도로 많이는 언급하지 않는다. 또한 상공성에서 기시의 상사이고 기시에게 큰 영향을 미친 요시노 신지(吉野信次) 등은 자신도 만주중공업개발 부총재와 만주국 경제고문 등을 역임하고 만주와의 관계가 깊었지만, 전후에 참의원의원이 되었지만 만 · 몽동포원호회와는 관계를 갖지 않고 같은 상공관료였던 미노베 요지(美濃部洋次)와는 관련되고 있지 않다.

33 **[역자주]** 회사나 관청에서 과거의 사건이나 규칙 등에 해박한 사람

34 満州開拓史復刊委員会 編, 1980, pp.822~841.

35 Ibid., 平川守「序文」および加藤完治「満州開拓史序」.

36 위원은 전 척무성 척무국장이고 당시는 도쿄도지사 야스이 세이치로(安井誠一郎), 야스이의 사후는 실제 동생인 참의원의원 야스이 겐(安井謙)

37 Ibid., p.840.

38 만주 개척단의 위령비에 관한 연구는 나가노현 시모이나(長野県長野下伊) 지방을 사례로 든 森武磨[2009]를 들 수 있다. 모리 논문에는 시모이나 지방에서는 개척단기념비는 1972년 중 · 일국교정상화를 계기로 해서 활발하게 건립되었지만, 70년대는 현창의 요소가 강하고 80년대가 되면 위령의 요소로 변화하고 90년대가 되면 전쟁책임의 명확화와 화해의 요소가 나온다고 지적하고 있다. 다만, 이러한 유형화가 전국적으로 꼭 들어맞을지는 의문이다. 또한, 개척단도 포함한 인양에 관한 기념비 건립의 역사적 의미에 관해서는 제7장 참조.

39 「満ソ殉難碑」건립과 동시에 満ソ殉難者慰霊顕彰会 編[1980]라는 수기를 근거로 한 인양사를 간행하고 있다. 이것도 『満州開拓史』와 마찬가지로 위령과 역사편찬이 대등하게 된 것이라고 할 수 있다. 또, 「引揚物故者慰霊塔」은 군마현인양자연합회가 1960년 12월에 건립한 것이지만, 위령 대상의 대부분은 만주 인양에서 희생이 된 개척단원이다.

40 満ソ殉難者慰霊顕彰会 編, 1980, p.689.

41 小林秀雄, 2001. 고바야시는 「学者と官僚」에서 "예를 들면 부자가 가난한 자의 마음을 모르는 것과 같은 것입니다"라는 왕자오밍(汪兆銘)의 발언을 인용해서 일본인의 무자각성을 비판하고 있다.

| 제7장 |

1 서장에서 말했듯이 이 책에서는 남양군도(南洋群島)는 포함하지 않는다. 남양군도의 경우 일본이 패전하기 전 미군과의 전쟁터가 되어 사이판(Saipan)과 티니언(Tinian) 등에서 많은 민간인이 희생되었지만, 만주(滿洲)와 북한, 사할린과 달리 전와(戰渦)와 인양이 일련의 흐름을 이루고 있지 않아 이 장에서는 인양에 따른 희생과는 별개의 것으로 간주한다.

2 인양기념공원 〈평화의 군상〉 건설취의서(建設趣意書)(〈평화의 군상〉 명판).

3 舞鶴市史編さん委員会 編, 1988, pp.289~291; 舞鶴市 編, 2000.

4 舞鶴市史編さん委員会 編, 1988, pp.291~292.

5 「あゝ母なる国」 비문.

6 一色 編, 1961, pp.11~13 · 19~22 · 59 · 62.

7 Ibid., pp.113~118.

8 斉藤隼人, 1983 및 필자 현지 조사(2005년 7월 15일)에 의하다.

9 우키시마마루(浮島丸) 희생자로 인수자가 없었던 유골은 현재 도쿄도(東京都) 메구로구(目黒區)의 유텐지(祐天寺) 절 불사리전(仏舎利殿)에 안치돼 있다. 원래 마이즈루(舞鶴)의 히가시혼간지(東本願寺) 절 별원(別院)에 있던 유골 중 인수자가 없는 것은 후생성(厚生省)에 넘겨져 후생성의 요청으로 유텐지 절에 안치되었다. 현재도 후생노동성(厚生労働省)이 관리를 맡고 있으며 매년 법요와 헌화가 이루어지고 있지만, 이러한 사실은 거의 알려져 있지 않다(필자 현지 조사 : 2008년 3월 26일). 또한 2010년에 신원이 판명된 유골은 한국으로 인도되었다.

10 舞鶴市史編さん委員会 編, 1988, pp.835~883.

11 Ibid., pp.537~541 · 1011~1013.

12 가지키(加治木)의 기념비 건립에 대해서는 川喜 編, 1999, '인양항 · 하카타를 생각하는 모임(引揚げ港 · 博多を考える集い)'의 활동과 기념비 건립 경위에 대해서는 「引揚げ港 · 博多を考える集い」 編集委員会 編[1995/1998] · 松崎他 編 [2000], 또 다나베에서의 기념비 건립 경위에 대해서는 紀南文化財研究会 編[1986] 참조.

13 川喜 編, 1999, 및 필자 현지 조사(2008년 5월 25일)에 의하다.

14 1949년 1월 9일에 사세보(佐世保) · 우라가시라(浦頭)에 입항한 〈보고타마루(ぼごた丸)〉에 마닐라 교외의 수용소에서 유골 307구와 유해 4515구가 실려 있었다(佐世保引揚援護局情報係 編, 1951 pp.116~117). 이들은 사세보에서 화장되었고, 그 이전에 원호국에서 보관하고 있던 인양 사망자 2천여 구와 합친 인수자가 없는 6천여 구를 매장한 것이 가마묘지(釜墓地)이다. 묘지는 사단법인 사세보 가마묘지 전몰자호지회(社団法人佐世保釜墓地戦没者護持會)가 관리하고 매년 7월에 위령제를 실시하고 있다(필자 현지 조사 : 2007년 10월 25일). 또한 가마묘지에 관해서는 戦没者釜墓地護持会 編, 1992 참조.

15 우라가항(浦賀港)에서의 콜레라 집단감염과 위령비에 대해서는 浦賀地域文化振興懇談会 編, 2004 참조.

16 「引揚げ港・博多を考える集い」, 編集委員会 編, 1998, pp.29~33, 및 필자 현지 조사(2005년 7월 10일)에 의하다. 또한 이 비석은 후쓰카이치(二日市)보양소 부지 내 북쪽 변두리의 태아를 매장했다는 곳에 세워졌으나 현재는 비석 주변 환경이 완전히 바뀌었다.

17 제5장에서 설명한 바와 같이 하카타뿐만 아니라 각 인양항에서 낙태 수술이 이루어지고 있었다. 예를 들면 사세보의 경우는 사가현(佐賀県) 나카바라초(中原町)에 있던 국립 사가(佐賀)요양소(현 국립병원 히가시사가(東佐賀) 병원)가 거기에 해당하지만 위령비를 포함해 그 사실조차 잊혀졌다(필자 현지 조사 : 2007년 10월 26일). 또한 사세보의 낙태 수술에 관해서는 『부인지우(婦人之友)』 도모노카이(友の会) 회원으로 국립사가요양소에서의 자원봉사에 관여했던 후쿠시후사(福士房) 씨에 대해 필자가 실시한 구술기록(加藤[2006a] 수록) 참조.

18 가마묘지와 같이 일본군 부대가 복원했을 때 현지에서 기다리고 있던 유골이 지도리가후치(千鳥ヶ淵) 묘지에도 이장되지 않은 채 무연고자라고 여겨져 위령도 민간 유지에 맡기고 있는 상황은 다시 한번 상기해야 할 문제일 것이다. 최근 야스쿠니신사(靖国神社) 문제 가운데 주목받고 있는 지도리가후치 전몰자 묘지는 민간인을 포함한 모든 전쟁희생자가 아니라 신원 미상의 전사자 유골만을 대상으로 한다는 한계를 갖고 있지만, 더구나 묘원 설립 전에 국내에서 연고자가 없는 전몰자를 포섭하지 않고 있는 문제가 있다. 이런 문제를 극복하지 않는 이상 여전히 논란이 되는 국립추모시설은 미흡할 뿐이다.

19 森枝 編, 1966, 발간사.

20 Ibid., pp.171~175.

21 満州開拓史復刊委員会 編, 1980 p.840. 또한 척혼비(拓魂碑)와 주변 단비(団碑)를 합친 척혼공원(拓魂公苑)은 2001년 전국척우협회(全国拓友協会)(개척자흥회(開拓自興會)의 후신)에서 도쿄도에 기부되어 현재는 도쿄도가 관리하고 있다(필자 현지 조사: 2008년 3월 27일).

22 三宮 編, 1970, p.201.

23 Ibid., pp.201~204, 및 필자 현지 조사(2008년 8월 17일)에 의하다.

24 進藤 編, 1979 및 필자 현지 조사(2012년 11월 23일)에 의한다. 또 의용대원들은 황국사관교육 속에서 자랐으며 패전 후에도 내지의 같은 세대 청소년들과 달리 시베리아에 억류되는 등 가혹한 삶을 살았다. 거의 사춘기다운 사춘기를 보내지 않고 노성(老成)해 버린 그들의 역사적 비극을 이해해야 한다. 그런 의미에서 의용대 기념비는 전쟁 중 극단적으로 진행된 황국사관 교육의 부정적 유산이라고 할 수 있다.

25 **【역자 주】** 고인을 공양하기 위해 경문이나 제목 등을 쓰고 무덤 뒤에 세우는 탑모양의 세로로 긴 나무판을 말한다.

26 2007년 10월 26일 필자 현지 조사에 의한다. 또한 〈만・소순난비(満ソ殉難碑)〉도 처음

에는 구마모토(熊本) 시가지를 내려다보는 하나오카야마(花岡山) 산 또는 구마모토성(熊本城) 내부가 후보지였으나 최종적으로 호국신사가 받아들이는 것으로 결착되었다(満ソ殉難者慰霊顕彰会 編, 1980 p.669). 또 다른 민족의 위령비로는 고야산(高野山)에 있는 〈오족의 무덤(五族の墓)〉이 해당한다. 이는 만주국 군관계자의 위령비로 일(日)·조(朝)·한(漢)·만(満)·몽(蒙)의 다섯 가지로 구성되는데, 실제 순난자로 새겨진 관련자는 대부분 일본인이다(필자 현지 조사 : 2008년 3월 12일). 또한 〈오족의 무덤〉에 대해서는 釈迦戸, 1985 참조.

27 中日新聞特別取材班, 1988, p.217.

28 고치현(高知縣) 하타군(幡多郡) 도카와무라(十川村)(전후에 도와손(十和村)을 거쳐 현재는 4만 10(町)초)은 1942년에 분촌으로 지정되었지만, 촌민이 만주에 가는 것에 소극적이었기 때문에 일부 촌락에서는 추첨이 이루어졌을 정도였다(田辺 編, 1981 pp.30~36). 패전으로 374명이 사망하고 145명이 가까스로 귀환하는 고치현 내 최대의 희생자를 냈는데 전후 마을 내 응어리는 해소되지 않았으며 위령비는 건립되어도 책임론을 공언하는 것은 금기였다고 한다(「그 궤적 만야마도카와 개척단(その軌跡 万山十川開拓団)」, 『高知新聞』, 1983년 6월 24~29일 연재). 또한 현재 이 위령비는 방치 상태에 있으며 지역에서도 잊혀진 존재가 되었다(필자 현지 조사 : 2013년 8월 22일).

29 만주 개척단의 기념비 건립에 관해서는 역사편찬사업이 동시에 진행되고 있는 것이 특징이다. 이러한 역사 편찬을 포함해 만주 관계자에 의한 역사 편찬과 거기에 나타나는 역사 인식에 대해서는 제6장 참조.

30 全国樺太連盟 編, 1988, pp.135~141. 덧붙여서, 낭영(朗詠)된 메이지천황(明治天皇)의 어제(御製)는 "세상과 함께 이야기하자 나라를 위해 목숨을 바치고 사람의 공로를"과 "무사의 모직 옷을 적시는 가라후토 섬 나쓰구사(夏草)의 이슬(露)"이라는 두 수였다.

31 樺太終戦史刊行会 編, 1973, pp.634~644.

32 〈가라후토인양3선순난자위령지비〉는 2010년 10월 덴보다이에서 해안 황오곤미사키(黄金岬) 곳으로 이전되었다. 이때 명칭도 〈가라후토인양3선순난평화의 비〉로 고쳐 위령적 요소가 희석되고 말았다(필자 현지 조사 : 2011년 10월 22일).

33 全国樺太連盟 編, 1988, pp.60~64. 덧붙여 3선 조난자의 유골은, 마시케초 이외에도 루모이시와 루모이 인양자 일동에 의해서 건립되었다. 이곳도 전국가라후토연맹보다 지역 위령이 앞선 경우인데, 이후 같은 장소에 1974년 8월 18일 전국가라후토연맹을 중심으로 한 〈3선순난지묘(三船殉難之墓)〉가 건립되었다(필자 현지 조사 : 2011년 10월 21일).

34 Ibid., pp.65~70 및 필자 현지 조사(2004년 9월 2일)에 의한다. 또한 '9명의 처녀(9人の乙女)'를 둘러싼 이야기는 전국가라후토연맹에게는 오키나와전투에서의 '히메유리 부대(ひめゆり部隊)'의 비극과 대비시킨 '북쪽의 히메유리'로서 가라후토라는 존재를 일본 국내에 알리기 위한 좋은 소재가 되었다.

35 Ibid., pp.165~169.

36 Ibid., pp.71~74.

37 후생노동성(URL은 자료문헌일람 참조) 및 전국가라후토연맹(URL은 자료문헌일람 참조). 위령비 건립에는 전국가라후토연맹이 관련되어 있었는데 현재는 거의 적극적인 활동이 이루어지지 않고 있다. 또한 사할린의 위령비 중 고톤의 〈일 · 소평화우호비〉는 일 · 소협회 홋카이도연합회에 의한 것이다. 〈일 · 소평화우호비〉 건립 경위에 대해서는 田中了, 1993, pp.130~150 참조.

38 필자 현지 조사(2004년 9월 4일)에 의한다.

39 겐다누의 생애에 대해서는 田中 · ゲンダーヌ, 1978. 또한 세 가지 꿈에 대해서는 田中了, 1993, pp.51~96 참조.

40 樺太終戦史刊行會 編, 1973, p.580.

41 森枝 編, 1966, 森枝修에 의한 후기.

42 滿ソ殉難者慰霊顕彰會 編, 1980, p.689. 전 만주국군 군의관이었던 야마모토 노보루(山本昇)의 이 발언으로 〈만 · 소순난비〉가 건립되기에 이르렀다.

43 〈9명의 처녀비〉 이외에도 1945년 8월 17일에 소련군에 쫓겨 피난을 시작한 가라후토 오히라(大平)탄광병원 간호사 23명이 에스토르초(恵須取町) 산중에서 집단 자결을 시도했고, 6명이 사망한 사건의 위령비 〈진혼〉이 삿포로호국신사 경내에 건립(1992년 7월 11일)되었다. 다만, 이 사건은 마오카의 사건과 달리 거의 알려지지 않았다(필자 현지 조사 : 2004년 9월 18일).

| 종장 |

1 1996년 1월 1일 현재의 수치. 이 숫자는 상륙지에서 인양 절차를 밟은 자에 한한 숫자이며, 비공식 인양지(引揚地) 및 미군 점령하 오키나와에 직접 인양한 자는 포함되지 않는다. 또한 중 · 일국교정상화 이후에 귀국한 잔류일본인은 중국 본토에 포함되어 있다. (厚生省社会 · 援護局 編, 1998, p.730)

2 치시마열도는 홋카이도 행정구역에 포함되어 있으며, 사할린(가라후토)와 달리 식민지는 아니나, 소련의 점령정책에서는 치시마하고 사할린은 같았다. 또한 주민에 대해서는 네무로(根室) 방면으로 탈출한 자를 제외한 잔류자는 사할린 경유로 귀환했다. 때문에 치시마 인양은 사할린 인양에 포함해서 검증했다. 그리고 가라후토(사할린)도 1943년 4월 1일 이후 내지에 편입되었기 때문에 정확하게는 패전 시점에 식민지는 아니지만, 내지에 편입된 기간이 짧아서 식민지로 다루었다.

3 이 장은 2016년 9월 12일에 일본기자클럽(도쿄)에서 한 강연 「海外引き揚げ70周年ー体験の継承」에서 제시한 기본 프레임을 기초로 구성하였다. 이 강연에 대해서는 자료문헌일람에 제시한 URL 참조 바람. 한편 이 장이 시도하는 프레임에 관해서는 이미 蘭 · 川喜田 · 松浦 編, 2019이 독일 추방민과의 비교, 프랑스, 포루트갈의 탈식민지화문제, 한 · 일국민국가의 재편 등을 다루고 있다. 이들이 제시한 시점은 중요하지만, 소련이 원

인이 된 분석이 약하며, 유라시아대륙 규모로 발생한 민족변동의 본질이 불명확하다. 그리고 중국 문제에 대한 시점이 빠져 있기 때문에 아시아에서 진행된 탈식민지화의 특이성이 간과되어 있다.

4 天川, 2007, p.125. 비슷한 인상은 なかにし, 2011, pp.98~99에도 보인다.

5 중화민국이 대일배상청구권 포기에 이르는 과정에 관해서는 殷燕軍, 1996, 또한 중 · 일국교정상화 교섭에서 중화인민공화국의 대일배상청구권 포기에 관해서는 井上, 2010 참조 바람.

6 조선 인양자의 재외재산보상요구와 한 · 일교섭에서 청구권 문제에 관해서는 朴敬珉[2018]이 선구적인 성과로 중요하다. 이 외에 청구권 문제도 포함한 한 · 일교섭 전반에 관한 연구는 한일 양국 외교문서 공개가 진행되어 1990년대 후반부터 비약적인 진전을 보였다. 여기에서는 대표적인 성과로서 두 가지 들겠다. 식민지 보상 문제에 대해서는 太田[2015]를, 국교정상화 교섭 과정에 대해서는 吉澤[2015]를 참조 바란다.

7 중 · 일국교정상화 이전의 중국의 대일 접근과 중 · 소 대립의 관련성에 관해서는 加藤[2013a] 참조 바람.

8 소련에서 인도된 자와 옌시산(閻錫山)군 관계자 등의 인원에 관해서는 1954년 10월에 중국홍십자회 회장 李德全이 제공한 명부(『日本侵華戰爭罪犯名冊』)이 기본자료가 된다. 다만 명부에서는 소련이 인도한 인원 969명으로 되어 있으나 1명이 중복 기재되어 있어서 실제로는 968명(인도 후 사망자는 34명)이며, 여기에 옌시산군 관계자 등 140명(이중 사망자 6명)을 합치면 1,108명(이중 사망자 40명)이 된다(厚生省社会 · 援護局 編, 1997, p.89. 단 전범재판에서 불기소 처리되어 1956년에 세 차례에 걸쳐서 귀국한 자 1,018명과 귀국 전 사망자 7명, 기소 후 수형자 44명을 합산하면 1,069명이 되어 숫자가 맞지 않는다(상동 p.89). 그리고 大澤 (2016) pp.3~4 · 13~14 · 79에서는 소련이 인도한 전범을 명부에 기재된 대로 969명, 타이위안(太原)에 관해서도 李德全이 제공한 명부에서는 134명(병사한 6명 포함)인데 대해서 중국 측 기록(『偵訊日本戰犯紀實(太原)』을 기초로 136명(병사 7명을 포함)으로 하고 있는데, 이 차이에 대해서는 따로 언급이 없다.

9 **【역자 주】** 하타히코 사부로(1890.10.1~1959.3.20)는 대일본제국 육군 중장. 관동군 총참모장을 역임했다. 1945년 12월 2일, 연합국최고사령관이 발급한 제3차 체포명령 명단에 A급 전범으로서 이름이 올라 있었으나, 시베리아에 억류 중이어서 체포를 면했다. 1956년 12월 26일 귀국했다.

10 1950년이 되자 소련은 새로 건국한 중화인민공화국에 '전범'을 인도했다. 인도된 전범은 만주국 황제 푸이(溥儀), 국무총리 장징후이(張景惠) 등 만주계 고관, 그리고 총무장관 다케베 로쿠조(武部六蔵), 총무청 차장 후루미 다다유키(古海忠之) 등 일본계 고관 외에 헌병 및 사법경찰, 협화회(協和會) 관계자들이었다. 한편 장교급 군인도 포함되어 있었으나, 그들 대부분은 중일전쟁 중 화베이(華北)에서 공산당군을 상대로 하는 전투

에 지휘하고 세계대전 말기에 관동군 예하에 전속한 야전군(제39, 59, 63, 117사단 등) 지휘관이었으며, 총사령부 참모장교는 아니었다. 소련은 1949년 12월에 있었던 하바롭스크(Khabarovsk)재판에서 731부대를 포함한 관동군의 소련 공격 기도를 밝히려고 야마다 오토조(山田乙三) 총사령관 등에세 유기형을 과했으나, 그들은 중국에 인도되지 않았다.

11 內閣總理大臣官房管理室, 1973, pp.4~5. 한편 재외기업 및 인양 개인에 대한 재외재산보상문제에 관해서 구체적인 숫자에 기초한 경위를 정리한 연구로서는 柴田, 2008b를 참조 바람.

12 「在外財産問題に関する従来の経緯について」(「在外財産問題審議会配布資料」平12 大蔵 02804100 国立公文書館)

13 **【역자주】** 재외재산을 상실한 자에 대한 보상 또는 구제 조치의 필요성 여부와 그 정도 등, 재외재산 문제를 처리하기 위한 기본사항을 심의하는 것을 목적으로 각의 결정으로 설치된 기구이며, 이 조사회는 내각 안에 설치되었으며, 대장성(大藏省)에서 서무를 담당했다. 조사회는 9명의 위원으로 구성되며, 학식 경험이 있는 자 중에서 내각총리대신이 위촉한다. 간사는 내각총리대신 관방, 법제국, 외무성, 대장성, 인양원호청(引揚援護廳)의 직원 중에서 배치했다.

14 厚生省社会·援護局 編, 1997, p.100.

15 Ibid.. 한편 대상자는 1945년 8월 15일까지 6개월 이상(개척단원은 그 미만도 포함함) 해외에 본거지를 가지고 8월 15일 이후에 귀환한 자였다(소련 참전으로 8월 9일부터 14일까지 귀한한 자, 전쟁 종결로 외지에 돌아갈 수 없게 된 자도 포함한다). 또한 급부금(給付金)은 8월 15일 시점으로 50세 이상(2만 8천 엔), 30세 이상 50세 미만(2만 엔), 18세 이상 30세 미만(1만 5천 엔), 18세 미만(7천 엔) 등 나이에 따라서 차이가 있었다. 그리고 유족 급부금은 법 시행까지 사망한 자를 대상으로 하며, 인양 이전에 현지에서 사망한 자에는 연령 제한이 없었으나(18세 이상 2만 8천 엔, 18세 미만 1만 5천 엔), 인양 후에 일본 국내에서 사망한 자는 20세(1962년 법 개정으로 25세)이상이 대상이었다.

16 이탈리아는 1947년 2월, 연합국과의 평화조약(파리강화조약)에서 연합국 내에 있는 이탈리아 재산의 처분권을 인정하면서, 1954년에 개인재산에 대한 보상을 법률로 정했다. 그러나 그 보상액 산정에서 큰 어려움을 겪었다. 동서로 분단된 독일의 경우는, 사회주의국가가 된 동독도 재외재산문제가 없지는 않았지만, 서독에서는 모든 국민이 전쟁 피해를 공평하게 부담하는 것을 기본원칙으로 하는 부담조정법이 1952년에 제정되었다. 이로 인해서 옛 독일령 및 기타 외국에서 나치스 침략 이전부터 주민이었으나, 전쟁의 결과 추방되어 1950년 말 시점에 서독에 거주하는 자가 보상 대상이 되었는데, 보상 내용에는 정비대부(整備貸付), 주택보조, 교육지원 등의 구제 조치도 포함되었다. 그리고 1954년 10월에 미 · 영 · 불 사이에서 체결된 '전쟁 및 점령으로 발생한 문제 해결을 위한 조약'(기타 조약을 포함해서 파리협정이라 불리고 있음)에서 서독은 재외재산

을 포기하는 한편으로 재외재산 상실자에 대한 보상조치를 배려할 것이 결정되었다. 파리협정에 의거, 서독은 1957년 11월에 '전반적 전쟁결과해결법'을 제정했지만, 나치스 독일에 대한 여러 청구권 해소가 목적이었기 때문에 서독 국민의 전쟁배상에 관한 법률은 따로 정하기로 했다. 그 후, 1963년에 '배상손해법안'이 연방의회에 제출되었으나, 1965년 1월 시점에 법안 제정에 이르지 못하고 있었다(총리부 임시재외문제조사실「이탈리아평화조약과 재외재산문제」, 동「이탈리아 · 서독 · 오스트리아의 재외재산문제 처리상황의 개요」, op. cit., 「재외재산문제심의회 배포자료」).

17 패전으로 상실한 인양자의 재외재산 총액에 대해서는 점령 초기부터 대장성(大藏省) 등에 의해서 조사가 이루어졌으며 복수의 총액이 산출되어 있었다. 그러나 제2차 재외재산문제심의회 단계에서 일본 정부는 "점령기에 대장성이 실시한 재외재산조사는 법인 분에 대해서는 특별히, 그리고 개인 분에 대해서는 신빙성이 낮기 때문에 행정적 조치를 위한 유일한 자료로서는 보기 어렵다"는 입장을 취했다(임시재외재산문제조사실「제2차 재외재산문제심의회의 심의개요」p.7, op. cit., 「재외재산문제심의회 배포자료」). 강화조약 이전에는 재외재산문제 산출에 적극적이었으나, 강화조약이 맺어지자 산출액에 대해 부정적인 입장을 취하는 일본 정부의 태도는 재외재산 문제가 배상 문제의 일환에 불과했음을 나타내고 있다.

18 「재외재산보상문제조사회 설치에 관한 건에 대해서(在外財産補償問題調査会の設置に関する件について)」(「제3차 재외재산문제심의회(일반)」2000 大蔵02802100, 국립공문서관).

19 op. cit.,「최근의 재외재산의 동향에 대해서(最近における在外財産の動向について)」

20 Ibid..

21 op. cit., 「대장성 재외재산보상문제조사회의 설치에 관한 의견(大蔵省 在外財産補償問題調査会の設置に関する意見)」

22 op. cit.,「임시농지등피매수자문제조사실 및 임시재외재산문제조사실의 설치에 관한 양해(臨時農地等被買収者問題調査室及び臨時在外財産問題調査室の設置に関する了解)」

23 「평화기념사업특별기금 설립의 경위 등(平和祈念事業特別基金設立の経緯等)」(国立国会図書館인터넷資料収集保存事業 : WARP [Web Archiving Project]) (URL은 자료문헌일람 참조)

24 長谷川宇一, 1975, pp.237~239.

25 斎藤六郎, 1981, pp.173~174.

26 **【역자 주】** 1973년 2월 18일에 열린 전국대회에서 장기억류자동맹(長抑同)은 사쿠호쿠카이(朔北會)로 개칭했는데, 10월에 하세가와가 서거하고, 다음해 2월에 관동군 참모였던 구사치 데이고(草地貞吾)가 회장으로 취임했다(朔北會편 1977, pp.31~33). 한편 하세가와 시절에는 기부를 받는 일도 없어서 자금난으로 허덕였으나, 관동군 참모였던 세지마 류조(瀬島龍三)가 고문으로 취임하자, 이토츄(伊藤忠)상사 등으로부터 기부금

이 들어와서 재정이 윤택해져서 제7장에서 다룬 위령비 건립이 실현되었다(朔北會편 1985, pp.92~94). 이처럼 사쿠호쿠카이가 풍부한 자금으로 활동을 활발하게 전개한 것은 1976년 이후인데, 이미 보상요구운동의 중심은 전국강제억류자협회(全抑協)로 넘어와 있으며, 사쿠호쿠카이는 오히려 보상요구운동과는 거리를 두고 위령 사업으로 기울고 있었다.

그리고 구사치 데이고(1904.5.28~2001.11.15)는 대일본제국 군인이며 마지막 계급은 대좌(대령에 해당). 대일본제국 패전 당시 관동군에서 작전과 주임참모였으며, 소련군 포로가 되어 시베리아에 억류되었다. 1956년에 귀국. 한편 세지마 류조(1911.12.9~2007.9.4)는 대일본제국 군인이며 태평양전쟁 기간에 작전과 참모부에서 근무했으며, 마지막 계급은 중좌(중령에 해당). 패전 후, 자위대 입대 권유를 거절하고 이토츄상사에 촉탁으로 입사했으며, 퇴직 후에는 나카소네 야스히로 전 총리 고문을 역임했다.

27 戰後强制抑留史編纂委員 編, 5권, 2005, pp.336~341.

28 **【역자 주】** 아이자와 히데유키(1919~2019)는 대장성(大藏省) 관료, 정치가, 변호사. 경제기획청 장관관방장, 대장성 이재국장(理財局長), 중의원 의원, 도쿄복지대학장 등을 역임했다. 육군 소위로 경성(서울)에서 패전을 맞이한 후, 소련에서 3년 동안 억류된 후, 1948년 8월에 귀국. 공직에서 은퇴 후, 전국강제억류자협회 회장을 맡기도 했다.

29 Ibid., pp.341~346 및 사이토 로쿠로(斎藤六郎, 1981) pp.184~188 · 198~204. 그 후, 전국전후강제억류보상요구추진협의회 중앙연합회는 평화기념사업특별기금이 창설되자 1989년에 중앙연합회와 표리일체의 조직으로서 억류자에 대한 시책 지원을 목적으로 하는 '재단법인전국강제억류자협회(全抑協, 통칭 아이자와[相澤] 단체)'를 결성했다. 한편, 이 전국강제억류자협회의 분열 원인에 관해서는 사이토(斎藤) 단체와 아이자와 단체는 전혀 다른 주장을 하고 있었으며, 마지막까지 두 단체가 화해하는 일은 없었다.

30 평화기념사업특별기금은 억류자에 대한 보상이 주된 목적이었다. 그 내실에 관해서 전국강제억류자협회 회장인 아이자와 히데유키(相澤英之)는 "인양자에 관해서 말하면, 금액은 둘째로 치더라도, 이미 두 번에 걸쳐서 보상 조치가 있었으니 이젠 그만하면 되지 않느냐는 식의 의견이 있었고, 실제로 조직도 튼튼하지 못했다."라고 증언하고 있다. (戰後强制抑留史編纂委員會 編, 5권, 2005, p.276).

31 자신이 인양자 또는 식민지 행정관청, 국책회사와의 관계가 깊었기 때문에 인양자 단체의 중심 인물이었던 호즈미 신로쿠로(穂積真六郎, 조선총독부 식산국장, 1889년생, 중앙일한협회[中央日韓協會]), 히라시마 도시오(平島敏夫, 만주국협화회[滿洲國協和會] 중앙사무국 차장, 만철 부총재, 1891년생, 만·몽동포원호회[滿蒙同胞援護會]), 후지야마 아이이치로(藤山愛一郎, 대일본제당[大日本製糖] 사장, 1897년생, 대만협회[臺灣協會]) 등은 패전 당시 40~50세였고, 그들이 전후 정계와 재계에서 활약한 것은 1950~1960년대였다. 또한 인양자 단체와 관계가 깊었던 국회의원도 1970년대까지

대부분은 은퇴 또는 사망하였다(특별교부금으로 활약한 고니시 히데오[小西英雄]는 1964년 사망, 나카노 시로[中野四郎]는 예외적으로 의원 재적 중인 1985년 사망). 한편 패전 당시 20~30대였던 시베리아 억류자 중에서 세지마 류조(瀬島龍三, 1911년생), 아이자와 히데유키(1919년생) 등이 정계와 재계에서 대두한 것은 1970년대 이후였다.

32 전기(前期) 집단인양은 제1기(1946년 5월~10월, 약 101만 명), 제2기(1946년 11월~12월, 약 4,300명), 제3기(1946년 7월~10월, 약 29,000명), 제4기(1948년 6월~8월, 약 3,320명)으로 구분된다.

33 厚生省社會 · 援護局 編, 1997, pp.45~49. 후기 집단인양은 제1차(1953년 3월)부터 제21차(1958년 7월)까지 진행되었으며, 32,506명이 귀환됐다(중국인과 결혼한 일본인 여성의 귀성을 위한 일시귀국 709세대 1,693명을 포함). 한편 전기 집단인양과 후기 집단인양 사이에 중국 정부에 의한 특별허가 또는 밀항으로 456명이 개별적으로 귀환했다. 또한 후기 집단인양이 종료한 후에도 매년 100명 정도의 개별 인양이 이루어졌다(Ibid., p.52)

34 Ibid., p.45.

35 **【역자 주】** 일본인을 배우자로 하는 한국인의 귀국 경위에 관해서는 선일구(宣一九)[1990], 나가사와(長澤)[2019] 참조 바람. 한편 사할린을 포함한 소련에 머물렀던 일본인은 1989년부터 일시 귀국이 가능해졌으며, 1991년부터는 영주귀국자도 증가했다. 이들 경위 및 잔류일본인의 역사적 배경에 관해서는 오가와(小川, 2005) 참조 바람.

36 부재업무부란 외지에 나가 있는 부대 중 아직 내지에 복귀하지 않는 부대에 속하는 군인, 군속 등의 개인신상(생존, 사망, 생사불명 등)을 파악하고 명단을 작성, 관리하며, 관계 기관에 연락, 지도하는 업무를 수행하는 부서를 말한다.

37 厚生省社會 · 援護局 編, 1997, p.70.

38 Ibid., pp.74~76.

39 Ibid., pp.86~87.

40 Ibid., p.733. 이 숫자는 방일조사(訪日調査)에 참가한 고아(1,981명, 1996년 3월 31일 현재)를 대상으로 한 것이다.

41 厚生省社會 · 援護局 編, 1997, p.15.

42 귀국 후의 중국 잔류일본인에 대한 지원을 둘러싼 문제와 '중국잔류방인지원법(中國殘留邦人支援法)' 개정에 이르는 경위에 대해서는 中國'殘留孤兒'國家賠償訴訟辯護團全國連絡會 編[2009] 참조.

43 厚生省社會 · 援護局 編, 1997, pp.396 · 449~450. 한편 필리핀, 인도네시아, 인도차이나 등 동남아시아에서 현지인과 혼인관계에 있는 일본인 남성이 배우자나 자녀를 현지에 남기고 단신으로 귀환한 사례도 많다. 그러나 현지에 남겨진 배우자와 그 자녀에 대한 일본의 사회적 관심은 낮아서 법적인 지원제도도 정비되지 않고 있다.

44 행정사무적으로는 후기 집단인양까지는 '인양자', 종료 후는 '귀국자'라 구분되고 있다.

그러나 귀국자에 대해서도 '인양증명서'가 발급되고 있으며, 법적으로는 인양자와 귀국자가 명확하게 구분되어 있는 것도 아니다.

45 厚生省社會・援護局 編, 1997, p. 49.

46 Ibid., p.90.

47 북한에 잔류한 일본인에 관해서는 북조선인민위원회가 조사를 하고 있었다. 미군이 한국전쟁 때 압수한 평안남도 중화군(中和郡) 내무서(內務署)가 1947년 8월에 작성한 문서에 의하면, 패전 후에 조선인과 결혼한 여성, 조선 국적으로 희망하는 공원(工員), 기관사로 잔류하고 있는 남성 등에 대해 기록하고 있다. 그러나 그들이 그 후에 어떻게 되었는지는 알 수 없다. 그러나 대부분의 이러한 기록은 한국전쟁 때 상실되었다고 보인다(「外國人調査票. 中和郡內務署」, RG242 Foreign Records Seized, Entry NM-44 299-C Korean-Language Publications and Records Captured in Pyongyan, Container161, NARA).

48 厚生省社會・援護局 編, 1997, p.50 및 日本赤十字社編, 1972, pp.262~268.

49 厚生省社會・援護局 編, 1997, pp.91~92.

50 厚生省社會・援護局 編, 1997, pp.198~201.

51 북한으로 귀국하는 사업은 남북한의 정치적 대립도 관련되어 있었기 때문에 "정치적 색채를 완전히 불식하는 것이 필요"하며, 이를 위해서는 일본적십자사가 모든 업무를 담당하도록 적십자 국제위원회도 조언을 하고 있었다(日本赤十字社 編, 1986, p.201). 이처럼 표면적으로는 정치성을 최대한 배제하려 했기 때문에 중국과 일본의 교섭에 비해서 일본과 북한의 교섭은 눈에 띄는 진척을 보기 어려운 가능성도 있었다. 또한 북한 내부에서는 김일성 독재체제가 확립되는 과정에서 격한 권력투쟁이 있었던 시기와도 겹쳐서 그 영향과 관련성도 검증하지 않으면 안 된다(김일성의 독재체제 확립과정에 대해서는 시모토마이(下斗米)[2006] 참조. 한편 귀국사업을 둘러싼 북일교섭에 관해서는 모리스-스즈키[2007]가 대표적인 연구인데, 앞에서 언급한 북한 내부의 권력투쟁이 교섭에 미친 영향, 그리고 잔류일본인 인양문제와의 관련성에 대한 시점은 빠져 있다. 또한 일본 정부가 귀환사업을 적극적으로 추진한 주체라고 하는 모리스-스즈키[2007]에 대해서 기쿠치(菊池)가 상세한 비판적 검증을 하고 있다.

52 대일본제국의 붕괴가 동아시아에 미친 정치적 영향에 대해서는 가토(加藤)[2009a]에서 종합적으로 기본 프레임을 제기했다.

53 특정 민족집단이 경제활동에 의한 자유의지가 아닌 정치권력에 의해서 강제적으로 현지 지역에서 다른 지역으로 이동하는 것은 해당 지역의 사회구조 자체의 변혁도 도모하게 된다. 따라서 '민족이동'이라고 하기보다는 '민족변동'으로 표기하는 것이 적절하다고 생각한다.

54 Ther, 2001.

55 Naimark, 2014.

56 Judt, 2008.

57 Shephard, 2015; Lowe, 2018.

58 제1차 세계대전에서는 전쟁에 따른 대규모 민족이동은 발칸반도를 제외한 유럽에서는 일어나지 않았으나, 오스만제국에서 아르메니아인에 대한 강제 추방이라는 형태로 발생했다. 다민족 제국인 오스만조에서 국민국가 튀르키예(터키)로 바뀌는 과정에서 일어난 아르메니아인 대량 학살에 대해서는 지금까지도 그 역사 인식을 둘러싼 정치적 대립이 이어지고 있다. 연구 서적으로는 Akcam[2012]을, 증언집으로서는 Svazlian[2011]을 참조 바란다. 오스만제국의 국민국가화에 대해서는 스즈키 타다시(鈴木董)[2018]을 참조 바람. 그리고 옛 오스만제국령 발칸반도에서는 제1차 발칸전쟁에서 제1차 세계대전 후에 걸쳐서 대규모 주민교환(튀르키예, 그리스, 불가리아, 루마니아)이 이루어졌는데, 아르메니아인 추방과 달리, 국가 간의 합의에 의해서 비교적 온건하게 실행되었다.

59 예를 들면 에스토니아에서는 제2차 세계대전 말 소련이 재차 침공했을 때 약 8만 명이 국외로 탈출했다(Laar, 2007, pp.70~71, 에스토니아인의 탈출에 관해서는 Gottschalk[2013] 참조). 또한 라트비아에서는 스웨덴이나 독일로 넘어간 피난민은 약 15만 명(그중 스웨덴으로 탈출한 사람은 5,000명. Nollendorfs, 2012, p.81), 소련 점령 후에 강제 이주를 당한 시민은 57,000명이다(Kumins, 2005, p.94, 라트비아인의 시베리아 강제 이주에 관해서는 Kalniete[2014], 참조). 리투아니아에서는 소련에 병합된 1940년부터 1941년 사이에 강제 이주자 18,000명, 다시 점령된 1944년부터 1953년 사이에 118,000명, 두 기간 사이에 사망한 자는 28,000명이다(The Museum of Genocide Victims : A Guide to the Exhibitions, p.79). 그리고 리투아니아는 제1차 세계대전 직후부터 폴란드 사이에 빌뉴스(**【역자 주】** Vilnius, 폴란드어로 빌노[Wilno]) 지방을 둘러싼 분쟁이 있었으며, 이 비방이 리투아니아가 되면서 폴란드계 주민에 대한 박해가 있었다. 그 후, 제2차 세계대전으로 리투아니아는 소련에 점령되어 빌뉴스 지방도 소련령(리투아니아공화국)이 되었으며, 폴란드와 '주민교환'이 실시되어 실질적으로는 소련령 리투아니아에서 17만~18만 명의 폴란드계 주민(주로 사회적 상류계층, 지식층)이 강제 추방되었다. 리투아니아와 소련-폴란드 간의 민족문제에 대해서는 하야사카(早坂)[2017] 참조 바람.

60 크리미아 · 타라르인은 독일에 대한 협력을 이유로 스탈린에 의해 중앙아시아로 강제 이주를 당했는데, 그 숫자는 40만 명에 이르며, 그 반은 아사 등으로 사망했다고도 전한다. 페레스토로이카 이후, 고향으로 귀향한 사람은 26만 명에 이르렀으나, 옛 거주지를 둘러싼 러시아인, 우크라이나인과의 알력이 발생했다. 크리미아의 중심도시 심페로폴(Simferopol)에는 크리미아 · 타라르인 강제 이주의 기념비가 있는데, 이는 크리미아 문제가 뿌리깊다는 것을 말해준다(2010년 2월 19일, 필자 조사). 크리미아 · 타라르인 추방에 관해서는 Naimark, 2014, 제3장, 스에자와(末澤)[2000] 참조.

61 에스토니아에서는 1944년부터 1956년, 라트비아에서도 1944년부터 1956년, 리투아니아에서는 1944년부터 1953년까지 소련에 대한 빨치산 저항이 이어졌다. 에스토니아에 관해서는 Larr[2007], 라트비아에 관해서는 Kiršteins[2011], 리투아니아에 관해서는 Mekaite 참조.

62 소련에서는 제2차 세계대전 이전부터 국내 소수민족에 대한 강제 이주가 자행되고 있었다. 예를 들면, 연해주에는 러시아제국 시대부터 조선인이 정주하고 있었는데, 만주사변 후에는 일본의 위협이 강해지자 그들을 둘러싼 정치환경에 커다란 변화가 발생하였다. 그리고 중일전쟁이 시작되고, 한반도에서 황민화정책이 추진된 비슷한 시기에 소련에서는 조선인을 중앙아시아로 강제 이주시켰다. 소련의 강제 이주 정책의 배경에 관해서는 부가이(Николай Федорович Бугай, 1944), 조선인에 대한 강제 이주에 관해서는 오카(岡)[1998] 참조.

63 1991년 8월에 독립해서 소련 붕괴(같은 해 12월)의 서막이 된 발트 3국에서는 소련 시대를 '점령기'로 규정하고, 각각 소련에 의한 탄압과 저항의 역사를 전하는 전문 박물관이 있다(리투아니아 제노사이드박물관, 라투아니아 점령박물관, 에스토니아 점령박물관. 2014년 2월 필자 조사). 이들 나라의 역사 인식과 러시아와의 긴장관계에 관해서는 하시모토(橋本)[2016] 참조.

64 폴란드에서는 소련군에 의한 해방 후에 우크라이나 사이에서 주민교환이 시작되었는데, 전쟁 후에 서부 우크라이나와 폴란드 국경 주변에서 우크라이나봉기군(UPA)가 소련에 대한 저항운동을 이어가고 있었기 때문에 48만 명이 넘는 우크라이나계 주민이 소련 영내로 강제 추방되었다. 그리고 폴란드군에 의한 소탕작전(비스툴라 작전 Operation Vistula)으로 14만 명 이상의 우크라이나계 주민이 독일에서 할양지로 강제적으로 분산 이주를 당했다. 이들 제2차 세계대전부터 전후에 걸친 폴란드-우크라이나 문제와 폴란드의 '단일민족국가'에 관해서는 요시오카(吉岡)[2001]이 뛰어난 연구서과라 할 수 있다. 이 외에 체코슬로바키아와 헝가리 사이에서 주민교환이 이루어졌다. 이에 관한 경위와 두 나라 사회에 미친 영향에 관해서는 야마모토 아키요(山本明代)[2017]을 참조 바람.

65 **【역자 주】** 만리장성 이남을 가리킨다. 열하작전(熱河作戰)에서 관동군은 장쉐량(張學良)군을 관내(關內)로 퇴각시켰는데, 러허성(熱河省)은 만주국 영내인데 만리장성의 건너편 허베이성(河北省)은 중화민국 영역이었다는 이유에서였다. 산하이관(山海關)은 만리장성의 관문 중 가장 유명한 가장 동쪽에 있는 관문이다.

66 만주 농업경제의 화베이(華北) 농민에 대한 높은 의존도와 지역적 결합이 얼마나 강한지에 대해서는 쓰카세(塚瀨)[1993] 및 아라타케(荒武)[2008] 참조.

67 일본에 의한 식민지 통치 시대에 '대만적민(臺灣籍民)'이라 불린 대만인이 중국 대륙과 동남아시아에서 활동한 상황에 대해서는 대만을 중심으로 많은 연구가 있다. 근래에 대표적인 업적으로는 변봉규(卞鳳奎)[2006] 참조.

68 만주국으로 건너간 대만인의 세계대전 후의 상황과 귀환에 관해서는 許雪姬訪問[2002] 및 許雪姬 · 黃子寧 · 林丁國訪問[2014] 참조. 이 중에서도 許雪姬訪問[2002]에 수록된 徐水德「光復日記(民國34년 8월 9일立)」(pp.253~280)이 패전 후에 대만인이 놓인 사회환경 및 국민정부와의 관계를 이해하는 데 귀중한 1차 자료라 할 수 있다.

69 2 · 28사건을 계기로 싹튼 대만인으로서의 아이덴티티 형성과 대만의 탈식민지화 문제에 대해서는 허이린(何義麟)[2003] 참조.

70 만주국 붕괴 후의 만주 거주 조선인의 귀환과 내전을 거쳐서 중국에 정착하는 과정에 관해서는 이해연(李海燕)[2009] 참조. 이 외에 당사자의 인터뷰와 회상록을 기초로 한 하나이(花井)[2013]이 있다.

71 양세훈(梁世勳)[2007] 참조.

72 Ibid.,「民國 36년 3월 國民政府主席東北行轅工作報告」.

73 국민정부에 의한 만주 거주 조선인의 송환에 관해서는 리하이얀(李海燕)[2009] 제3장 참조. 이 외에 다나카 타카시(田中隆)[2013]가 국민정부 자료에 기초해서 만주, 중국 본토, 대만의 광복군 병사를 포함해서 정리를 한 것이 있으며, 黃善翌[2019]에서는 국제관계 시점에서 검증하고 있다. 한편 황선익 논문에서는 일본인 송환에 관한 미국-중국 회담에서 만주를 포함한 중국 거주 한국인의 귀환계획도 결정되었다고 말하고 있는데, 이는 주로 중국 본토에 있는 조선인이 대상이며, 만주 거주 조선인 송환에 관해서는 어떤 계획적인 송환도 없었다. 다나카 논문에서도 국민정부는 송환을 기본방침으로 하고 있었다고 적고 있지만, 만주에 관해서는 국민정부의 계획과 실행 사이에는 상당한 괴리가 있었다.

74 Ibid.,「民國 36년 3월 國民政府主席東北行轅工作報告」.

75 리하이얀(李海燕), 2009, pp.31~36.

76 Ibid., pp.22~25. 한편 이 책에서는 조선인 집락(集落)을 습격한 무장집단을 '토비(土匪)'라고 하고 있는데, 국민당계도 포함해서 공산당에 적대한 세력을 모두 '토비'라고 보는 공산당 견해를 그대로 수용한 것으로서, 실제 상황은 그리 간단한 것이 아닐 거라 생각된다.

77 Ibid., pp.34~35.

78 「關於延邊民族問題(中共延邊地委)1948.8.15.」(국민대, 2006, 460~463쪽). 참고로 문서 작성 시의 연변지역(琿春, 和龍, 延吉, 安圖, 汪清 다섯 현)의 총 인구 767,512명 중 조선인은 591,071명으로서 전체 인구의 77%를 차지했다. 한편 중화인민공화국 건국 후의 조선인에 대한 국적 부여에 관해서는 리하이얀(李海燕)[2013] 참조. 이 외에 만주 거주 조선인이 공산당군에 공헌한 부분에 관해서는 리하이얀(李海燕)[2009] 참조. 그리고 북한에서 발행된 서적을 번역한 吉在俊 · 李尙典[2015]는 정치적 이데올로기색이 강하며, 출전에 대한 주석이 없는 등 학술서적으로서 문제가 많지만, 조선인 부대가 중국공산당에 어떠한 형태로 관여했는지를 이해하는 데 도움은 된다.

79 한인(漢人)이 거주하는 관내(關內)에 대해서는 황제로서 중국식 통치를 했는데 번부(藩部)라 불린 몽골, 위구르(新疆), 티베트(西藏)에 대해서는 예전에 몽골제국식 통치를 했다. 즉 대청(大清) 황제(아이신기오로, 愛新覺羅)는 한인에게는 '황제'였으나, 몽골인에게는 '大汗', 티베트인에게는 '大檀越', 위구르인에게는 '保護者'로, 각각 다른 얼굴을 지니고 있었다. 이처럼 몽골인과 한인은 같은 청나라이지만 다른 권위에 의해 구별되어 통치되고 있었다. 게다가 몽골인은 부족 단위로 대한(大汗)인 아이신기오로 씨에 복종하는 한편으로, 대한(大汗)의 비호를 받는 입장에 있었다. 한편 청나라의 통치구조와 황제 권위에 관한 우수한 연구로는 스기야마(杉山, 2015) 참조.

80 청조(清朝) 발상의 땅인 만주도 청나라 말인 1907년에 동3성(東3省; 奉天省, 吉林省, 黑龍江省)으로 재편되었는데 몽골인 지역은 청나라 때에 창설된 행정제도(盟旗制度)가 유지되었다. 그러나 중화민국 성립 후, 동3성의 실권을 쥔 장쭤린(張作霖)의 영향력이 침투해서 남몽골(내몽고) 동부는 동3성에 편입되었다. 게다가 1914년에 남몽골 북동부는 차하르(察哈爾) 특별구역, 남동부는 러허(熱河) 특별구역으로 분리되어, 남몽골 서부는 쑤이위안(綏遠=오르도스) 특별구역으로 재편되었으며, 1928년에는 각각 차하르성, 러허성, 쑤이위안성으로 개편되었다.

81 **[역자 주]** 산치(1866~1922)는 청나라 왕족, 정치가이다. 청나라 2대 황제(태종)의 장자 숙친왕 호격(豪格)의 10대손이며, 1900년 의화단(義和團) 사건 때 서태후(西太后)와 광서제(光緒帝)의 시안(西安) 도피에 수행하기도 했다.

82 바부자브가 전개한 남몽골에서의 독립운동, 일본이 관여한 실태, 일본의 몽골 인식이 얼마나 애매했는가에 대해서는 나카미(中見)[2013] 참조.

83 데라야마(寺山), 2017, pp.448~449. 1937년 9월 27일 동시베리아주 분할 때, 부리야트(Buryats)·몽골자치 소비에트사회주의공화국의 아가(Aga) 자치관구(自治管區)가 이루쿠츠크(Irkutsk)주에, 그리고 우스트 오르딘(Ust-Orda) 자치관구가 치타(Chita)주에 편입된 것에 대해서 범몽골주의를 봉쇄하기 위한 스탈린의 정치적 의도가 있었다고 하는 데라야마의 추측은 타당하다고 본다.

84 북몽골을 동경해서 건너간 남몽골인은 많았으나, 북공몰의 경계심은 강해서 그들에 대한 처우는 엄격했다(브렌바얄, 布仁巴雅爾, 2015). 또한 소련군과 함께 침공한 몽골군이 만주국이나 만강정권의 몽골인을 포로로 연행하는 일도 있었다(細川)[2007], p.91.

85 만주국 및 만강정권 붕괴 후의 남몽골에서 일어난 몽골민족주의의 고양과 좌절에 관해서는 보르지긴(Husel Borjigin, 呼斯勒, 2011)이 대표적인 연구로서 중요하다.

86 단 만주국에서 7만 명 정도에 이르는 백계 러시아인은 현지에 머물지 않고 소련에 구인된 자, 중국 본토를 거쳐서 미국이나 호주로 도망간 자 등 다른 민족과는 상황이 크게 다르다. 또한 남사할린에도 일본령이 되었을 때 잔류한 자나 러시아혁명으로 도망 온 자가 거주하고 있었으나, 그들도 소련이 점령한 후에는 수용소에 보내지는 등 정치적 박해를 받았다. 그리고 일본에서 '백계 러시아인'이라고 규정된 집단은 실질적으로는 러

시아인, 우크라이나인, 타타르인, 폴란드인 등의 다양한 민족집단이었으며, 상세하게 검토하면 각각의 민족이 갖는 역사적 경위나 전후에 걸어온 길도 다르다.

87 Brubaker, 1996, pp.148~178. 한편 이 책은 제1차 세계대전에서 제2차 세계대전에 걸쳐서 중앙유럽, 동유럽, 소련에서 일어난 민족변동에 관한 프레임을 제시한 뛰어난 연구 성과이며, 이 장에서 제시한 시점도 이 연구에 받은 영향이 크다.

88 대일본제국시대의 일본 본토에서는 조선인, 대만인이 거주하고 있었으나, 그들은 일본의 패전 이후 귀환한 자도 있고 일본에 머문 자도 있다. 또한 전후(戰後)에 제주도 4.3사건 등으로 남한에서 일본으로 건너온 사람도 있었다. 그리고 일본에 거주하는 조선인, 대만인은 동아시아의 분단국가의 영향을 강하게 받아서 현재에 이른다. 한편 대만인은 그들의 뿌리를 대륙(주로 푸젠성福建省)에 두는 한인(漢人, 객가를 포함) 외에, 말레이계의 원주민 및 대륙계의 원주민 사이의 혼혈인 평포족(平埔族)으로 크게 세 개로 분류할 수 있는데, 전후에 대륙계 한인(외성인)이 건너오자 이들을 본성인(本省人)이라 불렸다. 즉 대만에 관해서는 대륙(의 한인), 대만(으로 도망 온 한인)이라는 분단에 더해서 대만 도내(島內)에서도 외성인과 본성인으로 분단되고 있었다.

89 독일에서의 '추방'에 관한 연구는 초기에는 피추방민의 피해에 관심이 집중되었으나, 냉정 붕괴 후인 1990년대 이후가 되자 다른 민족이동을 포함한 상대화가 진행되었다. 또한 중요한 노동력으로서 서독의 전후 부흥을 지탱했다는 견해도 있는 한편으로 독일 사회에서 따돌림당한 현실에 대한 검증도 진행되고 있으며, 일본의 인양연구보다 활발하다. 일본의 추방민 연구에 관해서는 곤도(近藤)[2013, 2014, 2017]가 선구적 연구이며, 가와기타(川喜田)[2019]b가 독일에서의 최근 연구 성과를 반영하고 있다. 또한 전후 독일이 상실한 동방 영토 문제와 관련해서 피추방민의 정치단체화를 다룬 연구로서 사토 시게키(佐藤成基)[2008]가 중요한 성과이다.

90 원서의 출판은 2002년. 일본어 번역은 그라스[2003].

91 **【역자주】** 1952년 5월 26일 독일 본에서 미국, 영국, 프랑스 3국과 서독 사이에 조인된 점령의 종식과 서독의 주권 회복을 인정한 조약. 본협정이라고도 불리나, 정확하게는 '독일연방공화국과 3연합국 사이의 관계에 관한 조약'. 전문과 총 11개 조로 구성되며, 서독의 주권 회복, 연합국의 서독 주류권 및 베를린에 관한 3연합국 권리의 유보, 서독이 미수교국과의 교섭에 대해서 3연합국은 서독과 협의해야 하는 의무, 독일의 재통일과 전체 독일과의 강화 등이 주요 내용이다. 이 조약은 애초에 유럽방위공동체(EDC)조약(1952.5.27 조인)과 연계해서 성립한 것인데, EDC조약이 1954년 8월 30일 프랑스국민회의에서 비준이 거부되어 발효되지 못하고 끝나서, EDC조약을 대신하는 구상으로 서독을 브뤼셀조약과 북대서양조약에 가입시켜서 재건한 서독국방군을 참여시키는 방안인데, 1954년 10월 3일 런던협정에서 확인 후, 10월 20~23일에 체결된 파리협약을 거쳐서 승인되었다.

92 "Bundesministerium für Vertriebene"(1954~1961). 이 보고서는 1984년과 2004년에

시판용으로 복각되었다. **[역자주]** 1949년에 '연방 실향민, 난민 및 전쟁희생자를 위한 부서(BMVt)'가 설립되어 활동 후 1969년에 해산되었음. 독일연방공화국이 수립될 때까지 서부 지역의 난민을 돌보는 일은 주 정부 책임이었다. 세 연방정부에 설치된 이 부서는 추방자와 난만의 통합을 조정하고, 전쟁희생자 업무를 처리하고 이들에 대한 보상 및 창원 지원 등을 처리하여 사회적, 정치적 임무를 담당했다.

93 인양원호원(引揚援護院)이 개설된 당초부터 인양에 관한 기록편찬으로 ①『引揚援護の記錄』 외에 ②「引揚援護史」(인양의 종합기록) 및 ③그 영문판, ④각 지방의 引揚援護局史, ⑤해외지역별 인양사(引揚史, 만주, 조선, 대만, 사할린 · 치시마, 남양군도, 중국, 남방, 소련), ⑥전문영역별 인양사(引揚檢疫所史, 陸軍復員史, 海軍復員史)가 계획되었다. 그러나 이들 중 현재 확인이 되는 것은 ①과 ④하고 ⑥의 引揚檢疫所史뿐이다. 한편 ⑤중에서 1950년 시점의 滿洲引揚史하고 朝鮮引揚史는 완성했고, 臺灣引揚史는 편찬 진행 중이라고 되어 있으나, 필자의 조사로는 그 어느 것도 후생노동성(厚生勞働省)에 존재한다는 것은 확인하지 못했다([厚生省] 引揚援護廳長官官房總務課記錄係 編, 1950, pp.3~4).

94 『平和の礎 - 海外引揚者が語り継ぐ労苦』, 平和祈念事業特別基金 編, 1991~2010. 한편 인양자의 '노고'를 전하는 데에 주안점을 둔 『平和の礎』(현재는 평화기념전시자료관 웹사이트에서 공개)는 인양자에 대한 '위자(慰藉)'라는 '내부인'용이라는 성격이 강하며, 해외인양의 역사를 국민이 공유한다는 적극성은 희박하다.

95 전후 일본문학을 대표하는 작가 중에는 기요오카 다카유키(清岡卓行, 다롄), 미야오 토미코(宮尾登美子, 만주), 나카니시 레이(なかにし礼, 만주), 이쓰키 히로유키(五木寛之, 북한), 오야부 하루히코(大藪晴彦, 북한) 등 많은 인양자가 있다. 이들의 내면에는 인양 체험에서 커다란 영향을 받아서 그것이 작품에서 살려진 경우도 있고 인양 체험 자체를 작품화한 것도 있다. 그중에서도 후지와라 테이(藤原てい)[1976]는 인양 체험을 다룬 작품이며 베스트셀러가 되고 영화로도 만들어졌다. 한편 후지와라하고는 전혀 다른 수법으로 인양 체험을 형상화한 아베(安部)[1970]는 단순한 살아남은 자의 인양 체험이 아니라, '조국'이나 '국가'에 대한 회의를 기조로 하는 보다 문학적인 내용이며, 다른 인양 체험을 기조로 한 작품과는 색채가 다르다. 그러나 이들은 어디까지나 자신의 아이덴티티나 식민지 출신자로서 조국은 무엇인가를 물은 내향적인 것이 기조가 되어 있으며, 여기에 전후 일본 사회를 향한 냉철한 시선을 찾을 수는 없다. 한편 옛 식민지 출신 작가의 그 작품에 대해서는 오자키(尾崎)[1971] 및 가와무라(川村)[1990]가 고전적인 연구이며, 근래의 것으로는 인양자의 문학작품에서 전후 일본 사회에서의 인양문제를 조사(照射)한 박유하(朴裕河)[2016]와 같은 연구도 있다.

96 **[역자주]** 가미쓰보 다카시(1935.9.3~1997.7.1)는 홋카이도 아사히카와(旭川) 출생이며 만주에서 자랐다. 교토대학 교육학부를 졸업했다. 본인 또한 만주에서 가고시마로 인양을 했으며, 1958년에 후쿠오카매일방송(福岡每日放送, RKB)에 입사, 1972년에 TV

제작부에 소속, 디렉터(PD)로 활동했다. 민방제(民放祭) 사회교양부문 우수상(1978), 일본민간방송연맹상 우수상(1980) 수상했다. 저서로는 『인양항 하카타항(引揚港 博多港)』 등이 있다.

97 가미쓰보 다카시(上坪隆)[1993], 후기.

98 소련 침공에 따른 성폭력 문제에 관해서 독일에서는 일찍이 『中東欧からのドイツ人追放の記録』에서 다루고 있는데, 사회적으로는 오랫동안 금기가 되어 있었다. 변화가 일어난 것은 소련이 붕괴한 이후이며, 관계자에 대한 인터뷰 조사를 기초로 한 선구적인 성과가 Helke Sander & Barbara Johr 編[1996]이다. 또한 그 동안 비공개였던 소련측 문서가 공개됨으로써 영어권에서 소련군의 성폭력을 다룬 연구가 활발해졌다. 대표적인 것으로 Naimark[1995]을 비롯해서 근래의 것으로는 독일-소련 전쟁을 다룬 뛰어난 성과인 Antony James Beevor[2004]에서도 소련군 병사의 성폭력의 실태를 관계자에 대한 인터뷰 조사에 더해서 옛 소련군 1차 자료까지 구사한 실증적인 검증을 하게 되었다. 한편 일본에서는 가미쓰보의 다큐멘터리 외에, 다큐멘터리로 다룬 후쿠오카현(福岡縣) 후쓰카이치(二日市) 보양소(保養所)에 대해서 이곳 현지 민간인이 「引揚げ港・博多を考える集い」를 운영하는 것이 유일하며, 자료나 관계자 증언을 수집하는 활동에 머물러 있다(「引揚げ港・博多を考える集い」編輯委員會 編[1998]에 관련 기록이 게재되어 있음). 근래에 들어서는 서장에서 다룬 것처럼 인양 여성을 대상으로 한 연구도 나오기 시작했으며, TV 다큐멘터리에서도 적극적으로 다루게 되었다(예를 들면 「NNNドキュメント奥底の悲しみ～戦後70年、引揚げ者の記憶」 2015년 5월 30일 방송, 山口放送, 「NNNドキュメント極秘裏に中絶すべし～不法妊娠させられて」2015년 8월 10일 방송, 福岡放送, 「NHK・ETV特集告白～満蒙開拓団の女たち」2017년 8월 5일 방송, NHK, 「テレメンタリー史実を刻む～語り継ぐ"戦争と性暴力"」 2019년 8월 25일 방송, 11월 21일 확대판 방송, テレビ朝日). 그러나 학술적 연구가 본격화하기 전에 그라스가 위구심을 보였던 그런 사태가 인터넷 상에서 확산되고 있다.

99 독일과 영국・미국・프랑스 사이의 배상 문제는 「독일연방공화국과 세 연합국 사이의 관계에 관한 조약(ドイツ連邦共和国と三連合国とのあいだの関係に関する条約, 1952년, 기타 다른 조약과 함께 본협정이라 불린다)」과 파리협정(1954년)에 의해서 평화협정 체결까지 보류되었는데, 압수된 독일의 재외재산에 관해서는 서독 정부가 옛 소유자에 보상할 것이 의무화되었다. 그리고 「독일 대외채무에 관한 런던협정(ドイツ対外債務に関するロンドン協定), 1953년)」에서 교전국, 피점령국의 배상 청구 및 동 국민의 보상 청구는 배상 문제가 최종적으로 해결될 때까지 연기하는 것으로 되었다. 그러나 서독이 경제부흥을 이룩함에 따라서 각국에서 보상청구가 제기되어, 1956년에 나치스의 박해 피해자에 대한 개인 보상을 가능케 한 「연방보상법(連邦補償法)」이 성립해서 1961년 이후는 중앙유럽 및 동유럽 각국(유고, 체코, 헝가리, 폴란드)에도 확대되었다. 한편 독일의 전쟁배상, 개인 보상의 경위에 관해서는 Rainer Hofmann[2006] 참조.

100 『일본인의 해외 활동에 관한 역사적 조사(日本人の海外活動に関する歴史的調査)』의 편집 의도와 편집 관계자의 역사 인식에 대해서는 미야모토(宮本)[2006]가 상세히 밝히고 있다.

101 인양자를 통해서 독일과 일본을 비교하는 작업의 중요성은 사토 시게키(佐藤成基)[2008]의 보충논고 및 사토 시게키(佐藤成基)[2018]를 통해서 제기하고 있다. 사토가 제기한 내용은 시사하는 바가 아주 많으나, 추방민과의 비교 대상을 북방영토 옛 도민(島民)으로 하는 점, 직업이 다양한 인양자를 '이주자'로 한정하는 점, 추방민과 비교해서 인양자의 '이야기(주장)'가 적다고 주장하는 등, 인양자에 대한 기본적인 이해가 충분하지 않다. 또한 가와기타(川喜田)[2019a]도 독일과 일본 비교를 통해서 유럽사와 아시아사의 연관을 시도하고 있지만, 영국·미국의 시점에만 의존하고 있어서 소련이 갖는 요인에 대한 분석이 빠져 있기 때문에 연구의 의도가 성공했다고는 할 수 없다.

102 독일은 제1차 세계대전 패배로 식민지를 상실했지만, 서북아프리카(나미비아) 등 일부 식민지에서는 옛 지배층인 독일인이 본국으로 돌아가지 않고 현지에 정착했다. 그러나 이러한 경우는 이 책에서는 논하는 탈식민지화와는 전제조건이 달라서 대상으로 삼지 않는다.

103 무솔리니가 실각한 후에 수상이 되어 연합국에 항복한 피에트로 바돌리오(Pietro Badoglio)은 이전에 리비아 총독이었으며, 에티오피아를 침략했을 때는 독가스를 사용해서 민간인을 대량 학살한 사건에 관여했었다. 그래서 전쟁이 종식된 다음에 에티오피아가 전점으로 인도할 것을 요구했지만 영국·프랑스가 소극적인 태도를 보였기에 이탈리아는 거부했다. 이탈리아에 식민지에 대한 보상과 전쟁책임을 묻지 않는 국제적 배경에 관해서는 이토 칸나(伊藤カンナ)[2015]를 참조.

104 연합국 점령하의 식민지 잔류 이탈리아인에 관한 제대로 된 연구는 적으나, 에리트레아(Eritrea)에서 일어난 파시즘운동의 조직화에 관해서는 Lucchetti[2012] 참조. 한편 점령기의 에리트레아 거주 이탈리아인이 놓인 상황에 관해서는 Lucchetti[2014] 참조.

105 이탈리아가 옛 이탈리아령 소말릴란드(Somaliland) 회복에 관해서는 Morone[2011] 참조.

106 원성명은 Comitato per la documentazione dell'opera dell'Italia in Africa, L'Italia in Africa / Minstero degli affariesteri, *Comitato per la documentazione delle attivita italiane in Africa*, Istituto poligrafico dello Stato, 1955~.

107 이탈리아의 식민지주의를 둘러싼 인식과 문제점에 관해서는 오다와라(小田原)[2011] 참조.

108 근래의 역사 수정주의 논쟁과 전쟁책임론 동향에 관한 이탈리아 상황에 대해서는 오다와라(小田原)[2009] 참조. 식민지지배의 실태 해명을 저해하고 있는 국내 정치요인과 1990년대 이후에 강해진 반발, 나아가서 유고슬라비아에서의 가해 책임의 상대화 및 '추억의 날' 제정에 관해서는 다카하시 스스무(高橋進)[2010] 참조. 한편 슬로베니아가 유고슬라비아에서 독립한 뒤에 이탈리아와 슬로베니아 사이에서 역사 문제 화해를 위해서 1993년에 역사문화위원회가 설치되어, 2000년에 최종보고서가 제출되었다. 그 안에

제2차 세계대전 후의 추방민을 비롯해서 트리에스테를 둘러싼 문제를 밝히고 있는데, 보고서 작성까지 여러 차례 위원의 교체와 최종보고서 공개를 둘러싼 이탈리아 외무성의 이해하기 힘든 대응을 통해서 아직까지 이탈리아 국내에서 이 문제를 다루는 것이 얼마나 어려운 일인가를 알 수 있다(Relazione della Commissione italo-slovena "I RAPPORTI ITALO-SLOVENI FRA IL 1880 EIL 1956" 2000. 최종보고서는 현재 이탈리아·슬로베니아 두 나라에서 인터넷으로 공개되고 있다. URL은 자료문헌일람 참조).

109 앞의 보고서에 의하면, 달마치아(Dalmazia)·트리에스테의 이탈리아인 20~30만 명, 슬로베니아인 수천 명이 난민이 되었으며, 당시 현지에 있던 이탈리아인의 8%(고령자, 공산주의자 등)가 잔류했다고 한다.

110 영국의 탈식민지화에 관해서는 Hyam[2007]이 대표적이나, 식민지 독립을 둘러싼 정치사가 중심이며, '인양자'라는 시점은 없다. 또한 기타가와(北川)[2009]가 근래의 연구 동향을 정리하고 있다. 그리고 기바타(木畑)[1998]도 영국의 탈식민지화의 문제점을 일본과 비교하면서 논하고 있는데, 기본적으로 식민지인에 대한 영국 본국인의 차별의식을 문제로 삼고 있으며, '인양자'를 사정권에 넣은 것은 아니다. 마찬가지로 기바타[1987]도 영국의 식민지 해체 과정과 제국 의식을 분석한 뛰어난 성과이나, 식민지인이 본국으로 이민하는 문제를 다루고 있을 뿐이다. 한편 영국의 경우, 자치령(캐나다, 호주, 뉴질랜드, 남아프리카)을 제외하면 이탈리아와 같은 식민지에 대한 대규모 입식(入植)은 하지 않고 있으며, 그래서 식민지 독립에 따라서 본국으로 귀환하는 영국인이 대량으로 발생하는 사태는 일어나지 않았다. 한편 영국의 식민지 통치는 정치경제 면에서는 인도인이 담당한 부분이 크며, 영국의 탈식민지화에서는 인도인의 존재를 무시할 수는 없다. 그리고 영국 식민지에서의 인도의 역할이 얼마나 컸는지에 대해서는 와키무라(脇村)[2009]가 많은 시사점을 제공해준다.

111 알제리전쟁의 경위, 알제리 인양자에 대한 프랑스의 원호 정책에 관해서는 마쓰누마(松沼)[2013]가 문제의 추출도 포함해서 뛰어난 성과이다. 또한 아르키(Harki)에 관해서는 마쓰우라(松浦)[2013] 참조.

112 알제리전쟁에 대한 평가와 인양자법을 둘러싼 논의에 관해서는 다카야마(高山)[2006] 그리고 마쓰누마(松沼)[2011]를 참조. 또한 프랑스의 탈식민지화와 식민지지배의 역사 인식에 관해서는 Louis Bancel[2011], 히라노(平野)[2014]가 중요한 성과이다. 이 외에 프랑스와 아시아·아프리카 식민지에서 일어난 탈식민화 과정을 스페인, 포르투갈, 일본을 비교해서 검증한 프랑스의 성과로는 Freminacci[2012]가 있다. 한편 이 책에 수록된 Arnaud Nanta, La Décolonisation japonaise(1945~1949)는 프랑스 연구자 시점에서 일본의 해외인양을 정리한 유일한 성과이다.

113 그라스(Gunter Wilhelm Grass[2003]).

114 이 장에서는 소련을 중심으로 한 유라시아대륙 규모의 민족변동에 대해서 주로 논을 진행해왔으나, 1948년 이스라엘 건국에 따른 팔레스티나 문제도 이러한 세계 규모의

움직임에 연동한 것이라 볼 수 있다. 이러한 시점에 관해서는 모리 마리코(森まり子) [2020]가 중요한 시사점을 제시하고 있다.

115 일본에서의 식민지연구의 현재까지의 진전과 논점에 대해서는 日本植民地研究會 編 [2008, 2018] 참조.

116 일본사 연구에서는 1990년대에 국민국가론이 주목을 받았으나, 개개의 연구자에 의한 국민국가론이 제기되어도 일시적인 '유행'으로 멈추고 말고, 오늘날에서는 거의 주목을 받지 못한다. 그러나 '국가'나 '국민'을 둘러싼 동요가 점점 심각해지고 있는 오늘날, 국민국가를 새로이 검증하는 필요가 있다고 본다. 그런 점에서 니시카와 나가오(西川長夫)가 동아시아도 사정권에 넣어서 제기한 국민국가론(예를 들면 시시키와[2012])은 국민국가를 뛰어넘는 것에 대한 가능성에 관해서 필자는 회의적이나 다시 한번 논의의 출발점으로 삼아야 할 지표라고 생각한다. 한편 가토(加藤)[2017c]에서 일본의 근대사를 국민국가 형성의 시점부터 다시 검토해봤는데, 이는 이 장에서 지적한 문제의 출발점에 불과하다.

자료문헌일람

一次資料

日本

国立公文書館

「公文類聚 第六十九編 昭和二十年 第五十三巻」(類 02937100).

「公文類聚 第六十九編 昭和二十年 第六十五巻」(類 02949100).

「公文類聚 第六十九編 昭和二十年 第六十六巻」(類 02950100).

「公文雑纂 昭和二十年 第七巻 内閣・次官会議関係(一)」(纂 03079100).

「昭和二十年八月 東久邇宮内閣次官会議記録」(閣議・事務次官等会議資料/平16 内閣 00002100).

「自昭和二十一年二月二十一日 幣原内閣次官会議書類(其ノ二)」(閣議・事務次官等会議資料 / 平14 内閣 00003100).

「終戦処理に関する件」(内閣総理大臣官房総務課資料 / 資 00056100).

「在外財産問題審議会配付資料」(平12 大蔵 02804100).

「第三次在外財産問題審議会(一般)」平12 大蔵 02802100).

外務省外交史料館

「ポツダム宣言受諾関係一件 善後措置及び各地状況関係第二巻(一般及雑件)(A'.1.0.0.1-2).

「ポツダム宣言受諾関係一件 善後措置及各地状況関係第五巻(南方,満州,欧米(中国を除く))」(A'.1.0.0.1-2).

「ポツダム宣言受諾関係一件 在外公館(領警を含む)の閉鎖接収及財産文書の処理引渡並在本邦中立国代表との接触停止関係 第二巻」(A'.1.0.0.1-4).

「第二次欧州大戦関係一件 在留邦人保護, 避難及引揚関係 第一巻」(A.7.0.0.8-6).

「太平洋戦争終結による在外邦人保護引揚関係雑件 第一巻」(K'.7.1.0.1).

「太平洋戦争終結による在外邦人保護引揚関係 国内受入体制の整備関係 各地受入機関 第一巻」(K'.7.1.0.1-1-1).

「引揚者及び未帰還者の保護救済関係」(K'.7.1.0.4).

防衛省防衛研究所戦史研究センター

「現地復員及在鮮内地人処理等に関する研究」(中央一終戦処理-556).

「台湾軍・関東総軍電報(含渉外報)綴」(中央一終戦処理-581).

「満洲に於ける国共の動向に関する一私見 資料課」(満洲-全般-293).
「満洲重工業系特需組合専務吉田義夫掃来談 最近満洲の状況 昭和二〇, 一二, 五 渉外課」(満洲-終戦時の日ソ戦-45).
「吉田悳 新京最後の日」(文庫-柚-94).
「朝鮮の状況報告 朝鮮軍報導部長 長屋尚作 昭和二〇, 一一」(文庫一抽-175).
「終戦支那関係綴 第一号」(文庫-柚-418).
「吉田農夫雄(元関東軍参謀) 満州国内在留邦人の引揚について」(文庫-柚-497).

国立国会図書館憲政資料室
「憲政資料室収集文書/大本営陸軍部軍事課員(水原治雄氏)旧藏資料」(No. 1320-3).
「大野緑一郎関係文書」(No. 2343 / 2358).
「鮎川義介関係文書」(No. 331.9).
「片倉衷関係文書」(No. 532 / 610).
「中澤佑関係文書」(No. 95).

北海道博物館
「拓銀資料」(1611 / 136840).

函館市立中央図書館
「函館引揚援護局資料」(003581 / 513).

滋賀大学経済経営研究所
「満洲引揚資料」(11-16).

広島市立公文書館
「温品村役場文書」(温品村).
「瀬野村役場文書」(瀬野村).

福岡市総合図書
「波多江幸輔氏資料」(322-6).

石垣市立図書館

「牧野清コレクション」(No. 441).

靖國偕行文庫

「安藤利吉要伝」(390.281 ア).

公益財団法人東洋食品研究所

「高碕達之助文書」(無番).

浦頭引揚記念資料館

「引揚婦女子医療救護実施要領」(無番).

拓殖大学図書館

「国際善隣文庫」.

日本社会事業大学附属図書館

「木村文庫」.

日本貿易振興機構アジア経済研究所図書館

「民国三十七年六月 東北日僑善後連絡所撫順分所記錄」.

台湾協会

「終戦前後の台南州下の援護事業 羽鳥久男」.

東京大学大学院法学政治学研究科附属近代日本法政史料センター(明治新聞雑誌文庫)

『民主日本』.

『前進報日文版』.

『東北導報長春版』.

個人所蔵

「平島敏夫日記」.

「山崎元幹日記」.

旧陸海軍関係文書マイクロフィルム
「京城以南地区ニ関スル停戦協定ニ於ケル提案要綱(案)昭和二〇, 八, 二四 主任者」(R134).

台湾

国家発展委員会檔案管理局
国防部史政編訳局移管文書(B5018230601-0035-545-4010).

國史館
蔣中正総統文物(数位典蔵号 002-090105-00012-209).

國史館台湾文献館
台湾拓殖株式会社文書(00202063).
台湾省行政長官公署文書(4944).

中国

上海市檔案館
上海日僑管理工作概況(43-1-23).

アメリカ

The U.S. National Archives and Records Administration(NARA / 米国立公文書館)
Records of U.S. Army Forces in the China-Burma-India Theaters of Operations / China, Burma, India Theaters Histories / China Theater Histories / Historical Records / Repatriation notes on Japanese Nationals / Thru / Statistical (RG. 493 / Entry. 590 / Box.29).
Korean-Language Publications and Records Captured in Pyongyan(RG. 242 / Entry. NM-44299-C / Box. 161).
Record General Headquarters, Far East Command, Supreme Commander, Allied Powers and United Nations Command / United States Army Forces in Korea(USAFIK) G-2 Periodic Reports 1946, 1948(RG. 554 / Entry. A1_1372 / Box.5).

Truman Library
Papers of Harry S. Truman PSF : Subject File, 1940-1953 / Foreign Affairs File / Cabinet Committee, London Conference to China : 1947 (Box. 151).

Papers of Harry S. Truman PSF : Subject File, 1940-1953 / Foreign Affairs File / Russia : Moscow to Telegrams : Belgrade [Yougoslavia] : Patterson (Box. 165).

The MacArthur Memorial Library & Archives
Records of General Headquarters, Supreme Commander for the Allied Powers (SCAP); 1945-1951(RG. 5 / Box.77).

Rare Book & Manuscript Library, Columbia University
Hsiung Shih-hui Collection(熊式輝文書)(Box.3 · 12 · 13).

Hoover Institution Library & Archives, Stanford University
Chiang Kai-shek Diaries(蔣介石日記 : 1945年9 · 10月 : Box 44 / Folder 10 · 11).

イギリス

The National Archives(TNA / 英国立公文書館)
Chinese Communist activities in Manchuria(WO208 / 4403).
Soviet activities and policy in Manchuria: situation in Manchuria: Soviet negotiations with China on Manchuria : the Manchurian issue (FO371 / 53684).

スウェーデン

Riksarkivet(スウェーデン国立公文書館).
Kungl. Utrikesdepartementet(外務省)(Avd : P / Grupp : 19 / Mål : S: I / General).

ロシア

Центральном Архиве Министерства обороны Российской Федерации (ЦАМО РФ / ロシア連邦国防省中央公文書館)
1-й Дальневосточный фронт(第一極東方面軍)(Ф.234 / Оп.3213 / Д.397)

Центральном Архиве Министерства обороны Российской Федерации (ЦАМО РФ / ロシア連邦国防省中央公文書館)
1-й Дальневосточный фронт(第一極東方面軍)(Ф.234 / Оп.3213 / Д.397).
Главнокомандующий Советскими войсками на Дальнем Востоке(極東ソ連軍総司令官)(Ф.661 /

Оп.178499сс / Д.9)
Архивным документам трофейного фонда Квантунской армии (鹵獲関東軍文書)(Ф.500 / Оп.2 / Д.18)
Постановления Военного Совета 25 Армии (第25軍軍事評議会決議)(Ф.379 / Оп.53 2092 / Д.2)

Архив Внешней Политики Российской Федерации (АВП РФ / ロシア連邦外交政策公文書館)
Вопросы репатриации японских военнопленных и гражданского населения из СССР (ソ連からの日本軍捕虜と民間人の本国送還)(Ф.0146 / Оп.030 / пап.281 / Д.19)

Российский Государственный Архив Социально-Политической Истории (РГАСПИ / ロシア国立社会政治史文書館)
Молотов В.М. (モロトフ文書) (Ф.82 / Оп.2 / Д.1239 · 1264)

Государственный Исторический Архив Сахалинской области (ГИАСО / サハリン州国立歴史文書館) 樺太庁文書(3и-1-27 · 29)

口述記録

元満洲国事務官 · 協和会職員 : 飯田忠雄氏 口述記録(2004.4.16).
元『婦人之友』友の会会員 : 福士房氏 口述記録(2004.11.19).
元CIC通訳 : 上野陽子氏 口述記録(2007.11.6).
元舞鶴引揚援護局職員 : 森田正男氏 口述記録(2007.11.7).
元満洲国通信社社員 : 山田一郎氏 口述記録(2008.1.22).

新聞

『友の新聞』再刊 第1号 · 第2号.
「その軌跡 万山十川開拓団」, 『高知新聞』, 1983.6.24~29.

刊行資料

日文

浅島希一,『ソ聯參戰より引揚完了まで四百日の記録(日記)』, 私家版, 1992.
芦田均, 進藤光一・下河辺元春 編,『芦田均日記』第1卷, 岩波書店, 1986.
池田敏雄,「敗戦日記Ⅰ」,『台湾近現代史研究』第4号, 1982.10.
稲葉正夫 編,『岡村寧次大将資料上(戦場回想篇)』, 原書房, 1970.
大佛次郎,『終戦日記』, 文春文庫, 2007.
加藤聖文 編,『海外引揚関係史料集成 国内篇』全16巻, ゆまに書房, 2001.
________ 編,『海外引揚関係史料集成 国外篇・補遺篇』全21巻, ゆまに書房, 2002.
金子定一, 金子定一全集刊行会 編・発行,『金子定一集 第一 東北太平記梗概と原註私註 在鮮終戰日記抄』, 1958.
河原功 監修・編集,『台湾引揚・留用記録』全10巻, ゆまに書房, 1997~98.
______解題,『台湾引揚者関係資料集』全9巻, 不二出版, 2011~12.
木戸幸一, 木戸日記研究会 校訂,『木戸幸一日記』下巻, 東京大学出版会, 1966.
国際善隣協会 監修,「満洲と日本人」, 編集委員会 編,『満洲現代史資料1 第一回・第二回・第三回建国座談会』, 大湊書房, 1981.
塩見俊二,『秘録・終戦直後の台湾－私の終戦日記』, 高知新聞社, 1979.
袖井林二郎 編訳,『吉田茂＝マッカーサー往復書簡集 1945-1951』, 法政大学出版局, 2000.
高松宮宣仁親王,『高松宮日記』第8巻, 中央公論社, 1997.
田中正四,『痩骨先生紙屑帖』, 金剛社, 1961.
田辺末隆 編,『満州国第十二次集団 万山十川開拓団史資料集』, 十和村教育委員会, 1981.
富田武・長勢了治 編,『シベリア抑留関係資料集成』, みすず書房, 2017.
長尾榮一, 長尾周幸 校訂,『実録 平壤難民飢餓日記』, 私家版, 2002.
浜井和史 編,『復員関係史料集成』第3・4巻, ゆまに書房, 2009.
防衛庁防衛研修所戦史室 編,『戦史叢書 昭和二十年の支那派遣軍2 終戦まで』, 朝雲新聞社, 1973.
____________________編,『戰史叢書 関東軍2 関特演・終戰時の対ソ戰』, 朝雲新聞社, 1974.
三井鉱山株式会社 編,『資料 三池争議』, 日本経営者団体連盟弘報部, 1963.
森田芳夫・長田かな子 編,『朝鮮終戰の記錄 資料篇』全3巻, 嚴南堂書店, 1979~80.
山名酒喜男, 中央日韓協会・友邦協会 編,『朝鮮資料第三号 旧朝鮮総督府官房総務課長山 名酒喜男手記 朝鮮総督府終政の記錄(終戰前後に於ける朝鮮事情概要)』, 友邦協会, 1956.
山中德雄 編・解説,『十五年戰争重要文献シリーズ第2集『集報』—南京日本人收容所新聞』, 不二出版, 1990.

中文

伊原澤周 編注,『戰後東北接收交涉紀実一以張嘉璈日記為中心』, 中国人民大学出版社, 2012.

王世杰,『王世杰日記(上册)』, 中央研究院近代史研究所, 2012.

外交部 編·發 行,『外交部檔案叢書一界務類 第二冊 中蘇関係卷』, 2001.

何鳳嬌 編,『政府接收臺灣史料彙編』上·下卷, 国史館, 1990.

______編,『台湾土地資料彙編 第一輯 光復初期土地之接收与处理(一)』, 国史館, 1993年.

何智霖 編,『陳誠先生回憶錄－抗日戰争(下)』, 国史館, 2005.

魏永竹 主編,『抗戰与台湾光復史料輯要』, 台湾省文献委員会, 1995.

許雪姬訪問,『日治時期在「満洲」的台湾人』, 中央研究院近代史研究所, 2002.

許雪姬·黄子寧·林丁國訪問,『日治時期台湾人在満洲的生活經驗』, 中央研究院近代史研究所, 2014.

秦孝儀 編,『総統蔣公大事長編初稿』第5·6卷, 1978.

______主編,『中華民國重要史料初編－対日抗戰時期 第七編 戰後中国(一)』, 中国国民党中央委員会党史委員会, 1981a.

薛月順編 主編,『中華民國重要史料初編－対日抗戰時期 第七編 戰後中国(四)』, 中国国民党中央委員会党史委員会, 1981b.

______主編,『光復台湾之籌画与受降接收』, 中国国民党中央委員会党史委員会, 1990.

薛銜天 編,『中蘇国家関係史資料匯編 1945-1949』, 社会科学文献出版社, 1996.

薛月順 編,『資源委员会檔案史料彙編 光復初期台湾经济建設(上)』, 国史館, 1993.

______編,『台湾省政府檔案史料彙編 台湾省行政長官公署時期(一)』, 国史館, 1999.

沈志華 編,『朝鮮戰争－俄国檔案館的解密文件(上冊)』, 中央研究院近代史研究所, 2003.

韓文

국민대 한국학연구소(国民大学校韓国学研究所),『중국지역 한인 귀환과 정책(中國地域からの韓國人歸還と政策)』6(귀환자료총서(歸還資料叢書) 6), 역사공간, 2006.

英文

Bland Larry I. and Sharon Ritenour Stevens, *The Papers of George Catlett Marshall: Vol. 5 "The Finest Soldier" January 1, 1945-January 7, 1947*, The Johns Hopkins University Press, 2003.

Ferrell Robert H., *Off the Record: The Private Papers of Harry S. Truman*, University of Missouri Press, 1997.

Foreign Relations of the United States Diplomatic Papers 1945. Vol. VII the Far East Chi nia, United States Government Printing Office, 1969.

Foreign Relations of the United States Diplomatic Papers 1946. Vol. VIII the Far East, United States Government Printing Office, 1971.

Gillin Donald G. & Ramon H. Myers, *Last Chance in Manchuria : THE DIARY OF CHANG KIA-NGAU*, Hoover Institution Press, 1989.

Kiršteins Aleksandrs (Editor), *The Unknown War: The Latvian National Partisans' Fight Against the Soviet Occupiers 1944-1956*, Domas speks, 2011.

Millis Walter and E. S. Duffield, *The Forrestal Diaries*, The Viking Press, 1951.

Verjiné Svazlian, *The Armenian Genocide : Testimonies of the Eyewitness Survivors*, Edit Print. 2011.

露文

Гаврилов А. А., Е. Л. Катасонова, Японские военнопленные в СССР 1945-1956, М. : Международный фонд "Демократия", 2013.

가브릴로프 A. A., E. L. 가타소노바,「소련 지역의 일본인 포로 1945-1956」, 모스크바, 데모크라티야 국제재단, 2013

Ефремов, А.Д., С.В. Гребенюк, Н.Г. Андроников, В.В. Мухин. Русский архив. Великая Отечественная Т.18 (7-2). Советско-японская война 1945 года, М.: Терра, 1997.

(예프레모프A.D., S.V.그레베뉴크, N.G.안드로니코프, V.V.무힌「러시아 문서기록 - 동부 전선 제18권(7-2), 1945년 일소전쟁」 모스크바, 테라, 1997)

年史

日文

一色正雄 編,『舞鶴地方引揚援護局史』, 厚生省引揚援護局, 1961.

茨城県民生部世話課 編,「茨城県終戦処理史」, 茨城県, 1972.

岩手県 編・発行,「援護の記録(岩手県戦後処理史)」, 1972.

浦賀地域文化振興懇話会 編,『浦賀港引揚船関連写真資料集－よみがえる戦後史の空白』, 横須賀市, 2004.

沖縄外地引揚者協会石垣支部 編・発行,『在外資産補償獲得運動記録 昭和31年(1956)-平成8年(1996)』, 1996.

海外抑留同胞救出国民運動静岡県本部 編・発行,『海外抑留同胞救出国民運動静岡県本史』, 1959.

魁生政五,『徳島嘱在外同胞引揚史』, 徳島外地引揚者運盟, 1959, 統編 1971.

鍵和田玄夫,『矛を収めて－在外同胞傷還促進運動記錄』, 1996.

神奈川同胞援護会 著·発行,『同胞援護半世紀のあゆみ』, 1996.
樺太終戦史刊行会 編,『樺太終戦史』, 全国樺太連盟, 1973.
川嵜兼孝 編,『引揚死没者慰霊祭の挙行·「引揚船入港の地加治木」の碑建立に関する委員会活動記録及関係資料』, 加治木港引揚死没者慰靈祭実行委員会, 1999.
紀南文化財研究会 編·発行,『海外引揚四十周年記念 引揚港田辺』, 1986.
京都地区学生同盟記録編集委員会 編·発行,『在外父兄·同胞救出京都地区学生同盟活動誌 昭和20年一昭和30年』, 1996.
京都府留守家族同盟引揚運動の記録編集委員会 編·発行,『京都府留守家族同盟引揚運動の記録』, 1962.
厚生省援護局 編,『引揚げと援護三十年の歩み』, ぎょうせい, 1978.
__________ 編,『中国残留孤見－これまでの足跡とこれからの道のり』, ぎょうせい, 1987.
__________ 編·発行,『援護所史』, 1955.
厚生省社会·援護局 編,『援護五十年史』, ぎょうせい, 1997.
厚生省20年史編集委員会 編,『厚生省20年史』, 厚生問題研究会, 1960.
[厚生省]引揚援護庁長官官房総務課記録係 編,『引揚援護の記録』, 引揚援護庁, 1950.
厚生省引揚援護局総務課記録係 編,『続·引揚援護の記録』, 厚生省, 1955年(クレス出版 2000年復刻).
厚生省援護局庶務課記録係 編,『続々·引揚援護記録』厚生省, 1963(クレス出版 2000年復刻).
小谷益次郎 編著,『仁川引揚誌 元仁川在住者名簿』, 大起産業, 1952.
埼玉県引揚者連合会 編·発行,『埼玉県引揚者の手記－昭和史の鮮烈な断面』, 1974.
桜井安右衛門 編,『恩賜財団同胞援護会会史』, 恩賜財団同胞援護会会史編纂委員会, 1960.
佐世保引揚援護局局史係 編,『[佐世保引揚援護局史』上巻, 佐世保引揚援護局, 1949.
__________________ 編,『佐世保引揚援護局史』下巻, 佐世保引揚援護局, 1951.
30年史編纂委員会,『電発30年史』, 電源開発, 1984.
三宮徳三郎 編,『高知県満州開拓史』, 土佐新聞社出版部, 1970.
嶋田修 編,『函館検疫所史 第一巻』, 函館検疫所, 1954.
釈迦戸叡,『五族墓建立略史』, 五族の墓奉賛会, 1985.
殖銀行友会 編·発行,『朝鮮殖産銀行終戰時記録』, 1977.
進藤孝三 編,『鎮魂 満蒙開拓青少年義勇軍慰霊碑建立記念誌』, 高清水石碑会, 1979.
鮮交会 編·発行,『朝鮮交通回顧録 別冊終戦記録編』, 1976.
戦後開拓史編纂委員会掃,『戦後開拓本編·資料編·完結編』, 全国開拓農業協同組合連合会, 1967·1968·1977.
戦後強制抑留史編纂委員会 編,『戦後強制抑留史』全8巻, 平和祈念事業特別基金, 2005.

全国学生同盟史編纂委員会 編・発行,『在外父兄救出,同胞救出全国学生同盟活動記録 金国版』, 1996.
全国樺太連盟 編・発行『樺太沿革・行政史』, 1978.
全国樺太連盟 編・発行,『樺太連盟四十年史』, 1988.
全国友の会中央部 編・発行,『全国友の会70年の歩み－会員がつづる創立から現在まで』, 2008.
大連神社八十年祭奉賛会 編・発行,『大連神社八十年史』, 1987.
台湾協会 編・発行,『台湾揚史 昭和二十年終戦記録』, 1982.
台湾協会史編纂委員会 編,『(財)台湾協会四十五年史』, 台湾協会, 1994.
台湾引揚記編集委員会 編,『琉球官兵顛末記』, 台湾引揚記刊行期成会, 1986.
中国,「残留孤兒」, 国家賠償訴訟弁護団全国連絡会 編・発行,『政策形成訴訟－中国「残留孤児」の尊厳を求めた裁判と新支援策実現の軌跡：2002.12～2009.10』, 2009.
鎮南浦会 編,『よみがえる鎮南浦—鎮南浦終戦の記録』, 鎮南浦会東京本部事務局, 1984.
富山県厚生部社会福祉課 編,『富山県終戦処理史』, 富山県, 1975.
中牟田勇 編,『慟哭の釜墓地』, 増補再版, 戦没者釜墓地護持会, 1992.
名古屋引揚援護局検疫所 編,『名古屋引揚援護局検疫所史』, 名古屋引揚援護局, 1947.
新潟県民生部援護課 編,『新潟県終戦処理の記録』, 新潟県, 1972.
日本赤十字社 編・発行,『日本赤十字社社史稿』第6巻(昭和21年－昭和30年), 1972.
___________ 編・発行,『日本赤十字社社史稿』第7巻(昭和31年－昭和40年), 1986.
坂東勇太郎 編著,『社団法人国際善隣協会五十年のあゆみ』, 国際善隣協会, 1992.
福島県厚生部社会課 編・発行,『福島県引揚援護史』, 1965.
舞鶴市 編,『引揚港 舞鶴の記録』, 舞鶴市役所, 2000.
舞鶴市史 編さん委員会 編,『舞鶴市史 現代編』, 舞鶴市役所, 1988.
満史会 編,『満州開発四十年史 補巻』, 満州開発四十年史刊行会, 1965.
満洲回顧集刊行会 編・発行,『あゝ満洲－国つくり産業開発者の手記』, 1965.
_______________ 編・発行,『あゝ満洲刊行余録』, 1966.
満洲開拓史復刊委員会 編・全国開拓自興会監修,『満洲開拓史』増補再版, 全国拓友協議会, 1980.
満ソ殉難者慰霊顕彰会 編・発行,『満ソ殉難記』, 1980.
満鉄会 編・発行,『満鉄社員終戦記録』, 1996.
満蒙同胞援護会 編,『満蒙終戦史』, 河出書房新社, 1962.
森枝修 編,『群馬県海外引揚誌－海外引揚者の手記・住所録』, 群馬県引揚者連合会, 1966年.
山梨県 編・発行,『山梨県終戦処理』, 1963.
留守家族団体全国協議会編史刊行委員会 編,『奪われし愛と自由を－引揚促進運動の記録』, 光和堂, 1959.

稚内市史編纂室 編,『稚内市史』, 稚内市, 1968.

中文

大連市地方志編纂委員会弁公室 編,『大連市志 民政志』, 大連出版社, 1993a.

________________ 編,『大連市志 軍事志』, 大連出版社, 1993b.

李民本・台湾省行政長官公署民政処 編,『台湾民政 第一輯』, 台湾省行政長官公署民政処, 1946.

報告書

日文

大蔵省管理局 編・小林英夫監修,『日本人の海外活動に関する歴史的調査 第9巻(台湾篇4)』, ゆまに書房復刻版, 2000.

________ 編・小林英夫 監修,『日本人の海外活動に関する歴史的調査 第23巻(総目録)』, ゆまに書房復刻版, 2000.

加藤聖文,『科学研究費補助金若手研究(A)研究成果報告書 海外引揚問題と戦後日本人の東アジア観形成に関する基盤的研究』, 2006a.

内閣総理大臣官房管理室,「在外財産問題の処理記録ー引揚者特別交付金の支給」, 1973.

平和祈念事業特別基金 編・発行,『資料所在調査結果報告書(I)』, 1993.

____________ 編・発行,「資料所在調査結果報告書(別冊)」, 1999.

北海道 編・発行,『北方地域総合実態調査書 終戦史 中』, 1975.

____ 編・発行,『北方地域総合実態調査書 終戦史 下』, 1976.

欧文

Bundesministerium für Vertriebene, *Dokumentation der Vertreibung der Deutschen aus Ost-Mitteleuropa*, Deutscher Taschenbuch Verlag, 1954-1961.

Comitato per la documentazione dell'opera dell'Italia in Africa, *L'Italia in Africa / Mini- stero degli affari esteri, Comitato per la documentazione delle attività italiane in Africa,* Istituto poligrafico dello Stato, 1955.

ドキュメンタリー

〈引揚港・博多湾〉, 1978. 6.28. 放送, RKB 毎日放送.

〈NNN ドキュメント 奥底の悲しみ～戦後70年, 引揚げ者の記憶〉, 2015年5月30日放送, 山口放送.
〈NNN ドキュメント 極秘裏に中絶すべし～不法妊娠させられて〉, 2015年8月10日放送, 福岡放送.
〈NHK · ETV 特集 告白～満蒙開拓団の女たち〉, 2017年8月5日放送, NHK.
〈テレメンタリー史実を刻む～語り継ぐ"戦争と性暴力"〉, 2019年8月25日放送 · 11月23日拡大版放送, テレビ朝日.

ウエブサイト* 2020年10月アクセス

「海外引き揚げ 70周年－体験の継承」(2016年9月12日：日本記者クラブ講演).
https://www.jnpc.or.jp/archive/conferences/33859/report
厚生労働省, http://www.mhlw.go.jp/bunya/engo/seido01/ireihi14.html
全国樺太連盟, http://kabaren.org/
「平和祈念事業特別基金設立の経緯等」, (国立国会図書館インターネット資料収集保存事業：WARP(Web Archiving Project)).
http://warp.da.ndl.go.jp/info:ndljp/pid/8174689/www.heiwa.go.jp/kikin/kirokushi.html
Relazione della Commissione italo-slovena "I RAPPORTI ITALO-SLOVENI FRA IL 1880 E IL 1956"
イタリア版, https://www.anpi.it/media/uploads/patria/2008/1/00_SPECIALE_FOIBE. Pdf
スロベニア版, http://www.kozina.com/premik/indexita_porocilo.htm

書籍 · 論文

日文

浅野慎一 · 悠岩, 『中国残留日本人孤児の研究 ポスト · コロニアルの東アジアを生きる』, 御茶の水書房, 2016.
浅野豊美, 「折りたたまれた帝国－戦後日本における「引揚」の記憶と戦後的価値」, 細谷千博他 編, 『記憶としてのパールハーバー』, ミネルヴァ書房, 2004.
________, 「南洋群島からの沖縄人引揚と再移住をめぐる戦前と戦後」 浅野 編, 2007.
________ 編 『南洋群島と帝国 · 国際秩序』 慈学社出版, 2007.
アチソン ディーン, 『アチソン回顧録1」 吉原清次郎 訳, 恒文社, 1979.
安仁屋政昭, 「戦後沖縄における海外引き揚げ」, 『史料編集室紀要』 第21号, 1996.3.
安部公房, 『けものたちは故郷をめざす』, 新潮文庫, 1970.

天川悦子,『えにし断ちがたく－満洲の興亡を体験した女の八十年』, 私家版, 2007.

荒敬,『日本占領史研究序説』, 柏書房, 1994.

荒武達朗,『近代満洲の開発と移民－渤海を渡った人びと』, 汲古書院, 2008.

蘭信三,『「満州移民」の歴史社会学』, 行路社, 1994.

______,『「中国帰国者」の生活世界』, 行路社, 2000.

______,「中国「残留」日本人の記憶と語り語りの変化と「語りの磁場」をめぐって」, 山本有造 編著, 2007.

______ 編著,『日本帝国をめぐる人口移動の国際社会学』, 不二出版, 2008.

______ 編,『帝国崩壊とひとの再移動引揚げ, 送還, そして残留』, 勉誠出版, 2011.

______ 編著,『帝国以後の人の移動の一ポストコロニアリズムとグローバリズムの交錯点』, 勉誠出版, 2013.

蘭信三・川喜田敦子・松浦雄介 編,『引揚・追放・残留: 戦後国際民族移動の比較研究』, 名古屋大学出版会, 2019.

有田八郎,『馬鹿八と人はいう 外交官の回想』, 光和堂, 1959.

有馬元治,『有馬元治回顧録』第1巻, 太平洋総合研究所, 1998.

有吉義弥,『占領下の日本海運 終戦から講和発効までの海運側面史』, 国際海運新聞社, 1961.

李淵植,「朝鮮における日本人引揚げのダイナミズム 逃亡・引揚げ 送還・抑留, 追放・懲罪の変奏曲」, 李洪章 訳, 蔵 編著, 2011.

______,「朝鮮半島における日本人送還政策と実態 南北朝鮮の地域差を中心に」, 蘭 編著, 2013.

______,「「在朝日本人」の引揚問題をめぐる日韓両国の認識比較 国史大系の枠組みを克服するための試論」, 君島和彦 編,『近代の日本と朝鮮「された」側からの視座』, 東京堂出版, 2014.

______,『朝鮮引揚げと日本人 加害と被害の記憶を超えて』, 舘野哲 訳, 明石書店, 2015.

飯島真里子,「フィリピン引揚者の「ダバオ体験」移民・戦争の記憶の沈黙と共有」, 蘭 編著, 2013.

飯田市歴史研究所 編,『満州移民 飯田下伊那からのメッセージ』改訂版, 現代史料出版, 2009.

池田実男,『戦後開拓の展開構造 開拓農業の経済分析』, 農林統計協会, 1982.

池田純久,『日本の曲り角 軍閥の悲劇と最後の御前会議』, 千城出版, 1968.

石井明,『中ソ関係史の研究 1945-1950』, 東京大学出版会, 1990.

石堂清倫,『大連の日本人引揚の記録』, 青木書店, 1997.

泉靖一,『遥かな山やま』, 新潮社, 1971.

泉友三郎,『ソ連南樺太－ソ連官吏になった日本人の記録』, 妙義出版社, 1952.

磯谷季次,『朝鮮終戦記』, 未来社, 1980.

________,『わが青春の朝鮮』, 影書房, 1984.

井出孫六,『終わりなき旅「中国残留孤児」の歴史と現在』, 岩波書店, 1986.

伊藤カンナ,「イタリアの戦後賠償」,『名古屋大学法政論集』第260号, 2015.2.

稲葉千晴,「関東軍総司令部の終焉と居留民・抑留者問題 日本側資料の再検討とソ連接収文書の分析によせて」,『軍事史学』第124号, 1996.3.

稲葉寿郎,「引揚者の戦後をめぐる一側面 恩賜財団同胞援護会を中心に」,『清真学園紀要』第14号, 1999a.

________,「引揚者の戦後 土浦引揚療を中心に」, 大濱徹也 編,『国民国家の構図』, 雄山閣出版, 1999b.

________,「恩賜財団同胞援護会と土浦引揚療」, 島村編, 2013.

井上正也,『日中国交正常化の政治史』, 名古屋大学出版会, 2010.

猪股祐介,「想起される「満洲」, 岐阜県郡上村開拓団を事例として」, 山本有造 編著, 2007.

いまい・げんじ 編著,『月に祈る シベリア引揚運動秘話』, 私家版, 1977.

今井武夫,『支那事変の回想』, みすず書房, 1964.

今泉裕美子,「南洋群島引揚げ者の団体形成とその活動 日本の敗戦直後を中心として」,『史料編集室紀 要』第30号, 2005.3.

________,「パラオ諸島をめぐる民間人の「引揚げ」第二次世界大戦中の兵站基地化から米軍占領下までを中心に」, 今泉・柳沢・木村 編, 2016.

________・柳沢遊・木村健二 編著,「日本帝国崩壊期「引揚げ」の比較研究国際関係と地域の視点から」, 日本経済評論社, 2016.

今村勲,『私の敗戦日記 京城六ヵ月』, 私家版, 1981.

移民研究会 編,『戦争と日本人移民』, 東洋書林, 1997.

井村哲郎,「戦後ソ連の中国東北支配と産業経済」, 江夏・中見・西村・山本 編, 2005.

岩川隆,『日本の地下人脈 戦後をつくった陰の男たち』, 祥伝社文庫, 2007.

岩崎正,「国が命じた妊娠中絶」,『日経メディカル』第212号, 1987.8.10.

殷挑軍,『中日戦争賠償問題 中国国民政府の戦時・戦後対日政策を中心に」, 御茶の水書房, 1996.

ヴィシネフスキー ニコライ,『樺太における日ソ戦争の終結 知取協定』, 小山内道子 訳, 御茶の水書房, 2020.

上田秋男,『樺太は熱かった 原野の中の工場での日本人とロシア人の風変りな二年間」, エム・ビー・シー 21, 1988.

上田貴子,「哈爾濱の日本人 1945年8月-1946年9月」, 山本有造 編著, 2007年.

梅震,『戦後の満洲四星霜』, 私家版, 1958.

江夏由樹・中見立夫・西村茂雄・山本有造 編,『近代中国東北地域史研究の新視角』, 山川出版社, 2005.

NHK,「留用された日本人」, 取材班,『「留用」された日本人 私たちは中国建国を支えた』, 日本放送出版協会, 2003.
江畑敬介 · 曽文星 · 矢口雅博 編著, 『移住と適応 中国帰国者の適応過程と援助体制に関する研究』, 日本 評論社, 1996.
海老沢義道, 『斉藤惣一と YMCA』, 斉藤伝記念出版委員会, 1965.
遠藤三郎, 『日中十五年戦争と私 ─ 国賊 · 赤の将軍と人はいう』, 日中書林, 1974.
王強, 「ソ連軍による旧満州鉄道施設の解体 · 搬出問題について」, 『経済学研究(北海道大学)』 第42巻 第4号, 1993.3.
大澤武司, 「在華邦人引揚交渉をめぐる戦後日中関係 日中民間交渉における「三団体方式」を中心として」, 『アジア研究』 第49巻第3号, 2003.
________, 「戦後東アジア地域秩序の再編と中国残留日本人の発生」, 『中央大学政策文化総合研究所年報』 第10号, 2007.9.
________, 「「ヒト」の移動と国家の論理 − 後期集団引揚の本質と限界」, 劉 · 川島 編, 2009a.
________, 「東西冷戦と引揚問題 − 未帰還者問題をめぐる国際政治の構図」, 『海外事情研究』 第74号, 2009b.
________, 『毛沢東の対日戦犯裁判 − 中国共産党の思惑と1526名の日本人』, 中公新書, 2016.
太田修, 『日韓交渉 ─ 請求権問題の研究』, 新装新版, クレイン, 2015.
大沼保昭, 『サハリン棄民 − 戦後責任の点景』, 中公新書, 1992.
大濱徹也, 『日本人と戦争 − 歴史としての戦争体験』, 刀水書房, 2002.
岡奈津子, 「ロシア極東の朝鮮人 − ソビエト民族政策と強制移住」, 『スラヴ研究』 第45号, 1998.3.
緒方竹虎伝記刊行会 編, 『緒方竹虎』, 朝日新聞社, 1963.
小川峡一 編著, 『樺太 · シベリアに生きる − 戦後 60 年の証言』, 社会評論社, 2005.
尾崎秀樹, 「旧植民地文学の研究』, 勁草書房, 1971.
尾高煌之助, 「引揚者と戦争直後の労働力」, 『社会科学研究(東京大学社会科学研究所)』 第48巻 第1号, 1996.
小田原琳, 「イタリア版『記憶の場所』のおかれた〈場所〉」, 『クヴァドランテ(東京外国語大学海外事情研究所)』 第11号, 2009.4.
小田原琳, 「歴史の否認 ─ 植民地主義史研究に見るイタリア歴史修正主義の現在」, 『クヴァドランテ(東京外国語大学海外事情研究所)』 第12 · 13号, 2011.3.
小都晶子, 「「南満」日本人移民とその記憶 − 錦州省盤山県鯉城開拓団の「満洲」体験」, 山本有造 編著, 2007.
何義麟, 『二 · 二八事件 −「台湾人」形成のエスノポリティクス』, 東京大学出版会, 2003年.
香島明雄, 『中ソ外交史研究 1937−1946』, 世界思想社, 1990.

カタソノワ エレーナ,『関東軍兵士はなぜシベリアに抑留されたか－米ソ超大国のパワーゲームによる悲劇』, 白井久也 監訳, 社会評論社, 2004.

加藤聖文,「台湾引揚と戦後日本人の台湾観」, 台湾史研究部会編,『台湾の近代と日本』, 中京大学社会科学研究所, 2003.

________,「戦後東アジアの冷戦と満洲引揚－国共内戦下の「在満」日本人社会」,『東アジア近代史』第9号, 2006.3b

________,『「大日本帝国」崩壊－東アジアの 1945年』, 中公新書, 2009a.

________,「満洲体験の精神史－引揚の記憶と歴史認識」, 劉・川島 編, 2009b.

________,「ソ連軍政下の日本人管理と引揚問題－大連・樺太における実態」,『現代史研究』5号, 2009.7c.

________,「アメリカに渡った関東軍のソ連関係極秘文書」,『歴史読本(特集関東軍全史)』, 2011.9月号.

________,「大日本帝国の崩壊と残留日本人引揚問題－国際関係のなかの海外引揚」, 増田 編著, 2012.

________,「高碕達之助と戦後日中関係－日本外交における「政治」から「経済」への転換」, 劉傑・川島真 編,『対立と共存の歴史認識－日中関係 150年』, 東京大学出版会, 2013a.

________,「引揚者をめぐる境界－忘却された「大日本帝国」」, 安田常雄編,『シリーズ戦後日本社会の歴史4 社会の境界を生きる人びと－戦後日本の縁』, 岩波書店, 2013b.

________,「国共内戦下の戦後日中提携－支那派遣軍と国民政府」, 波多野澄雄・久保亨・中村元哉 編,『日中戦争の国際共同研究6日中終戦と戦後アジアへの展望』, 慶應義塾大学出版会, 2017a.

________,『満蒙開拓団－虚妄の「日満一体」』, 岩波書店, 2017b.

________,『国民国家と戦争－挫折の日本近代史』, 角川書店, 2017c.

加藤陽子,「敗者の帰還－中国からの復員・引揚問題の展開」,『国際政治』第109号, 1995.5.

加藤陽子,『戦争の論理－日露戦争から太平洋戦争まで』, 勁草書房, 2005.

カプリオ マーク・E.,「朝鮮半島からの帰還－アメリカの政策と日本人の引揚げ」, 小林・柴田・吉田 編, 2008.

鎌田正二,『北鮮の日本人苦難記－日窒興南工場の最後』, 時事通信社, 1970.

上坪隆,『水子の譜－ドキュメント引揚孤児と女たち』, 社会思想社, 1993.

亀井勝一郎,「現代歴史家への疑問」,『文藝春秋』, 1956.3月号.

________,『現代史の課題』, 中央公論社, 1957.

賀屋興宣,『戦前・戦後八十年』, 経済往来社, 1976.

カルニエテ サンドラ,『ダンスシューズで雪のシベリアへ－あるラトビア人家族の物語』, 黒沢歩 訳, 新評論, 2014.

カルポフ ヴィクトル,『スターリンの捕虜たち－シベリア抑留：ソ連機密資料が語る全容』, 長勢了治 訳, 北海道新聞社, 2001.

川喜田敦子,「第二次世界大戦後の人口移動－連合国の構想にみるヨーロッパとアジアの連関」, 蘭・川喜田・松浦 編, 2019a.

_________,『東欧からのドイツ人「追放」－二〇世紀の住民移動の歴史のなかで』, 白水社, 2019b.

川村湊,『異郷の昭和文学－「満州」と近代日本』, 岩波新書, 1990.

河原林直人,「引揚後の邦人－「南方」経験の行方」, 浅野 編, 2007a.

_________,「帝国日本の越境する社会的人脈・南洋協会という鏡」, 浅野 編, 2007b.

菊地慶一,『もう一つの知床－戦後開拓ものがたり』, 北海道新聞社, 2005.

菊池嘉晃,『北朝鮮帰国事業の研究－冷戦下の「移民的帰還」と日朝・日韓関係』, 明石書店, 2020.

岸信介・矢次一夫・伊藤隆,『岸信介の回想』, 文藝春秋, 1981.

北川勝彦,「脱植民地化とイギリス帝国」, 北川勝彦 編著,『イギリス帝国と20世紀4脱植民地化とイギリス帝国』ミネルヴァ書房, 2009.

吉在俊・李尚典,『中国国共内戦と朝鮮人部隊の活躍 1945年8月-1950年4月』, 李東埼 訳, 同時代社, 2015.

木畑洋一,『支配の代償－英帝国の崩壊と「帝国意識」』, 東京大学出版会, 1987.

________,「イギリスの帝国意識－日本との比較の視点から」, 木畑洋一 編著,『大英帝国と帝国意識－支配の深層を探る』, ミネルヴァ書房, 1998.

木村健二,「引揚者援護事業の推移」,『年報・日本現代史』第10号, 2005.5.

木村健二,「日本帝国圏への移民と引揚げ後の動向－愛媛県東宇和郡旧U村を事例として」, 今泉・柳沢・木村 編著, 2016.

木村秀明 編,『ある戦後史の序章－MRU引揚医療の記録』, 西日本図書館コンサルタント協会, 1980.

木村英亮,「ソ連軍政下大連の日本人社会改革と引揚の記録」,『横浜国立大学人文紀要第1類哲学・社会科学』第42輯, 1996.10.

金城朝夫,『ドキュメント八重山開拓移民』, あ~まん企画, 1988.

草地貞吾,『その日、関東軍は－元関東軍参謀作戦班長の証言』, 宮川書房, 1967.

倉沢愛子,「戦争に翻弄された南方移民－「帝国」の解体の背後で」, 柳沢遊・倉沢愛子 編著,『日本帝国の崩壊－人の移動と地域社会の変動』, 慶應義塾大学出版会, 2017.

グラス ギュンター,『蟹の横歩き－ヴィルヘルム・グストロフ号事件』, 池内紀 訳, 集英社, 2003.

グランツ デビッド・Mジョナサン・Mハウス,『詳解 独ソ戦全史－「史上最大の地上戦」の実像』, 守屋純 訳, 学研M 文庫, 2005.

阮柄嵐,「旧日系鉱工事業の接収と台湾工業化の転機－国民政府「資源委員会」の戦後初期活動(上)」,『オイコノミカ』第37巻 第2号, 2000.
阮柄嵐,「留任日本人技術者と台湾鉱工事業の復興－国民政府「資源委員会」の戦後初期活動(下)」,『オイコノミカ』第37巻 3・4号, 2001.
呉万虹,『中国残留日本人の研究－移住・漂流・定着の国際関係論』,日本図書センター, 2004.
______,「中国残留日本人－自国本位の歴史認識を超えて」, 劉・川島 編, 2009年.
小林忠太郎,『ドミニカ移民の国家犯罪』, 創史社, 2004.
小林秀雄,「学者と官僚」・「処世家の理論」,『小林秀雄全集』第6・7巻, 新潮社, 2001年.
林英夫,『満州と自民党』, 新潮新書, 2005.
小林英夫・柴田善雅・吉田千之輔 編,『戦後アジアにおける日本人団体－引揚げから企業進出まで』, ゆまに書房, 2008.
近藤潤三,『ドイツ移民問題の現代史－移民国への道程』, 木鐸社, 2013.
______,「ドイツ第三帝国の崩壊と避難民・被追放民問題」,『南山大学ヨーロッパ研究センター報』第20号, 2014.3.
______,「ドイツ現代史のなかの難民問題」,『ゲシヒテ』第10号, 2017.4.
今野敏彦・高橋幸春 編,『ドミニカ移民は棄民だった—戦後日系移民の軌跡』, 明石書店, 1993.
斉藤隼人,『戦後対馬三十年史』, 対馬新聞社, 1983.
斎藤六郎,『シベリア捕虜志—その真因と全抑協運動』, 波書房, 1981.
______,『シベリアの挽歌—全抑協会長の手記』, 終戦史料館出版部, 1995.
サヴェーリエヴァ エレーナ サハリン・樺太史研究会 監修,『日本領樺太・千島からソ連領サハリン州へ 1945年-1947年』, 小山内道子 訳, 成文社, 2015.
坂田勝彦,「引揚者と炭鉱－移動と再移動'定着をめぐって」, 蘭・川喜田・松浦 編, 2019年.
朔北会 編・発行,『湖北の道草 ソ連長期抑留の記録』, 1977.
______編・発行,『続・朔北の道草』, 1985.
佐藤成基,『ナショナル・アイデンティティと領土－戦後ドイツの東方国境をめぐる論争』, 新曜社, 2008.
______,「ドイツ人の「追放」, 日本人の「引揚げ」－その戦後における語られ方をめぐって」,『立命館言語文化研究』第29巻 3号, 2018.1.
佐藤晋,「戦後日本外交の選択とアジア秩序構想」,『法学政治学論究』第41号, 1999年夏.
佐藤量,「戦後中国における日本人の引揚げと遣送」,『立命館言語文化研究』25巻 1号, 2013.10.
ザンダー ヘルケ・バーバラ ヨール 編著,『1945年・ベルリン解放の真実－戦争・強 姦・子ども」, 寺崎あき子・伊藤明子 訳, パンドラ, 1996.

________________________ 編著,『1945年・ベルリン解放の真実－戦争・強姦・子ども』, 寺崎あき子・伊藤明子 訳, パンドラ, 1996.
シェファード ベン,『遠すぎた家路－戦後ヨーロッパの難民たち』, 忠平美幸 訳, 河出書房新社, 2015.
塩出浩之,『越境者の政治史－アジア太平洋における日本人の移民と植民』, 名古屋大学出版会, 2015.
重光葵,『重光葵著作集1 昭和の動乱』, 原書房, 1978.
柴田善雅,「東南アジア・オセアニアの引揚げ」, 小林・柴田・吉田 編[2008]a.
________,「引揚者経済団体の活動と在外財産補償要求」, 小林・柴田・吉田 編[2008]b.
島村恭則 編,『叢書 戦争が生み出す社会 II 引揚者の戦後』, 新曜社, 2013.
下斗米伸夫,『モスクワと金日成－冷戦の中の北朝鮮 1945-1961年』, 岩波書店, 2006年.
__________,『ソビエト連邦史 1917-1991』, 講談社学術文庫, 2017.
ジャット トニー,『ヨーロッパ戦後史』上下巻, 森本醇・浅沼澄 訳, みすず書房, 2008.
邵毓麟,『抗日戦勝利の前後一中国からみた終戦秘話』, 本郷賀一 訳, 時事通信社, 1968.
新京白菊小学校第十二期(終戦時五年生)文集刊行会 編・発行,『夕日子どもたちの見た最後の満州』, 1990.
末澤恵美,「クリミア・タタール人の強制移住と帰還問題」,『海外事情』第48巻 10号, 2000.10.
杉山清彦『大清帝国の形成と八旗制』名古屋大学出版会, 2015.
鈴木久美,『在日朝鮮人の「帰国」政策－1945-1946年』, 緑蔭書房, 2017.
鈴木董,『オスマン帝国の解体一文化世界と国民国家』, 講談社学術文庫, 2018.
スラヴィンスキー ボリス,『日ソ戦争への道 一ノモンハンから千島占領まで』, 加藤幸廣 訳, 共同通信社, 1999.
関口哲矢,「終戦処理過程における各省間議論の展開－復員引揚げ問題を事例として」,『ヒストリア』第184号, 2003.4.
瀬島龍三,『瀬島龍三回想録 幾山河』, 産経新聞ニュースサービス, 1995.
宣一九,『サハリンの空に流れる歴史の木霊』, 韓日問題研究所, 1990.
台湾会 編・発行,『あ゛台湾軍 その想い出と記録』, 南天書局復刻版, 1997.
高碕達之助,『満州の終焉』, 実業之日本社, 1953.
高碕達之助集刊行会 編,『高碕達之助集』上・下巻, 東洋製罐株式会社, 1965.
高柳博文,「上海日本人引揚者たちのノスタルジー「わが故郷・上海」の誕生」,『近代中国研究最報』第24号, 2002.3.
________,『「国際都市」上海のなかの日本人』, 研文出版, 2009年.

高橋進,「戦争犯罪・人道犯罪と国家責任－イタリアの場合」,『龍谷法学』42巻 4号, 2010.3.
高山直也,「フランスの植民地支配を肯定する法律とその第4条第2項の廃止について」,『外国の立法』第229号, 2006.8.
竹中りっ子,『わが青春の台湾 女の戦中戦後史』, 図書出版社, 1983.
竹野学,「樺太からの日本人引揚げ(一九四五-四九年)一人口統計にみる」, 今泉・柳沢・木－村 編著, 2016.
タックマン バーバラ・W.,『失敗したアメリカの中国政策－ビルマ戦線のスティルウェル将軍』, 杉辺利英 訳, 朝日新聞社, 1996.
竜野静子,『38度線を越えて』, 私家版, 1969年.
田中宏巳,『復員・引揚げの研究－跡の生還と再生への道』, 新人物往来社, 2010年.
田中了,『サハリン北緯 50 度線－続・ゲンダーヌ』, 草の根出版会, 1993.
______, D.ゲンダーヌ,『ゲンダーヌ一ある北方少数民族のドラマ』, 現代史出版会, 1978年 田中隆一,「在中国朝鮮人の帰還－中国国民党の送還政策を中心に」, 蘭 編著, 2013.
田畠真弓,「張公権と東北地方経済再開発構想－「満洲国」の&遺産&をめぐって」,『経済 学研究(駒澤大学大学院)』第20号, 1990.
田村将人,「樺太アイヌの〈引揚げ〉」, 蘭 編著, 2008.
______,「サハリン先住民族ウイルタおよびニヴフの戦後・冷戦期の去就一樺太から日本への〈引揚げ〉とソビエト連邦での〈残留〉, そして〈帰国〉」, 蘭 編著, 2013.
丹菊逸治,「あるニヴフ人の戦前と戦後」,『和光大学現代人間学部紀要』第4号, 2011.3.
中日新聞特別取材班,『風雪の日々今も一読書開拓団の50年』, 中日新聞本社, 1988.
陳祖恩,「上海日本人居留民戦後送還政策の実情」,鬼頭今日子 訳,『北東アジア研究』第10号, 2006.1.
______,「虹口集中区の日本人たち－上海日本人居留民の送還と処置」, 劉・川島, 2009.
塚瀬進,『中国近現代東北経済史研究一鉄道敷設と中国東北経済の変化』, 東方書店, 1993.
辻薦,『月は光を放たず一満洲敗戦記』, 北洋社, 1978.
角田房子,『悲しみの島サハリン一戦後責任の背景』, 新潮社, 1994.
坪田＝中西美貴,「引揚援護活動と女性引揚者の沈黙-二日市保養所を中心として」, 蘭 編著, 2013.
鄭成,『国共内戦期の中共・ソ連関係－旅順・大連地区を中心に』, 御茶の水書房, 2012.
寺山恭輔,『スターリンとモンゴル 1931-1946』, みすず書房, 2017.
董彦平,『ソ連軍の満州進駐』, 加藤豊隆 訳, 原書房, 1982.
遠山茂樹・今井清一・藤原彰,『昭和史』, 岩波新書, 1955.
富田武,『シベリア抑留者たちの戦後－冷戦下の世論と運動 1945-56年』, 人文書院, 2013.
______,『シベリア抑留ースターリン独裁下,「収容所群島」の実像』, 中公新書, 2016.

富田武,『日ソ戦争 1945年8月一棄てられた兵士と居留民』, みすず書房, 2020.
富永孝子,『遺言なき自決—大連最後の日本人市長・別宮秀夫』, 新評論, 1988.
_______,『大連・空白の六百日一戦後そこで何が起ったか』, 改訂新版, 新評論, 1999.
トルーマン ハリー・S.,『トルーマン回顧録 第1 第2』, 堀江芳孝 訳, 恒文社, 1966.
内藤隆夫,「朝鮮北部残留日本人の活動と「脱出」・「公式引揚」日本窒素肥料の事例」, 白木沢旭児 編著,
『北東アジアにおける帝国と地域社会』, 北海道大学出版会, 2017.
ナイマーク ノーマン・M.,『民族浄化のヨーロッパ史一憎しみの連鎖の20世紀』, 山本明代 訳, 刀水書房, 2014.
仲晃,『黙殺 ポツダム宣言の真実と日本の運命』上下巻, 日本放送出版協会, 2000.
中澤佑刊行会 編,『海軍中将中澤佑 海軍作戦部長・人事局長回想録』, 原書房, 1979.
長澤秀,『遺言 -「樺太帰還在日韓国人会」会長,李義八が伝えたいこと』, 三一書房, 2019.
永島広紀,「朝鮮半島からの引揚と「日本人世話会」の救護活動 - 朝鮮総督府・京城帝国大学関係者を中心に」, 増田 編, 2012.
長勢了治,『シベリア抑留—日本人はどんな目に遭ったのか』, 新潮選書, 2015.
なかにし礼,『歌謡曲から「昭和」を読む』, NHK 出版新書, 2011.
中見立夫,『「満蒙問題」の歴史的構図』, 東京大学出版会, 2013.
長見崇亮,「満鉄の鉄道技術移転と中国の鉄道復興－満鉄の鉄道技術者の動向を中心に」,『日本植民地研究』第15号, 2003.6.
中山大将,「樺太移民社会の解体と変容一戦後サハリンをめぐる移動と運動から」,『移民研究年報』第18号, 2012.3.
_______,『サハリン残留日本人と戦後日本一樺太住民の境界地域史』, 国際書院, 2019.
成田龍一,「「引揚げ」に関する序章」,『思想』第955号, 2003.11.
_______,「「引揚げ」と「抑留」」, 倉沢愛子他 編,『岩波講座アジア・太平洋戦争4 帝国の戦争経験』, 岩波書店, 2006.
_______,『「戦争経験」の戦後史 - 語られた体験/証言/記憶』, 岩波書店, 2010.
南洋群島協会 編・発行,『思い出の南洋群島』, 1965.
__________ 編,『椰子の木は枯れず一南洋群島の現実と思い出』, 草土文化, 1966.
西川長夫,『国民国家論の射程－あるいは〈国民〉という怪物について』, 増補版, 柏書房, 2012.
新田光子,『大連神社史ある海外神社の社会史』, おうふう, 1997.
日本植民地研究会 編,『日本植民地研究の現状と課題』, アテネ社, 2008.
______________ 編,『日本植民地研究の論点』, 岩波書店, 2018.
野入直美,「沖縄における台湾引揚者の特徴－引揚者在外事実調査票と県・市町村史の体験記録を中

心に」, 蘭 編著, 2013.
野添憲治,『開拓農民の記録－農政のひずみを負って』, NHK ブックス, 1976.
野村進,『日本領サイパン島の一万日』, 岩波書店, 2005(原著『海の果ての祖国」, 時通信社, 1987年改訂版).
馬晩華,「中国残留日本人孤児とアイデンティティ」, 移民研究会 編,『戦争と日本人移民』, 東洋書林, 1997.
朴敬珉,『朝鮮引揚げと日韓国交正常化交渉への道』, 慶應義塾大学出版会, 2018.
朴裕河,『引揚げ文学論序説－新たなポストコロニアルへ』, 人文書院, 2016.
橋本伸也,『記憶の政治－ヨーロッパの歴史認識紛争』, 岩波書店, 2016.
長谷川宇一,『遺稿 シベリアに虜われて』, 湘北会, 1975.
長谷川潔,『北満州抑留日本人の記録一五星紅旗の下で』, 波波書房, 1981.
長谷川毅,『暗闘ースターリン, トルーマンと日本降伏』, 中央公論新社, 2006.
秦彦三郎,『苦難に堪えて』, 日刊労働通信社, 1958.
花井みわ,「帝国崩壊後の中国東北をめぐる朝鮮人の移動と定住」, 蘭 編著, 2013.
花田智之,「ソ連の対日参戦における国家防衛委員会の役割」,『戦史研究年報』21号, 2018.3.
濱田康憲,「米軍政期の南朝鮮救護政策に関する一考察－救護行政の再編成を中心に」,『四天王寺大学大学院研究論集』第5号, 2010.
早坂真理,『リトアニアー歴史的伝統と国民形成の狭間』, 彩流社, 2017.
林房雄,「大東亜競争肯定論」,『中央公論』, 1963.9月号~1965.6月号.
春田哲吉,『日本の海外植民地統治の終焉』, 原書房, 1999.
原田大六 編・発行,『故田中会長を偲んで』, 1967.
バンセル N.P.・ブランシャール・F. ヴェルジェス,『植民地共和国フランス』, 平野千果子・菊池涼介 訳, 岩波書店, 2011.
ビーヴァー アントニー,『ベルリン陥落 1945』, 川上洸 訳, 白水社, 2004.
東久邇稔彦,『一皇族の戦争日記』, 日本週報社, 1957.
「引揚げ港・博多を考える集い」編集委員会 編,『戦後50年 引揚げを憶う－アジアの友好と平和を求めて』, 引揚げ港・博多を考える集い, 1995.
______________ 編,『戦後50年 引揚げを憶う(続)一証言・二日市保養所』, 引揚げ港・博多を考える集い, 1998.
樋口秀実,「満州国史の争点－同時代と後世の視角」, 劉傑・三谷博・揚大慶 編,『国境を越える歴史認識－日中対話の試み』, 東京大学出版会, 2006.
一粒のひまわりの種 編・発行,『いづみのほとりに-ひとつの戦後史』, 1978.

平島敏夫,『楽土から奈落へ一満洲国の終焉と百万同胞引揚げ爽録』, 講談社, 1972.
平野千果子,『フランス植民地主義と歴史認識』, 岩波書店, 2014.
黄善翌,「東アジアの戦後処理 - 韓人帰還問題を中心に(1945-1946)」, 辻大和 訳, 2019.
三谷博·張翔·朴薫 編,『響き合う東アジア史』, 東京大学出版会, 2019.
ブガイ H.,「ソ連における民族の強制移住(20-50 年代)-その本質, 動向, 選択肢」,『札幌学院大学人文学会紀要』第55号, 1994.7.
藤原てい,『流れる星は生きている』, 中公文庫, 1976.
福家勇,『南樺太はどうなったか一村長の敗戦始末記』, 葦書房, 1982.
藤田義郎,『記録 椎名悦三郎』下巻, 椎名悦三郎追悼録刊行会, 1982.
古海忠之,『忘れ得ぬ満洲国』, 経済往来社, 1978.
プル ジョナサン,「樺太引揚と函館援護局の役割 1945-50」,『北方人文研究』12号, 2019.3.
ブレンバヤル ビレクト 口述, 佐々木健悦 編訳,『脱南者が語るモンゴルの戦中戦後 1930-1950』, 社会評論社, 2015.
平和祈念事業特別基金 編·発行,『平和の礎-海外引揚者が語り継ぐ労苦』全20冊, 1991~2010.
細川呉港,『草原のラーゲリ』, 文藝春秋, 2007.
星野直樹,『見果てぬ夢満州国外史」』, イヤモンド社, 1963.
_______,『時代と自分』, ダイヤモンド社, 1968.
穂積真六郎,『穂積真六郎先生遺筆 わが生涯を朝鮮に』, 友邦協会, 1974.
ホフマン ライナー,「戦争被害者に対する補償-1949年以降のドイツの実行と現在の展開」, 山手治之 訳,『立命館法学』306号, 2006.
ボルジギン フスレ,『中国共産党·国民党の対内モンゴル政策(1945-49年)-民族主義運動と国家建設との相克』, 風響社, 2011.
毎日新聞社 編·発行,『在外父兄救出学生同盟』, 1968.
増田弘 編著,『大日本帝国の崩壊と引揚·復員』, 慶應義塾大学出版会, 2012.
松浦雄介,「アルキあるいは見知らぬ祖国への帰還-フランスにおけるアルジェリア戦争の記憶」, 蘭 編著, 2013.
松崎直子他 編,『博多港よ -「博多港引揚懇親会」アンケート集』, 引揚げ港·博多を考える集い, 2000年.
松田令輔回想録刊行会 編·発行,『回想 松田令輔』, 1986.
松沼美穂,「植民地支配の過去と歴史·記憶·法-フランスにおける近年の論争」,『日仏文化』第80号. 2011.9.
_______,「脱植民地化と国民の境界-アルジェリアからの引揚者に対するフランスの受け入れ政策」,『ヨーロッパ研究』第12号, 2013.1.
松原洋子,「引揚者医療救護における組織的人工妊娠中絶―優生保護法前史」, 坪井秀人 編,『ジェンダーと生政治』臨川書店, 2019.
松村史紀,『「大国中国」の崩壊ーマーシャル・ミッションからアジア冷戦へ』, 勁草書房, 2011.
松本俊郎,『「満洲国」から新中国へ―鞍山製鋼業からみた中国東北の再編過程 1940-1954』, 名古屋大学出版会, 2000.
丸沢常哉,『新中国建設と満鉄中央試験所』, 二月社, 1979.
丸山邦雄,『なぜコロ島を開いたか―在満邦人の引揚げ秘録』, 永田書房, 1970.
丸山鋼二,「戦後満洲における中共軍の武器調達ーソ連軍の「暗黙の協力」をめぐって」, 江夏・中見・西村・山本 編, 2005.
水野久直,『明治天皇御尊像奉遷記』, 赤間神宮社務所, 1966.
湊照左,「戦後復興期の公営台湾水泥公司」, 田島俊雄・朱蔭貴・加島潤 編,『中国セメント産業の発展ー産業組織と構造変化』, 御茶の水書房, 2010.
南誠,「「中国残留日本人」の語られ方ー記憶・表象するテレビドキュメンタリー」, 山本有造 編著, 2007.
宮武剛,『将軍の遺言ー遠藤三郎日記』, 毎日新聞社, 1986.
宮本正明,「敗戦直後における日本政府・朝鮮関係者の植民地統治認識の形成ー「日本人の海外活動に関する歴史的調査」成立の歴史的前提」,『研究紀要(世界人権問題研究センター)』第11号, 2006.3.
________,「在日朝鮮人の「帰国」ー一九四五-四六年を中心として」, 今泉・柳沢・木村 編著, 2016a.
________,「韓国における朝鮮人「帰還」研究」今泉・柳沢・木村 編著, 2016b.
三吉明,「貧困陸層としての引揚者の援護について」,『明治学院論叢』第52号, 1959.2.
向井サイ,『曠野に祈る中共治下虜囚八年の手記』, 謙光社, 1974.
武蔵正道,『死線を越えて―アジアの曙』, 増補版, 自由社, 2002.
モーリス-スズキ テッサ,『北朝鮮へのエクソダス「帰国事業」の影をたどる』, 田代泰子 訳, 朝日新聞社, 2007.
森武麿「満州移民の戦後史」, 飯田市歴史研究所 編,『満州移民ー飯田下伊那からのメッセージ』, 改訂版,現代史料出版, 2009.
森まり子,『イスラエル政治研究序説―建国期の閣議議事録 一九四八年』, 人文書院, 2020.
森繁久弥,『森繁自伝』, 中公文庫, 1977.
森田俊介,『内台五十年回想と随筆』, 伸共社, 1979.
森田芳夫,『朝鮮終戦の記録ー米ソ両軍の進駐と日本人の引揚』, 巌南堂書店, 1964.

聞人会 編,『鞍山回想録－石川義助先生を憶う』, 鞍山会, 1969.
安岡健一,『「他者」たちの農業史－在日朝鮮人・疎開者・開拓農民・海外移民』, 京都大学学術出版会, 2014.
柳沢遊,『日本人の植民地経験ー大速日本人商工業者の歴史』, 青木書店, 1999.
_____,「一九四〇年代後半期大連営業者の職業「復帰」東北アジアの社会変動の中の財界人没落」, 今泉・柳沢・木村 編著, 2016.
山口重次,『満州建国 満洲事変正史』, 行政通信社, 1975.
山村睦夫,「上海における日本人居留民の引揚げと留用」, 日本上海市研究会 編,『建国前後の上海』, 研文出版, 2009.
________,『上海日本人居留民社会の形成と展開－日本資本の進出と経済団体』大月書店, 2019.
山本明代,「第二次世界大戦後チェコスロヴァキアとハンガリー間の住民交換の社会的影響」, 山本明代, パプ・ノルベルト編,『移動がつくる中東欧・バルカン史』, 刀水書房, 2017.
山本めゆ,「生存者(サヴァイヴァー)の帰還－引揚援護事業とジェンダー化された〈境界〉」,『ジェンダー研究』第17号, 2015.2a.
________,「戦時性暴力の再一政治化に向けて－「引揚女性」の性暴力被害を手がかりに」,『女性学』第22号, 2015.3b.
________,「性暴力被害者の帰還－「婦女子医療救護」と海港検疫のジェンダー化」 蘭・川喜田・松浦 編, 2019.
山本有造,「国民政府統治下における東北経済」, 江夏・中見・西村・山本 編, 2005.
________,「「満洲」の終焉－抑留・引揚げ・残留」, 山本 編著, 2007.
________ 編著,『満洲 記憶と歴史』, 京都大学学術出版会, 2007.
梁世勳,『ある韓国外交官の戦後史－旧満州「新京」からオスロまで』, すずさわ書店, 2007.
楊大慶,「中国に留まる日本人技術者 政治と技術のあいだ」, 劉傑・川島 編 , 2009.
楊子震,「日本帝国の崩壊と国民政府の台湾接収ー戦後初期日台関係における脱植民地化の「代行」」, 筑波大学博士(国際政治経済学)学位請求論文, 2011年度.
横手慎二,「スターリンの日本人送還政策と日本の冷戦への道(1)・(2)・(3)」,『法学研究』第82巻 第9・10・11号, 2009.9・10・11.
吉岡潤,「ポーランド共産政権支配確立過程におけるウクライナ人問題」,『スラ ヴ研究』48号, 2001.
吉澤文寿,『戦後日韓関係－国交正常化交渉をめぐって』, 新装新版, クレイン, 2015年.
ランコフアンドレイ,『スターリンから金日成へ－北朝鮮国家の形成 1945-1960年』,下斗米伸夫・石井知章 訳, 法政大学出版局, 2011.

李海燕,『戦後の「満州」と朝鮮人社会－越境・周縁・アイデンティティ』, 御茶の水書房, 2009.
______,「中華人民共和国の建国と「中国朝鮮族」の創出」, 2013, 蘭 編著[2013].
劉傑・川島真 編,『1945 年の歴史認識—〈終戦〉をめぐる日中対話の試み』, 東京大学出版会, 2009.
ロウ キース,『蛮行のヨーロッパ—第二次世界大戦直後の暴力』, 猪狩弘美・望龍彦 訳, 白水社, 2018.
鹿錫俊,「戦後国民政府による日本人技術者『留用』の一考察」, 斉藤道彦 編著,『日中関係史の諸問題』, 中央大学出版会, 2009.
若槻泰雄,『新版 職後引揚げの記録』, 時事通信社, 1995(旧版 1991年).
______,『シベリア捕虜収容所—ソ連と日本人』, 明石書店, 1999.
______,『外務省が消した日本人－南米移民の半世紀』, 日新聞社, 2001.
脇村孝平,「モーリシャスの脱植民地化とインド系移民」, 北川勝彦 編著,『イギリス帝国と20世紀4 脱植民地化とイギリス帝国』, ミネルヴァ書房, 2009.
ワット ローリー,「「東北導報」—敗戦後の満州における日本人の世界」,『東アジア近代史』第6号, 2003.3.

中文

袁穎生,『光復前後的台湾経済』, 経出版, 1998.
王永祥,『雅爾達密約与中蘇日蘇関係』, 東大図書公司, 2003.
欧素瑛,「戦後初期在台日人之遣返与留用—兼論台湾高等教育的復員」,『台湾文献』第61巻 第3号, 2010.9.
王真,「中蘇戦略同盟与旅大」,『中共党史資料』, 2003年第2期, 2003.6.
注朝光,「戦後旅大接収問題研究」, 中国中俄関係史研究会 編,『中俄関係的歴史与現実』, 河南大学出版社, 2004.
______,『和与戦的快択－戦后国民党的東北決策』, 中国人民大学出版社, 2016.
許育銘,「戦後留台日僑的歴史軌跡－関於渋谷事件及二二八事件中日橋的際遇」,『東華人文学報』第7号, 2005.7.
張玉法,『従接収到淪陥－戦後平津地区接収工作之検討』, 東大図書公司, 1997.
張志坤・関業新,『葫蘆島日僑遣返的調査与研究』, 社会科学文献出版社, 2010.
陳純瑩,「光復初期台湾警政的接收重健 - 以行政長官公署時期為中心的検討」, 頼澤涵主 編,『台湾光復初期歴史』, 中央研究院中山人文社会科学研究所, 1993.
陳幼鮭,「戦後日軍日彦在台行跳的考察」上・下・附録『台湾史料研究』第14・15・16号, 1999.12・2002.6・12.

陳立文・尚世昌,「從東北接収検討戦時国府対接収東北之規画与部署―以党務組織与工作発展為例」,
『東北文献』第31巻 第1・2期, 2000.12.
鄭梓,『戦後台湾的接収与重建―台湾現代史研究論集』, 新化図書, 1994.
湯熙勇,「台湾光復初期的公教人員任用方法:留用台籍,羅致外省籍及徵用日本人」,『人文及社会科学集刊』第4巻 第1期, 1991.11.
______,「戦後初期台湾中小学教師的任用与培訓」,『人文及社会科学集刊』第8巻第1期, 1996.11.
巴図,『国民党接収日偽財産』群衆出版社, 2001.
卞鳳奎,『日治時期臺灣籍民在海外活動之研究(1895-1945)』, 樂學書局, 2006.
熊式輝,『海楽集 熊式輝回憶録』, 明鏡出版社, 2008.
劉鳳翰,『日軍在台灣――八九五年至一九四五年的軍事措施与主要活動(下)』, 国史館, 1997.

欧文

Akçam Taner, *The Young Turks' Crime Against Humanity : The Armenian Genocide and Ethnic Cleansing in the Ottoman Empire*, Princeton University Press, 2012.
Brubaker Rogers, *Nationalism Reframed : Nationhood and the National Questions in the New Europe*, Cambridge University Press, 1996.
Fremgacci Jean, Daniel Lefeuvre et Marc Michel ed., *Démontage d'empires*, Riveneuve, 2012.
Genocide and Resistance Research Center of Lithuania, *The Museum of Genocide Victims: a Guide to the Exhibitions*.
Glantz David M., *The Soviet Strategic Offensive in Manchuria, 1945 : 'August Storm'*. Routledge, 2003.
Gottschalk Elin Toona, *Into Exile : a life story of war and peace*, Lakeshore Press, 2013.
Hyam Ronald, *Britain's Declining Empire : The Road to Decolonisation, 1918-1968*. Cambridge University Press, 2007.
Kumins Valdis, *Catalogue-guidebook of the Latvian Military Museum exposition 'Latvia in World War II'*, Latvijas Kara Muzejs, 2005.
Laar Mart, *Estonia in World War II*, Grenader, amended edition 2007.
________, *The Forgotten War : Armed Resistance Movement in Estonia in 1944-1956*, Grenader, amended edition 2007.
Lucchetti Nicholas, *Italiani d'Eritrea. 1941-1951 una storia politica*, Aracne, 2012.
________________, ≪Pace coloniale≫ addio. Violenza e lotta politica in Eritrea (1941-1952), Aracne, 2014.
Mekaite Rima, *War After War : The armed anti-Soviet Resistance in Lithuania in 1944-1953*. The Geno-

cide and Resistance Research Center of Lithuania.

Morone Antonio M., L'ultima colonia. *Come l'Italia è tornata in Africa 1950-1960*. Laterza, 2011.

Naimark Norman M., *The Russians in Germany: A History of the Soviet Zone of Occupation, 1945-1949*, The Belknap Press of Harvard University Press, 1995.

Nollendorfs Valters (Editor), *Museum of Occupation of Latvia 1940-1991*, Latvijas Okupa cijas muzeja biedriba, forth printing 2012.

Ther Philipp Ana Siljak Edited, *Redrawing Nations: Ethnic Cleansing In East-Central Europe, 1944-1948*, Rowman & Littlefield Publishers, 2001.

Watt Lori, *When Empire Comes Home : Repatriation and Reintegration in Postwar Japan*, Harvard University Asia Center, 2009.

________, The "Disposition of Japanese Civilians" : American Wartime Planning for the Colonial Japanese, *Diplomatic History*, Vol. 41, Issue 2, April 2017.

Wedemeyer Albert C., *WEDEMEYER REPORTS!*, The Devin-Adair Company, 1958.

露文

Бойко Василий Романович, Большой Хинган-Порт-Артур, М. : Воениздат, 1990.

(보이코 바실리 로마노비치, 「대싱안링 산맥 - 포르트-아르투르(뤼순)」, 『모스크바 - 보옌이즈다트』, 1990.)

Ужон Хюн Су(Jeon Hyun Soo), Социально-экономические преобразования в Северной Корее в первые годы после освобождения (1945—1948 гг), диссертации на соискание ученой степени кандидата исторических наук(学位論文), 1997.

(전현수, 「해방 직후 북한의 사회경제적 변화(1945-1948)」, 역사학논문, 1997.)

찾아보기

기타

ㄱ

ㄷ

ㄹ

ㅁ

ㅇ

ㅊ

ㅋ

ㅌ

ㅍ

ㅎ

옮긴이 소개

김경옥 金慶玉, Kim Kyung-ok
일본 도쿄대학(東京大學) 총합문화연구과 지역문화연구(일본사) 전공, 학술박사. 도쿄대학대학원 한국학연구센터 Research Assistant, 게이오의숙대학 시간강사를 거쳐, 현재 한림대학 일본학연구소 HK연구교수, 서울여자대학교에서 일본사와 일본문화사를 가르치고 있다. 주요 저서로는 『내파하는 국민국가, 횡단하는 동아시아』(공저, 2022), 『알면 다르게 보이는 일본문화』(공저, 2021), 『제국과 포스트제국을 넘어서』(공저, 2020), 『한일화해를 위해 애쓴 일본인들)』(공저, 2020), 『계간삼천리 해제집』 3(공저, 2019) 등이 있다.

김남은 金男恩, Kim Nam-eun
고려대학교 일본지역학 전공. 문학박사. 일본 리쓰메이칸대학 인문과학연구소 객원연구원, 고려대학교 BK플러스 중일언어문화교육연구사업단 BK연구교수, 국방대학교 연구교수, 고려대학교 글로벌일본연구원 연구원을 거쳐 현재 한림대학교 일본학연구소 HK연구교수로 재직 중이다. 주요 저서로는 『한반도 평화에 대한 일본의 대한국 협력방안』(공저, 2021), 『조약으로 본 일본근대사 1－청일전쟁으로 가는 길』(공역, 2021), 『한일관계의 긴장과 화해』(공저, 2019), 『중국은 우리에게 무엇인가』(공저, 2017) 등이 있다.

김현아 金炫我, Kim Hyun-ah
일본 쓰쿠바대학 인문사회과학연구과 역사학(일본사) 전공. 문학박사. 일본학술진흥회 특별연구원을 거쳐 현재 한림대학교 일본학연구소 HK연구교수로 재직 중이다. 주요 저서로는 『제국의 유제』(공저, 2022), 『내파하는 국민국가, 가교하는 동아시아』(공저, 2022), 『제국과 국민국가』(공저, 2021), 『제국과 포스트제국을 넘어서』(공저, 2020), 『패전의 기억』(공역, 2022) 등이 있다

김혜숙 金惠淑, Kim Hye-suk
한양대학교 국제학대학원 박사과정 졸업. 국제학박사(일본학). 한양대학교 고령사회연구원 비상근 연구원을 했고, 한국방송통신대학교 일본학과 시간강사를 하고 있다. 현재 한림대학교 일본학연구소 HK연구교수로 재직 중이다. 주요 저서로는 『소멸 위기의 지방도시는 어떻게 명품도시가 되었나?』(공저, 2022), 『죽음과 장례의 의미를 묻는다』(공역, 2019), 『한일관계의 긴장과 화해』(공저, 2019), 『일본의 평화주의를 묻는다－전범재판, 헌법 9조, 동아시아 연대』(공역, 2012), 『일본의 민주주의』(공저, 2007) 등이 있다.

박신영 朴信映, Park Shin-young
경희대학교 대학원 동양어문학과 박사과정 졸업. 문학박사. 경희대학교 일본어학과와 유원대학교 교양융합학부 시간강사를 거쳐, 현재 한림대학교 일본학연구소 HK연구교수로 재직 중이다. 주요 연구로는 「일본 애니메이션의 신화적 모티프를 활용한 심층문화 교육 자료로서의 가능성 고찰」(2022), 「일본 애니메이션 〈천공의 성 라퓨타〉의 수직적 공간성에 나타난 제국주의 표상 연구」(2021), 「애니메이션 〈너의 이름은〉 속에 숨겨진 신화와 그 변용」(2021) 등이 있다.

서정완 徐禎完, Suh Johng-wan
쓰쿠바대학(筑波大學)에서 일본 중세문학 전공으로 박사 학위 취득(1992). 도호쿠대학(東北大學)에서

일본근대사 전공으로 박사 학위 취득(2020). 문학과 역사가 교차하는 영역을 노(能楽, Noh)를 중심으로 연구하며, 노의 변천사와 변천사로서 국민국가와 전통과 고전이라는 문제가 문화권력으로서 작동하는 동태가 주요 관심사. 한림대학교 교수. 일본학연구소 소장을 2007년부터 맡고 있으며, 호세이대학(法政大學), 쓰쿠바대학, 릿교대학(立教大學), 국제일본문화연구센터(国際日本文化研究センター) 객원교수 역임. 근래의 주요 논문으로는 「植民地台湾謡曲界の研究－その胎動と展開」(『日本言語文化』, 2021), 「近代日本と能楽－近代の到来と秩序の再編」(『日本言語文化』, 2020), 「帝國日本の能の展開と連鎖－[日本精神の國粹]とその擔い手」(『歴史』, 2017), 『植民地朝鮮と京城謡曲界－1910年代の能・謡の実態とその位相』(『비교일본학』, 2016) 등이 있으며, 주요 저작으로는 能楽研究叢書6『近代日本と能楽』(공저, 일본 法政大學能楽研究所, 2017), 『일본식민지연구의 논점』(일본식민지연구회편 공역, 2020) 등이 있다.

송석원 宋錫源, Song Seok-won

교토(京都)대학 법학박사(정치학전공). 일본정치 전공. 일본학술진흥회 특별연구원, 교토대학 법학부 조수, 오타니(大谷)여자대학(현 오사카오타니대학)・교토다치바나(京都橘)여자대학(현 교토다치바나대학)・하나조노(花園)대학 등의 강사를 거쳐 현재 경희대학교 정치외교학과 교수로 재직 중이며, 2020~2021년 재외한인학회 회장을 역임했다. 주요 논문으로는 "The Japanese Imperial Mentality : Cultural Imperialism as Colonial Control-Chosun as Exemplar"(2018), 「사쿠마 쇼잔(佐久間象山)의 해방론(海防論)과 대 서양관－막말에 있어서의 〈양이를 위한 개국〉의 정치사상」(2003) 등이 있고, 주요 저서로는 『다문화 공생시대의 경제사회』(공저, 2022), 『제국과 포스트제국을 넘어서』(공저, 2020), 『문화권력－제국과 포스트제국의 연속과 비연속』(공저, 2019), 『한일관계의 긴장과 화해』(공저, 2019), 『제국일본의 문화권력 3－학지・문화매체・공연예술』(공저, 2017), *The Olympic Games : Asia Rising-London 2012 and Tokyo 2020*(공저, 2017), 『동아시아 이주민 사회와 문화 적응』(공저, 2017), 『제국일본의 문화권력 2－정책, 사상, 대중문화』(공저, 2014), 『근대 동아시아의 아포리아』(공저, 2014), 『제국일본의 문화권력』(공저, 2011) 등이 있다.

전성곤 全成坤, Jun Sung-kon

일본 오사카대학(大阪大学) 문화형태론(일본학)전공. 문학박사. 오사카대학 외국인초빙연구원, 고려대학교 일본연구소 HK연구교수, 중국 북경외국어대학 일본학연구센터 객원교수, 중국 북화대학 동아역사연구원 외국인 교수, 필리핀 일로일로시 Green international technical college에서 어학연수, 현재 한림대학교 일본학연구소 HK교수로 재직 중이다. 주요 저서로는 『내파하는 국민국가, 횡단하는 동아시아』(공저, 2022), 『Doing 자이니치』(단독, 2021), 『일본 탈국가론』(공저, 2018), 『제국에의 길(원리・천황・전쟁)』(공저, 2015), 『내적 오리엔탈리즘 그 비판적 검토』(단독, 2012), 『국민국가의 지식장과 문화정치학』(공역, 2015) 등이 있다.